LE SECRET MESSIANIQUE
DANS L'ÉVANGILE DE MARC

LECTIO DIVINA

47

G. MINETTE DE TILLESSE

LE SECRET MESSIANIQUE
DANS
L'EVANGILE DE MARC

LES ÉDITIONS DU CERF
29, boulevard Latour-Maubourg
PARIS - VIIè
1968

Nihil obstat

Prof. Dr. R. SCHNACKENBURG
Würzburg, 6 septembre 1967

Nihil obstat

Père Dominique DU LIGONDES
Sept-Fons, 21 août 1967

Imprimi potest

Rév. Père Ignace GILLET
Abbé Général
Cîteaux, 16 septembre 1967

Imprimatur

Monseigneur F. TOUSSAINT,
Vicaire général
Namur, 24 août 1967

Au Professeur Docteur
Rudolf SCHNACKENBURG,
témoignage d'admiration
et de reconnaissance.

SOMMAIRE

INTRODUCTION

a) L'exégèse avant WREDE.

1. Avant le XIXe siècle, personne n'aurait eu l'idée d'étudier
« scientifiquement » les évangiles. On les considérait uniquement
sous l'angle de la foi. Le croyant les tenait pour révélation
divine irrécusable. Il y trouvait la vie et la doctrine de l'Hom-
me-Dieu et prétendait même y lire tout ce que la théologie chrétienne postérieure avait élaboré. Les évangiles étaient pour lui
la source et la somme de toute la religion. Nul parmi les chrétiens n'eût osé discuter la valeur de leur enseignement. Vouloir
même définir trop rigoureusement l'apport personnel de chaque
évangéliste eût semblé blasphématoire : dès lors que Dieu en
était l'auteur, à quoi bon rechercher de quel calame il s'était
servi ?

L'incroyant se situait au fond sur le même terrain que le
croyant. Il considérait lui aussi les évangiles comme les livres
saints des chrétiens et c'est à ce titre qu'il les rejetait. Pas plus
que le croyant, il n'eût songé à les étudier comme de simples
documents d'histoire.

Cette attitude acritique allait de soi à une époque où la société
et les institutions étaient chrétiennes, où la foi était elle-même
quasi-institutionnelle. La religion s'imposait presque de force :
malheur au téméraire qui eût osé mettre en doute son autorité !

---

1. Pour ce paragraphe, nous nous contentons de renvoyer à quelques
ouvrages généraux : A. SCHWEITZER : *Geschichte der Leben-Jesu-Forschung*,
Tübingen ^{6}1951 ; X. LÉON-DUFOUR : *Les évangiles et l'histoire de Jésus*,
Paris, 1963 ; l'article de X. LÉON-DUFOUR dans l'*Introduction à la Bible* de
A. ROBERT & A. FEUILLET, Tournai, t. II (1959), p. 145-152 ; S. NEILL : *The
Interpretation of the New Testament 1861-1961*, London, 1964. On y trou-
vera une plus ample documentation.

La principale faiblesse de ce système était son caractère monolithique, qui en faisait un bloc rigide, incapable de se renouveler vraiment et de s'adapter aux problèmes nouveaux posés par l'évangélisation de tout l'univers et les progrès de la culture.

2. Le rationalisme nous a rendu le service de secouer ce système tout fait et de le passer au crible de la critique. Il a permis le discernement entre les valeurs fondamentales de l'Évangile et leurs expressions contingentes. L'Évangile en est sorti grandi ; l'Église y a puisé une sève puissante de renouvellement. Parcourons rapidement les étapes de cette recherche critique pour situer notre travail.

Le siècle des lumières s'en prend aux miracles et à tout le surnaturel en général. Il rejette la tradition, la foi et la révélation, et proclame le pouvoir souverain de la raison. Ce courant philosophique, irrésistible comme un raz de marée, atteint le domaine de l'exégèse avec un certain retard [1] mais avec non moins de puissance. Ce n'est qu'au début du XIXᵉ que l'exégèse rationaliste se donne libre carrière. Elle ridiculise les faits surnaturels rapportés par les évangiles et prétend les expliquer naturellement : fables, hallucinations, mirages, etc. C'est l'âge d'or des « Vie de Jésus ». On considère le Christ comme un Messie politique dont les rêves ont échoué et qui a péri lamentablement. Les apôtres sont des faussaires qui ont créé de toutes pièces les évangiles et le christianisme pour camoufler leur échec (Reimarus).

Vers 1850, l'École de Tubingue lance le dernier assaut du philosophisme. Elle reprend la théorie hégélienne de la thèse, antithèse et synthèse, et l'applique aux évangiles : Luc est la thèse paulinienne, Matthieu l'antithèse judaïsante, et Marc la synthèse catholique. Ce dernier est donc le plus tardif. D'ailleurs les trois synoptiques sont datés de la fin du IIᵉ siècle (vers 150-180 ap. J.-C.). Mais la critique apprend que cette voie est sans issue : on ne peut pas prendre pour point de départ un présupposé philosophique ; force est de partir de l'étude critique des textes étudiés en eux-mêmes.

---

1. Il en sera toujours ainsi : les exégètes ne sont pas des philosophes de métier ; mais ils vivent dans l'atmosphère philosophique en laquelle baigne leur époque.

Plusieurs années auparavant déjà, un jeune homme de 27 ans s'était engagé dans cette nouvelle direction. D. F. Strauss publiait en 1835 une « Vie de Jésus » [1] qui a marqué une étape décisive dans la critique des évangiles synoptiques et influence encore aujourd'hui des savants comme R. Bultmann. Pour la première fois, une distinction nette est établie entre les événements « historiques » et la « légende » que l'Église primitive a progressivement formée autour de Jésus. Pour retrouver le Jésus « historique », il faut le dégager de tout ce halo « mythique » qui a auréolé le visage du Sauveur (« démythiser »). Et Strauss essaye gauchement la première critique textuelle des synoptiques pour débarrasser l'élément primitif des surcharges postérieures.

L'élan est donné. On s'efforce dès lors de retrouver les sources de nos évangiles. Trois ans après la « Vie de Jésus », deux savants allemands, C. H. Weisse [2] et C. G. Wilke [3] arrivent simultanément et indépendamment à une conclusion identique : à la base de notre tradition synoptique, il y a deux documents (ou *deux sources*), Marc et une collection de sentences (Logia) [4]. Ce sont les matériaux les plus primitifs que nous possédions concernant l'« histoire » de Jésus.

La nouvelle théorie est neutralisée pendant vingt-cinq ans par l'École de Tubingue mais, dès 1863, H. J. Holtzmann la reprend brillamment et elle s'impose dès lors définitivement à tous les critiques indépendants. On peut dire qu'elle satisfait les chercheurs jusqu'au tournant du siècle. Ils sont convaincus de tenir enfin en Marc un témoin naïf et quasi-immédiat du Jésus « historique ». Nul n'ignore, sans doute, que, chez Marc aussi, maint trait théologique (épiphanies, miracles, etc) défigure déjà le visage « historique » de Jésus. Mais on cultive l'espoir qu'un sain bon sens suffira à dégager le « noyau historique » de toutes ces additions dogmatiques superfétatoires.

---

1. David Friedrich STRAUSS : *Das Leben Jesu kritisch bearbeitet*, 2 vol. Tübingen 1835.
2. *Die evangelische Geschichte kritisch und philosophisch bearbeitet*, 1839.
3. *Der Urevangelist*, 1838.
4. En gros, ils font dériver de Marc tout ce qui se trouve dans les trois synoptiques (triple tradition), et de Q (source des Logia, Quelle en allemand) tout ce que Matthieu et Luc ont en commun en dehors de Marc (double tradition).

b) William WREDE.

1. C'est alors - hélas ! - que W. Wrede renverse d'une seule poussée toute cette construction péniblement édifiée et pose le fondement d'une exégèse nouvelle. Un livre à grand retentissement, paru en 1901 [1], affirme en effet que Marc n'est pas le naïf interprète de Pierre que l'on s'imaginait, mais un théologien développant systématiquement une thèse préfabriquée. Le voile de secret dont s'enveloppe Jésus n'est qu'un subterfuge. L'Église primitive s'efforce de colmater ainsi l'écart existant entre sa foi pascale et le Jésus « historique ». Jésus n'a (évidemment !) jamais eu conscience d'être le Messie. Il n'en a « donc » jamais parlé. Pour expliquer ce désaccord entre les souvenirs de la vie « réelle » de Jésus et le culte du Seigneur ressuscité, l'Église primitive a inventé le secret messianique : si Jésus n'a jamais parlé de sa dignité messianique au cours de son ministère, c'est qu'il voulait en différer la divulgation jusqu'à sa résurrection (voir Mc IX, 9 !).

La thèse de Wrede souleva une tempête. On cria au scandale. Mais le coup avait porté. Sa valeur résidait dans la distinction claire établie entre l'activité historique de Jésus et la foi de l'Église. Le « secret messianique » n'est qu'un schéma théologique servant de cadre à tout l'évangile de Marc. Wrede croit avoir trouvé le point précis où la foi (le « mythe ») se superpose à l'« histoire ». Il suffit, somme toute, d'enlever ce cadre artificiel et dogmatique pour retrouver le Jésus authentique [2].

Le livre fracassant de Wrede a donné véritablement corps au « secret messianique » en saint Marc. Le premier, il a montré l'importance hors de pair de ce thème pour la compréhension de cet évangile. Seul il peut rendre compte de l'intention cachée et de la perspective vraie de l'auteur sacré.

Jusque là, on s'était contenté d'expliquer chaque cas en particulier, invoquant tantôt le souci pédagogique de Jésus ne révélant que progressivement le mystère de sa personne, tantôt sa volonté de distinguer nettement sa mission de salut des spéculations messianiques contemporaines, tantôt encore sa crainte de se compromettre devant les autorités romaines, etc.

---

1. *Das Messiasgeheimnis in den Evangelien, zugleich ein Beitrag zum Verständnis des Markusevangeliums*, Göttingen 1901, [2]1913, [3]1963.
2. C'est ce que fera, une vingtaine d'années plus tard, l'école de la critique des formes (*Formgeschichte*).

A toutes ces explications partielles Wrede objecte qu'aucune d'entre elles ne répond à l'*ensemble* du problème. Chacune explique, avec plus ou moins de vraisemblance, tel ou tel cas particulier, mais aucune ne réussit à expliquer de façon claire et satisfaisante *tous* les passages de Marc. Ainsi, on prétend que Jésus impose le silence aux démons, aux miraculés et même à ses disciples pour éviter une interprétation politique de sa messianité. Mais comment peut-on expliquer alors qu'il laisse l'aveugle de Jéricho crier ce même titre messianique à tous ceux qui veulent l'entendre, sans que Jésus s'en mette le moins du monde en peine (Mc X, 47-52) ? Pis encore, comment peut-on justifier qu'il provoque lui-même, avec préméditation, l'enthousiasme messianique populaire lors de son entrée à Jérusalem (XI, 1-10) ?

Wrede, le premier, donne une vue d'ensemble de tout le thème du secret messianique, avec ses multiples implications et incidences, et montre qu'il relève d'une intention unique de l'évangéliste. Il importe donc de trouver, non pas dix solutions particulières pour expliquer chaque cas, mais la solution unique qui fait justice de tous les cas particuliers [1].

Aux yeux de Wrede, une seule solution - la sienne, évidemment ! - explique adéquatement tous les passages de Marc. Pour la percevoir, il importe en tout premier lieu de poser correctement la question. Il ne faut pas se demander pourquoi *Jésus* a volontairement caché sa dignité messianique, mais pourquoi *Marc* a présenté ainsi les choses. En d'autres mots, il ne faut pas d'emblée se placer sur le terrain *historique*, mais sonder d'abord le champ *littéraire*.

La première tâche est de situer l'évangile de Marc dans le développement de la tradition primitive. D'après Wrede, le christianisme des origines fondait le messianisme de Jésus sur la résurrection (Act II, 32-36 ; Rom I, 4 ; etc). Mais la réflexion chrétienne ultérieure a projeté la lumière de Pâques sur toute la carrière terrestre de Jésus [2]. Marc se situe à l'orée de cette nou-

---

1. É. Trocmé - *La formation de l'évangile selon Marc*, Paris, 1963, p. 99, note 97 et p. 123, note 63 - par souci de réaction contre Wrede, voudrait en revenir à une exégèse non cohérente des différents cas. Voir plus loin.
2. Il est d'ailleurs exact que les évangélistes ont relu les épisodes de la vie de Jésus à la lumière de Pâques (Jean II, 22 ; XII, 16 ; XIII, 7 ; XIV, 26 ; XVI, 13-15 ; cf Wrede, o.c. 183s). E. Percy : *Die Botschaft Jesu*, Lund 1953, p. 292s, explique dans le même sens Lc IX, 45. Ce verset lucanien

velle zone théologique. Il s'efforce de concilier la foi nouvelle
de l'Église avec le fait (« historique ») évident que Jésus n'a
jamais parlé de sa dignité messianique au cours de son ministère
terrestre. L'explication de Marc est très simple, presque enfantine : Jésus a volontairement imposé silence sur ce sujet jusqu'
après sa résurrection [1]. Une telle solution n'est évidemment
qu'une supercherie. Là d'ailleurs s'arrête l'astuce de Marc. Il
s'est contenté de souligner le fait que Jésus interdisait de parler
de sa dignité messianique mais il n'en a jamais donné la
raison [2].

> D'après Wrede, ce n'est pas Marc qui a « inventé » ce stratagème
> du secret. Son évangile présente trop de contradictions à ce sujet.
> C'est toute la tradition primitive qui, pressée par la nécessité de
> concilier la foi pascale de l'Église avec les souvenirs du ministère
> « historique » de Jésus, a évolué en ce sens [3]. Mais n'est-ce pas
> confesser que, *au niveau de Marc*, la thèse de Wrede n'est pas adé-
> quate, puisqu'il est obligé de reconnaître chez ce dernier un grand
> nombre de contradictions et d'incohérences ?

2. Que penser de la thèse de Wrede ? E. Sjöberg [4] en a sans
doute donné le jugement le plus net. Wrede a établi très justement la nécessité de rechercher d'abord l'intention *littéraire* de
l'auteur avant de s'aventurer sur le terrain *historique*. Mais, en
pratique, au lieu de chercher à circonscrire exactement l'intention
littéraire de Marc, il se contente d'établir le *fait* que l'évangéliste
a une intention théologique. Cela lui suffit pour affirmer que
son « secret » n'est *donc* pas historique. C'est une inférence pré-
maturée du plan littéraire au plan historique. Il eût fallu d'abord
étudier quelle était cette intention théologique de Marc et analyser ses méthodes.

Ce simplisme était presque fatal au début du siècle. A cette
époque, l'exégèse indépendante distinguait exagérément entre le
« dogme » et l'« histoire ». Les deux concepts s'excluaient mu-

---

interprète Mc IX, 32 : « ils ne comprirent pas sa parole », en ajoutant « et
cette parole demeurait voilée pour eux en sorte qu'ils ne pouvaient la
saisir ». Le voile est levé lors de la résurrection (comp. Jean XII, 16).
   1. Cf Mc IX, 9. WREDE a fondé sur ce texte toute son interprétation du
secret messianique : « Dies ist in der That der entschiedene Gedanke, die
Pointe der ganze Auffassung des Markus » (p. 67).
   2. WREDE : *Messiasgeheimnis*, ³1963, p. 35, 43sv, etc.
   3. o.c. p. 145sv.
   4. *Der verborgene Menschensohn in den Evangelien*, Lund, 1955, p. 113sv.

tuellement. Le « dogme », c'était le « mythe » (Strauss) substitué à l'« histoire ». Il fallait donc l'éliminer pour retrouver l'« histoire ». Pour Wrede et ses contemporains, le seul fait d'avoir établi le caractère « dogmatique » du secret revenait à avoir prouvé sa valeur non-historique. C'était au fond le seul objectif vrai de Wrede. Rechercher de façon plus précise la signification théologique que Marc donnait à son « secret » ne l'intéressait vraiment plus. Il lui suffisait de montrer que ce « secret » n'était pas « historique » et *donc* (sic !) que Jésus n'avait jamais eu conscience d'être le Messie [1].

C'était aller un peu vite en besogne. Le développement ultérieur des études bibliques a montré qu'il y a encore plusieurs étapes intermédiaires : D'abord étudier en détail l'intention de Marc ainsi que ses procédés de composition. Ensuite remonter à la forme sous-jacente et la comparer avec d'autres témoins de la tradition primitive. Et, lorsqu'on en est arrivé là, on ne peut encore se risquer sans précaution sur le terrain « historique » [2].

Un des signes de l'insuffisance de la solution proposée par Wrede est l'obligation où il se trouve d'éliminer quatre textes fort importants, à savoir : Mc VIII, 27-29, la confession de Pierre, à laquelle il dénie longuement et de façon peu convaincante son caractère désisif dans l'économie du secret messianique [3] ; puis Mc X, 46-52 ; XI, 1-11 et XIV, 62, qu'il attribue à d'autres traditions opposées à la thèse du secret... Autant dire que l'explication de Wrede ne rend pas justice de *tous* les textes de Marc !

Le jour qui vit paraître l'ouvrage de W. Wrede salua aussi un livre publié exactement sur le même sujet par Albert Schweitzer [4]. Les conclusions de ce dernier ressemblent à celles de Wrede, à ceci près, qu'il attribue à Jésus ce que Wrede donne à Marc. L'annonce de Jésus était futuriste : il n'était que Messie désigné ; sa véritable intronisation messianique n'aurait lieu qu'après sa résurrection. C'est pour cela qu'il ne voulait pas qu'on en parlât avant cet accomplissement (Mc IX, 9). L'explication de Schweitzer, cohérente avec son

---

1. Voir son Vorwort, p. V.

2. Voir, par exemple : J. M. Robinson : *Le kérygme de l'Église et le Jésus de l'histoire*, Genève, 1961 ; X. Léon-Dufour : *Les évangiles et l'histoire de Jésus*, Paris, 1963 ; B. Rigaux : *Témoignage de l'évangile de Marc*, Bruges, 1965.

3. Voir plus loin, p. 20, note 2.

4. *Das Messianitäts- und Leidensgeheimnis*, Tübingen, 1901, ³1956.

eschatologie futuriste, ne s'est jamais imposée, parce qu'elle était fondée sur un système et sur des considérations d'ordre psychologique, plutôt que sur une analyse rigoureuse des textes [1].

c) Explications apologétiques [2].

1. Après Wrede, plusieurs critiques, convaincus par lui du caractère adventice du « secret messianique », mais insatisfaits de sa réponse, font appel à une intention apologétique de l'Église primitive : elle a voulu justifier ainsi l'échec historique de Jésus. C'est en raison du silence imposé par lui qu'il n'a pas été reconnu comme Messie durant son existence terrestre. Il ne faut d'ailleurs pas aller au-delà, car Marc n'explique pas cette attitude bizarre de Jésus [3].

Cette hypothèse timide est apparentée à celle de Wrede, on le voit. Elle suppose, elle aussi, une supercherie des premiers chrétiens, projetant dans la vie de Jésus ce qu'ils auraient voulu y voir. Cette façon de comprendre le secret messianique provient, chez ces critiques comme chez Wrede, du même besoin rationaliste (déiste) : ils sont persuadés que Jésus a été un homme comme tout le monde et que le halo flottant autour de lui est un merveilleux légendaire.

> R. Bultmann tient encore une position analogue, lorsqu'il affirme que la majeure partie de la tradition présynoptique est une création de la communauté primitive [4]. Il y a évidemment une âme de vérité dans cette affirmation massive ; mais elle requerrait une analyse délicate.

L'interprétation apologétique se heurte aux mêmes difficultés que rencontra Wrede et pour les mêmes raisons. L'entrée messianique de Jésus à Jérusalem (Mc XI, 1-11) et la confession de

---

1. Voir critique de SCHWEITZER dans E. HAENCHEN : *Der Weg Jesu*, Berlin, 1966, p. 306sv.
2. Pour ce paragraphe, voir E. PERCY : *Die Botschaft Jesu*, Lund, 1953, p. 280sv.
3. Ainsi J. WEISS : *Das älteste Evangelium*, Göttingen, 1903, p. 58 ; W. BOUSSET : *Kyrios Christos* (FRLANT 21) Göttingen, ²1921, p. 65sv ; M. DIBELIUS : *Die Formgeschichte des Evangeliums*, Tübingen, ⁴1961, p. 231sv ; R. H. LIGHTFOOT : *History and Interpretation in the Gospels*, London, 1935, p. 64, 74 ; F. C. GRANT : *The Earliest Gospel*, New York, 1943, p. 161sv, 174, 254sv.
4. *Die Geschichte der synoptischen Tradition*, ⁴1958, passim.

Jésus devant Pilate (Mc XIV, 61-62), la contredisent ouvertement. Ses protagonistes sont contraints, comme Wrede, de les mettre au compte d'autres traditions complaisantes. Ce qui est un aveu de l'insuffisance de la thèse préconisée. D'ailleurs l'emphase de Marc à affirmer que le secret était irrésistiblement débordé par le raz de marée de la réputation grandissante de Jésus ne s'accorde guère mieux avec leur théorie [1].

2. Fort proche de cette interprétation apologétique nous paraît être l'explication très récente proposée par E. Haenchen [2]. La communauté chrétienne ne comprenait déjà plus que Jésus s'était comporté sur terre comme un homme (Cf. Phil II, 7). Elle projetait spontanément la gloire du Ressuscité dans le cours de la vie terrestre de Jésus et Marc en fait autant (récits de miracles). Mais alors il n'est plus possible d'expliquer pourquoi les foules n'ont pas reconnu sa gloire de Fils de Dieu. Cela ne peut être qu'une volonté arrêtée de Jésus, d'après Marc. D'où la thèse du secret. E. Haenchen avertit son lecteur qu'il ne faut d'ailleurs pas chercher une cohérence trop grande dans la façon dont Marc développe ces deux aspects : la thèse du secret n'est qu'un « compromis » [3]. Mais de là naît précisément, chez le lecteur d'E. Haenchen, un malaise : n'est-ce pas avouer que sa solution ne rend pas entièrement justice à l'évangile de Marc ?

3. Peut-être est-il permis de ranger également ici la solution très nuancée de T. A. Burkill [4]. Selon lui, Marc veut expliquer le rejet du Christ par le peuple juif. Il ne s'agit pas d'un échec de Jésus, mais - et ici T. A. Burkill va beaucoup plus loin qu'E. Haenchen - d'une intention divine, à laquelle Jésus se conforme volontairement en imposant silence au sujet de sa dignité messianique.

---

1. Voir, par exemple, Mc I, 44sv ; VII, 36.
2. *Der Weg Jesu. Eine Erklärung des Markus-Evangelium und der kanonischen Parallelen*, Berlin, 1966, surtout p. 132-135. Nous devons à la grande obligeance de l'auteur d'avoir pu consulter ce passage avant même que l'ouvrage soit sorti de presse.
3. E. HAENCHEN : *Der Weg Jesu*, 1966, p. 134.
4. « St. Mark's Philosophy of History » dans *New Testament Studies*, III, 1956-1957, p. 142-148 ; fortement développé dans son livre : *Mysterious Revelation. An Examination of the Philosophy of St. Mark's Gospel*, Ithaca, 1963. - Sur l'ordre suivi par cet aperçu bibliographique, voir plus loin, p. 27, note 4.

Néanmoins, Marc n'est pas conséquent avec lui-même car, à ses yeux, la gloire du Fils de Dieu transparaît déjà tout au long de la vie terrestre de Jésus. C'est ainsi qu'un autre aspect, glorieux celui-là, vient interférer - parfois malheureusement - avec la thèse du secret, soumettant cette dernière à une tension insoutenable. C'est le cas tout particulièrement de X, 46-52 ; XI, 1-11 ; XII, 1-12 ; XIII, 26 ; XIV, 3-8 et surtout XIV, 62, où Jésus affirme publiquement être le Messie [1].

Burkill explique - ou n'explique pas - ce manque de logique de l'évangéliste en parlant de « bipolarité ». L'œuvre de Marc est écartelée [2] entre deux tendances théologiques : la volonté de montrer la gloire du Christ ressuscité déjà présente au cours de son ministère terrestre [3] ; et, d'autre part, l'affirmation de la nécessité pour le Christ de souffrir. Entre ces deux pôles, il n'y a pas d'autre lien théologique que celui de la causalité : la souffrance précède la gloire, comme par une sorte de rétribution des contraires.

Nous avons trouvé dans l'étude de Burkill une moisson de remarques intéressantes et l'orientation fondamentale de sa thèse n'est pas si éloignée de celle que nous proposerons nous-mêmes ; néanmoins cette contradiction interne qu'il impute à Marc est le critère le plus manifeste que lui, Burkill, n'a pas su comprendre exactement l'intention théologique de l'évangéliste.

d) Thèses historisantes

1. D'autres, poussés par une méfiance excessive à l'égard de la thèse radicale de Wrede, préfèrent en revenir aux anciennes explications. On peut mentionner, par exemple, la timide tentative d'U. Pisanelli [4]. Il suit des sentiers battus : Jésus agit par

---

1. Voir *Mysterious Revelation*, p. 69sv, 110, 118sv, 129, 180, 190, etc. Concernant Mc XIV, 62, voir surtout p. 242sv.
2. Le mot n'est pas trop fort : cf *Myst. Revel.* p. 177s, 208s, 321s.
3. En ce domaine, Marc se montre postérieur à Paul, qui réservait la gloire à l'état de la résurrection : Phil II, 5-11 (Ibid. p. 320).
4. *Il segreto messianico nel Vangelo di S. Marco* (Quaderni esegetici) Rovigo, 1953. Dans un sens analogue : F. Hauck : *Das Evangelium des Markus*, Leipzig 1931, p. 104 ; F. Gils : « Le secret messianique dans les évangiles. Examen de la théorie de E. Sjöberg », dans *Sacra Pagina* (Congrès international Louvain 1958), Paris-Gembloux, vol. II, p. 118 ; A. Charue : *L'incrédulité des Juifs dans le Nouveau Testament*, Gembloux 1929, p. 86-119.

prudence à l'égard des autorités romaines et dans un but pédagogique envers ses disciples, ainsi que pour éviter l'équivoque d'un messianisme mal compris. L'explication de J. Schniewind [1] et celle de V. Taylor [2] s'étaient déjà engagées dans cette voie.

Mais comment se fait-il alors que cette motivation ne soit jamais mentionnée dans l'évangile ? Jésus se contente d'ordonner le secret, sans expliquer - pas même à ses disciples - le pourquoi de cette injonction. Citons ici une phrase de Wrede :

> « N'y aurait-il pas eu un moyen plus naturel (d'éviter l'équivoque) ? Il me semble que Jésus aurait mieux fait de s'expliquer clairement, au moins devant ses disciples. Pourquoi ne leur dit-il pas simplement que son messianisme n'a rien de politique et qu'il leur faut renoncer à leurs rêves temporels ? » [3].

Mais l'argument principal de Wrede est celui-ci : comment expliquer alors que Jésus ait renoncé complètement à son dessein lors de l'entrée triomphale à Jérusalem, au point de provoquer lui-même une ovation messianique ? C'était le meilleur moyen de soulever une vague de messianisme juif...

2. D'ailleurs ceux qui veulent faire l'économie du « secret messianique » sont leurs propres ennemis. Étienne Trocmé en est un éloquent exemple [4]. Il estime - en réaction contre Wrede - que toute la théorie du « secret messianique » est une fausse piste. Tous les cas doivent être expliqués isolément, les uns comme des traits venus de la tradition, les autres comme des notes rédactionnelles [5]. C'est revenir aux dix explications partielles condamnées par Wrede [6]. A vrai dire, Wrede lui-même avait déjà eu recours à ce procédé peu élégant pour expliquer certains textes rebelles qui refusaient de s'accorder à sa théorie [7].

---

1. *Das Evangelium nach Markus* (Neue Test. Deutsch) Göttingen ⁹1960, p. 6, 21, etc., passim ; voir également : « Messiasgeheimnis und Eschatologie », dans *Nachgelassene Reden und Aufsätze,* 1951.
2. *The Gospel According to St. Mark,* London 1952, p. 122s. Voir la critique détaillée de BURKILL : *Myster. Revel.* p. 210-217.
3. *Das Messiasgeheimnis,* p. 40. WREDE avait déjà répondu par avance à toutes les objections présentées ici, o.c. p. 39-41 et passim.
4. *La formation de l'Évangile selon Marc,* Paris, (Études d'Histoire et de philosophie religieuses) 1963.
5. o.c. p. 99, note 97.
6. Cf. É TROCMÉ, o.c. p. 123, note 63.
7. Par exemple Mc XI, 1-11 ; XIV, 62. WREDE : *Messiasgeheimnis,* p. 74ss, 124ss, 272ss, etc.

Mais voyons plutôt les explications dans lesquelles s'engage É. Trocmé. Elles dépassent encore ce qu'on avait imaginé avant Wrede. Jésus a peur de se faire bousculer par la cohue ! « Ces rassemblements sont si dangereux que Jésus ne peut y faire face d'abord que par la fuite (I, 35ss ; I, 45). Puis il revient vers la ville, reprend la foule en main et réussit à l'entraîner au dehors, vers le bord de la mer de Galilée, où sa liberté d'action est plus facile à préserver (III, 9) » (p. 145). Cette présentation psychologique d'un tribun populaire semble extraite d'un de nos quotidiens. Il faut avouer qu'elle est éloignée de la majesté du Fils de Dieu mise par Marc en si puissant relief [1] !

A cause de sa volonté d'éliminer systématiquement le secret messianique, É. Trocmé est obligé de faire de la confession de Pierre un simple « entretien d'école » [2]. Marc y polémiquerait contre des chrétiens qui s'attachent uniquement au titre christologique en passant sous silence le scandale de la croix par crainte de déplaire aux Juifs. Dans cette perspective, voici le sens qu'il donne à Marc IX, 1 : « Parmi les personnes ici présentes, il y a des lâches qui n'accepteraient en aucun cas de mourir avant la fin du monde, qui se gardent de rien risquer pour pouvoir assister vivants au spectacle du Grand Jour ! » É. Trocmé a raison d'ajouter que ce logion est « obscur »... au moins dans l'interprétation qu'il en donne [3] !

Pour justifier les faiblesses de son interprétation, É. Trocmé répétera que « comme toujours, les idées théologiques de l'auteur de Marc sont mal formulées et exprimées dans un langage peu adéquat » (p. 132). Ailleurs il parle de « l'incontestable

---

1. Mc I, 24-28 ; II, 8-12 ; IV, 39-41 ; VI, 48-52 ; IX, 2-8 ; X, 32 ; XI, 7-11 ; etc.

2. o.c. p. 46 et 97sv. TROCMÉ ne fait en cela que suivre R. BULTMANN : *Geschichte der synoptischen Tradition*, [4]1958, p. 277s, lequel était lui-même disciple de WREDE : *Messiasgeheimnis*, p. 115-124. WREDE était obligé (contre toute évidence) d'affirmer que la confession de Pierre n'avait aucune importance dans l'économie du « secret », parce que pour lui, par hypothèse, le secret ne pouvait être révélé qu'après la résurrection (puisqu'il n'était qu'une supercherie de l'Église primitive projetant sa foi pascale dans le cours de l'existence terrestre de Jésus !). Voir à ce sujet les critiques d'E. PERCY : *Die Botschaft Jesu*, Lund 1953, p. 229 et d'E. LOHMEYER : *Das Evangelium des Markus* (K.E.K.) Göttingen [15]1959, p. 170, rem. 1. Il est piquant de voir TROCMÉ, dans une perspective diamétralement opposée, se faire le disciple de WREDE en cette matière.

3. o.c. p. 46 et 97-99 ; voir également : « Marc IX, 1 : prédiction ou réprimande », dans *Studia Evangelica* II, 1964, p. 259-265.

gaucherie de l'auteur » (p. 66), ou encore : « On peut douter que l'auteur de Marc ait fait plus que recevoir et transmettre d'une manière automatique beaucoup des idées religieuses véhiculées par la tradition ecclésiastique et par les récits qu'il y a ajoutés. Il n'a en tout cas pas songé, ni à en scruter les profondeurs, ni à en faire une synthèse, ce qui réduit sa 'pensée' à n'être qu'un assemblage passablement disparate de notions puisées à diverses sources » (p. 110).

Face à un bilan aussi décevant, nous sommes en droit de nous demander si vraiment Marc n'est qu'un « rustaud » (p. 57), ou bien si son commentateur n'a pas bien compris sa pensée. La tentative d'É Trocmé nous semble une démonstration concluante : vouloir enlever à l'évangile de Marc son secret messianique, c'est lui arracher le cœur. Dans ce cas, effectivement, il perd son unité, son dynamisme et sa pointe. Mais n'est-ce pas une démonstration par l'absurde [1] ?

3. A toutes ces critiques déjà trop acerbes, on peut ajouter encore deux pertinentes remarques. La première est de R. Bultmann : « La tentative de vouloir interpréter le secret messianique comme un souvenir historique échoue dès que l'on a remarqué que toutes les mentions du secret sont le fruit de l'activité *rédactionnelle* de l'évangéliste et ne font pas partie de l'ancienne tradition », c'est-à-dire de la structure originelle des récits de miracles et des logia [2].

La seconde remarque, d'E. Percy [3], corrobore celle de Bultmann. Il souligne après Wrede le fait que, dans la plupart des cas, le « secret » est sans objet. En voici quelques exemples : lorsqu'il s'agit des possédés, l'injonction au silence vient trop

---

1. Nous avons la conscience lourde d'avoir autant maltraité É. Trocmé. C'est que son attitude vis-à-vis du secret messianique ne nous paraît pas objective. Par ailleurs, nous avons trouvé beaucoup de bonnes choses dans son livre, surtout aux ch. I et III (beaucoup moins aux ch. II et IV). Cette étude a certainement fait progresser notre connaissance de l'évangile de Marc.

2. *Theologie des Neuen Testaments,* Tübingen, 1953, p. 32. Jugement identique chez E. Sjöberg : *Der verborgene Menschensohn in den Evangelien,* Lund, 1955, p. 155-157 (sauf Mc I, 43s, qui est une *réinterprétation* par Marc d'un texte traditionnel) ; également G. Strecker : « Zur Messiasgeheimnistheorie im Markusevangelium », dans *Studia Evangelica,* vol. III (Berlin 1964), p. 89-93 ; et T. A. Burkill : *Mysterious Revelation,* p. 213.

3. *Die Botschaft Jesu,* Lund 1953, p. 275s.

tard (Mc I, 25 ; III, 12), puisque le secret est déjà violé (ce qui
semble d'ailleurs n'avoir aucun effet sur la foule). Pour
les malades guéris, l'injonction au silence est absurde, puisque,
pour cacher leur guérison, les anciens malades auraient dû se
condamner à une réclusion à perpétuité [1]. En troisième lieu,
dans les autres cas, l'ordre est aussitôt violé, donc il est sans
objet (I, 45 ; VII, 36) ! Tout cela confirme ce que disait Bultmann (après Wrede) : la théorie du secret est un procédé *littéraire* et théologique dont il faut chercher la signification, et non
pas un simple souvenir du Christ historique [2].

Il y a, à la racine de cette divergence entre l'interprétation
historisante à laquelle essayent de revenir les auteurs cités ici,
et la ligne tapageusement inaugurée par W. Wrede, une façon
nouvelle de concevoir la relation entre les évangiles synoptiques
et l'histoire. Manière nouvelle qui, après avoir suscité une
méthode correspondante d'analyse dans la Formgeschichte,
trouve sa parfaite expression - semble-t-il - dans l'étude de la
théologie rédactionnelle (Redaktionsgeschichte). Cette dernière
méthode est l'aboutissement direct de la question posée par
Wrede au début du siècle.

e) Interprétation paulinienne.

1. Une autre solution au problème nous paraît beaucoup plus
digne de retenir l'attention. Elle est particulièrement sensible à
la relation existant entre le secret messianique et la passion.
Tous les auteurs dont il sera question ici sont frappés, après

---

1. Même remarque chez M. DIBELIUS : *Die Formgeschichte des Evangeliums* Tübingen, [4]1961, p. 69s, et chez H. J. EBELING, ci-dessous, p. 25sv.
2. Deux auteurs, qui font remonter le « secret » à l'histoire de Jésus, ou
au moins à la tradition primitive, donnent eux-mêmes la preuve de son
caractère *rédactionnel* : J. SCHNIEWIND : *Das Evangelium nach Markus*
(A.T.D.) Göttingen 1960, p. 6 et 21 : « Dies Geheimnis steht hinter jeder
einzelnen Perikope » ; et V. TAYLOR : *The Gospel According to St. Mark*
London 1952, p. 123 : « In fact the Messianic Secret lies behind almost
every narrative in Mark ». C'était contre SCHNIEWIND que réagissait BULT-
MANN dans le texte cité à la page précédente. Pour TAYLOR, voir BURKILL :
Mysterious Revelation, p. 210-17.

Wrede, par le terme assigné à la période secrète en Mc IX, 9, dont ils rapprochent Mc IV, 21-23 [1].

E. Percy est sans doute celui qui a donné la formulation la plus nette de cette interprétation :

> « Tout le message chrétien de Jésus en tant que Christ, Fils de Dieu crucifié et ressuscité, en qui le Royaume de Dieu était déjà présent, était un secret pendant l'existence terrestre de Jésus. Il n'est révélé qu'au moment de sa passion, mort et résurrection.
>
> Par là nous est donnée la voie pour la solution du secret messianique qui me paraît la plus vraisemblable : pour Marc autant que pour Paul, la révélation chrétienne - à savoir l'Évangile de Jésus en tant que Christ et Fils de Dieu - est inséparable du message de la crucifixion et résurrection. C'est pourquoi le temps qui précède la mort-résurrection de Jésus n'est qu'un temps de préparation et donc de silence. Une révélation de Jésus comme Messie n'aurait pas eu de sens à ce moment. Pour employer une expression de l'épître aux Hébreux, ce n'est que dans sa mort et sa résurrection que Jésus est accompli comme Messie.
>
> ... Nous avons donc fondamentalement la même conception du développement historique de la révélation chrétienne chez Marc que chez Paul : seul le message de la mort-résurrection est le véritable Évangile chrétien. Ce qui a précédé la résurrection du Christ était le temps de la Kénose et donc du secret (I Cor II, 8 ; 2 Cor XIII, 4 ; Phil II, 7s). Par sa résurrection seule est révélé le mystère caché depuis des siècles et des générations (Col I, 26 ; cf Eph III, 4s ; Rom XVI, 26) » [2].

Comme E. Percy le remarque lui-même, cette interprétation n'est pas si éloignée de celle de Wrede. Celui-ci aussi suggère une réinterprétation paulinienne de la destinée terrestre de Jésus, à la lumière de sa mort-résurrection. Mais il ne s'agit pas chez Percy d'une supercherie de l'Église primitive, mais d'un approfondissement de la foi messianique de l'Église. Cette foi messianique existait déjà pendant le ministère terrestre de Jésus, mais elle a reçu un éclairage tout neuf après la résurrection [3].

Il y a beaucoup à prendre dans la solution d'E. Percy et l'on constatera que notre propre conclusion est assez proche de la sienne. Cependant on ne peut se défendre du sentiment que son

---

1. Voir spécialement G. STRECKER : « Zur Messiasgeheimnistheorie im Markus-Evangelium », dans *Studia Evangelica* III, Berlin 1964, p. 98-100. Également G. H. BOOBYER : « The Secrecy Motif in St. Mark's Gospel » dans *New Testament Studies* VI, 1959-60, p. 228, 233.

2. *Die Botschaft Jesu*, Lund 1953, p. 294s ; voir les p. 271-299.

3. *Die Botschaft Jesu*, p. 299.

explication est un simple amendement de celle de Wrede. Elle la
retouche pour la rendre acceptable ; mais elle n'en est qu'un
prolongement et, à tout prendre, ce prolongement paraît moins
logique et moins rigoureux que la thèse radicale de Wrede. Nous
aurons d'ailleurs l'amusement de constater que H. J. Ebeling
donne une explication diamétralement opposée à celle de
Percy [1]. Pour Ebeling, en effet, le secret n'est qu'un procédé
littéraire destiné à souligner la manifestation de la gloire du Fils
de Dieu tout au long de son ministère terrestre. Nous avons
déjà nommé plus haut T. A. Burkill, qui tâche, tant bien que
mal, de rendre compte de cette double dimension de Marc en
parlant de sa « bipolarité » [2]. Tout cela montre que E. Percy met
bien en valeur *un* élément du secret, mais qu'il néglige un autre
aspect pourtant tout aussi essentiel.

E. Percy avait déjà été prévenu dans la voie qu'il trace par
G. H. Boobyer [3], mais ce dernier n'est pas resté fidèle à son
intuition première et avance maintenant une autre proposition :
le « secret » est un procédé littéraire employé par Marc pour
expliquer le rejet du peuple juif. Cette solution est singulièrement voisine de la thèse apologétique prônée par Burkill [4].

2. G. Strecker, lui, se rapproche de la position de Percy, puisqu'il voit dans le « secret messianique » une expression du sens
historique de Marc [5]. Il établit tout d'abord longuement que le
secret est un procédé littéraire de *Marc*, et non pas un legs qu'il
aurait reçu de la tradition (comme le pensait Wrede). Cette affirmation motivée est importante pour nous. Elle montre, elle
aussi, après Bultmann et Sjöberg, que le « secret » est un motif
littéraire, dont la solution doit se chercher *au niveau rédactionnel* et non dans la tradition prémarcienne ou dans l'histoire de

---

1. En fait, la thèse d'Ebeling (1939) est antérieure à celle de Percy
(1953), mais c'est la complémentarité des diverses hypothèses qui nous
intéresse ici.
2. Voir ci-dessus p. 18, et Burkill : *Mysterious Revelation*, p. 156-164
et 322s.
3. *St. Mark and the Transfiguration Story*, Edinburgh 1942, p. 50-55.
4. G. H. Boobyer : « The Secrecy Motif in St Mark's Gospel », dans *New
Testament Studies* VI (1959-60) p. 225-235. Pour Burkill, voir plus haut,
p. 17sv.
5. G. Strecker : « Zur Messiasgeheimnistheorie im Markus-Evangelium », dans *Studia Evangelica* III, Berlin, 1964, p. 87-104.

Jésus (encore qu'il faille admettre que Marc a fondé sa théorie sur certains aspects très réels du ministère de Jésus).

Un autre apport important de G. Strecker est son insistance sur le lien intime qui unit les prédictions de la passion au secret messianique [1]. Nous aurons l'occasion de souligner également ce point essentiel.

Mais sa conclusion est un peu décevante. Il estime que Marc exprime ainsi son sens de l'histoire. La destinée terrestre de Jésus était encore un temps d'inachèvement ; elle n'atteint sa pleine dimension que dans l'événement pascal. Cette conclusion est apparentée à celle d'E. Percy, mais moins précise et moins nette. G. Strecker l'éprouve d'ailleurs lui-même en affirmant à la fin de son travail que le secret messianique ne s'éclairerait totalement que si l'on connaissait mieux l'ecclésiologie de Marc [2]. A cela aussi nous souscrivons. Mais peut-être y a-t-il moyen de connaître cette ecclésiologie (ou ce « Sitz im Leben », si l'on veut) mieux que ne le pense G. Strecker.

3. Par contre la coloration gnostique vue par J. Schreiber dans cette humiliation du Sauveur caché nous semble beaucoup moins fondée [3]. G. Strecker [4] fait remarquer à ce sujet que Marc ne fait pas la moindre allusion à une « descente » sur terre de ce Sauveur cosmologique, ce qui rend fort improbable la thèse gnostique.

f) H. J. EBELING.

1. On a constaté que, jusqu'à présent, tous les auteurs cités se sont tenus dans le sillage de Wrede, soit pour l'accepter, soit pour le corriger, soit pour le rejeter. Aucun n'a eu l'audace de reprendre toute l'étude dans une perspective originale. Il nous reste maintenant à étudier deux auteurs récents qui ont eu cette

---

1. A.c. p. 100-102.
2. A.c. p. 104.
3. « Die Christologie des Markusevangeliums. Beobachtungen zur Theologie und Komposition des zweiten Evangeliums », dans *Zeitschr. für Theol. & Kirche*, LVIII, 1961, p. 156-159.
4. Art. cité, p. 94sv ; autre réfutation, E. BEST : *The Temptation and the Passion*, Cambridge, 1965, p. 125-133.

hardiesse. Ils ont contribué à jeter un jour nouveau sur ce problème.

Hans Jürgen Ebeling y a consacré une longue monographie en 1939 [1]. Il y analyse d'abord pendant plus de cent pages (p. 1-113) la thèse de Wrede et les réactions qu'elle a suscitées. A son avis (comme au nôtre) aucune réponse valable n'a été donnée à Wrede, si ce n'est celle que les Formgeschichtler lui ont apportée par l'orientation nouvelle de leurs recherches. Toutes les autres tentatives veulent expliquer le secret messianique par une intention de Jésus (thèses « historisantes »), alors que la solution doit être trouvée d'abord au plan littéraire.

Cette remarque d'Ebeling est importante ; elle met bien en lumière le véritable apport de Wrede : il a révélé la dimension profondément *théologique* de nos Synoptiques que l'on avait d'abord pris pour des biographes relatant candidement leurs souvenirs concernant la vie de Jésus [2]. Ebeling établit systématiquement le caractère littéraire du « secret ». Un indice en est le fait que le silence imposé par Jésus aux miraculés est le plus souvent sans objet, soit parce que le miraculé s'empresse de violer l'ordre de Jésus (I, 45 ; VII, 36), soit parce que le miracle est quasi public (V, 43 ; VIII, 26) [3]. D'ailleurs, à d'autres moments, Jésus agit devant tout le monde, sans aucun souci apparent du « secret » (II, 1-12 ; III, 1-5 ; VI, 31-42 ; etc). Si l'on veut résoudre le problème, il faut donc se tenir strictement sur le terrain littéraire et se demander quelle était l'intention de Marc.

H. J. Ebeling se promet donc de demeurer sur le plan littéraire, et il tient parole. Il part de la contradiction que nous relevions à l'instant. Il affirme que l'intention profonde de Marc se révèle, non dans le secret, *mais dans la violation de ce secret*. Le secret n'existe qu'en vue de sa violation ! Expliquons-nous. L'injonction au silence est un procédé littéraire de Marc, ayant pour but, non de voiler la manifestation divine de Jésus, mais au contraire de la mettre plus fortement en relief : Jésus est rempli

---

1. *Das Messiasgeheimnis und die Botschaft des Marcus-Evangelisten* (Beih. ZNW XIX), Berlin 1939.
2. On y revient fatalement dès que l'on veut amputer Marc de cette dimension théologique essentielle ; voir les critiques que nous avons faites à É. TROCMÉ à ce sujet, ci-dessus, p. 19-21.
3. Voir ci-dessus, p. 21sv.

d'un tel rayonnement divin que tous les efforts de sa modestie ne peuvent empêcher sa lumière d'illuminer le monde, car cette gloire est plus forte que lui ; elle est irrésistible parce qu'elle est divine [1]. Tout l'évangile de Marc est donc, en définitive, *une épiphanie du Fils de Dieu* [2].

Les thèmes de l'incompréhension des disciples et celui du mystère des paraboles expriment eux aussi la transcendance inaccessible de la gloire divine se manifestant en Jésus et révélée, d'une façon qui les dépasse toujours, aux seuls privilégiés de Dieu [3].

2. Comme on pouvait s'y attendre E. Percy qui, ainsi que nous l'avons dit plus haut, présente une thèse diamétralement opposée, critique l'interprétation d'Ebeling [4] : il estime que la transcendance de la révélation divine justifie *quelques cas* : IV, 40s ; VIII, 32s et peut-être IX, 32. Mais en VI, 52 ; VIII, 17, par contre, l'aveuglement est vitupéré comme *coupable*. Pardessus tout, si le « secret » n'était qu'une expression de la transcendance divine, il devrait durer toujours ; or c'est une des caractéristiques du « secret » en saint Marc que d'être *temporaire* : il prendra fin avec la résurrection de Jésus.

E. Sjöberg [5] émet, lui aussi, un jugement assez négatif sur Ebeling. D'après lui, Ebeling se fonde sur deux présupposés intenables :

> 1) Ebeling tire argument du secret apocalyptique. Mais le secret apocalyptique n'est pas un pur procédé *littéraire* ; il est avant tout d'ordre religieux. La *révélation* du secret est l'objet propre de l'apocalypse, et les auteurs sont persuadés de la *réalité* (religieuse) de cette révélation.

---

1. Comparer Jean I, 5.
2. o.c. p. 145. Déjà WREDE : *Das Messiasgeheimnis*, p. 228, affirmait que la révélation (Offenbarung) était logiquement antérieure à l'idée du secret. M. DIBELIUS a forgé l'expression consacrée « ein Buch der geheimen Epiphanien » dans *Die Formgeschichte des Evangeliums* [4]1961, p. 232. Voir aussi J. SCHREIBER « Die Christologie des Markusevangeliums » dans *Zeitschr. f. Theol. & Kirche*, LVIII, 1961, p. 156-159.
3. Encore un thème bien johannique.
4. E. PERCY : *Die Botschaft Jesu*, 1953, p. 288-290. Le lecteur s'étonnera de voir que nous ne suivons pas l'ordre chronologique. Il nous a paru préférable - en partie pour éviter un trop grand nombre de répétitions - de regrouper les diverses interprétations dans un ordre progressif, pour éclairer successivement les divers aspects du « secret messianique ».
5. *Der verborgene Menschensohn*, Lund 1955, p. 121.

2) Ebeling distingue trop radicalement entre l'ordre historique et
l'ordre littéraire (ou kérygmatique). Les deux ordres ne sont
pas opposés ni indépendants, car le kérygme se fonde sur
l'histoire.

Ces critiques de Sjöberg ne sont totalement compréhensibles
que par référence à sa propre interprétation du secret. Nous y
reviendrons immédiatement. Il nous est impossible toutefois de
souscrire à ce jugement négatif. Nous pensons que la *méthode*
d'Ebeling est correcte. Il faut commencer par s'en tenir au plan
littéraire pour étudier comment *Marc* a compris son « secret »,
avant d'en inférer des conséquences sur le plan historique.
Quant au premier reproche que Sjöberg fait à Ebeling, il nous
paraît tout aussi fragile. Il est certain, en effet, que la théologie de Marc (qui s'exprime par divers procédés littéraires)
correspond dans sa pensée à une *réalité* religieuse tout autant
que les élaborations apocalyptiques pour leurs auteurs, mais
peut-être d'une façon différente. La critique de Sjöberg nous
paraît s'enfermer dans un cercle : sa critique présuppose sa
propre thèse et sa thèse se fonde (négativement) sur sa critique.

Par contre, le jugement de Percy nous paraît solide. Ebeling
a souligné unilatéralement un aspect capital du secret messianique, aspect que Percy a, pour sa part, unilatéralement repoussé
sous le boisseau. Par là, Ebeling est le premier à avoir sapé par
la base l'interprétation de Wrede. Plus exactement, il a mis en
lumière un autre aspect qui en modifie radicalement le sens.
Pour Wrede, en effet, la période terrestre est, par hypothèse, une
période cachée. Ebeling, lui, montre qu'elle éclate déjà de la
gloire de la résurrection. Il est caractéristique que Percy, en
écartant l'interprétation d'Ebeling, en soit revenu à une interprétation fort proche de celle de Wrede. T. A. Burkill a perçu beaucoup plus vivement l'apport nouveau d'Ebeling, mais il n'a pas
été à même d'intégrer les deux aspects du secret dans une
synthèse cohérente, de là sa « bipolarité » inconciliable [1].

---

1. Voir ci-dessus, p. 18. Fort proche d'EBELING, W. TRILLING : *Christusgeheimnis - Glaubensgeheimnis. Eine Einführung in das Markus-Evangelium*, Mainz, 1957, voit dans le secret l'expression de la transcendance
du Fils de Dieu, au sens johannique.

g) E. SJÖBERG.

1. Erik Sjöberg a repris lui-même toute la question en 1955 dans le cadre d'une étude sur le Fils de l'Homme [1]. L'apocalyptique juive connaît un Fils de l'Homme caché au ciel. Seuls les élus connaissent le secret de cette présence, parce que la Sagesse divine le leur a révélé. Le Fils de l'Homme est tenu en réserve pour le dernier Jour. A ce moment-là, Dieu le manifestera glorieusement en vue du Jugement suprême [2].

Les apocalypses connaissent donc aussi deux phases dans la révélation du Fils de l'Homme : l'une, secrète, réservée aux seuls élus ; l'autre, publique et universelle, à la fin des temps. Sans doute, les apocalypses ignorent-elles un séjour incognito du Fils de l'Homme sur terre avant le Jour du jugement ; mais, dès que naquit la foi chrétienne au Fils de l'Homme Jésus, l'influence de la littérature apocalyptique fit que, tout naturellement, on en conclut que ce Fils de l'Homme ne pouvait être que caché.

Seule, aux yeux de Sjöberg, cette conception apocalyptique juive rend compte du « secret messianique » en saint Marc. Ainsi, les paraboles sont réservées à un petit groupe de privilégiés comme dans les apocalypses. Les disciples ne comprennent pas tout de suite à cause de la transcendante du secret céleste [3], mais Dieu le leur révèle progressivement. Par contre, les démons, qui sont des êtres spirituels, reconnaissent du premier coup la nature céleste du Fils de l'Homme, mais interdiction leur est faite d'en divulguer le secret. Dans les apocalypses juives, également, les anges déchus ont révélé le secret avant l'heure, et c'est pour cela qu'ils sont punis. La manifestation du Fils de l'Homme aura lieu à la fin des temps sur les nuées (Mc XIV, 62), exactement comme dans les apocalypses [4].

2. La thèse de Sjöberg a trouvé un écho favorable, parfois enthousiaste, dans les milieux catholiques en particulier [5]. Mais

---

1. *Der verborgene Menschensohn in dem Evangelien* (Acta Reg. Soc. Hum. Lit. Lund LIII), Lund 1955.
2. C'est dans un sens analogue que J. B. BERNADIN expliquait déjà la transfiguration dans *Journ. Bibl. Lit.* LII (1933) p. 181ss.
3. Ce qui justifie certains aspects de la thèse d'EBELING.
4. SJÖBERG, o.c. p. 124-129.
5. *Rev. Bibl.* LXIV, 1957, p. 439-443 (P. BENOIT) et l'article de F. GILS : « Le secret messianique dans les évangiles. Examen de la théorie de E. SJÖBERG », dans *Sacra Pagina* II (Paris-Gembloux 1959) p. 101-120.

on peut se demander si la joie manifestée à cette occasion est
pure. Provient-elle de l'apport nouveau de Sjöberg ou, simplement, du rejet de la thèse impie de Wrede ?

Toutefois, E. Sjöberg lui-même reconnaît que sa thèse ne
répond pas à *tous* les aspects du déroutant secret messianique
en saint Marc. Il discute en particulier deux difficultés :

1) On s'explique mal, dans la perspective de ce secret apocalyptique, ce que pourrait signifier la *violation* du secret par
les miraculés. Sjöberg répond que les miracles seuls sont
divulgués ; le caractère messianique de Jésus - qui est l'objet
propre du secret - reste caché. Sans doute l'interdiction de parler devient-elle sans objet du fait de la violation (Mc I, 45 ;
VII, 36), mais elle fait connaître la volonté de Jésus de rester
caché jusqu'à la fin.

2) Contrairement aux apocalypses, Jésus révèle son secret au
cours de l'interrogatoire de Caïphe. Sjöberg étudie la question
p. 130s. Il estime d'abord que cette confession est encore semi-
secrète, puisque les grand prêtres ne l'acceptent pas, mais le
traitent de blasphémateur [1].

Toutefois, il faut bien reconnaître que Marc n'agit plus
comme auparavant, puisqu'il laisse les foules crier ouvertement
leur confession messianique (Mc XI, 10) et Jésus déclarer publiquement qu'il est le Messie. Comment donc expliquer ce changement de ton chez Marc ?

On pourrait dire qu'il ne s'est même pas posé la question. Il
a transmis la tradition sans se demander comment elle se
conciliait avec le secret messianique. Mais le secret messianique
joue un tel rôle chez lui qu'il est bien difficile de concevoir
qu'il n'a pas remarqué que ces textes contredisaient sa thèse...

N'a-t-il pas plutôt voulu dire que la révélation du secret
messianique était imminente ? Elle n'est pas encore présente,
mais elle ne saurait tarder. Ce déplacement provient en définitive du fait que les chrétiens ont transféré à la mort-résurrection de Jésus, les prophéties eschatologiques de la parousie.

Il est bon de constater que Sjöberg, mieux que personne, a
mis le doigt sur les faiblesses de son propre système. Au fond il
se heurte aux mêmes difficultés que toutes les autres explications
envisagées jusqu'ici. Ce sont toujours les révélations du secret
à la fin de l'évangile de Marc (X, 46-52 ; XI, 1-11 ; XII, 12) et

---

1. « Sein Geheimnis wird den Ungläubigen gesagt aber nicht geoffen-
bart ». Nous n'admettons pas cette distinction. La confession de Jésus est
publique et officielle.

surtout la confession de Jésus devant Caïphe qui restent les pierres d'achoppement de tous les systèmes.

E. Percy avait, lui aussi, d'avance [1], fait une objection importante à Sjöberg [2]. Il note que, dans la littérature apocalyptique, le secret en question n'est pas l'apanage du Fils de l'Homme. Ce voile de mystère est le signe de toutes les apocalypses. Elles ont justement pour but de faire connaître le dessein caché de Dieu qui va bientôt changer le sort de l'humanité. Ce dessein est censé inconnu de tous mais il est révélé par une faveur extraordinaire au groupe privilégié des lecteurs par l'intermédiaire d'un être céleste. Dans le livre apocryphe d'Hénoch, le Fils de l'Homme n'est pas précisément le révélateur des secrets célestes, mais plutôt l'objet propre de la révélation. La grande annonce des Paraboles d'Hénoch est, en effet, celle d'un jugement divin imminent, dont l'acteur sera ce Fils d'Homme.

A partir de là, E. Percy formule une double objection : l'objet du secret dans le livre d'Hénoch, c'est l'existence même de ce Fils d'Homme. Il est un être céleste que Dieu avait tenu en réserve jusqu'au temps de la fin. Son apparition subite jettera tous les puissants dans la consternation et réjouira les élus. Chez Marc, au contraire, ce n'est pas l'existence du Fils de l'Homme comme telle qui constitue le secret, mais bien que *Jésus soit ce Fils de l'Homme.*

Le fait qu'Hénoch soit finalement identifié au Fils de l'Homme n'est exprimé qu'en I Hén LXXI, 14, texte qui, de l'aveu d'E. Sjöberg lui-même, pourrait bien être tardif [3]. En tout cas cet événement n'est pas présenté comme un secret particulier. Ce n'est pas cette identification qui est révélée au dernier jour, mais la fonction du Fils de l'Homme comme juge et sauveur.

La deuxième objection de Percy a été reprise, avec plus de netteté encore, par S. Schulz [4]. Les apocalypses sont futuristes. Elles ne spéculent pas sur une existence *terrestre* antérieure du Fils de l'Homme. Elles annoncent le jugement imminent. Lorsque

---

1. C'est que E. Sjöberg avait déjà annoncé sa solution dans son étude : *Der Menschensohn im äthiopischen Henochbuch* (Acta Reg. Soc. Hum. Lit. Lund. XLVI), Lund 1946.
2. E. Percy : *Die Botschaft Jesu*, Lund 1953, p. 282-286.
3. E. Sjöberg : *Der Menschensohn im äthiopischen Henochbuch*, 1946, p. 166sv.
4. *Studia Evangelica* II, Berlin, 1963, p. 137.

le Fils de l'Homme se manifeste, le grand jugement est arrivé. Le fait que le Fils de l'Homme est caché *au ciel* dans le secret de Dieu signifie simplement que Dieu tient son jugement en réserve. Une phase terrestre, incognito, de la mission du Fils de l'Homme serait en contradiction avec le dynamisme exclusivement futuriste des apocalypses.

3. Il nous faut encore signaler ici deux autres essais qui suivent le sillage de Sjöberg. E. Schweizer reprend substantiellement la thèse de Sjöberg, mais en insistant davantage sur l'Évangile de la croix [1]. Tout comme en I Cor II, 6-9, le mystère caché de Marc pourrait bien être la croix du Christ [2].

Le disciple d'E. Schweizer, Ulrich Luz [3], dissocie les récits de miracles des exorcismes et des instructions données aux disciples. Dans les récits de miracles, le motif est hellénistique : l'épiphanie, le rayonnement de l'Homme de Dieu ($\vartheta\epsilon\tilde{\iota}o\varsigma$ $\dot{\alpha}\nu\dot{\eta}\varrho$) est irrésistible. L'ordre du silence immanquablement violé ne fait que souligner ce trait. Nous rejoignons ici H. J. Ebeling.

Par contre, dans les injonctions aux démons, tout comme dans les directives données en particulier aux disciples, il s'agit d'un autre motif : Marc veut avertir son lecteur qu'on ne peut comprendre la dignité messianique du Fils de Dieu indépendamment de sa passion. La réunion de la première prédiction de la passion à la confession de Pierre est symptomatique à cet égard.

La difficulté est d'accorder ces deux motifs différents. Tous deux sont traditionnels et tous deux ont été repris par Marc. Cependant il y a une différence interne entre ces motifs et U. Luz a quelque peine à montrer comment ils se réunissent dans la christologie de Marc. C'est finalement dans la passion que ces deux aspects doivent s'unir.

Le travail de Luz est intéressant, mais, pas plus que Burkill [4], il ne parvient vraiment à vaincre la dualité qu'il a lui-même établie. En outre, Marc XVI, 8 reste inexplicable.

---

1. « Zur Frage des Messiasgeheimnis bei Markus », dans *Zeitschrift für neutestamentliche Wissenschaft*, 1965, p. 1-8.
2. A.c. p. 2. L'auteur ne développe d'ailleurs pas cette intuition.
3. « Das Geheimnismotiv und die markinische Christologie », dans *Zeitschr. f. neutest. Wiss.* LVI, 1965, p. 9-29.
4. Voir ci-dessus, p. 18.

h) Considérations méthodologiques.

Il n'est pas question ici de reprendre en détail toutes les autres interprétations du secret messianique. W. Wrede s'en est chargé pour la période qui le précédait [1] et H. J. Ebeling [2] ainsi que E. Sjöberg [3] pour les décades subséquentes. Le bref résumé donné ci-dessus suffira à rendre compte des orientations de la recherche. On constatera l'influence prépondérante de Wrede. Seuls Ebeling et Sjöberg ont frayé une voie réellement nouvelle.

Soulignons cependant un point. Plusieurs des solutions proposées souffrent d'un même vice de méthode. L'adage de Wrede en est responsable. Il avait dit :

> « Il n'importe pas de trouver dix solutions pour expliquer chaque cas singulier, mais la solution unique qui résolve tous les cas particuliers » [4].

Ce principe, Wrede l'avait tout d'abord compris comme un critère *négatif* et, dans ce sens, son emploi était parfaitement justifié. Wrede a en effet montré que tous les ordres de silence, les apartés de Jésus et les incompréhensions des disciples relèvent d'une intention unique. Par conséquent, toute exégèse qui recourt à une série d'explications différentes est par le fait même convaincue d'insuffisance.

Mais, par la suite, Wrede le premier et beaucoup d'autres après lui font un usage *positif* de ce postulat. Ils s'efforcent donc de trouver l'explication qui satisfasse à tous les cas. Mais on court alors un grave danger. Car autant il faut admettre que toute exégèse qui ne se vérifie pas dans tous les cas doit être écartée, autant on doit contester que *toute* exégèse résolvant tous les cas soit nécessairement *la* bonne. Poussé à fond, ce principe conduit à une exégèse de « devinette ». Chacun peut y aller de sa propre solution et estimer, évidemment, qu'elle est celle qui s'accorde le mieux avec tous les cas de secret en Marc (les emplois rebelles étant attribués soit à d'autres traditions, soit à la

---

1. *Messiasgeheimnis*, [3]1963, p. 9-22, 129-131 ; 279-286.
2. *Messiasgeheimnis*, 1939, p. 1-113.
3. *Der verborgene Menschensohn in den Evangelien*, 1955, p. 103-122.
4. *Zeitschrift für neutest. Wiss.* 1904, p. 170ss ; *Messiasgeheimnis*, [3]1963, p. 36-38. Cf H. J. EBELING : *Messiasgeheimnis*, 1939, p. 65.

maladresse rugueuse de Marc...) Une telle exégèse est trop subjective pour être réellement scientifique. Le seul fait que nous nous trouvions en présence d'une série de tentatives différentes, dont aucune n'emporte tout à fait la conviction, montre que la méthode n'est pas bonne.

Rien ne peut ici remplacer l'analyse. Il ne s'agit pas de « deviner » la solution du problème, mais de rechercher patiemment ce que *Marc* a voulu dire. S'il est vrai - les études précédentes nous en ont déjà convaincus - que le secret messianique, *dans sa présentation actuelle*, est un thème systématiquement développé par *Marc*, il est impossible alors que *Marc* ne s'en soit pas expliqué quelque part. C'est un des rares cas où l'on peut être à peu près certain a priori qu'il existe une solution à l'énigme. Avec un peu de patience on ne peut manquer de la trouver, non pas en devinant, mais en analysant les textes.

D'aucuns s'étonneront de ce que la solution de ce secret soit si difficile à découvrir. Marc n'écrivait-il pas pour des gens simples ? Comment auraient-ils pu comprendre un message chiffré que les savants d'aujourd'hui n'arrivent pas à interpréter?

Précisément, nous touchons là un autre aspect important. Pour la communauté à laquelle Marc s'adressait, la signification de son message devait être transparente. Comme le note G. Strecker [1], si nous connaissions mieux la communauté de Marc et ses problèmes, nous entendrions beaucoup mieux le message que son pasteur lui adresse. Nous sommes persuadés, quant à nous, qu'une analyse attentive du secret révélera le visage des destinataires.

---

1. Dans *Studia Evangelica* III, Berlin, 1964, p. 104.

PREMIÈRE PARTIE

LE FAIT LITTÉRAIRE

Le secret messianique est-il autre chose qu'une invention des chercheurs qui, à force d'essorer les textes, finissent par en extraire une foule de choses auxquelles les auteurs n'avaient jamais pensé ? On a souvent répété que les pauvres évangélistes seraient abasourdis d'entendre tout ce qu'on leur a fait dire.

Force nous est donc d'entreprendre l'analyse de l'ensemble de la matière évangélique. Nous étudierons ici les quatre grands genres littéraires qui embrassent la presque totalité des matériaux de Marc. D'une part, les récits de miracles et les exorcismes et, d'autre part, les controverses et les paraboles. Il y a une étonnante correspondance entre ces genres littéraires apparemment si différents, et nous constaterons que tous concourent, de façon souvent bien inattendue, à la mise en vedette d'un thème unique, partout présent - comme l'avaient déjà constaté V. Taylor et J. Schniewind [1], - le secret messianique.

La présence de ce thème à tous les niveaux, en alliage avec les matériaux traditionnels les plus variés, prouve qu'il ne s'agit pas d'une théorie ayant eu vogue dans certains milieux particuliers. Elle est le fait du dernier auteur qui l'a surimposée à toutes les formes qui lui venaient de la tradition. La démonstration sera d'autant plus probante que l'on pourra déceler chaque fois la retouche ou la surcharge stylistiquement bien reconnaissable, introduisant le thème du secret dans un contexte où, primitivement, il ne se trouvait pas.

Nous pourrons ainsi nous faire une idée du fait littéraire et de sa signification. Cette première partie de notre étude servira donc à poser le problème. La solution ne viendra que dans la seconde partie, où nous pourrons nous consacrer plus formellement aux explicitations théologiques de Marc.

---

1. Références et citations ci-dessus, p. 22, note 2.

I. LES RÉCITS DE MIRACLES.

Les récits de miracles occupent 209 des 666 versets de saint Marc, soit 31 % [1]. C'est dire leur importance pour le second évangéliste. L'École des Formes, poussée par le déisme, a tendance à minimiser l'importance théologique des récits de miracles. R. Bultmann [2] estime que l'on a fort exagéré l'influence de l'Ancien Testament. Il est bien davantage frappé par les analogies non-chrétiennes. Il cite un grand nombre de références à des récits semblables, soit juifs, soit hellénistiques [3].

Les miracles de Jésus seraient à mettre sur le même pied que ceux des guérisseurs professionnels de l'époque. Ils veulent montrer le caractère « surhumain » (θεῖος ἀνήρ) de Jésus, tel que la foi populaire se le représentait. C'est la légende qui, peu à peu, a auréolé Jésus d'une frange de merveilleux. Les attouchements des malades par Jésus relèvent du folklore de ces guérisons plus ou moins magiques. C'était le goût du temps. Ces récits ne sont qu'un simple remplissage du cadre kérygmatique, une illustration du message, voire des contes pour occuper l'attention des auditeurs (« Novellen ») [4].

Pourtant, déjà A. Fridrichsen, en 1925, avait eu des formules admirables qui allaient bien au-delà de ce qu'en avaient dit les critiques des formes : « La puissance (dynameis) de Jésus est une manifestation de la venue du règne, c'est une manifestation

---

1. D'après A. RICHARDSON : *The Miracle Stories of the Gospels*, London, 6 1959, p. 36.
2. *Geschichte der synoptischen Tradition*, 4 1958, p. 245sv.
3. Ibid. p. 236-46. Voir surtout O. WEINREICH : *Antike Heilungswunder*, Giessen, 1909 (Religionsgeschichtliche Versuche und Vorarbeiten VIII, 1).
4. Ainsi R. BULTMANN : *Die Erforschung der synoptischen Evangelien*, Giessen, 2 1930, p. 36sv ; *Gesch. syn. Trad.* 4 1958, p. 236-253 ; M. DIBELIUS : *Die Formgeschichte des Evangeliums*, Tübingen, 4 1961, p. 70-88, etc.

eschatologique » ; et encore : « Par ses prodiges, il créait l'avenir, les forces du monde à venir se manifestaient en lui » [1].

Par la suite, A. Richardson [2], P. H. Menoud [3], H. Van der Loos [4] ont bien remis en lumière la valeur avant tout kérygmatique de ces récits de miracles. E. Hoskyns et F. N. Davey citent en particulier Mc VII, 31-37 [5] et VIII, 22-26, qui rappellent clairement Is XXXV, 3-6 (LXX) [6]. Puis ils concluent :

> « Les miracles de Marc sont des signes attestant la présence du Messie en plein milieu du judaïsme et reposant sur les prophéties de l'Ancien Testament. Ils manifestent en outre la vraie nature de la puissance du Christ, puisque - à la suite des prophéties de l'Ancien Testament - ils proclament, au-delà de la simple guérison physique, la libération du péché et du Malin » [7].

Mais si les miracles sont une révélation de la puissance eschatologique déjà à l'œuvre dans la personne de Jésus, ils vont se situer d'emblée en tension extrême avec le secret messianique. Comment faut-il concilier cette insistance de Marc sur les miracles de Jésus avec sa thèse du secret ?

Plusieurs parmi ceux qui ont étudié le secret messianique ont trop négligé l'aspect complémentaire : celui de la volonté, tout aussi caractéristique et systématiquement poursuivie, de mettre en puissant relief la manifestation de la gloire eschatologique de Jésus. Faut-il alors passer à l'autre extrême et ne plus voir, avec Ebeling, que l'aspect épiphanique en éliminant pratiquement l'autre et en réduisant ainsi le secret à un simple procédé littéraire ? Les critiques nombreuses opposées à la thèse unilatérale d'Ebeling manifestent qu'elle ne résout pas davantage tous les problèmes.

Pour faire justice à saint Marc, il faut, de toute nécessité, maintenir la tension entre cette révélation de la puissance mes-

---

1. *Le problème du miracle dans le christianisme primitif* (Thèse), Strasbourg, 1925, p. 47-48.
2. *The Miracle Stories of the Gospels*, [6]1959, p. 20-37 et passim.
3. Dans *Revue d'Histoire et de Philosophie Religieuses*, XXVIII-XXIX, 1948-1949, p. 185.
4. *The Miracles of Jesus*, Leiden, 1965, p. 247. Voir aussi l'ouvrage en collaboration : *The Miracles and the Resurrection*, London, 1964.
5. *L'énigme du Nouveau Testament*, Neuchâtel, 1949, p. 127sv.
6. C. K. BARRETT : *The Holy Spirit and the Gospel Tradition*, London, [2]1966, p. 70 fait remarquer que le mot rare « sourd-bègue » provient d'Is XXXV, 6 (LXX).
7. *L'énigme du NT*, 1949, p. 134.

sianique et le secret. C'est dans cette tension dialectique que réside très précisément le message de Marc : selon l'expression heureuse de M. Dibelius, « la secrète épiphanie » [1]. Si on veut la résoudre dans un sens ou dans l'autre, on évacue sa théologie [2].

Force nous est donc d'étudier d'abord les miracles qui comportent une injonction au silence, et ensuite, séparément, ceux qui n'en comportent pas. Les uns et les autres posent des problèmes particuliers que nous aurons à solutionner.

Remarquons dès à présent que, sur les 8 (ou 9) injonctions explicites au silence, 3 (ou 4) se trouvent incorporées à des récits de miracles [3], 3 font partie d'exorcismes [4], et deux sont adressées aux disciples après une manifestation privilégiée de la gloire messianique [5]. Ces injonctions ne sont donc pas liées à un genre littéraire spécifique ; elles se retrouvent à travers tout l'évangile de Marc. Première indication que l'origine de ces ordres au silence est à chercher au niveau *rédactionnel* (Marc) et non au niveau de la tradition. Ce premier indice doit encore être complété par beaucoup d'autres.

A. INJONCTIONS AU SILENCE

I, 40-45, Lépreux. [6]

Depuis longtemps, on s'est demandé si l'injonction au silence provenait de Marc ou de la tradition. M. Dibelius n'attribue à Marc que le v. 45, mais il est obligé de reconnaître que le récit actuel est complexe et il le range dans le genre touffu des « Novellen ». En outre, il admet que Marc a réinterprété les v. 43-44 dans le sens de sa théorie du secret [7]. Cette concession suffit pour justifier notre conclusion. Néanmoins, nous pensons pouvoir aller plus loin que lui.

---

1. *Formgeschichte des Evg*, ⁴1961, p. 232.
2. Voir U. Luz : *Zeitschrift für neutestamentliche Wissenschaft*, 1965, p. 11-17.
3. Mc I, 43-44 (lépreux) ; V, 43 (Jaïre) ; VII, 36 (sourd-bègue) ; et peut-être VIII, 26 (aveugle de Bethsaïde).
4. I, 25 (Capharnaüm) ; I, 34 (sommaire) ; III, 12 (sommaire).
5. VIII, 30 (confession de Pierre) ; IX, 9 (transfiguration).
6. Cf H. VAN DER LOOS : *The Miracles of Jesus*, 1965, p. 464-494.
7. *Die Formgeschichte des Evangeliums*, ⁴1961, p. 70.

1. V. Taylor maintient l'origine traditionnelle de la péricope ; mais il doit bien confesser, lui aussi, que sa structure est composite [1]. Il estime que le récit de miracle traditionnel se termine au v. 42, suivi peut-être du v. 45 [2], tandis que les versets 43-44 seraient *un petit apophtegme* sur le problème de l'observance légale juive dans le christianisme primitif. Nous nous trouverions donc en présence d'un spécimen de « complexification » (Taylor emploie le mot de « bifurcation ») de la tradition primitive : au lieu des genres purs originaux [3], nous aurions ici un des plus anciens exemples de contamination entre deux genres littéraires (ou oratoires), celui du récit de miracle et celui de l'apophtegme.

D'après V. Taylor, ce métissage se serait produit antérieurement à Marc. Toutefois, si le récit de miracle dégagé par V. Taylor apparaît dans toute sa netteté, il n'en va pas de même pour l'apophtegme, auquel il assigne les v. 43-44 :

> « Le grondant, il le chassa aussitôt en lui disant : « Ne dis rien à qui que ce soit, mais va te montrer au prêtre et fais pour ta guérison l'offrande prescrite par Moïse pour leur servir d'attestation ».

Ce débris présuppose une introduction perdue. Dans le début de l'apophtegme (supposé), il devait y avoir une allusion quelconque à un lépreux (ou à un autre malade légalement impur). On ne trouve plus un mot de cette introduction en Mc I, 39-42 qui, de l'aveu de tous les exégètes, est d'une seule venue et raconte un miracle tout à fait classique sans un mot de trop. Il faut donc supposer que le début de l'ancien apophtegme a été complètement absorbé par le récit de miracle avec lequel il a été combiné. C'est assez étrange. On se serait plutôt attendu à trouver des bribes de l'ancienne introduction à l'apophtegme mélangées au récit de miracle. C'est ce qui se produit presque toujours dans ces cas d'agglutination.

Par ailleurs, la phrase citée ci-dessus devrait être la conclusion de l'apophtegme. Or elle ne présente pas cette frappe définitive de la sentence qui résout magistralement un cas. Peut-on parler

---

1. *The Gospel According to St. Mark*, London, 1952, p. 185.
2. Qu'il range pourtant parmi les « sommaires », p. 85.
3. Souci majeur des *Formgeschichtler* : R. BULTMANN : *Gesch. syn. Trad.*, ⁴1958, p. 335-346 ; etc.

d'un aphorisme mémorable, dont le reste de l'apophtegme n'aurait été que l'écrin [1] ?

Ensuite, quel est le sens de la phrase, telle qu'elle nous est présentée ? Le seul possible est que l'ex-lépreux (?) aurait à recevoir du prêtre l'attestation officielle de sa guérison avant de pouvoir entrer en contact avec les autres hommes. Un lépreux était, en effet, légalement isolé de la communauté comme impur et devait se tenir à l'écart. Seul le prêtre était habilité pour constater officiellement sa guérison (Lév XIV). Jésus lui enjoindrait de n'entrer en contact avec personne avant d'y avoir été autorisé par le prêtre [2].

Nous nous trouverions donc en présence d'un apophtegme sur l'observance de la Loi de Moïse. Jésus gronderait l'ex-lépreux de vouloir se soustraire à cette prescription et lui ordonnerait de l'observer à la lettre. Cette intention du lépreux n'est exprimée nulle part ; il faut donc la *supposer*. Quant au logion, il proviendrait de la tradition judéo-chrétienne (Taylor).

Une autre difficulté de la solution proposée par Taylor est qu'on ne trouve guère d'apophtegme à tendance aussi décidément légaliste en saint Marc, ni même ailleurs. Sans doute plusieurs interpréteront-ils ainsi Mt V, 17-20. Encore que nous n'admettions pas cette exégèse, nous ne pourrions discuter ici ce difficile logion. De toute façon, il s'agit d'un logion et non d'un apophtegme et, en second lieu, il se trouve chez Matthieu et non chez Marc.

Parmi les apophtegmes proprement dits - surtout chez Marc, où ils jouent un grand rôle, comme nous le verrons par la suite - aucun n'oriente dans le sens d'un légalisme aussi intégral. Au contraire, ils ont tous pour objet de montrer que les anciennes prescriptions légales sont dépassées en raison de la venue du Royaume [3]. Seul cet apophtegme-ci aurait une signification diamétralement opposée.

De plus, il est curieux de constater que Matthieu - soupçonné par beaucoup d'avoir des accointances légalistes - *supprime* précisément l'apophtegme prétendu sur l'observance de la Loi (Mt VIII, 3-4). Nous aurions donc cette situation assez para-

---

1. Cf. R. Bultmann : *Gesch. syn. Trad.* ⁴1958, p. 51sv.
2. Cf. aussi M. Dibelius : *Formgeschichte des Evg.* ⁴1961, p. 70.
3. Voir chapitre III : Controverses.

doxale : Marc, qui ailleurs (VII, 1-23 ; X, 1-11, etc.) montre la caducité de l'observance juive en face de la nouveauté de l'Évangile, aurait ici conservé une affirmation violente sur la nécessité de la fidélité intégrale à la Loi juive, que le légaliste Matthieu aurait lui-même repoussé comme un corps étranger. Évidemment, dans des cas pareils, la « rusticité » de Marc a bon dos. On se contentera de dire qu'il n'a même pas remarqué la contradiction. Mais nous prenons résolument la défense de Marc et nous préférons dire que les solutions qui sont obligées de postuler la stupidité de Marc font par-là même la preuve de leur propre insuffisance. Il serait bien étrange que des expressions signifiant partout chez Marc une injonction au silence en raison du secret messianique, aient ici un sens aussi torturé et injustifiable.

2. V. Taylor lui-même n'est d'ailleurs pas entièrement convaincu par sa propre solution. Il admet une autre possibilité : J. Weiss avait déjà suggéré jadis que Marc aurait combiné *deux versions parallèles d'un même miracle* : la première se terminant par l'injonction de se montrer au prêtre, la seconde par un ordre de silence violé [1]. E. Lohmeyer [2] reprend lui aussi cette explication - sans citer J. Weiss - et note que la seconde version du miracle relève de la thèse marcienne du secret messianique. E. Lohmeyer note à ce propos que l'injonction au secret, sa violation, la réprimande et l'expulsion du lépreux sont tous traits qui relèvent du secret messianique [3].

Mais on se demande alors pourquoi postuler encore deux récits (traditionnels ?) parallèles. Puisque l'on reconnaît que l'un des deux relève de la théorie de Marc, ne serait-il pas plus logique et plus obvie d'admettre qu'il a simplement inséré cet ordre de secret dans un récit qui, primitivement, n'en comportait pas ? Cela nous paraît d'autant plus inévitable que, d'une part, les

---

1. J. Weiss : *Das älteste Evangelium*, Göttingen, 1903, p. 153, note.
2. *Evg des Mk*, [15]1959, p. 45.
3. M. Dibelius : *Formgeschichte des Evg*, [4]1961, p. 70 ; V. Taylor lui-même : *Gosp. Acc. to St Mk*, 1952, p. 189 ; E. Sjöberg : *Der verborgene Menschensohn in den Evangelien*, Lund 1955, p. 155-156 ; T. A. Burkill : *Mysterious Revelation*, 1963, p. 82sv, et beaucoup d'autres admettent au moins une réinterprétation par Marc dans le sens de son « secret ». Cette concession suffirait à justifier nos conclusions théologiques ; mais nous pensons qu'il y a plus que cela : Marc lui-même a composé les v. 43-44a.

v. 43-44a sont la *seule* partie véritablement inassimilable du récit et que, d'autre part, le début de la narration (v. 40-42) ne présente aucune trace de complexité. Si réellement Marc - ou la tradition prémarcienne - avait combiné deux récits parallèles, on trouverait la trace d'une double rédaction dans le début également. Or le début est parfaitement uni. Plus que cela, on peut à peine parler d'un « début » : dans les versets 40-42, nous avons un récit de miracle simple, logique et *complet*. La narration est achevée avec le v. 42 ; tout au plus peut-on attendre le v. 44b, qui représente la constatation officielle du miracle et parachève ainsi le récit [1]. Mais toute cette partie ne représente qu'*une* seule version - complète ! - du miracle ; tandis que l'autre version postulée par Lohmeyer, celle qui se terminerait par l'injonction « marcienne » au silence, serait amputée de toute sa partie essentielle, à savoir le récit du miracle lui-même, et n'aurait conservé que la conclusion, c'est-à-dire l'ordre de silence.

On le voit, cette solution présente autant de difficulté que celle de l'apophtegme intercalé. En fait, la *seule* pièce qui interrompt le récit est l'injonction au silence. Vouloir en faire le débris d'un ancien apophtegme ou d'un second récit de miracle est purement gratuit et aucune trace d'amalgamation dans le reste du texte ne vient confirmer cette supposition.

3. Une fois ces deux possibilités écartées, il ne reste que les v. 43-44a en lesquels réside *toute* la difficulté du récit. La plupart des exégètes ont en effet achoppé sur les expressions violentes employées par Marc au v. 43 et fort peu en accord avec le récit de miracle. Le « grognement de colère » et le « il l'expulsa » se trouveraient beaucoup mieux en place dans *un récit d'exorcisme*. C'est dans ce contexte que voudrait les situer J. M. Robinson [2]. Il estime que les v. 43-44a sont « largement ininintelligibles dans leur contexte actuel, mais admirablement adaptés à un récit d'exorcisme » [3]. Une fois de plus ce sont les v. 43-44a qui forment corps étranger dans le récit de miracle et doivent provenir d'ailleurs. Taylor les faisait dériver d'un apophtegme,

---

1. Au lieu de la conclusion chorale que l'on trouve souvent ailleurs : cf R. Bultmann : *Gesch. syn. Trad.* [4]1958, p. 241.
2. *The Problem of History in Mark*, London, 1957, p. 40 (= *Das Geschichtsverständnis des Markus-Evangeliums*, Zürich, 1956, p. 51).
3. o.c. p. 40, note.

Lohmeyer d'un autre récit de miracle (de tendance théologique *marcienne* !) et Robinson cherche un exorcisme. Ce qui a été dit des deux autres tentatives vaut aussi de celle-ci : on ne trouve pas trace dans le reste du récit d'un ancien exorcisme qui aurait été amalgamé avec le récit du miracle [1]. D'ailleurs Robinson ne pense pas au mélange de deux récits, mais à l'osmose des exorcismes et des récits de miracles : une simple contamination.

Néanmoins les exemples qu'il cite ne sont pas en tous points convaincants. En effet, en I, 25 et III, 12, Jésus emploie bien un mot violent à l'égard des démons, mais de part et d'autre, il ne s'agit précisément pas de la colère de l'exorciste affronté à son ennemi, mais bien d'*une injonction au silence*. Ce n'est pas la rencontre du démon qui indispose Jésus, mais le fait que le démon veuille révéler publiquement son identité : Jésus lui enjoint avec force *de ne pas le faire connaître* (III, 12). Sa sévérité relève donc, là aussi, du secret messianique et la parenté de vocabulaire signalée par Robinson provient simplement du motif rédactionnel inséré de part et d'autre par Marc !

4. Les v. 43-44a restent donc seuls en surcroît dans le récit de miracle. Puisqu'aucune des tentatives faites pour les rattacher à une autre péricope traditionnelle (apophtegme, récit de miracle parallèle, exorcisme) ne réussit à emporter l'adhésion, force nous est de les considérer en eux-mêmes. A l'intérieur du récit traditionnel de la guérison du lépreux, ils ne peuvent être qu'une correction pour insérer dans ce récit de miracle un élément étranger. Or la signification de cette addition n'est pas explicitée. Elle est même difficilement compréhensible si l'on considère *isolément* la guérison du lépreux ; par contre, elle devient très claire dès qu'on la replace dans le contexte d'un thème qui se retrouve « dans presque tous les récits de Marc » [2]. Il ne reste plus qu'à dire, sans hésitation possible : les v. 43-44a proviennent tout simplement de l'*activité rédactionnelle de Marc* [3] : Il a introduit ainsi son thème théologique préféré [4].

---

1. ROBINSON cite également le « se mettant en colère » du v. 41, nous le verrons ci-après.
2. Selon l'expression de V. TAYLOR : *Gosp. Acc. to St Mk*, 1952, p. 123.
3. Ce qui ne veut nullement dire qu'ils n'ont aucun fondement « historique », ou même « traditionnel » dans un sens général ; voir notre conclusion : Le secret messianique et l'histoire.
4. Notre conclusion rejoint la position de R. BULTMANN : *Gesch. syn. Trad.*, ⁴1958, p. 227.

Il suffit de séparer le récit de miracle proprement dit - traditionnel - (I, 40-42 + 44b) des v. 43-44a, pour obtenir deux résultats très satisfaisants :

a) d'une part, un récit de miracle parfaitement dégagé, tout à fait traditionnel et ne présentant plus aucune difficulté (nous verrons tout de suite ce qu'il faut penser du « se mettant en colère » au v. 41).

b) d'autre part, une injonction au silence bien dans le style de Marc. Répétons que c'est l'injonction au silence *et elle seule* qui rompt l'homogénéité du récit de miracle. La rudesse de l'injonction, jugée exagérée par certains, provient simplement - ici comme en I, 25, 34b ; III, 12 ; V, 43 ; VIII, 30 ; IX, 9 - de la volonté explicite de Jésus de rester ignoré. Cette vivacité, cette violence même, ont une valeur littéraire et théologique : elles soulignent l'importance du secret. Une injonction aussi emportée ne peut passer inaperçue ; elle pique nécessairement le lecteur et l'oblige à réfléchir sur la signification de ces interdictions si sévères, contrastant singulièrement avec la bonté du Médecin. Et comme ce thème revient régulièrement à la manière des bornes le long d'une grand-route, le lecteur n'a plus qu'à se laisser conduire.

5. A cette conclusion fondamentale ajoutons *quelques corollaires*. Tout d'abord une confirmation importante : Matthieu a presque complètement supprimé l'injonction au silence dans le récit correspondant et Luc l'a fortement adouci [1]. Pour ceux qui admettent une dépendance directe de Matthieu vis-à-vis de Marc, cela signifie que Matthieu a été choqué par la brusque intervention de l'objurgation au silence, ou au moins qu'il ne l'a pas jugé partie intégrante du récit. Il est remarquable, à notre point de vue, de voir que Matthieu a précisément supprimé tout ce que nous estimions devoir attribuer à l'activité rédactionnelle de Marc : le « se mettant en colère » au v. 41 ; les v. 43 et partie de 44a et le v. 45. Par contre, il a conservé le v. 44b de Marc.

Matthieu paraît même avoir déplacé l'injonction au silence de Mc I, 43-44a pour la rattacher à l'un des derniers miracles de sa série des dix (Mt IX, 30-31), dans le but possible de la rapprocher de l'expli-

---

1. Mt VIII, 1-4 ; Luc V, 12-16.

cation qu'il donne du secret en Mt XII, 15-21. Mais la question est trop complexe pour être traitée ici. Ce déplacement, s'il était avéré, confirmerait naturellement le caractère détachable, donc secondaire, de l'injonction.

Pour ceux qui n'acceptent pas la dépendance immédiate de Matthieu par rapport à Marc, cela signifie au moins que les v. 43-44a ne font pas partie essentielle de la tradition primitive, puisque l'on peut rencontrer chez Mt-Lc un récit de miracle correspondant littéralement à celui de Marc, mais où manquent les versets qui font difficulté chez Marc.

6. Autre point : le v. 45, auquel nous avons déjà fait allusion. La plupart des exégètes affirment que ce verset est un « sommaire » et qu'il fait donc partie du cadre rédactionnel de l'évangile. Sans doute, C. H. Dodd a-t-il essayé de démontrer que ces « sommaires » mis bout à bout constituaient le cadre *traditionnel*, le schéma kérygmatique fondamental, dans lequel Marc aurait enchâssé, en guise d'illustration, des péricopes primitivement isolées (récits de miracles, exorcismes, etc.) [1]. Mais cette théorie de Dodd est de plus en plus battue en brèche aujourd'hui [2]. La plupart des exégètes attribuent ces sommaires à l'activité rédactionnelle *de Marc* [3]. Nous espérons pouvoir étudier cette question en détail ailleurs.

Dans l'état actuel du texte, le v. 45 *présuppose* l'injonction au silence des v. 43-44a ; c'est pourquoi il a été omis par Matthieu en même temps que les v. 43-44a et fortement modifié par Luc. Il y a donc beaucoup de chances pour qu'il appartienne à la même couche rédactionnelle que les v. 43-44a, c'est-à-dire à Marc. Le v. 45 fait suite immédiate au v. 44a et expose une conception du secret et de sa violation familière à Marc :

---

1. C. H. Dodd : « The Framework of the Gospel Narrative », dans *Expository Times*, XLIII, 1932, p. 396-400, repris dans *New Testament Studies*, Manchester, 1954, p. 1-11.

2. Voir un bon exposé de la question dans É. Trocmé : *La formation de l'évangile selon Marc*, 1963, p. 23sv.

3. Ainsi K. L. Schmidt : *Der Rahmen der Geschichte Jesu*, 41964, Darmstadt, p. 63-67 ; M. Dibelius : *Die Formgeschichte des Evg*, 41961, p. 214-234 ; R. Bultmann : *Gesch. syn. Trad.*, 41958, p. 365sv ; D. E. Nineham : *Saint Mark*, (Pelican Gospel Comm.) 1963, p. 88 : « No doubt a Marcan addition to the traditional story » (à propos de Mc I, 45).

« Il le gronda et l'expulsa aussitôt (en disant) : 'Attention ! Ne dis rien à qui que ce soit !' Mais lui, à peine sorti, se mit à claironner partout et à répandre la nouvelle, de sorte que (Jésus) ne pouvait plus sortir ouvertement en ville. Mais il se tenait dehors dans les lieux déserts et l'on venait à lui de toutes parts ».

L'analogie avec Mc VII, 36 et aussi Mt IX, 30-31 [1], ainsi que le sens de la phrase et le contexte, obligent à faire de l'ex-lépreux le sujet du v. 45a : « à peine sorti » (ἐξελθών) correspondant à « l'expulsant » (ἐξέβαλεν) du v. 43, et le ὁδὲ marque l'opposition entre l'ordre de Jésus et la réaction toute contraire du miraculé [2]. Il s'agit donc bien d'un ordre de silence et de sa violation.

7. Dernier point en litige, le difficile ὀργισθείς, « se fâchant », du v. 41. Il a toute chance d'être original.

C'est la lecture du texte « occidental » D, a, ff², r. Si ce texte n'était pas original, on ne s'explique guère qu'une leçon aussi difficile (difficilior) se soit introduite dans le texte. Au contraire, si la leçon est originale, on comprend aisément que beaucoup de copistes pieux aient achoppé sur un texte aussi déroutant et l'aient édulcoré en introduisant un « ému de compassion » qui s'accordait beaucoup mieux avec leur sensibilité et (apparemment) avec la suite du récit - puisque Jésus concède la guérison. Mais le témoignage convergent de Matthieu et de Luc est formel : si l'un et l'autre ont supprimé l'épithète, c'est que l'épithète les choquait. Si Marc avait écrit « ému de compassion », il est certain que Luc - dont précisément la dépendance à l'égard de Marc est communément admise - l'aurait conservé [3].

Inexplicable dans le contexte du miracle [4], ce mot s'éclaire dans la perspective du secret messianique et correspond au style

---

1. Surtout si l'on admet une dépendance de Mt IX, 30-31 par rapport à Mc I, 43-45 !
2. Contre T. A. BURKILL : *Mysterious Revelation*, 1963, p. 40 (dubitativement).
3. Dans le même sens : V. TAYLOR : *Gosp. Acc. to St Mk*, 1952, p. 187 (avec Bibliographie) ; K. LAKE : *Harvard Theol. Review*, XVI (1923), p. 197sv ; T. A. BURKILL : *Mysterious Revelation*, 1963, p. 38 ; etc.
4. Ni l'explication d'E. BEVAN : *Journal of Theological Studies*, XXXIII, p. 186-188 (réaction de Jésus en face de la souffrance : ce n'est pas une raison de se mettre en colère ! Au v. 43, la mauvaise humeur de Jésus atteint manifestement l'ex-lépreux) ; ni celle de J. M. ROBINSON : *The Problem of History in Mk*, 1957, p. 40 (éd. allem. p. 51) (assimilation aux exorcismes), ne nous paraissent vraiment convaincantes.

assez abrupt de Marc. Sans doute plusieurs ont-ils estimé que
cette expression était trop violente, même dans la perspective
du secret messianique [1]. Nous croyons, au contraire, que ce mot
met bien en valeur l'importance (théologique) primordiale du
secret en Marc. Il faut comparer, malgré toutes les différences
apparentes, la violence de la réponse de Jésus à Pierre en Mc
VIII, 33. Nous verrons, au cours de notre étude, que la raison
profonde de cette colère de Jésus est identique de part et d'autre [2] : le lépreux, tout comme Pierre, contrarie le plan divin en
requérant une manifestation anticipée de la gloire messianique [3].
C'est pourquoi Jésus se fâche et exige avec force que le lépreux
ne dise rien à personne. Mais, à la différence de Mc VIII, 33,
Jésus est ici vaincu par la foi du lépreux. Il faut citer, à cet
égard, un autre exemple parallèle : le « duel » entre la volonté
de Jésus de rester caché et la foi de la syro-phénicienne qui voulait, elle aussi, avant que le temps ne fût venu, obtenir une
manifestation messianique associant les païens aux privilèges
du peuple de Dieu (comparer Jean II, 4).

8. Plusieurs estimeront que notre minutieuse analyse n'était
pas nécessaire, puisqu'un large consensus exégétique admet que
Marc a au moins *retouché* ou réinterprété I, 43-45 dans le sens
de sa théorie du secret [4]. Cette concession suffit entièrement à
fonder les conclusions théologiques que nous voulons formuler
ici. Néanmoins il nous a paru nécessaire d'étudier rigoureusement le procédé littéraire de Marc, pour saisir en quelque sorte
le mécanisme rédactionnel de sa réinterprétation. Cette analyse
patiente nous aidera à comprendre avec plus de précision et de
force la signification de son message et de sa théologie.

Prenons donc acte des résultats de notre analyse. La guérison
du lépreux est le premier miracle public raconté en détail. Il a
valeur de programme. Peut-être, après tout, J. M. Robinson
avait-il raison d'insister sur la parenté d'expression entre les
termes employés dans ce miracle et ceux en usage dans les récits
d'exorcismes. Ici comme là, Jésus (le « Fils de Dieu ») est décou-

---

1. T. A. Burkill : *Mysterious Revelation*, 1963, p. 38sv et 83.
2. Au niveau de la rédaction de Marc, bien entendu.
3. Les démons contrarient ce plan en révélant publiquement ce qui doit
encore rester caché. Voir ci-après.
4. Voir plus haut, p. 44, note 3.

vert, alors qu'il voulait et devait rester caché. Là c'est la perspicacité d'êtres spirituels, ici c'est l'humble foi de l'indigent qui l'ont repéré.

Nous ne sommes pas loin de l'interprétation d'Ebeling : le rayonnement du Fils de Dieu est absolument irrésistible. Malgré tous les efforts qu'il fait pour se cacher, sa gloire transparaît de toutes parts. La violation du secret traduit symboliquement la même réalité théologique : en dépit de toutes les recommandations de Jésus, le miraculé ne peut s'empêcher de clamer sa guérison sur tous les toits. La théologie sous-jacente à ce trait n'est pas celle de la désobéissance du malade, qui n'est pas même évoquée, mais plutôt celle qu'exprime à sa façon, Luc XIX, 40 : « Si eux se taisent, les pierres crieront ! » Cet aspect a été parfaitement mis en lumière par Ebeling ; il n'est pas nécessaire d'en reprendre la démonstration [1].

La *violation* du secret exprime donc la puissance transcendante de la gloire messianique ; mais le *fait même* du secret n'est pas expliqué. Pourquoi donc Jésus veut-il étouffer le rayonnement de cette gloire qui confond et ravit les foules ? Pourquoi empêche-t-il les bénéficiaires de ses miracles d'en parler ? Pourquoi se cache-t-il ? Autant de questions auxquelles Marc ne répond pas, du moins pas pour le moment. Plutôt que de deviner une réponse trop hâtive, mieux vaut patienter et nous laisser guider par lui.

Prenons acte de l'ambivalence paradoxale du secret. Il n'est pas refus pur et simple de se manifester. Dès les premiers versets de l'évangile, Jésus s'en va proclamant la Bonne Nouvelle du Royaume. C'est le programme de tout son ministère galiléen qui est ainsi énoncé. Partout il manifeste, en paroles et surtout *en actes* que le Royaume est déjà présent au milieu du peuple. Mais cette annonce reste étonnamment ambiguë. Tout en manifestant d'une main souveraine la gloire merveilleuse et libératrice du Royaume de Dieu (I, 27-28), Jésus est comme anxieux de la cacher de l'autre main. Le thème du secret veut tenir la gageure d'exprimer ce double mouvement [2].

---

1. Dans le même sens, U. Luz dans *Zeitschr. f. neutest. Wiss.* 1965, p. 11-17.
2. Excellemment formulé par E. Lohmeyer : *Das Evangelium des Markus*, Göttingen, [15]1959, p. 48sv.

V, 21-43, Fille de Jaïre et hémoroïsse [1]

D'après un grand nombre de critiques, la combinaison de ces
deux récits de miracles serait antérieure à Marc. Selon les uns,
elle refléterait la scène telle qu'elle s'est historiquement déroulée [2] ; pour les autres, elle aurait son origine dans la tradition
primitive anonyme [3]. Plusieurs auteurs toutefois attribuent à
Marc lui-même cette disposition « en sandwich » des deux récits [4].
C'est un procédé qui lui est familier [5]. E. Best fait en outre
remarquer que le grec de V, 25-34 est différent de celui de V,
22-24, 35-43, ce qui indique deux sources différentes, combinées
a posteriori [6].

Il vaut la peine de souligner que, lorsque Marc fait usage de
ce procédé, c'est toujours pour un motif théologique. Il veut
indiquer que les deux récits doivent être interprétés l'un par
l'autre. Cela est très clair, par exemple, en III, 21-35 et XI,
11-21 [7].

1. Or nous constatons précisément des liens assez étroits entre
les deux récits. E. Lohmeyer a déjà souligné ce point [8]. Les mots
« sauver » et « croire » sont les thèmes majeurs de cette scène
jumelée. La femme (v. 28), tout comme le père (v. 24), est
persuadée qu'un contact avec Jésus la « sauvera ». Et, dans la
conclusion du miracle de l'hémoroïsse, Jésus lui confirme que
c'est bien sa foi qui l'a « sauvée » (v. 34). D'aucuns seraient

---

1. Voir H. VAN DER LOOS : *The Miracles of Jesus*, 1965, p. 509-519 &
559-573.
2. Ainsi V. TAYLOR : *Gospel Acc. to St Mk*, 1952, p. 289 ; J. SCHMID :
L'Evangelo secondo Marco (tr. ital), Brescia, 1956, p. 145 ; etc.
3. Ainsi R. BULTMANN : *Geschichte syn. Trad.* ⁴1958, p. 228 ; M. DIBELIUS :
Formgeschichte des Evg, ⁴1961, p. 220 ; etc.
4. Dans ce sens J. SCHNIEWIND : *Evg nach Mk*, ⁹1960, p. 4 ; E. SCHWEIZER
dans *Neotestamentica et Patristica* (*Freundesgabe O. Cullmann*) Leide,
1962, p. 40.
5. Comparer Mc III, 21-35 ; VI, 7-33 ; XI, 11-21 ; XIV, 1-11. Voir,
outre les auteurs cités à la note précédente : J. SUNDWALL : *Die Zusammensetzung des Markusevangeliums*, Abo, 1934, p. 32-35 ; É. TROCMÉ :
Formation de l'évg selon Mc, 1963, p. 66, note 255.
6. *The Temptation and the Passion : The Markan Soteriology*, Cambridge, 1965, p. 118.
7. É. TROCMÉ : ibid.
8. *Evg des Mk*, ¹⁵1959, p. 100sv.

sans doute tentés de prendre ce mot « sauver » au sens médical, « guérir », comme cela peut être le cas dans le grec biblique (LXX). Néanmoins, la comparaison avec II, 1-12, ainsi que, ici même, la relation étroite entre la foi et le salut, montrent que Marc entendait plus qu'une guérison simplement physique [1]. D'ailleurs, s'il ne s'était agi que de cela, tout eût été achevé avec le v. 29, et la confirmation de Jésus au v. 34 eût été une vérité de La Palice. En réalité, la relation entre le v. 34 et le v. 29 est la même qu'au ch. II entre le v. 5 et le v. 11.

2. Le thème de la *foi* unit autant ces deux miracles que celui du salut. D'ailleurs foi et salut sont corrélatifs. Jésus dit d'abord à la femme que sa foi l'a sauvée (V, 34), ensuite c'est le père qu'il exhorte : « Ne crains pas, crois seulement » (V, 36). Cette exhortation doit naturellement être rapprochée de la monition adressée par Jésus au père de l'épileptique (IX, 23-24).

3. Le troisième parallélisme - et ici nous nous séparons de Lohmeyer - est le fait que ces deux guérisons s'accomplissent par un *contact physique*. Sans doute les contacts physiques jouent-ils un rôle dans presque tous les récits de miracles [2] ; mais ici le trait est particulièrement souligné, et une interprétation théologique en est suggérée. Deux autres textes expriment la même idée ex professo. Il importe d'en faire la comparaison :

III, 10	V, 27-29	VI, 56
Il en avait guéri beaucoup. En sorte que tous ceux qui avaient des infirmités se précipitaient sur lui pour le toucher.	Venant par derrière dans la foule, elle toucha son manteau. Car elle se disait : Si je touche ne fût-ce que son manteau, je serai sauvée. ... Elle sentit ... qu'elle était guérie de son infirmité.	On mettait les malades sur les places publiques et on le priait de les laisser toucher ne fût-ce que la frange de son manteau. Et tous ceux qui le touchaient étaient sauvés.

---

1. De même E. Best, o.c. p. 109sv.
2. Voir I, 31, 34 ; III, 10 ; VI, (13), 56 ; VII, 32-33 ; VIII, 23, 25 ; IX, 27. Exceptions II, 11 ; III, 5 ; X, 52, qui sont précisément des exceptions au secret également. Voir plus loin.

On ne peut qu'être frappé par l'identité littérale entre ces
sommaires rédactionnels et le texte qui nous occupe. En face de
l'insistance que l'on trouve surtout en V, 27-34, et que les sommaires érigent en principe, il devient difficile de prétendre, avec
C. H. Dodd [1], que ces sommaires proviennent d'une *tradition*
kérygmatique originale, dans laquelle Marc aurait inséré les récits
de miracles et le reste. Il nous paraît évident, en effet, que les
sommaires ont été composés *en fonction des récits* qu'ils encadrent, et non l'inverse. Ils sont donc rédactionnels [2].

En tout cas, le « toucher » joue ici un grand rôle. Il ne correspond pas à une simple « naïveté » de Marc, mais à une intention théologique précise, proche parente de notre « secret
messianique ». Cette intention, soulignée par la reprise littérale
dans les deux sommaires qui encadrent et donnent à l'ensemble
sa structure théologique, est aussi mise fortement en valeur
dans l'épisode qui nous concerne. On y répète en effet *par trois
fois* que ce contact physique est décisif. Au v. 27, on mentionne
d'abord le contact. Eu égard aux deux sommaires III, 10 et VI,
56, cette simple mention eût largement suffi pour que le lecteur
comprenne l'intention de la femme. Mais Marc y revient au
verset suivant, en expliquant tout au long les raisons de la
malade. Ensuite Jésus lui-même répercute le thème en demandant « Qui m'a touché ? » Là aussi les disciples se méprennent
sur le sens de ce « toucher » et font remarquer que la foule le
bouscule de toute part. Mais Jésus, comme dans les « quiproquos »
de saint Jean, replace le fait sur son véritable plan, et affirme
que l'attouchement de la femme est d'une tout autre nature que
le simple contact matériel de la foule : il s'agit d'un attouchement de foi, le seul capable de « sauver ». Tout ce contexte et
cette insistance (à laquelle on peut comparer Mc VIII, 17-21)
manifestent qu'il s'agit ici d'une intention théologique caractérisée.

Dans l'histoire de Jaïre également, le contact physique joue
une grand rôle. On peut opposer ici Mt VIII, 5-13 ; Lc VII, 1-10.
Chez Marc, au contraire, dès le début, le père se rend bien
compte que Jésus doit imposer la main à sa petite fille pour la
sauver, et Jésus accepte sans difficulté (opposer Jean IV, 47-48).

---

1. Voir ci-dessus, p. 48.
2. C'est la thèse de BULTMANN et des autres Formgeschichtler, ci-dessus,
p. 48, note 3.

Le geste de guérison de Jésus répond exactement à l'attente du père (v. 41) et reproduit littéralement celui de Mc I, 31 et de IX, 27.

4. Il y a plus encore dans le récit de la fille de Jaïre, car Marc laisse nettement entendre qu'il s'agit d'une résurrection. Ce sont les gens qui affirment que la petite est morte. Mais Jésus dénie vivement qu'elle le soit (comp. Jean XI, 11-13). A ce point de vue, la scène est étonnammant parallèle à celle de la guérison du petit possédé de Mc IX, 26-27. Là aussi les gens disent : « Il est mort ». Et là aussi, l'opposition entre le v. 26 et le v. 27 semble insinuer que Jésus n'est pas de cet avis.

Mais ce n'est pas tout. Il y a une relation encore plus précise entre la guérison de la fille de Jaïre et celle du petit lunatique :

V, 41   καὶ κρατήσας τῆς χειρὸς ⋯   ἔγειρε ⋯   ἀνέστη
IX, 27   κρατήσας τῆς χειρὸς αὐτοῦ ἤγειρεν αὐτόν, καὶ ἀνέστη

De part et d'autre, l'enfant est tenu pour mort par les assistants, mais Jésus le prend par la main, le relève et l'enfant se tient debout. Les deux mots grecs ici employés, ἐγείρειν, ἀνίστασθαι sont répétés l'un après l'autre dans chacun des deux récits. Ce sont ceux mêmes qui spécifient la résurrection de Jésus [1], et aussi la soi-disant résurrection de Jean-Baptiste (Mc VI, 14). Dans la pensée de Marc, il existe un parallélisme entre la destinée de Jean et celle de Jésus (Mc IX, 12-13). Hérode lui-même pense que Jean est ressuscité d'entre les morts. Et les courtisans d'Hérode ajoutent ce commentaire, qui exprime peut-être la théologie de Marc : « D'où ces puissances qui sont suscitées en lui » (VI, 14). La foule établit spontanément le lien entre la résurrection et la puissance « ressuscitante » qui se manifeste dans les miracles de Jésus. Les deux enfants ressuscités sont le présage de la résurrection de Jésus [2], ou plutôt ils en sont déjà le fruit, la manifestation anticipée : c'est parce que le corps de Jésus est déjà en puissance de résurrection qu'il « ressuscite » tout ce qu'il touche. Quant à l'insistance de V, 28-34 qu'il ne suffit pas d'un simple contact physique, mais d'un contact de foi, elle reflète la condition présente de l'Église, car c'est pour

---

1. Ἐγείρειν en XIV, 28 et XVI, 6 ; ἀνίστασθαι dans les prophéties de la passion : VIII, 31 ; IX, 9, 10 ; X, 34 ; cf XII, 23-25.
2. De même, P. LAMARCHE, *Nouv. Rev. Théol.* LXXXVII, 1965, p. 520.

elle surtout que vaut ce contact de foi avec le Ressuscité (comp. Mc II, 5-10).

Une confirmation du caractère théologique de la résurrection accomplie ici par Jésus est la présence exclusive des trois témoins privilégiés : ceux qui verront le Christ transfiguré et seront présents à son agonie ; ceux-là même qui, avec André, recevront la révélation de l'avenir (XIII, 3). Cette sélection indique que la manifestation à laquelle ils assistent ici est tout aussi messianique. C'est la raison pour laquelle la consigne de silence est tellement stricte : elle est répétée trois fois ! La première fois, au v. 37, la mention semble anticipée, et elle paraît bien être rédactionnelle [1]. On voit difficilement, en effet, comment Jésus aurait pu se libérer de la foule qui le bousculait de toute part (V, 24, 31) pour partir seul avec les trois élus ; d'ailleurs tout est à recommencer au v. 38 et Jésus répète son commandement au v. 40 (ce qui semble presque aussi difficile qu'au v. 37 !) ; finalement, après la résurrection, il donne le troisième ordre de secret (v. 43), qui selon Bultmann, vient interrompre la suite entre le v. 42 et le « naïf » v. 43b. Nous ne pensons d'ailleurs pas, quant à nous, que le v. 43b soit aussi « naïf » qu'on le dit. Derrière les deux enfants se profilent les chrétiens ressuscités par la puissance de leur foi en Jésus. Il ne nous semble même pas impossible que, dans la pensée de Marc, le v. 43b prépare déjà VI, 30-44 et VIII, 1-9.

5. Si l'on accepte notre analyse, on s'aperçoit que le récit est plus réfléchi et plus élaboré qu'il ne paraissait tout d'abord. Concernant le « secret », l'enseignement principal paraît être le suivant : Jésus est le Fils de Dieu, rayonnant déjà la gloire de sa résurrection et rempli d'une telle « charge » vivifiante que tous ceux qui le touchent en sont percutés. Nous sommes ici en présence d'une manifestation messianique secrète fort proche de celle que nous étudierons dans les exorcismes. Le rayonnement messianique de Jésus est d'un ordre tel que seuls les êtres suffisamment spirituels sont capables de le déceler immédiatement. Les hommes ordinaires, eux, en perçoivent les effets sans en distinguer la source, à la façon dont les compagnons de Paul

---

1. Ainsi également R. BULTMANN : *Geschichte der syn. Trad.* ⁴1958, p. 228.

sur la route de Damas « entendaient bien la voix, mais sans voir personne » (Act IX, 7). En tout cela nous admettons une large intervention de Marc pour retoucher et interpréter le récit, et lui donner ainsi sa véritable dimension théologique et messianique.

Pourtant, au point de vue du secret, il semble y avoir une différence importante entre les deux récits de miracles ainsi combinés. D'une part, une femme dotée d'une foi profonde obtient *secrètement* un miracle et Jésus l'oblige à le dévoiler devant tout le monde ; d'autre part, chez Jaïre, c'est exactement l'inverse : une foule considérable se presse autour de Jésus, en sorte qu'il est pratiquement illusoire d'imposer silence [1], et pourtant Jésus le fait...

Notre analyse a montré, pensons-nous, que le « secret » est présent dans les deux épisodes, mais de façon différente. Dans le cas de Jaïre, c'est l'ordre du silence trois fois répété qui manifeste le secret ; dans le cas de l'hémoroïsse, toute la scène, à un niveau beaucoup plus profond, révèle une puissance perceptible uniquement par la foi (comp. VI, 5sv). Seule la femme l'a décelée et captée au milieu de la foule aveugle. C'est cette réalité mystérieuse et cachée que veut définir le dialogue des v. 30-34, dialogue dont la foule n'a pas dû saisir la portée, tout comme elle reste inintelligente aux cris des démons (I, 24sv, I, 34 ; III, 11).

VII, 31-37, sourd-bègue ; VIII, 22-26, aveugle de Bethsaïde.

Les deux derniers récits de miracles comportant une injonction au silence ne peuvent être séparés. Ils sont en effet étroitement parallèles :

---

1. Ici surtout W. WREDE : *Das Messiasgeheimnis in den Evangelien*, p. 48s a souligné à gros traits le caractère artificiel (et donc littéraire ou théologique) de l'affirmation. Tous les gens rassemblés pour pleurer l'enfant et l'ensevelir l'attendent à la porte. Il est absolument impossible de leur cacher sa résurrection !

VII, 31-37	VIII, 22-26
Et ils lui amènent un sourd-bègue et ils le prient de lui imposer la main. Et, l'emmenant (ἀπολαβόμενος) hors de la foule, à part, il lui met les doigts dans les oreilles, et, crachant, il lui toucha la langue.	Et ils lui amènent un aveugle et ils le prient de le toucher. Et, amenant (ἐπιλαβόμενος) l'aveugle par la main, il l'entraîne hors du bourg et crachant dans ses yeux, il lui imposa la main. Il l'interrogea : « Y vois-tu ? »
Et, levant les yeux au ciel, il soupira et dit « Ephata ! », c'est-à-dire « Ouvre-toi ».	Et, levant les yeux, il dit : « Je vois les hommes comme des arbres qui se promènent ». Alors il lui imposa de nouveau la main sur les yeux.
Et ses oreilles s'ouvrirent et aussitôt le lien de sa langue se dénoua. Et il leur ordonna de ne rien dire à personne.	Et il vit clair et fut guéri ; et il voyait tout clairement. Et il le renvoya dans sa maison en disant : « N'entre même pas dans le bourg ! » [1]

1. *La ressemblance entre les deux récits* de miracles est si remarquable que R. Bultmann estime un peu rapidement qu'il s'agit d'un doublet de la tradition [2]. Mais V. Taylor ne peut se contenter de cette solution. Il est frappé tout autant par les étonnantes similitudes que par les divergences. Il soumet les deux récits à une confrontation rigoureuse [3], et finit par conclure que seule une solution hardie peut rendre justice du fait littéraire : il faut admettre que Marc (ou un prédécesseur) a moulé VIII, 22-26 dans la forme qui lui était fournie par le récit VII, 32-37. Le but de cette insistance est didactique, selon Taylor : toute la section Mc VIII, 1-26 ne se comprend bien que si elle s'adresse à une communauté chrétienne qui, comme celle de Corinthe (cf I Cor XI, 17-34), n'a pas saisi le vrai sens de l'Eucharistie. C'est

---

1. Ou : « N'en parle à personne dans le bourg » (D, e) : cette leçon pourrait bien être originale : cf LOHMEYER : *Das Evangelium des Markus*, [15]1959, p. 158 note ; V. TAYLOR : *Gospel Acc. to St Mk*, 1952, p. 372 à la suite de C. H. TURNER : *The Journal of Theological Studies*, XXVI, 1924-1925, p. 18.

2. *Geschichte syn. Trad.* [4]1958, p. 228.

3. *Gospel Acc. to St Mk*, 1952, 368-370 et aussi p. 87-98.

pourquoi Jésus y revient longuement en VIII, 14-21, et leur demande finalement s'ils ont compris. Question pleine de reproche, qui montre que les disciples (= les chrétiens auxquels s'adresse l'Évangile) sont encore aveuglés. C'est alors que le Christ, à deux reprises, illumine les yeux de l'aveugle en lui passant la main sur les yeux.

Cette interprétation est reprise par D. E. Nineham [1] qui montre en outre que la guérison en deux étapes, considérée par V. Taylor comme le vestige le plus sûr de la réalité historique (Marc, le « naïf » témoin visuel de l'histoire), est en fait une mordante ironie de Marc pour souligner l'aveuglement des chrétiens et la difficulté éprouvée par Jésus à leur « déboucher les oreilles et à leur ouvrir les yeux » (cf Mc VIII, 17-21). Nineham relève ensuite, après R. H. Lightfoot [2], le parallélisme profond entre la première partie de l'évangile de Marc (I, 16-VIII, 26), dans laquelle on constate l'aveuglement croissant des disciples, et la seconde partie (Mc VIII, 27-X, 52), dans laquelle Jésus va s'employer à éclairer leur aveuglement. VIII, 22-26, est une transition remarquable qui introduit immédiatement la confession de Pierre.

Nous ne pouvons que souscrire à cette interprétation qui met en lumière une intervention littéraire et théologique de Marc beaucoup plus considérable qu'on ne l'imagine ordinairement. Rappelons à ce sujet l'évolution qu'a subi l'exégèse de saint Marc. Au siècle dernier, Marc était universellement considéré comme le naïf témoin médiat de la réalité, répétant littéralement ce qu'il avait entendu raconter par Pierre, sans même le comprendre. W. Wrede a sapé une fois pour toute cette exégèse historisante en montrant, au centre même de l'évangile de Marc, et en l'un des endroits où il paraissait le plus « naïf », une intention hautement théologique, développée avec un remarquable esprit de suite [3]. Au-delà de la Formgeschichte, la Redaktionsgeschichte - qui étudie ex professo aujourd'hui la technique

---

1. *Saint Mark* (Pelican Gospel Comm.), London, 1963, p. 216-218. Dans le même sens : A. RICHARDSON : *The Miracles Stories of the Gospels*, [6]1959, p. 82-88 et R. GROB : *Einführung in das Markus Evangelium*, Zürich-Stuttgart, 1965, p. 115. Voir d'autres arguments, ci-dessous, p. 272sv et 312sv.

2. *History and Interpretation in the Gospels*, London, 1935, p. 90-91.

3. C'est bien pourquoi, lorsque, par réaction contre WREDE, certains exégètes veulent évacuer le secret messianique, ils retombent nécessairement dans la conception ancienne : cf ci-dessus, Introduction, p. 19sv.

littéraire et le message théologique du dernier auteur inspiré -
a mis en lumière l'originalité puissante du message de Marc et,
par là, du même coup, elle a montré une intervention consciente
de l'évangéliste, beaucoup plus étendue qu'on ne l'avait tout
d'abord soupçonné, dans la présentation des matériaux traditionnels.

Dans l'épisode qui nous occupe, on ne veut pas dire que Marc
a inventé de toutes pièces le miracle de l'aveugle de Bethsaïde,
mais qu'il lui a donné une *présentation* largement rédactionnelle dans un but didactique et théologique précis.

Nous voudrions d'ailleurs ajouter que ce cas de parallélisme
voulu n'est pas unique en saint Marc. Nous en trouvons un autre exemple, non moins clair, dans les deux récits de la multiplication des pains [1]. Mgr L. Cerfaux a remarquablement mis en
lumière que ce parallélisme dépasse de loin le cadre relativement étroit des deux multiplications de pains, pour englober
toute la section qui va de VI, 30 à VIII, 26 [2]. Et nous avons
encore un troisième cas en XI, 1-6 ; XIV, 12-16. Celui-là aussi
a posé pas mal de problèmes aux exégètes ! A tout prendre, ce
procédé n'est pas tellement différent de celui de l'inclusion,
dont nous avons parlé un peu plus haut (p. 52). De part et d'autre, il s'agit d'un procédé littéraire mis au service d'une intention théologique.

2. Une des caractéristiques de la guérison du sourd-bègue est
la réponse chorale de la foule. Les commentateurs ont été frappé
par la solution de continuité existant entre le récit de miracle et
l'exclamation populaire. Marc raconte un seul récit de miracle ;
et la foule généralise aussitôt en criant : « Il a fait entendre les
sourds et parler les muets ». C'est ce qui fait dire à M. Dibelius,

---

1. Tout un courant exégétique bien représenté par R. BULTMANN :
Geschichte d. synopt. Trad. ⁴1958, p. 232, se contente d'affirmer qu'il
s'agit d'une variante traditionnelle. A la différence du cas précédent - on
ne sait pourquoi - V. TAYLOR suit BULTMANN cette fois-ci (*Gosp. Acc. to
St Mk* 1952, p. 359 et 628-32). Pourtant le même intérêt didactique concernant l'Eucharistie (relevé par TAYLOR, ibid. p. 369sv) a dû jouer de
façon plus incisive encore dans la répétition du récit de la multiplication
des pains. Si l'on en doutait, Mc VIII, 14-21 nous enlèverait toute hésitation.

2. « La section des pains », dans *Synoptische Studien* (Mélanges
WIKENHAUSER) München (Münchener Theologische Studien) 1953, p. 64-77 ;
reproduit dans *Recueil Lucien Cerfaux*, Gembloux, I (1954), p. 471-85.

entre autres, que ce verset était originairement la conclusion
d'une série de récits de miracles, dont un seul nous a été conservé par Marc [1].

Mais E. Lohmeyer perçoit dans cette exclamation chorale la
réponse de foi de la *communauté chrétienne* reconnaissant dans
toutes les œuvres du Christ l'accomplissement eschatologique
décrit en particulier par Is XXXV, 5-6 [2]. Le second miracle, celui
de l'aveugle, n'est pas suivi par une exclamation semblable de
la foule mais par la confession de Pierre. Dans un cas comme
dans l'autre, c'est la communauté *chrétienne* qui reconnaît son
Messie. Elle chante une hymne au Christ qui vient précisément
de lui délier la langue et de lui ouvrir les oreilles. En VIII, 27-30,
elle reconnaît son Messie qui vient de lui ouvrir les yeux [3].

En confirmation de notre interprétation, il faut souligner que
« Ephata » est une formule liturgique employée dans l'Église primitive lors du Baptême [4]. Il faut noter aussi que l'injonction au
silence (v. 33a et 36) est sans objet, puisqu'elle est aussitôt
violée. Tout cela montre le caractère littéraire du récit ou, plus
exactement, sa dimension ecclésiale. Derrière chacun des versets
de Marc se profile l'Église à laquelle s'adresse son message.
Église vivante, qui réagit, acclame son Messie, ou parfois reste
aveugle à toutes les merveilles qu'il lui fait vivre. Au-delà du
miracle « historique », accompli lors du ministère terrestre de
Jésus, Marc laisse entrevoir le miracle présent du Christ au milieu de son Église. Encore un trait qui le rapproche de Jean et ce
n'est pas le dernier.

Relevons encore l'usage de la salive dans les deux miracles.
Nous savons déjà que Marc attache une grande importance au
contact physique [5]. Mais il y a sans doute plus que cela. Tout
comme en Jean IX, 6, il s'agit probablement d'un ancien usage
liturgique accompagnant la cérémonie du baptême.

---

1. *Formgeschichte des Evg*, [4]1961, p. 73.
2. De même L. CERFAUX : *Recueil Lucien Cerfaux*, II, 1954, p. 11.
3. De même : E. SCHWEIZER : *Zeitschr. Neutest. Wiss.* 1965, p. 6 ; U. LUZ :
Zeitschr. Neutest. Wiss. 1965, p. 14-15 ; A. KUBY : *Zeitschr. Neutest. Wiss.*
XLIX, 1958, p. 58 ; T. A. BURKILL : *Mysterious Revelation*, 1963, p. 149sv.
4. Usage attesté à Milan et à Rome : H. B. SWETE : *The Gospel According
to St Mark*, London, [4]1920, p. 161 ; E. KLOSTERMANN : *Das Markusevangelium*, Tübingen, [2]1926 (Handb. z. NT), p. 84.
5. Ci-dessus, p. 53sv. Cf H. VAN DER LOOS : *The Miracles of Jesus*, 1965,
p. 306-311.

Il faut néanmoins reconnaître que l'usage de la salive n'est pas attesté *explicitement* dans la plus haute antiquité. Il paraît y avoir une allusion claire à ce rite dans le *De Sacramentis* attribué à saint Ambroise (I, 1, 2). Peut-être aussi le terme primitif d'Illumination se fondait-il sur un rite liturgique semblable (Jean IX, 6). C'est l'avis d'O. Cullmann [1] ; au contraire, A. Benoit [2] ne voit pas exactement à quel rite rattacher l'Illumination.

L. Duchesne [3] estime que le rite de la salive n'est pas primitif et qu'originairement on utilisait de l'huile consacrée (l'onction des narines est un substitut de l'onction de la langue). Par contre T. Maertens [4] est beaucoup plus affirmatif : la salive est considérée par les Sémites comme le souffle solidifié. Marc pourrait donc être un témoin de l'ancienne liturgique chrétienne (insufflation).

Tout cela suggère une signification liturgique de nos deux récits, signification encore précisée par les deux confessions de foi qui les concluent, VII, 37 et VIII, 27-30. Le redoublement des multiplications des pains, ainsi que celui évoqué par le parallélisme de nos deux guérisons doivent avoir la même résonnance ecclésiale. Ils veulent suggérer que ce qui s'est réalisé jadis au cours de la vie publique de Jésus se renouvelle constamment dans l'Église. Nous trouverons plus loin un enseignement identique en II, 1-12. Peut-être est-il licite de relever une analogie entre ce procédé de Marc et celui de Matthieu dépersonnalisant ses récits de miracles en doublant le nombre des malades [5].

---

1. *Les sacrements dans l'évangile johannique. La vie de Jésus et le culte de l'Église primitive*, Paris, (Etudes d'Hist. & de Phil. Rel. Univ. de Strasbourg, n° 42), 1951, p. 70-72.

2. *Le Baptême chrétien au second siècle. La théologie des Pères*, Paris (Et. Hist. Ph. Rel. Un. Strasbourg), 1953, p. 165-170.

3. *Origine du culte chrétien. Étude sur la liturgie latine avant Charlemagne*, Paris, 1925, p. 321.

4. *Histoire et pastorale du rituel du catéchuménat et du baptême*, Bruges, 1962, p. 135sv.

5. Mt VIII, 28-34 ; IX, 27-31 ; XX, 29-34. - Dans le même sens, on peut encore voir l'analyse détaillée d'I. DE LA POTTERIE : *Sectio Panum*, Roma (P.I.B.), 1965-1966 (polycopié), p. 103a-111.

B. PRESENCE OU ABSENCE DE L'INJONCTION.

Vue d'ensemble.

En décomptant les exorcismes - qui paraissent relever d'un genre littéraire et théologique propre et que nous étudierons à part - l'évangile de Marc comporte 14 récits de miracles, dont voici la liste :

1.	I, 29-31	Belle-mère de Simon	
2.	I, 40-45	*Lépreux*	(Injonction au secret)
3.	II, 1-12	Paralytique	
4.	III, 1-6	Main desséchée	
5.	IV, 35-41	Tempête apaisée	
6.	V, 21-43	*Fille de Jaïre*	(Injonction au secret)
7.	V, 25-34	Hémoroïsse	
8.	VI, 34-44	Multiplication des pains	
9.	VI, 45-52	Marche sur les eaux	
10.	VII, 32-37	*Sourd-bègue*	(Injonction au secret)
11.	VIII, 1-10	Multiplication des pains	
12.	VIII, 22-26	Aveugle de Bethsaïde	(Injonction au secret)
13.	X, 46-52	Aveugle de Jéricho	
14.	XI, 12-23	Figuier	

Nous constatons aussitôt que l'écrasante majorité des récits de miracles se situe dans la première partie de l'évangile, avant la confession de Pierre. Les deux miracles qui suivent cette confession de foi sont d'un genre assez différent. La guérison de l'aveugle de Jéricho appartient déjà au cycle de la *révélation* du secret ; nous en reparlerons plus loin [1]. Quant à la malédiction du figuier, il s'agit plutôt d'un signe prophétique que d'un miracle au sens technique. En tout cas, il s'accomplit en présence des seuls apôtres ; ce qui est encore une note du secret, comme nous le verrons.

Concentrons à présent notre attention sur les douze miracles qui précèdent la confession de Pierre. Un simple coup d'œil nous avertit que les ordres de silence se trouvent au début, à la fin et au milieu de la série. Mc I, 29-31 est relativement secondaire - et d'ailleurs accompli dans une stricte intimité. Le mira-

---

1. Voir ci-dessous, p. 283sv.

cle du lépreux peut donc être considéré comme la première
grande guérison messianique. De même, les deux dernières
guérisons (VII, 32-37 et VIII, 22-26) comportent une injonction
au silence [1]. A l'intérieur de la série, seul le miracle central, celui
de la fille de Jaïre, en comporte une également. La disposition
même de ces injonctions au silence suggère donc qu'elles doivent donner le ton à l'ensemble : elles encadrent tous les récits
de la première partie et les situent dans une atmosphère de
« secrète épiphanie ».

En outre, les injonctions au silence accompagnent surtout les
miracles qui ont une signification messianique plus précise. Les
quatre miracles avec injonctions sont tous repris parmi les signes
messianiques les plus manifestes en Mt XI, 5//Lc VII, 22 [2]. Les
aveugles et les sourds annoncent l'accomplissement messianique
d'Is XXXV, 5sv, et la conclusion chorale de Mc VII, 37 (et plus
nettement encore en Mc VIII, 27-30 !) souligne la signification
messianique de l'épisode correspondant. Quant à la résurrection
des morts, elle est le signe messianique par excellence, surtout
en raison de la destinée personnelle de Jésus.

I, 40-45, Lépreux.

1. Reste le miracle du lépreux. La purification des lépreux est
citée comme *miracle messianique* notoire en Mt XI, 5//Luc VII,
22. On ne voit pas cependant immédiatement à quelle prophétie
de l'Ancien Testament ces textes veulent se rapporter [3]. En ce
qui concerne Luc au moins, il est probable qu'il pensait à la
guérison de Naaman (2 Rois V, 1-27) nommément évoquée en
Luc IV, 27. Dans son évangile, Luc raconte deux guérisons de
lépreux. Il suit Marc en V, 12-16, mais il rapporte un récit provenant d'une autre tradition en XVII, 11-19. Dans ce second
récit, il y a deux traits insolites :

---

1. Si l'on accepte la leçon préconisée par C. H. TURNER (voir ci-dessus,
p. 58, note 1), l'ordre de silence est certain ; sinon, il est probable.
2. Cf E. PERCY : *Die Botschaft Jesu*, Lund, 1953, p. 273sv, et déjà
E. BICKERMANN dans *Zeitschr. f. Neutest. Wiss.* 1923, p. 132.
3. Selon le Talmud de Babylone, Sanhédrin 98b, il semble bien que le
judaïsme attendait lui aussi que le Messie guérît les lépreux, d'après Is
LIII, 4.

1° Les lépreux sont guéris, non pas sur place, mais alors que déjà ils s'en sont allés pour accomplir la prescription de Jésus ;

2° Seul l'« étranger » revient auprès de Jésus pour rendre grâces.

Ces deux traits peuvent difficilement ne pas être une allusion voulue à la guérison de Naaman par Élisée [1], telle que Luc la réinterprète (Luc IV, 27).

Mais, même dans le récit de Marc - et spécialement tel qu'il a été relu par Marc - certains traits, comme la colère, ou « il sortit », s'expliqueraient peut-être plus facilement en référence à Naaman. On peut citer aussi « il étendit la main (et le toucha) » : précisément ce que Naaman aurait voulu qu'Élisée fît (2 Rois V, 11).

Mc I, 44b pourrait être une allusion encore plus précise. En effet, le miracle de Naaman avait eu comme fruit la confession de ce païen : « Oui, je sais désormais qu'il n'y a pas de Dieu par toute la terre, sauf en Israël ! » (2 Rois V, 15). Le miracle lui-même avait été accompli pour lui démontrer « qu'il y avait un prophète en Israël » (2 Rois V, 8). Le témoignage rendu par le lépreux au prêtre (I, 44b) pourrait peut-être avoir une signification analogue.

2. Le sens primitif de Mc I, 44b : « en témoignage pour eux » est des plus discutés [2]. La signification « pour obtenir un certificat de guérison » semble devoir être exclue. On sait en effet que les lépreux, en vertu de Lév XIII-XIV, étaient légalement impurs, répudiés de la société d'Israël. S'ils étaient guéris, il fallait d'abord que leur guérison soit homologuée par le prêtre en fonction, avant qu'ils puissent réintégrer la société. Mais, si cela avait été le sens primitif de Mc I, 44b, on eût attendu εἰς μαρτύριον αὐτῶν « pour *leur* témoignage » [3].

Dans l'état actuel du texte, le αὐτοῖς ne peut être qu'un datif d'avantage ou de désavantage. V. Taylor tient fermement à l'idée d'avantage « sans aucune suggestion d'hostilité » [4]. Dans

---

1. Comparer 2 Rois V, 11-14 et 15.
2. Voir Bibliographie dans *Theol. Wört.* IV, p. 509, note 75 ; E. Loh-Meyer : *Evg des Mk*, [15]1959, p. 47, note 3. Voir aussi l'excursus de H. L. Strack & P. Billerbeck : *Komm. z. NT*, IV/2, [2]1956, p. 745-763.
3. Contre J. Wellhausen : *Das Evangelium Marci*, Berlin, 1909, p. 13 ; et J. M. Lagrange : *Évangile selon saint Marc*, Paris, 1929, p. 30sv.
4. *Gosp. Acc. to St Mk*, 1952, p. 190.

une perspective diamétralement opposée, H. Strathmann [1] insiste énergiquement sur le fait que l'expression ne peut être comprise qu'à la lumière de l'Ancien Testament (LXX), où elle désigne presque toujours une pièce à conviction (au sens juridique) amenée en témoignage *contre* quelqu'un. Il cite Gen XXXI, 44 ; Deut XXXI, 26 et Jos XXIV, 27. Malheureusement, dans aucun de ces trois cas, on ne trouve la construction εἰς μαρτύριον αὐτοῖς, comme en Mc I, 44b. En Deut XXXI, 19, 26 ; Jos XXIV, 27 ; Michée I, 2, l'expression est employée avec la préposition ἐν : ἐν ὑμῖν εἰς μαρτύριον (Jos XXIV, 27) : « en témoignage *contre* les fils d'Israël ». Le ἐν de la LXX est un hébraïsme qui rend servilement la préposition *b*ᵉ de l'hébreu. La construction ne peut donc pas être comparée formellement avec Mc I, 44b. Quant à Gen XXXI, 44 ; Jos XXII, 27, 28, 34, l'expression qui s'y trouve est « en témoignage *entre* toi et moi » (litt. « au milieu de » ἀνὰ μέσον). Ces textes ne peuvent donc éclairer Mc I, 44b.

Le seul texte vétérotestamentaire où la LXX emploie une construction identique à Mc I, 44b est Gen XXI, 30, et là le témoignage est précisément favorable ! Par contre l'exemple de Jac V, 3, cité par Strathmann : « la rouille témoignera contre les riches » est certainement valable.

3. Quoiqu'il en soit donc du sens primitif de l'expression, il nous paraît obvie que, si l'on envisage le niveau rédactionnel de Marc, celle-ci ne peut être étudiée indépendamment des deux autres emplois identiques de Marc. Le second emploi se trouve en Mc VI, 11, dans le contexte de l'envoi en mission. Là le sens hostile du témoignage ne peut être mis en doute : les évangélistes éconduits devront secouer la poussière de leurs pieds en témoignage *contre* ceux qui ne les auront pas reçus. Le « témoignage » est intimement lié à la proclamation de l'Évangile (comparer la finale inauthentique Mc XVI, 16). La portée juridique de ce geste est clairement explicitée par Matthieu : « Au jour du jugement, le pays de Sodome et de Gomorrhe aura un sort moins rigoureux que cette ville » (Mt X, 15). Il s'agit bien d'une pièce à conviction amenée dans le cours d'un procès, ici le jugement eschatologique. La signification juridique est donc celle que Strathmann avait voulu relever dans le

---

1. *Theol. Wört.* IV, p. 508-510.

grec de la LXX. Il est cependant instructif de constater que
l'helléniste Luc a cru devoir corriger le texte de Marc en ajoutant la préposition ἐπ'αὐτούς. Le simple datif ne lui paraissait
donc pas suffisamment clair pour exprimer l'idée de témoignage
contre.

Le troisième emploi se trouve dans le discours eschatologique,
une fois encore en union étroite avec la proclamation de l'Évangile : le témoignage rendu par les chrétiens devant les gouver-
neurs et les rois est identifié à la proclamation de l'Évangile
jusqu'aux extrémités du monde [1]. Le « témoignage » a, dans ce
cas également, une forte teinte juridique : c'est un témoignage
proféré devant un tribunal, une pièce à conviction que les juges
humains devraient sérieusement prendre en considération, de
manière à rendre justice à l'Évangile. Si, au contraire, ils condamnent les chrétiens, alors le témoignage de ces derniers deviendra une terrible pièce à conviction *contre* eux au jour du
jugement. Le témoignage a ici la même ambivalence qu'en Gen
XXXI, 44 ; Jos XXII, 27, 28, 34 : « un témoignage *entre* toi et
moi ». C'est une expression typiquement hébraïque : le témoignage est un contrat dûment signé par les deux parties. En cas
de litige, il servira à défendre la partie lésée et à convaincre
l'autre de transgression. Le témoignage est donc pour ou contre,
selon les circonstances. L'annonce de l'Évangile a la même connotation juridique en Mt XI, 20-24 ; XII, 41-42 ; comp. X,
14-15 !

Ici de même, l'Évangile est un témoignage prononcé devant
les nations et leurs rois : ceux qui l'auront accepté seront justi-
fiés au jour du Jugement eschatologique, les autres condamnés.
La même pièce à conviction sert à justifier les uns et à condamner les autres [2].

Il nous semble que Mc I, 44b peut avoir une signification
semblable. En Mc VI, 11 ; XIII, 9, c'était la proclamation de

---

1. Mc XIII, 9-10 ; cf W. MARXSEN : *Der Evangelist Markus*, [2]1959, Göttingen, p. 119sv. Le v. 10 est probablement rédactionnel (V. TAYLOR : *Gosp.
Acc. to St Mk*, 1952, p. 506sv), mais c'est à ce niveau que se situe notre
enquête.
2. Luc XXI, 13 modifie de nouveau l'expression de Marc. Le datif évoque
décidément pour lui l'idée d'avantage, non celle de désavantage. Peut-être
même a-t-il modifié dans un sens analogue Mc I, 44b//Luc V, 14, si l'on
accepte la variante marginale (peu attestée) de B. F. WESTCOTT & F. J. A.
HORT : *The New Testament in Original Greek*, Cambridge, 1881.

l'Évangile, ici c'est sa manifestation qui est donnée officiellement aux prêtres comme un « témoignage » de l'accomplissement de l'attente séculaire juive. Suivant l'attitude des prêtres
en face de ce témoignage, la guérison du lépreux deviendra
pour eux cause de salut ou de condamnation [1].

4. Ce sens rapproche Mc I, 44b de 2 Rois V. La guérison de
Naaman était un signe et une manifestation de l'unicité du Dieu
d'Israël. Le païen a compris et accepté la leçon, Mais cette conversion racontée avec tant de complaisance par la Bible n'était
encore - comme les rois mages dans le Nouveau Testament -
que le présage de la conversion future de toutes les nations.
Cette conversion totale, le peuple l'attendait pour les temps messianiques. Le lépreux guéri par Jésus et envoyé aux prêtres « en
témoignage pour eux » doit sans doute signifier - à qui peut le
comprendre - que les temps attendus sont arrivés. Comme nous
le disions plus haut, l'interprétation messianique de Luc IV, 27,
ainsi que la reprise de la guérison du lépreux parmi les présages
messianiques les plus manifestes en Luc VII, 22//Mt XI, 5 confirment l'exégèse que nous donnons ici. Si Marc a placé ce récit
de la guérison du lépreux en tête de son évangile et l'a entouré
d'un tel luxe de recommandations au silence, c'est qu'il lui
voyait une signification messianique intense.

Le lépreux est donc le premier missionnaire de l'Évangile [2].
Il est mandaté par Jésus, exactement comme le possédé en V, 19
et les disciples en III, 14 ; VI, 6b-13 ou XIII, 9-10. Cette annonce de l'Évangile par les missionnaires est un « témoignage »
au sens quasi-johannique (Mc I, 44b ; VI, 11b ; XIII, 9). Il peut
être accepté ou récusé. Il semble bien qu'il faille comprendre au
sens chrétien « la parole » « proclamée » par le lépreux guéri en
I, 45. La Parole de Dieu, c'est l'Évangile [3], et la « proclamation »,
le « kérygme », est l'annonce officielle de l'Évangile. Le mot
« proclamer », κηρύσσειν a *toujours* ce sens technique en saint

---

1. Dans le même sens : E. Lohmeyer : *Evg des Mk*, [15]1959, p. 47sv ;
H. Strathmann : *Theol. Wört.* IV, p. 509. En sens contraire : V. Taylor :
Gosp. Acc. to St Mk, 1952, p. 190.
2. De même U. W. Mauser : *Christ in the Wilderness*, London, 1963,
p. 106.
3. « Parole » a déjà un sens technique en Mc II, 2 ; IV, 14-20 (où le mot
revient huit fois de suite !) ; IV, 33. Cf J. Jeremias : *Die Gleichnisse Jesu*,
[6]1962, p. 75 et note 4 : autres emplois néotestamentaires.

Marc, à telle enseigne qu'il est employé plusieurs fois sans complément : « proclamer » signifie toujours « annoncer l'Évangile » [1].

Mais, du coup, la théologie du « secret messianique » se trouve distendue entre deux extrêmes : d'une part Jésus interdit formellement à l'ancien lépreux de rien dire à qui que ce soit (v. 44a) et, en même temps et du même mouvement, il lui enjoint d'aller proclamer officiellement le « témoignage » aux prêtres. Nous nous trouvons en présence d'une difficulté analogue à celle de Mc V, 20. Mais en Mc V, 20, le texte était tellement explicite qu'il fallait, soit le tour de force de W. Wrede, soit l'attribution de cette contradiction à la tradition et à la « rusticité » de Marc pour l'évacuer (voir plus loin). Ici, au contraire, il était facile de ne pas remarquer l'injonction simultanée, et apparemment contradictoire, de faire enregistrer officiellement le miracle et de n'en souffler mot à personne.

Cette tension nous montre la vraie signification du « secret ». Marc est avant tout un évangile de la mission : il insiste vivement sur le devoir chrétien de proclamer l'Évangile [2]. Jésus lui-même est venu pour un seul motif : proclamer l'Évangile (I, 14-15, 38). C'est tout son programme. Et pourtant, il garde toujours cette étonnante réticence, toute provisoire d'ailleurs. Il faut que l'Évangile soit proclamé ; mais Jésus ne peut pas encore *se manifester* comme Messie. Plus précisément encore, Jésus ne veut se manifester que dans certaines conditions précises. Malgré les différences, on peut comparer à cet égard le récit de la tentation en Mt-Luc ou, mieux encore, Jean VII, 6.

Autres récits de miracles.

Nous avons dit que le miracle raconté en Mc I, 29-31 s'était accompli dans l'intimité de la maison de Pierre et donc sans autre témoin que les quatre premiers apôtres. On peut en dire

---

1. Mc I, 4, 7, 14, 38, 39 ; III, 14 ; V, 20 ; VI, 12 ; VII, 36 ; XIII, 10 ; XIV, 9. En I, 14 ; XIII, 10 ; XIV, 10, le complément « proclamer l'Évangile » est explicite. Ailleurs il est sous-entendu.
2. Voir Deuxième partie, chap. IV : Dimension ecclésiale du secret. Ici déjà, en Mc I, 44b, la véritable portée du « témoignage » que doit rendre le lépreux est *ecclésiale*, tout comme en VI, 12 et XIII, 9-10.

autant des deux miracles sur la mer : ce sont des manifestations messianiques réservées aux privilégiés qui accompagnent Jésus (IV, 35-41 ; VI, 45-52). Dans ces trois cas, Marc n'a pas jugé nécessaire de répéter explicitement l'injonction au silence. Il note cependant (VI, 51-52) ou suggère (IV, 41) que les disciples n'ont pas compris la signification messianique de cette manifestation. C'est là une autre caractéristique du secret, nous le verrons.

Les deux multiplications des pains (VI, 30-45 ; VIII, 1-10) sont des signes messianiques irrécusables (cf Jean VI, 15) ; mais la nature même du miracle rend un ordre de silence proprement impossible. Néanmoins, ces deux miracles se déroulent au *désert*, autre aspect particulier et riche de signification du secret messianique. De plus, le secret y est présent dans l'aveuglement des disciples souligné d'une façon presque choquante par Marc (VI, 52 ; VIII, 14-21). Quant à la foule, elle paraît n'avoir rien compris du tout (VII, 27-28 ; VIII, 27-28), tout comme lors des cris des démons.

Il ne nous reste plus à examiner que le miracle du paralytique (II, 1-12) et la guérison de l'homme à la main paralysée (III, 1-6). Ils sont accomplis l'un et l'autre au vu et au su des scribes et des Pharisiens. Impossible de songer ici à une quelconque injonction au silence [1]. Cependant ces deux récits ont une particularité commune, qui les intègre d'une autre façon dans l'économie du secret.

En effet, l'un et l'autre sont des controverses. Ils se déroulent dans une atmosphère tendue de suspicion et de surveillance. Dans le premier, Jésus est accusé de blasphème par les Pharisiens : c'est l'accusation même qui déterminera sa condamnation à mort (II, 7, cf XIV, 64). A l'issue du second, les ennemis de Jésus décident de le tuer (III, 6). Nous venons de dire que l'incompréhension des foules et des disciples étaient des traits caractéristiques du « secret » ; a fortiori, l'endurcissement obstiné des adversaires qui provoquera la condamnation.

---

1. Contre É. Trocmé : *Formation de l'évg selon Mc*, 1963, p. 123, note. Il estime que Jésus pouvait se trouver seul dans la maison, tandis que la foule était massée au dehors. Mais il est dit explicitement que Jésus *leur* parlait, donc il était avec la foule. En outre l'insistance « pas même devant la porte » (μηδὲ) suppose qu'il n'y avait plus de place à l'intérieur non plus.

Outre les récits de miracles proprement dits, il y a encore plusieurs sommaires : I, 34 ; III, 9-10 ; VI, 5, 55-56, qui ne font pas mention explicite d'une injonction au silence. Les deux premiers toutefois, I, 34 et III, 9-10, sont l'un et l'autre suivis immédiatement par une injonction au silence adressée *aux démons* (I, 34b ; III, 12), et la raison en est donnée : les démons savaient qui il était, tandis que les foules ne l'avaient pas compris et continuaient à se poser des questions à son sujet. Jésus voudrait donc réaliser l'impossible gageure de manifester par ses œuvres la présence du Royaume, tout en restant lui-même inconnu.

Le troisième texte, Mc VI, 5, se situe dans une atmosphère d'incompréhension et d'hostilité, semblable à celle qui entourait Mc II, 1-12 ; III, 1-6. C'est le voile qui couvre l'identité de Jésus. Quant à VI, 56, nous en avons parlé en traitant de l'hémoroïsse [1] : il s'agit d'une connaissance pratique, presque pragmatique. Les malades reconnaissent la puissance salvatrice émanant de Jésus par une sorte d'instinct, mais sans être à même d'en définir exactement la nature. Celle-ci reste le mystère de Jésus [2].

Conclusions.

Sans doute, les miracles ne font-ils pas essentiellement partie du portrait messianique traditionnel, comme l'affirme avec un certain agacement J. Héring [3] ; ils n'en sont pas moins la manifestation, ou plus précisément le « signe » (au sens johannique) du monde à venir [4].

Saint Paul non plus ne s'est pas contenté d'annoncer le kérygme chrétien avec des mots, mais par « une démonstration d'Esprit et de puissance » (I Cor II, 4). L'Évangile n'est pas une parole d'homme, mais une force de Dieu pour le salut de tout croyant (Rom I, 16). Et cette force reste active et efficace chez tous ceux qui écoutent la Parole (I Thes II, 13).

---

1. Ci-dessus, p. 53sv.
2. Autre explication, U. Luz, dans *Zeitschr. f. Neutest. Wiss.* 1965, p. 12.
3. *Le Royaume de Dieu et sa venue*, Neuchâtel, ²1959, p. 141.
4. A. Richardson : *The Miracle Stories of the Gospels*, London, ⁶1959, p. 38-58 : « The miracles and the proclamation of the Kingdom of God ».

Jésus aussi atteste la présence du Royaume autant par son action que par sa parole. L'une et l'autre se complètent et s'éclairent. Lorsque Jean-Baptiste envoie vers lui une délégation pour lui demander s'il était bien « Celui qui devait venir », il se contente de répondre :

> « Allez rapporter à Jean ce que vous entendez et voyez :
> les aveugles voient et les boiteux marchent,
> les lépreux sont guéris et les sourds entendent,
> les morts ressuscitent
> et l'Évangile est annoncé aux pauvres. »

Les miracles sont donc la manifestation du Royaume eschatologique [1]. Si Marc a amassé douze miracles dans ses huit premiers chapitres, c'est qu'il tenait singulièrement à illuminer la révélation terrestre du Royaume de Dieu, révélation encore rehaussée par l'épiphanie du baptême et par celle de la transfiguration qui lui servent de cadre.

Tout cela crée un décor triomphal, tel qu'on l'attendait pour la manifestation eschatologique du Royaume de Dieu. Et pourtant sur tout ce théâtre de splendeur, Marc a paradoxalement étendu un grand voile, le voile du secret. Cette gloire dont les rayons fusent de partout, Jésus paraît anxieux de la cacher. *Autant* il lui paraît nécessaire de révéler les œuvres de Dieu (pour parler comme Jean IX, 3-5), *autant* il lui semble indispensable de cacher cette démonstration.

N'y a-t-il pas contradiction entre ces deux désirs ? Disons-le franchement : oui, bien sûr, et Marc, mieux que personne, en est conscient. Il exprime à sa façon la tension extrême qui résulte de ces deux mouvements opposés par l'inefficacité des ordres de silence (I, 45 ; VII, 36). C'est précisément l'un des traits qui avait fait conclure au caractère littéraire du secret messianique.

En réalité, la tension ainsi exprimée ne provient pas seulement de la superposition artificielle d'un ordre de silence sur une pièce rédactionnelle qui ne le comportait pas. En effet, les *deux pôles* opposés : l'ordre impossible et sa nécessaire viola-

---

1. Dans le même sens : P.-H. MENOUD : « La signification du miracle selon le Nouveau Testament », dans *Revue d'Histoire et de Philosophie religieuses*, XXVIII-XXIX, 1948-1949, p. 173-192, surtout p. 176-181 et 185sv.

tion, se trouvent côte à côte l'un et l'autre en des versets *rédactionnels* (I, 45 ; VII, 36). La tension n'exprime donc pas le désaccord entre tradition et rédaction ; mais elle a, aux yeux même du rédacteur, une signification théologique.

La tension entre la manifestation irrésistible du Royaume et la volonté désespérée de camoufler cette irruption eschatologique constitue précisément le secret messianique. Toutefois aucune explication n'en est encore donnée pour le moment.

II. LES EXORCISMES.

En 1925, A. Fridrichsen avait émis l'opinion que les cris des démons étaient, dans l'évangile de Marc, un procédé apologétique pour défendre Jésus de l'accusation de magie. Marc aurait voulu prouver ainsi que Jésus n'accomplissait pas ses exorcismes au nom de Béelzébul [1]. La faiblesse de cette interprétation est que, précisément en Mc III, 22-30, lorsqu'il est question de cette accusation, il n'est fait aucune mention de ces cris démoniaques [2].

Mais l'ouvrage majeur en cette matière est le livre de O. Bauernfeind publié deux ans après celui de A. Fridrichsen et entièrement consacré aux exorcismes de l'évangile de Marc [3]. Selon O. Bauernfeind, les cris des démons seraient une formule magique. Ils hurlent le nom de Jésus pour exercer sur ce dernier un pouvoir occulte qui le liera et le rendra incapable de prononcer efficacement son exorcisme. O. Bauernfeind cite des exemples analogues tirés des papyrus incantatoires, dans lesquels les démons, pour se défendre contre les exorcistes, crient leur nom, inhibant ainsi leur pouvoir.

Dans cette perspective, l'injonction au silence de Jésus a pour but d'empêcher les démons d'achever leur incantation. Il faudrait donc supposer, en I, 24 ; III, 11 ou V, 6, que le démon *n'a pas fini* de prononcer sa formule apotropaïque et que Jésus l'interrompt brutalement.

---

1. A. FRIDRICHSEN : *Le problème du miracle dans le christianisme primitif*, Thèse, Strasbourg, 1925, p. 77-79.
2. Voir la réfutation de FRIDRICHSEN dans T. A. BURKILL : *Mysterious Revelation*, Ithaca, 1963, p. 75sv.
3. O. BAUERNFEIND : *Die Worte der Dämonen im Markusevangelium*, Stuttgart (BWANT) 1927 ; cf. H. VAN DER LOOS : *The Miracles of Jesus*, 1965, p. 366.

Un assez grand nombre d'auteurs ont accepté l'interprétation de Bauernfeind, tout en précisant que Marc a *réinterprété* ce sens traditionnel primitif dans la perspective de son « secret messianique », en sorte que ce qui, originairement, était une incantation magique avec contre-attaque immédiate de Jésus est devenu chez Marc un élément constitutif du « secret messianique » [1]. Cette présentation des choses suffit à justifier toutes les conclusions théologiques - non celles d'ordre littéraire - que nous formulerons ci-dessous.

Néanmoins H. J. Ebeling s'est élevé avec force contre la thèse de Bauernfeind [2]. La façon dont les démons s'adressent à Jésus manifeste clairement qu'il est invulnérable à toute incantation. Le combat se situe à un autre niveau et, dès l'abord, le démon réalise que la bataille est *déjà perdue* pour lui (Mc I, 24 ; V, 7). La simple présence du Fils de Dieu met fin à l'empire du démon. Ce dernier l'a tout de suite compris ; il n'essaye même pas de lutter. Les prosternements rampants des démons expriment fortement la victoire totale du Christ, *avant même qu'il ait prononcé une seule parole* (III, 11 ; V, 6). Ces textes doivent être comparés à Phil II, 10 ; Col II, 15. Mais il n'y a nulle trace en Marc d'un conflit pénible à coups d'incantations et de formules apotropaïques.

E. Percy a, lui aussi, répondu assez longuement à O. Bauernfeind [3]. Il est difficile de prétendre, estime-t-il, qu'en Mc I, 24, le démon n'a pas fini de prononcer sa formule et que Jésus l'interrompt. Ajoutons que, en V, 7sv, lorsque Jésus se trouve dans la solitude et qu'il n'a pas de raison de craindre pour son secret, il n'impose même pas silence aux démons qui - selon Bauernfeind - prononcent leur « formule magique » (Mc V, 7), mais il discute tranquillement avec eux. Malgré cela, les démons savent très bien, dès le début, qu'ils sont perdus, et Jésus les expulse lorsqu'il le juge bon. Il y a en tout cela la sérénité du Maître et non l'acharnement d'un duel noir.

---

1. Ainsi T. A. BURKILL dans *Theol. Zeitschr.*, 12 (1956), p. 596-97 et *Mysterious Revelation*, 1963, p. 73-78 ; R. BULTMANN : *Gesch. der synoptischen Trad.* [4]1958, p. 223sv ; J. M. ROBINSON : *The Problem of History in Mark*, London, 1957, p. 36-37 ; etc.

2. H. J. EBELING : *Das Messiasgeheimnis und die Botschaft des Marcus-Evangelisten*, Berlin 1939 (BZNW), p. 129.

3. E. PERCY : *Die Botschaft Jesu*, Lund, 1953, p. 275-277, notes. Cf aussi J. HÉRING : *Le Royaume de Dieu et sa venue*, Neuchâtel, [2]1959 (Bibliothèque théologique), p. 136-143.

Il suffit d'ailleurs de répéter ici ce que l'on a dit des injonctions au silence : en I, 25 et III, 12, l'interdiction de parler vient *trop tard* pour empêcher les démons de fulminer leurs incantations. Impossible donc d'y retrouver un souvenir historique. On aurait tout au plus affaire à un motif littéraire. Mais si nous nous situons sur le terrain littéraire, il y a beaucoup plus de raisons de penser au secret messianique qu'à ce thème apotropaïque. En effet, il ne se trouve aucun emploi certain de ce motif, et il manque même totalement en Mc V, 7sv où, dans la perspective de Bauernfeind, il n'aurait absolument pas faire défaut.

E. Percy (ibid.) fait encore une seconde remarque : comparé à I, 34 et III, 15, le récit de Mc I, 24sv ne présente aucune anomalie. Il répond au déroulement normal des exorcismes en Marc. Or *la pointe* de ce premier exorcisme ne se situe pas en I, 24, mais dans l'expulsion du démon. Il n'est que de relire la conclusion du récit (I, 27) pour s'en convaincre ; elle ne fait aucune allusion au cri du démon ni à l'injonction au silence, ce qui n'aurait pas manqué si c'était là que se situait le paroxysme du récit. Ces deux éléments, le cri et l'ordre de silence, *ne sont donc pas des pièces essentielles du récit primitif* (comme le prétendait Bauernfeind), mais ils ont été ajoutés par Marc dans la perspective de son secret messianique [1].

A présent que le terrain est un peu déblayé, nous pouvons nous mettre à l'analyse des textes. Nous commencerons par les exorcismes proprement dits, laissant pour la fin la controverse au sujet de Béelzébul et le récit du baptême qui posent des problèmes différents.

I, 22-27, Capharnaüm.

L'exorcisme accompli par Jésus dans la synagogue de Capharnaüm est généralement considéré comme une pièce provenant de la tradition [2], encore que l'on soit forcé de reconnaître que le

---

1. Dans le même sens : R. H. LIGHTFOOT : *History and Interpretation in the Gospels*, London 1935, p. 68sv.
2. R. BULTMANN : *Geschichte der syn. Trad.* [4]1958, p. 223sv; M. DIBELIUS: *Formgeschichte*, [4]1961, p. 43 ; V. TAYLOR : *Gosp. Acc. to St Mk*, 1952, p. 171 ; E. SJÖBERG : *Der verborgene Menschensohn in den Evangelien*, Lund, 1955, p. 150. On suppose toujours, implicitement ou explicitement (e.g. TAYLOR l.c.) que Marc est un naïf, qui rapporte littéralement ce qu'on lui a dit. Nous espérons montrer qu'il en est tout autrement !

début et la fin du récit sont en majeure partie rédactionnels [1].
Nous nous demandons, pour notre part, si la critique des formes
n'a pas minimisé - selon sa tendance habituelle - l'activité
rédactionnelle des évangélistes. Une comparaison attentive avec
les autres expulsions de démons met en relief plusieurs similitudes, voire identités, qui ne peuvent être purement fortuites :

I, 34	I, 23-27	V, 2-15	IX, 25-26	III, 11-
	un homme dans (= possédé par) un esprit impur	un homme dans (= possédé par) un esprit impur		
	et hurla fort disant:	et hurlant d'une grande voix, il dit:		
	Qu'y a-t-il entre nous et toi, Jésus le Nazaréen ?	Qu'y a-t-il entre moi et toi, Jésus, Fils du Dieu Très-Haut ?		
	Tu es venu pour nous perdre !	Je t'adjure : Ne me tourmente pas!		
	Je sais qui tu es : Le Saint de Dieu !	Jésus, Fils du Dieu Très-Haut !		car tu e Fils de D
Et il ne per- mettait pas aux démons de parler parce qu'ils le connais- saient	Et il le menaça (en disant [2]) Ferme-là [3] !		Il menaça l'esprit impur en lui di- sant :	Et il les naçait b coup qu'ils ne voilent son iden
	et sors de lui.	Sors, esprit impur de cet homme !	Esprit muet et sourd, sors de lui!	
	Et le convulsion- nant l'esprit im- pur et poussant un grand cri, il sortit de lui.		Et hurlant et le convulsionnant atrocement il sortit.	
	Et tous furent sai- sis de crainte (sa- crée)	Et ils crai- gnirent.	IX, 15 : Toute la foule fut saisie de crainte (sacrée)	

1. R. BULTMANN : *Gesch. syn. Trad.* [4]1958, p. 223sv, 365sv, 369 : T. A.
BURKILL : *Mysterious Revelation*, 1963, p. 33sv, 63 ; etc.
2. Texte bien attesté. Seul le Sinaïtique et les textes qui en dérivent
n'ont pas le mot « en disant », c'est pourquoi TISCHENDORF le supprime.
Cela reste très secondaire pour nous.
3. Le texte grec utilise une expression triviale, littéralement : « Muselle-
là ! »

1. La comparaison entre ces textes montre que les parallélismes les plus frappants et les plus significatifs se trouvent dans les parties relatives au secret. Il y a un parallélisme trop continu, trop uniforme, et trop bien dans la ligne de Marc pour qu'on puisse en rendre responsable la tradition. Les expressions « Je sais qui tu es : le Saint de Dieu ! » reviennent trop souvent pour n'être que fortuites.

Dans les deux miracles traditionnels (I, 23sv et V, 7), l'expression est tellement identique qu'elle a dû être composée sur le même modèle :

I, 23-24	V, 7
Et, hurlant fort, il dit : « Qu'y a-t-il entre nous et toi, Jésus le Nazaréen ? Tu es venu pour nous perdre ! Je sais qui tu es : le Saint de Dieu ! »	Et, hurlant d'une grande voix, il dit : « Qu'y a-t-il entre moi et toi, Jésus, Fils du Très-Haut ? Je t'adjure : ne me tourmente pas ! »

De part et d'autre, le démon se sait immédiatement pris à partie par la seule présence de Jésus (« Qu'y a-t-il entre toi et moi ? »). Il le supplie de l'épargner. Bien plus qu'à une joute incantatoire, ces cris nous font penser à la réaction des rois et des puissants lors de la venue du Fils de l'Homme (I Hén LXII-LXIII) [1]. Sa manifestation en gloire suffit à leur faire comprendre qu'ils sont irrémédiablement perdus. Toutes les supplications qu'ils lui adresseront dans leur désespoir sont rejetées d'avance (I Hén LXII, 10).

Trait plus décisif encore, ces hurlements démoniaques, non seulement se rencontrent également dans les sommaires rédactionnels (I, 34 ; III, 11-12) [2], mais ils ne reçoivent que là leur explication dernière. Ni en I, 23-25, ni en V, 7, en effet, on ne nous dit *pourquoi* les démons hurlent ainsi le nom de Jésus, ni

---

1. Dans un sens très voisin : H. G. LEDER : *Zeitschr. f. Neutest. Wiss.* LIV, 1963, p. 208.
2. Voir R. BULTMANN : *Gesch. syn. Trad.* [4]1958, p. 366 ; K. L. SCHMIDT : *Der Rahmen der Geschichte Jesu*, Darmstadt, [2]1964, p. 57-58 ; E. LOHMEYER : *Evg des Mk*, [15]1959, p. 41.

pourquoi Jésus les fait taire. En I, 24, il est dit simplement « Je sais qui tu es ». Cette expression suggère à elle seule que « savoir qui est Jésus » est, dans saint Marc, quelque chose de peu ordinaire. Si tout le monde le savait, le démon n'aurait point à s'en targuer. Il s'agit donc d'une connaissance inaccessible aux hommes. Rien n'est ajouté [1].

Au contraire I, 34 donne une motivation explicite : « Il empêchait les démons de parler, parce qu'ils le connaissaient ». La tournure renvoie à I, 24 et doit donc être rédactionnelle, comme l'affirme R. Bultmann. En I, 24, le démon se vante, comme de quelque chose d'insolite, de connaître qui est Jésus. Et en I, 34, c'est précisément pour cela que Jésus les fait taire. Il y a donc cet accord entre Jésus et les démons que « savoir qui il est » constitue une connaissance qui n'est pas donnée à tout le monde et que Jésus ne prétend pas voir divulguée.

En III, 12, dans un autre grand sommaire rédactionnel de Marc [2], il est dit que les démons se prosternaient devant lui en criant : « Tu es le Fils de Dieu », mais Jésus leur enjoignait avec force de ne pas le faire connaître. A nouveau, la raison pour laquelle Jésus les fait taire est expliquée en toutes lettres : les démons savent qu'il est « le Fils de Dieu » et Jésus ne tient pas du tout à ce que tout le monde le sache. Il y a donc un secret de sa personnalité que les démons sont seuls à connaître. Ils savent bien aussi que cette connaissance n'est pas le fait du commun des mortels.

La continuité rigoureuse de cette théorie à travers les divers épisodes, et surtout le fait que seuls *les sommaires rédactionnels* en donnent l'explication totale, nous semblent une preuve que cette thèse est rédactionnelle. Elle est la théologie particulière insérée par Marc dans la trame de ses matériaux traditionnels. Si les injonctions au silence étaient antérieures à Marc, on trouverait nécessairement trace de la superposition de deux motivations différentes, l'ancienne motivation traditionnelle étant surchargée par la motivation rédactionnelle de Marc. Or on ne trouve aucune trace de superposition. Il faut donc en déduire

---

1. Nous n'avons pas trouvé éclairante l'explication historisante et psychologiste de H. VAN DER LOOS : *The Miracles of Jesus*, 1965, p. 371-382.
2. D. E. NINEHAM : *St Mark*, London (Pelican G. C.) 1963, p. 112, etc.

que cette théorie du secret, cris de démons et injonctions au silence proviennent de Marc [1].

2. La raison de ces joutes - au niveau rédactionnel - est que le démon, étant un être spirituel, voit tout de suite que Jésus est son ennemi personnel. Il a la perception directe d'un danger immédiat et absolument inévitable. Il éprouve quasi-physiquement le rayonnement de la puissance irrésistible qui émane de Jésus. Dès qu'il aperçoit celui-ci, le démon comprend d'un seul coup que tout est perdu pour lui (I, 24b).

Mais toute cette mise en scène n'est encore que l'envers du message théologique de Marc. Les cabrioles démoniaques n'intéressent évidemment par Marc pour elles-mêmes. Elles ne sont que le reflet visible de la personnalité invisible de Jésus. En effet, la grandeur de Jésus, étant d'ordre spirituel, échappe aux foules. Les démons, qui voient les réalités spirituelles, sont ici les médiateurs de la révélation du Fils de Dieu. Ils sont le miroir qui réfléchit au profit des hommes le visage invisible du Messie. On peut songer aux prisonniers de la caverne de Platon voyant se profiler sur les murs de leur prison le reflet du divin qu'il leur était interdit de contempler en face.

Par là, ces rencontres démoniaques prennent, dans l'économie de l'évangile de Marc, valeur de véritables *épiphanies*. Elles sont une manifestation indirecte et voilée de la personnalité transcendante du « Fils de Dieu ». L'attitude des démons [2], leur terreur, leurs prosternements, leurs supplications montrent qu'ils sont terrorisés par la présence d'une force qui les subjugue. Grâce à tout ce manège, les foules se rendent compte de la puissance extraordinaire de Jésus, et elles en éprouvent un effroi divin.

Le sommet de l'épiphanie est atteint lorsque le démon hurle le Nom de Jésus, c'est-à-dire son titre de « Fils de Dieu ». C'est

---

1. Il est possible que les récits primitifs aient déjà contenu des cris de possédés. Mais ces cris n'avaient pas encore la portée théologique précise qui ne se trouve qu'au niveau de la rédaction de Marc. Ils n'avaient d'autre but que de souligner, par contraste, la puissance de l'exorciste.
2. Ce sont évidemment les démoniaques qui accomplissent ces mimiques ; mais, aux yeux de Marc, ce sont en fait les démons qui rendent ainsi témoignage au Fils de Dieu (contre O. BAUERNFEIND : *Die Worte der Dämonen*, 1927, p. 56sv). Voir J. M. ROBINSON : *Geschichtsverständnis* 956, p. 34, note 1.

une véritable scène de jugement, tout comme lors de la Parousie
du Fils de l'Homme en I Hén LXII-LXIII. Le Fils de Dieu se
montre dans toute sa puissance aux démons, et ceux-ci sont
expulsés devant sa face. En outre, le cri des démons rejoint
littéralement la précision de l'oracle divin lui-même :

>   I, 11 : Tu es mon Fils bien-aimé !
>   I, 24 : Tu es le Saint de Dieu !
>   III, 11 : Tu es le Fils de Dieu !
>   V, 6 : Jésus, Fils du Très-Haut !
>   X, 7 : Celui-ci est mon Fils bien-aimé !

Au niveau de la rédaction de saint Marc, nous trouvons donc
une consonnance entre les grands oracles divins qui donnent le
ton à chacune des deux grandes parties de l'évangile, et les cris
des démons confrontés au Fils de Dieu. Les deux textes rédactionnels de Mc I, 34b et III, 12 prouvent que, aux yeux de Marc,
les démons ont vu juste. Cette consonnance entre des textes provenant de traditions aussi différentes fait soupçonner une intervention rédactionnelle de Marc [1].

Le cri tellement explicite des démons était encore incompréhensible pour la foule qui entourait Jésus. Marc suppose qu'elle
n'en a pas saisi la portée, sans quoi, c'en serait fait du secret
messianique. Par contre, *pour les auditeurs et les lecteurs de
Marc*, l'exclamation des démons a un sens clair et précis. On
sent bien que là réside la pointe du message théologique de
Marc : la scène est partiellement [2] un procédé littéraire pour
mettre en relief la personne du Fils de Dieu. Si les démons tiennent tellement à trahir le secret de Jésus, si celui-ci le défend de
toute son énergie, c'est que ce secret a une importance hors de
pair aux yeux de *Marc* et qu'il s'efforce de mettre ses lecteurs
en appétit de le découvrir.

Toutefois, le secret est plus qu'un simple procédé littéraire,
comme Sjöberg a raison de le défendre. Il est avant tout une
affirmation théologique. La vigueur avec laquelle Jésus ferme la

---

1. Ce caractère rédactionnel apparaît le plus clairement en III, 11 (sommaire rédactionnel) ; on peut le retrouver en V, 6, moins clairement en
I, 24, où le titre messianique est un peu différent.
2. Nous ne nions pas pour autant l'authenticité historique de l'exorcisme. Nous nous tenons au niveau de la *rédaction* de Marc et cherchons
à comprendre comment Marc a exploité la matière traditionnelle pour
l'utiliser à ses fins théologiques.

bouche aux démons et impose silence à ses miraculés [1] montre
assez que le *secret* est aussi important, aux yeux de Marc, que
le *contenu* du secret. On sent bien qu'une révélation anticipée
compromettrait l'œuvre messianique de Jésus. Pourquoi ? Cela
n'est pas encore dit. Le reste de l'évangile l'explicitera.

Remarquons, en attendant, que ce secret n'est pas absolu.
L'affrontement entre Jésus et le démon est public [2]. Mais il ne
veut pas qu'on en révèle le sens profond. Jésus accomplit plusieurs autres miracles en public. Il *agit* comme Messie, mais il
ne veut pas qu'on en prononce le nom. La caractéristique du
secret messianique en Marc n'est pas le silence *total* que Jésus
garde au sujet de sa personnalité et de sa mission, mais le
mélange de manifestation publique et de silence. Il importe de
tenir compte de ce fait.

V, 1-20, Gérasa. [3]

1. La longue description du possédé (v. 3-5) sert de fond de
tableau. Le style diffus, imagé, populaire, rappelle la présentation du lunatique au ch. IX :

V, 3-5	IX, 18, 22a
Il avait sa demeure dans les tombeaux et personne ne pouvait plus le lier, même avec une chaîne ; car souvent on l'avait lié avec des entraves et avec des chaînes, mais il avait brisé les chaînes et rompu les entraves, et personne ne parvenait à le dompter. Et sans cesse, nuit et jour, il était dans les tombeaux et dans les montagnes, poussant des cris et se tailladant avec des cailloux.	Quand il s'empare de lui, il le projette à terre et il écume, grince des dents et devient raide. ...et souvent il l'a jeté soit dans le feu, soit dans l'eau, pour le faire périr.

---

1. J. M. ROBINSON : *The Problem of History in Mk*, London, 1957, p. 38,
note 1, affirme qu'il y a un fort contraste entre les ordres de silence adres-
sés aux démons et les autres, mais en I, 43s et en VIII, 30, par exemple,
où l'ordre est adressé au lépreux ou aux disciples, Marc emploie les mêmes
mots que lorsqu'il s'adresse aux démons ! Il s'agit donc bien d'un procédé
rédactionnel de *Marc*.
2. Voir É. TROCMÉ : *Formation de l'évg selon Marc*, 1963, p. 123, note 61.
3. Voir O. BAUERNFEIND : *Die Worte der Dämonen*, 1927, p. 23-26 et
44-56, 69sv ; R. BULTMANN : *Gesch. syn. Trad.* ⁴1958, p. 236sv ; H. VAN
DER LOOS : *The Miracles of Jesus*, 1965, p. 382-397.

Bien sûr, il n'y a aucune dépendance littéraire entre les deux récits, mais la manière est la même et doit provenir de la même veine. Les trois premiers versets du récit qui nous occupe (V, 3-5) peuvent se résumer en deux mots : un possédé terrible que personne n'avait pu dompter. Ce n'est donc pas là qu'il faut chercher la pointe théologique du morceau. Ces versets n'ont d'autres rôle à jouer que de souligner négativement la grandeur du miracle.

2. Du point de vue littéraire, nos trois versets ne sont qu'une parenthèse [1] entre les v. 2 et 6-7 où se concentre l'action proprement dite. Tout comme dans l'exorcisme de Capharnaüm, c'est de cette rencontre entre Jésus et le démoniaque que se dégage l'intention théologique de Marc. Le démon a la perception immédiate et irrésistible de la présence d'une force spirituelle extraordinaire qui met son existence même en péril imminent. Il ne s'agit pas seulement du passage accidentel et transitoire d'un élément perturbateur qui dérange l'emprise exercée par le démon sur le possédé, mais d'une rencontre décisive qui met définitivement fin à son règne. Le démon l'a compris du premier coup [2].

Il ne cherche pas à fuir : cela ne servirait à rien. Il est comme fasciné par la personnalité de Jésus et accourt lui-même se jeter en proie à son mortel ennemi, comme le papillon se lance dans le brasier qui l'éblouit. La course du démoniaque exprime puissamment la force de domination exercée par Jésus. Le prosternement indique la personnalité surnaturelle du Fils de Dieu. On ne se prosterne pas devant un simple mortel. Si le démon y est contraint, c'est qu'il se trouve en présence d'un être divin, son Maître (comp. Phil. II, 10).

D'ailleurs l'apostrophe du démon explicite son attitude sans aucune équivoque possible : « Jésus, Fils du Très-Haut ». C'est ici que réside le sommet théologique du morceau. Si Marc a

---

1. Cette parenthèse a gêné Matthieu et Luc. Ils se sont efforcés de la résoudre chacun à sa manière, Matthieu en la réduisant à sa plus simple expression, Luc en la déplaçant.
2. Voir J. M. ROBINSON : *The Problem of History in Mk*, 1957, p. 35-38 ; il souligne la dimension « cosmique » des exorcismes. J. BOWMAN : *The Gospel of Mark. The New Christian Jewish Passover Haggada*, Leiden 1965, p. 48sv remonte encore plus loin en y voyant une transposition, par l'intermédiaire du monothéisme juif et du zoroastrisme, du mythe cosmogonique mésopotamien.

passé tant de temps à décrire le possédé, ce n'est pas par complaisance morbide, mais pour manifester puissamment la personnalité transcendante et mystérieuse de Jésus.

Comme nous l'avons souligné plus haut, l'exclamation du démon rejoint presque littéralement celle de I, 24 : « Qu'y a-t-il entre moi et toi ? » Cette phrase exprime la conviction que la mission de Jésus a une relation essentielle avec le démon. Et cette relation est explicitée de part et d'autre : « Tu es venu pour nous perdre » (I, 24) et ici : « Je t'en supplie, ne me livre pas au supplice (éternel) ». Une fois de plus l'arrière-fond est la manifestation apocalyptique du Fils de l'Homme qui jette tous ses ennemis dans la confusion et les voue au supplice éternel. Dans Marc aussi, la venue de Jésus est un jugement. Elle est une épiphanie encore imperceptible pour les hommes, mais décisive pour les êtres doués d'une acuité spirituelle plus grande.

Jésus est donc venu mettre fin au règne de Satan : à travers ses noirs auxiliaires, c'est *Marc* lui-même qui entreprend de nous révéler le secret de la personnalité et de la mission de Jésus. La scène prend l'aspect d'une théophanie mystérieuse du Fils de Dieu. Jésus ne résiste pas à cette proclamation, probablement parce qu'elle se produit en présence des seuls témoins privilégiés, les apôtres (qui ne comprennent d'ailleurs pas encore) [1].

Le dialogue avec les démons n'est pas un simple ornement de style. Il a une grande portée théologique. Bien que J. M. Robinson ne souligne pas particulièrement ce passage, c'est peut-être un de ceux qui exprime le mieux la portée « cosmique » des exorcismes de Jésus. Grâce à cette petite scène, Marc nous montre que l'exorcisme dépasse de loin la délivrance d'un malheureux, elle est l'expulsion de toute la horde de démons hors du pays. Il s'agit d'une véritable victoire de Jésus sur le royaume des démons. Ce texte doit être comparé à Éph II, 2 et Col I, 13, mais plus encore aux descriptions apocalyptiques du Livre d'Hénoch livrant les anges déchus et les « puissants » aux supplices éternels.

---

1. T. A. Burkill : *Mysterious Revelation*, 1963, p. 89, fait remarquer que Marc avait déjà suffisamment exposé son point de vue en I, 24 ; I, 34 et III, 11s, pour ne pas être obligé de répéter l'injonction au silence à chaque occasion. D'ailleurs, ici, elle aurait été particulièrement mal venue, en raison de la conversation de Jésus avec les démons, qui suit immédiatement.

Soulignons ici un détail de style : en V, 7, alors que le contexte immédiat dit que les démons sont légion, le possédé parle au singulier : « Qu'y a-t-il entre *moi* et toi ? ». Inversement, en I, 24, où il n'est pas question explicitement de la présence de plusieurs démons, le possédé parle au pluriel : « Qu'y a-t-il entre *nous* et toi ? ». C'est une façon discrète de suggérer que dans chaque expulsion de démon, Jésus affronte, en fait, la totalité de l'armée diabolique. Ce qui n'est ici que suggéré sera explicité en III, 22-30, où Jésus fait la théorie, ou, si l'on veut, la théologie de ses exorcismes.

3. Les derniers versets (18-20) ont plongé les exégètes dans une grande perplexité parce qu'ils semblent contredire le « secret messianique ». Ailleurs Jésus agit en cachette et impose le silence le plus strict aux miraculés et aux démons, tandis qu'ici il ordonne positivement de proclamer les bienfaits du Seigneur.

On pourrait invoquer la tradition, dire que Marc dépend d'une source qu'il a citée telle quelle. Mais cela risque d'être une solution de facilité qui ne résout finalement rien. Ou bien alors on pourrait reprendre à son compte l'explication ingénieuse de W. Wrede. Selon lui, Jésus enjoint à l'ex-possédé d'aller s'enfermer chez lui (comme VIII, 26) ; celui-ci désobéit à l'ordre reçu et s'en va divulguer la nouvelle (comme I, 45) [1]. Mais E. Sjöberg fait remarquer que si Marc avait vu une opposition entre le v. 20 et le v. 19, il aurait mis δέ plutôt que καί [2]. En outre, le vocabulaire et le style portent la signature de Marc [3] :

La barque suit depuis III, 9 ; cf IV, 1, 35-41 ; V, 2 ; VI, 32, 45-52, 54 ; VIII, 10-14. Elle appartient donc au cadre rédactionnel du

1. W. WREDE : *Das Messiasgeheimnis*, ³1963, p. 139sv. Cette interprétation se fonde sur le fait que Jésus envoie l'ex-possédé « dans sa maison » (v. 19), mais il l'envoie *annoncer* ce que le Seigneur a fait pour lui : ce qui n'est pas précisément une imposition de silence !

2. *Der verborgene Menschensohn in den Evg*, Lund, 1955, p. 153. Dans le même sens : T. A. BURKILL : *Mysterious Revelation*, 1963, p. 91s. Comparer I, 45 et VII, 36.

3. Cf V. TAYLOR : *Gosp. Acc. to St Mk*, 1952, p. 284sv ; E. SCHWEIZER : « Anmerkungen zur Theologie des Markus » dans *Neotestamentica et Patristica, Freundesgabe O. Cullmann*, Leiden, 1962, p. 36 ; R. H. LIGHTFOOT : *History and Interpretation in the Gospels*, London, 1935, p. 88-90. En sens contraire, U. LUZ : *Zeitschr. f. Neutest. Wiss.* 1965, p. 18 (seul le v. 20 serait de Marc).

récit. Pour le génitif absolu, comparer V, 2 ; VI, 54, etc. L'expression « être avec lui » exprime techniquement le privilège des Douze (III, 14). Si l'on remarque par surcroît que ce même sommaire rédactionnel de Marc (III, 7-19) renferme deux autres allusions à l'exorcisme qui nous occupe, à savoir que les démons se prosternaient devant lui (III, 11 = V, 6) et qu'ils criaient : « Tu es le Fils de Dieu » (III, 11 = V, 7), on peut admettre qu'il y a une relation voulue entre ce sommaire et les récits de miracles qui suivent, et en particulier notre exorcisme. Dans ce cas, Marc a pu voir une relation entre les disciples choisis pour « être avec » Jésus et l'ex-possédé à qui ce privilège est refusé. Jésus l'envoie néanmoins « annoncer » (ἀπάγγειλον) aux siens ce que le Seigneur a fait pour lui, et il s'en va « proclamer » dans la Décapole ce que Jésus a fait pour lui. Le mot « proclamer », κηρύσσειν, se trouvait déjà dans la scène analogue de I, 45. Nous avions dit qu'il exprimait au sens technique la proclamation de l'Évangile. Remarquons que cette mission était exactement celle que Jésus avait destinée aux Douze en III, 14 : « pour être avec lui et pour les envoyer proclamer ». Ici Jésus refuse à l'ex-possédé de « rester avec lui », mais il l'envoie proclamer, tout comme il le fera un peu plus loin pour les Douze (VI, 6b-13). « Va-t'en (dans ta maison) » : cp. I, 44 ; VIII, 26. Pour V, 20, comparer I, 45 !

Il semble donc bien qu'ici, tout comme en I, 45, l'ex-possédé doive être considéré comme un des premiers missionnaires du Royaume. Le temps n'est pas encore venu où l'on pourra manifester en toute clarté l'œuvre de Dieu ; et pourtant, ici comme en VI, 6b-13, *il faut qu'elle soit manifestée*. La seule chose que Jésus veut à tout prix éviter est que *lui-même* ne soit impliqué dans cette manifestation. Il faut dire aux hommes que l'œuvre de salut est commencée sur terre ; mais il ne faut pas qu'on sache que Jésus en est l'instrument.

Or, dans le cas présent, deux éléments contribuent à écarter ce danger : d'abord Jésus lui-même quitte le territoire que va évangéliser le nouveau missionnaire. Ce territoire est d'ailleurs celui de la Décapole, territoire païen, dans lequel Jésus accomplit rarement son ministère (on l'y retrouvera pourtant en VII, 31). En second lieu, la manifestation de Jésus ressemble fort à celle de II, 1-12 et III, 1-6 : ici aussi un voile d'incompréhension cache la gloire du Fils de Dieu (cf supra p. 70). C'est parce que Jésus lui-même est méconnu et renvoyé par le peuple qu'il peut sans crainte envoyer un messager pour annoncer l'Évangile. Le secret messianique n'est pas absent ; il se manifeste sous une autre forme.

E. Percy ajoute cette nuance que l'ex-possédé est envoyé ici comme missionnaire parmi ses compatriotes païens [1]. Le lépreux, lui, était envoyé aux prêtres de Jérusalem pour rendre témoignage devant eux. Il est difficile de savoir s'il y a une complémentarité voulue entre les deux « missions » ; mais ce qui paraît certain, c'est l'importance accordée par Marc à la *mission* [2]. Jésus agit donc comme Messie, mais avec une curieuse réticence et ambiguïté. Marc n'explique pas encore la raison pour laquelle Jésus se comporte de cette façon ; néanmoins la situation est, ici encore, assez semblable à celle du quatrième évangile. Chez Marc aussi, les Juifs auraient pu adresser à Jésus les reproches qu'ils lui font en Jean VII, 3 ; X, 24 [3].

VII, 24-30, Syrophénicienne.

Ici, il n'y a pas d'imposition de silence proprement dite, car le miracle se fait à distance. Nous retombons donc dans les mêmes circonstances que I, 44b ; V, 19 ou même VI, 6b-13 : lorsque Jésus se trouve au loin, non seulement il permet, mais il ordonne même que l'on proclame l'événement pour que soit annoncé l'Évangile du Royaume.

En outre, il y a plusieurs allusions au secret dans ce récit même, bien que l'injonction au silence n'y soit pas formellement proférée. Dès le v. 24, il est dit que Jésus voulait rester caché. La première réponse dure de Jésus (v. 27) correspond à la rebuffade du lépreux en I, 41 (« en colère ») et I, 43. Jésus est d'abord contrarié de ce que la femme ait percé son incognito [4]. Mais il est ensuite vaincu par la foi irrésistible de la femme, et il lui accorde tout ce qu'elle veut. Finalement, toute la scène semble bien s'être déroulée en présence des seuls disciples. Il n'y a donc pas violation du secret au sens où Marc l'entend.

---

1. *Die Botschaft Jesu*, 1953, p. 274sv.

2. Mc I, 2-3, 17, 38, 44b-45 ; III, 14 ; IV, 14-20, 21-23 ; V, 19 ; VI, 6b-13, 37, 41 ; VII, 37 ; VIII, 5-6, 35 ; IX, 18b, 28, 38-40 ; XIII, 9-13, 34 ; XIV, 9.

3. Voir également J. Coutts : « The Messianic Secret in St John's Gospel » dans *Studia Evangelica* III (Berlin 1964), p. 45-57.

4. En Mc V, 25-34, l'hémoroïsse a, elle aussi, percé en quelque sorte (au moins pratiquement) le secret de Jésus (voir ci-dessus, p. 57). Et si, au v. 33, la femme est « toute craintive et tremblante », il faut supposer que le ton de Jésus au v. 30b et 33 devait être sévère.

IX, 14-29, Lunatique. [1]

1. *État de la question.* R. Bultmann [2] fait remarquer :

   a) Les disciples jouent un rôle aux v. 14-19, puis disparaissent. Au contraire, le père est acteur principal aux v. 21-27, tandis qu'il est à peine figurant dans les v. 17-19.
   b) La maladie est décrite deux fois, v. 18 et v. 21sv.
   c) La foule, déjà présente au v. 14, arrive seulement au v. 25.

Le récit actuel doit donc combiner deux traditions indépendantes. Toutes deux rapportaient un récit de miracle. Elles ont dû être rapprochées en raison de leur similitude. La première avait pour pointe le contraste entre le Maître et ses disciples (v. 14-20) : l'impuissance des disciples met en relief la puissance du Maître. La seconde s'apparente aux apophtegmes et décrit le paradoxe de la foi péniblement acquise (v. 21-27). Les deux récits ont été amputés de leur conclusion. L'appendice (v. 28sv) est en tout cas rédactionnel.

V. Taylor [3] et X. Léon-Dufour [4] ont repris l'un et l'autre l'analyse de cette péricope. Ils arrivent à une conclusion s'écartant assez peu de celle de Bultmann. Selon eux, les v. 20-27 constituent un récit indépendant. La conclusion du premier récit (v. 14-19), concernant l'impuissance des disciples, se trouve actuellement dans l'appendice (v. 28-29). Cette conclusion a été artificiellement séparée par l'insertion du second récit. Les deux auteurs reconnaissent volontiers le caractère littéraire douteux de cet appendice. Il a toutes les apparences d'une addition rédactionnelle ; mais, sans lui, le thème de l'impuissance des disciples demeurerait inachevé et inexpliqué. C'est pourquoi ils inclinent à regarder comme traditionnel au moins le contenu de cet appendice, malgré sa forme littéraire secondaire.

2. Si l'on veut bien nous y autoriser, nous proposerons nous-mêmes une *troisième solution.* Nous procéderons comme suit :

---

1. Cf H. Van der Loos : *The Miracles of Jesus*, 1965, p. 397-405.
2. *Gesch. syn. Trad.* [4]1958, p. 225sv.
3. *Gospel Acc. to St. Mk*, 1952, p. 395sv.
4. « Épisode de l'enfant épileptique », dans *La formation des évangiles*, Recherches Bibliques II, Bruges, 1957, p. 94-100.

le miracle comporte un élément unique dans toute la tradition évangélique, à savoir l'impuissance des disciples. Ce thème trouve sa conclusion indispensable dans l'appendice, lequel présente un aspect rédactionnel accusé.

Ces « rallonges à tiroirs » sont un procédé littéraire bien caractéristique de Marc [1]. On les retrouve en IV, 10 ; VII, 17 ; X, 10sv, comparer X, 23sv. Chaque fois elles servent à énoncer un enseignement supplémentaire réservé aux seuls disciples. Nous y reviendrons [2]. Il suffit pour le moment d'y reconnaître un procédé de style pour donner aux lecteurs une interprétation surajoutée.

Ces appendices ne font naturellement pas partie de la structure primitive de l'exorcisme. Ils constituent une surcharge littéraire. Puisque le cas se présente quatre fois en Marc, il est logique de le soupçonner d'en être l'auteur. Ces petits appendices sont d'ailleurs très intéressants, car ils nous permettent de saisir plus exactement la théologie et la méthode rédactionnelles. De ce point de vue, remarquons qu'ils ne représentent pas un procédé littéraire tellement différent de l'inclusion, par laquelle Marc entretoise deux récits traditionnels pour suggérer au lecteur de les interpréter l'un par l'autre [3].

Dans le cas présent également, le raccord est aussi artificiel que possible entre l'appendice et le reste du récit. L'exorcisme proprement dit *est terminé* au v. 27. Il ne postule aucune conclusion supplémentaire. Les deux versets suivants sont une instruction pastorale donnée à l'Église (allusion aux exorcismes pratiqués dans l'Église primitive). R. Bultmann affirme péremptoirement : « Les v. 28sv sont en tout cas une addition » [4]. Nous pouvons souscrire à cette affirmation.

3. La conclusion du thème très particulier de l'impuissance des disciples se trouve donc dans l'appendice rédactionnel. Il faut à présent nous demander si ce motif est aussi évidemment « *historique* » que ne le pense, par exemple, K. L. Schmidt. Suivi par beaucoup d'autres (dont, implicitement, Bultmann),

1. Cf É. Trocmé : *La formation de l'évg selon Mc*, 1963, p. 127sv ; R. Bultmann : *Gesch. syn. Trad.* [4]1958, p. 71.
2. Voir ci-dessous, p. 227-237.
3. Ci-dessus, p. 52.
4. *Gesch. syn. Trad.* [4]1958, p. 225.

cet auteur estime qu'on n'a pas pu « inventer » un pareil motif (car il n'est pas à l'honneur des apôtres). Il ne peut s'agir que de l'une de ces « candeurs » de Marc, par laquelle, enfant terrible, il raconte tout ce qu'il a entendu [1].

Cette apparente « naïveté » de Marc a été radicalement remise en question par le livre de Wrede. Ce dernier ne relève cependant pas spécialement le thème de l'impuissance des disciples, bien qu'il exploite le thème si voisin de l'incompréhension des disciples [2]. Au contraire, H. J. Ebeling a vu et souligné la parenté de ces deux thèmes [3].

Qu'il s'agisse là d'une intention chère à Marc, nous en voyons une confirmation dans le fait qu'il nous rapporte plusieurs scènes de ce genre. Nous relevons, en particulier, les deux miracles sur le lac. De part et d'autre, les disciples sont en difficulté tandis que le Maître est absent (ou qu'il « dort »). Chaque fois, Jésus leur reproche leur manque de foi. En VIII, 14-21, même tableau. Cette fois, le Maître est avec eux, mais ils n'ont qu'un seul pain, et cela ne leur suffit pas. Nous étudierons toutes ces péricopes en détail dans notre deuxième partie [4], car elles nous paraissent avoir une importance très particulière pour la découverte du message de Marc. Le lecteur voudra bien s'y reporter.

Contentons-nous de remarquer ici que la péricope de l'enfant épileptique présente exactement les mêmes caractéristiques. Ici également, Jésus s'est absenté. Il était sur le Mont de la transfiguration, tandis que ses disciples étaient dans la plaine en difficulté. Le Maître n'était plus avec eux et rien n'allait plus. Le démon leur tenait tête et ils étaient incapables de l'expulser. Et Jésus leur fait ensuite les mêmes reproches que sur le lac pendant la tempête.

Il nous semble impossible que la répétition, quatre fois de suite, d'une rencontre presque identique n'ait pas une pointe très précise pour l'Église à laquelle parlait Marc. Dans ce cas, il est obvie d'attribuer à ce dernier une large part dans la présentation de ces épisodes. Nous concluons donc que le motif de l'impuissance des disciples n'est pas un signe indiscutable d'« histori-

---

1. *Der Rahmen der Geschichte Jesu*, Darmstadt, ²1964, p. 227sv.
2. W. WREDE : *Messiasgeheimnis*, ³1963, p. 101-114. Cf ci-dessous, Deuxième partie, p. 266-276.
3. *Messiasgeheimnis*, 1939, p. 172-178.
4. Ci-dessous, p. 410-414.

cité », au sens où l'entendait K. L. Schmidt. Nous y verrions beaucoup plus volontiers un motif pastoral visant la communauté chrétienne.

Cette conclusion donne toute sa force à l'argument tiré du fait que le dénouement du thème si particulier de l'impuissance se trouve dans un appendice littérairement rédactionnel. Nous formulons donc notre thèse : *tout le thème de l'impuissance comme de l'incompréhension des disciples provient de Marc et a été introduit secondairement dans un récit de miracle qui ne le comportait pas.* Cette solution ne nous paraît pas plus difficile à admettre que celles qui veulent que Marc ait imbriqué l'un dans l'autre deux récits traditionnels différents.

4. Nous avons donc établi que le thème de l'impuissance des disciples est un motif bien marcien. La conclusion - c'est-à-dire la partie décisive - de ce thème se trouve dans un appendice littérairement rédactionnel. L'un et l'autre - le procédé littéraire de l'appendice surajouté et la scène des disciples abandonnés à eux-mêmes - se retrouvent au moins quatre fois dans l'évangile de Marc. Ce sont là des indices importants.

Poursuivons à présent notre analyse pour voir si les autres versets relevant de ce thème présentent le même aspect rédactionnel. Rappelons que Bultmann, Taylor et Léon-Dufour ont affirmé la dualité littéraire du récit. Nous suivrons ce fil.

Le thème débute aux v. 14-16. Ces trois versets sont une transition entre le récit de la transfiguration et la guérison de l'épileptique. Si nous supprimons ces trois versets, la scène de l'épileptique n'a plus aucune relation proche ou lointaine avec la transfiguration. L'expression inattendue « stupéfaite » ἐξεθαμβήθησαν (v. 15) est caractéristique de Marc. Elle traduit une idée théologique importante : toute venue de Jésus est une manière de théophanie. Elle met les gens « hors d'eux-mêmes » et provoque des réactions terribles chez les démons [1]. La venue de Jésus dans la foule après sa descente de la montagne évoque sans doute intentionnellement Exode XXXIV, 29-35.

La scène du v. 14 suppose donc que Jésus se trouvait sur la montagne tandis que les neuf autres apôtres étaient restés à l'attendre dans la plaine. Si la « haute montagne » est à l'écart,

---

1. Sur le thème de l'étonnement des foules, voir ci-dessous, Deuxième partie, p. 264-266.

comme il paraît découler de VIII, 27 et IX, 2, on peut se demander d'où vient cette foule. Mais nous savons que Marc ne se met
pas en peine pour si peu. Il n'hésite pas à appeler la foule à
Césarée de Philippe (VIII, 34), à moins qu'il ne ménage une
retraite aux disciples en plein milieu du lac et du discours en
paraboles (IV, 10), ou bien qu'il ne les fasse rentrer « à la maison » alors qu'ils se trouvent au-delà du Jourdain (X, 10), etc.
Ces localisations ont souvent chez Marc une valeur littéraire et
théologique : lorsqu'il veut signifier qu'un enseignement est
public, il appelle les foules ; lorsqu'il veut donner une explication plus ésotérique, il fait rentrer les disciples « à la maison »,
etc.

    V. Taylor fait remarquer que le vocabulaire du v. 14 est marcien.
Le mot μαθητής revient 43 fois, mais presque toujours avec αὐτοῦ ;
ὄχλος 37 fois ; οἱ γραμματεῖς 21 fois ; συνζητέω 6 fois. D'après
Taylor, il est clair que Marc a composé lui-même cette transition.
    La difficulté qui a empêché K. L. Schmidt [1] de formuler nette-
ment cette conclusion est que l'impuissance des disciples lui semblait être une réminiscence « certainement historique ». Or ce qui
paraissait être le plus évident aux critiques de la fin du siècle dernier et du début de ce siècle est précisément ce que nous aurions
tendance à remettre en question.
    Remarquons que la réticence de K. L. Schmidt rejoint exactement
celle de V. Taylor et de X. Léon-Dufour signalée plus haut au
sujet de la finale : bien que l'aspect de la finale soit littérairement
secondaire, ces deux auteurs estimaient qu'elle pouvait exprimer
un contenu traditionnel parce qu'elle formulait la conclusion du
thème de l'impuissance des disciples. - Ici, K. L. Schmidt qui, partout ailleurs, aurait attribué à Marc le lien rédactionnel entre les
deux récits, hésite parce que les v. 14-15 parlent de ce thème de
l'impuissance qui doit être certainement historique... Dès lors
que ce thème est bien marcien, l'hésitation n'est plus possible.

5. Poursuivons notre analyse. La présence des scribes a étonné
dans ce cadre éloigné et inaccoutumé. Mais si, comme nous le
suggérons ici, il s'agit d'un motif rédactionnel dû à la plume
de Marc et visant un but pastoral précis, faut-il alors nous étonner davantage de la présence des scribes que de celle de la
foule ? Ils servent à formuler l'objection et à mettre les disciples
en mauvaise posture. C'est un contexte habituel de controverse
qui reflète bien la situation (Sitz im Leben) de l'Église primi-

---

1. Voir ci-dessus, p. 90sv.

tive. On nous objectera sans aucun doute : Mais alors la présence des scribes n'est donc pas « historique » ? Nous nous contentons de répondre qu'il s'agit là d'une question beaucoup trop vaste et complexe pour pouvoir y répondre brièvement. Nous nous efforcerons de donner quelques éléments de solution à la fin du présent essai [1].

Au v. 15, l'étonnement et la réaction inattendue de la foule sont bien dans le style de Marc également. Le v. 17 ne répond pas à la question du v. 16. Ce dernier ne faisait d'ailleurs que reprendre sous forme de question la description du v. 14 : « De quoi disputiez-vous avec eux ? ». La question s'adresse aux scribes qui sont aux prises avec les disciples (v. 14). Mais les scribes disparaissent aussitôt de la scène sans laisser de traces, et un homme présente à Jésus son garçon. Ne nous trouvons-nous pas ici en présence du début primitif du récit ?

> « Quelqu'un lui dit : 'Maître, je t'ai amené mon fils...' »

Ce début classique ne postule rien de ce qui précède et est par lui-même une introduction. Nous pensons donc que les v. 14-16 sont une transition rédactionnelle de Marc.

Nous en arrivons ainsi à ce résultat que le début (v. 14-16) et la fin (v. 28-29) du thème de l'impuissance des disciples proviennent de la main de Marc, et que ce thème correspond d'ailleurs à un souci constant, souligné en plusieurs autres endroits de son évangile. Il ne nous reste plus à présent qu'à examiner les autres versets relevant de ce thème dans la péricope qui nous occupe.

6. Il s'agit pratiquement des v. 18b-19. Les auteurs ne se font pas faute de souligner qu'il y a deux venues du jeune garçon (v. 17 et 20). Il y a donc trace de complexité ou de juxtaposition de deux traditions. Dans la perspective où nous nous sommes placés, il semble assez clair que la répétition « Amenez-le moi - Et ils le lui amenèrent », des v. 19b-20a est un raccord rédactionnel qui permet de renouer le fil du récit rompu par l'addition des v. 18b-19. Que l'on supprime ces deux versets et la phrase coule d'elle-même dans le style un peu surchargé des récits de miracles marciens [2] :

---

1. Cf. Conclusion : Le secret et l'histoire, p. 445-516.
2. Comparer avec V, 1-13.

v. 17 Quelqu'un de la foule lui dit : 'Maître, je t'ai amené mon fils qui a un esprit muet. - 18. Quand il s'empare de lui, il le projette à terre et il écume, grince des dents et devient raide'. - 20. Sitôt qu'il vit Jésus, l'esprit secoua violemment l'enfant qui tomba à terre et il s'y roulait en écumant. - 21. Et Jésus demanda au père : 'Combien de temps y a-t-il que cela lui arrive ?...

Il nous semble que ce rétablissement confirme également que les versets intercalés répondent à un autre souci et suivent un autre fil.

Reste à montrer que les v. 18b-19 sont bien de la main de Marc. « Génération incrédule », allusion à Deut. XXXII, 5 (cf Mc VIII, 12 ; XIII, 30). M. Dibelius [1], suivi par R. Bultmann [2] et E. Lohmeyer [3], met fortement en relief l'idée qu'il s'agit de l'épiphanie d'un être divin qui n'est apparu sur terre que pour un temps très bref. V. Taylor [4] préfère l'interprétation de M.-J. Lagrange [5] qui y entend le ton « d'un maître fatigué de jouer un rôle ingrat, et déjà pénétré de la pensée de sa mort prochaine ».

Nous ne pensons pas que les deux interprétations s'excluent. Nous croyons, avec Dibelius, qu'ici tout comme au v. 14, Marc veut suggérer la présence, et même une certaine « manifestation mystérieuse » (geheime Epiphanie !) du Fils de Dieu. La foule est stupéfaite en le voyant descendre de la montagne parce qu'émane de lui un rayonnement insaisissable. De même ici (comme en saint Jean !) Jésus emploie des expressions qui paraissent réservées à Dieu. Tout cela nous situe au cœur du « secret messianique ». Mais, en même temps, Jésus laisse entendre que son séjour ici-bas est à son terme. Nous nous trouvons en effet dans la section de l'évangile qui suit la confession de Pierre et qui est dominée par les trois grandes prédictions de la passion. Le ton de la prédiction rappelle un peu II, 19b-20 (que la critique attribue à Marc [6]). Mais tout cela ne fait que confirmer, à nos yeux, l'appartenance de ces versets à Marc. C'est lui qui insère ainsi, dans la trame du texte traditionnel, sa présentation du « secret messianique ».

1. *Die Formgeschichte des Evangeliums*, [4]1961, p. 90-93, et 278.
2. *Geschichte der synoptischen Tradition*, [4]1958, p. 169.
3. *Das Evangelium des Markus*, [15]1959, p. 186sv.
4. *The Gospel According to St Mark*, 1952, p. 398.
5. *Évangile selon saint Marc*, Paris (Études Bibliques), [7]1942, p. 239. Dans un sens analogue : E. SCHWEIZER : « Anmerkungen zur Theologie des Markus », dans *Neotestamentica et Patristica. Freundesgabe O. Cullmann*, Leiden, 1962, p. 44 n.
6. R. BULTMANN : *Gesch. syn. Trad.* [4]1958, p. 17sv ; J. JEREMIAS : *Die Gleichnisse Jesu*, [6]1962, p. 49, note 3, etc. En sens contraire : V. TAYLOR : *Gosp. Acc. to St Mk*, p. 211sv. A notre avis, V. TAYLOR est trop historisant.

Il nous semble donc légitime de conclure que les v. 14-16,
18b-19 et 28-29 proviennent de la main de Marc. Ces versets
ont été composés par lui et insérés dans la trame du récit traditionnel d'exorcisme. Si on lit les versets que nous venons d'indiquer à la suite, on a l'impression d'une sorte d'apophtegme ou
de controverse. Le cas est décrit aux v. 14-16, l'objection se corse
aux 18b-19 et la réponse est donnée aux v. 28-29. Mais ce n'est
qu'une apparence, car la réponse ne s'adresse pas aux « scribes »
avec qui avait commencé la discussion, mais aux disciples, ce
qui indique bien que la pointe de l'addition vise la communauté
chrétienne. Le thème de l'incompréhension des disciples, composé par Marc [1], a donc pour but de réinterpréter le récit traditionnel pour l'instruction de l'Église.

7. Il nous paraît donc que les v. 14-16, 18b-19 et 28-29 contiennent un thème homogène, indépendant du récit, et fort
proche de celui du « secret messianique ». Ce thème rédactionnel décrit, bien plus clairement que le récit traditionnel, la
rencontre vraie entre Jésus et le démon. Le démon résiste, et
résiste presque victorieusement. Les disciples échouent, malgré
leur mandat (VI, 13), et le Maître lui-même n'arrive qu'à grand-
peine à chasser le démon, puisque l'enfant en sort quasi - mort.
Les mots de Marc doivent avoir une signification symbolique
dans le contexte des trois prédictions de la passion :

ὡσεὶ νεκρός	— ἀπέθανεν	comme un cadavre - il est mort
ἤγειρεν	— ἀνέστη	Il le réveilla - il ressuscita.

Les quatre mots sont des termes techniques du kérygme chrétien pour parler de la mort et de la résurrection du Christ :

νεκρός se rencontre 7 fois en Marc :
  VI, 14 : Jean Baptiste est ressuscité des *morts*
  IX, 9 : Le Fils de l'Homme ressuscitera des *morts*
       10 : Ressusciter des *morts* ?
  IX, 26 : Comme un *mort* (notre passage)
  XII, 25 : Lorsque les *morts* ressusciteront
       26 : Quant au fait que les *morts* ressusciteront
       27 : Il n'est pas le Dieu des *morts*, mais des vivants.

---

1. Ce qui ne signifie pas qu'il n'a pas fait usage de certains matériaux
traditionnels.

ἀποθνήσκω se rencontre 9 fois : 2 fois à propos de la fille de Jaïre (nous avons signalé les contacts étroits entre ces deux récits, ci-dessus, p. 55) ; une fois dans notre récit ; 4 fois dans la discussion avec les Sadducéens (XII, 19-22) et deux fois à propos de Jésus lui-même (XV, 44).

ἐγείρω est employé 18 fois par Marc, mais 7 fois seulement au sens technique : V, 41 et IX, 27 : Fille de Jaïre et lunatique.

            VI, 14, 16 : Jean Baptiste.

            XII, 26 : Discussion avec les Sadducéens.

            XIV, 28 : Après ma résurrection, je vous précéderai.

            XVI, 6 : Il est ressuscité, il n'est plus ici.

ἀνίσταμαι se retrouve 17 fois en Marc, mais 11 fois seulement au sens technique :

V, 42 et IX, 27 : Fille de Jaïre et lunatique.

VIII, 31 ; IX, 31 ; X, 34 : Trois prédictions de la passion-résurrection.

XII, 23-25 : 2 fois dans la discussion avec les Sadducéens.

(XIII, 2   : Le temple : en trois jours un autre ressuscitera qui ne sera pas fait de mains d'hommes).

Si Marc n'avait employé ici qu'un seul de ces termes, on aurait pu douter de la signification qu'il voulait leur donner. Mais l'accumulation des quatre termes en deux versets, le parallélisme avec le récit de la résurrection de la fille de Jaïre semblent décisifs. Marc a voulu faire allusion à une mort et à une résurrection, présages et symboles de celles de Jésus. Cela semble d'autant plus clair que la guérison de l'épileptique se situe au cœur de la section dominée par les trois grandes prédictions de la passion [1].

8. Restent deux questions subsidiaires. Puisque nous admettons que les versets 14-16 sont rédactionnels, comment justifions-nous le lien établi *par Marc* entre la transfiguration et la guérison du petit démoniaque ? Selon nous, ce lien est avant tout *théologique* et répond à une intention claire de Marc, intimement apparentée au thème du secret messianique, à savoir le lien entre la gloire et la passion. Ce lien pourrait être formulé dans les termes de Luc : « Ne saviez-vous pas que le Christ devait endurer toutes ces souffrances pour entrer dans sa

---

1. Mc VIII, 31 ; IX, 31 ; X, 33-34. Voir aussi VIII, 34 ; IX, 9-13 ; X, 38, 45.

gloire ? » (Luc XXIV, 26). Marc n'aurait pas renié cette phrase.
L'opposition voulue entre la gloire de la transfiguration et le
dur affrontement au démon lors du retour de Jésus dans la plaine
avait été annoncée par Marc dès la descente de la montagne (IX,
9-13). Le contraste entre les deux scènes violemment juxtaposées
correspond à celui existant entre la théophanie du baptême et
la tentation au désert (Mc I, 9-13), ou entre la confession de
Pierre et sa réprimande (VIII, 29 et 33).

Dans cette perspective, nous serions fort tentés de maintenir
la *lectio difficilior* du v. 29 : « Cette espèce-là ne peut être chassée que par la prière et par le jeûne ». Cette leçon est très bien
attestée. La recommandation vise évidemment un usage ecclésial,
et Matthieu et Luc d'abord, un grand nombre de copistes et de
commentateurs ensuite, l'ont supprimée parce qu'ils ne voyaient
aucune mention d'un jeûne auquel Jésus se serait soumis avant
d'accomplir cet exorcisme (encore que, comme nous le disions
plus haut, il n'est pas impossible que Ex XXIV, 18 soit implicitement présupposé : le séjour de Jésus sur la montagne évoque
celui de Moïse, tout comme son retour rappelle Ex XXXII et
XXXIV, 29-35).

Mais cette mention d'un jeûne de l'Église se trouve également
en Mc II, 20, où elle est une allusion claire à la mort de Jésus.
Et si nous acceptons le rapprochement qui vient d'être suggéré
entre d'une part le groupe transfiguration-lunatique et d'autre
part le groupe baptême-tentation, nous trouvons le même parallélisme entre la théophanie (qui rappelle explicitement la théophanie accordée à Moïse (et à Élie) sur le Sinaï) et le jeûne au
désert accompagné de la tentation. C'est le thème du désert
Luc l'a bien senti (Luc IX, 31). Nous y reviendrons ailleurs. Nous
pensons que cette conclusion de Marc ici - rapprochée de I, 12-
13 et de II, 20 - est une allusion au fait que le démon ne sera
définitivement chassé que par la mort du Christ. L'explication
donnée aux disciples n'est pas essentiellement différente de celle
donnée en IX, 13 ou X, 39.

En comparant entre elles les trois grandes expulsions publi-
ques de démons (I, 23-27 ; V, 1-20 ; IX, 14-29), nous constatons un crescendo, non que le pouvoir de Jésus contre le démon
s'affirme de plus en plus fortement, mais exactement le contraire : la résistance du démon est de plus en plus opiniâtre jusqu'à
devenir quasi-victorieuse. Au ch. I, l'expulsion s'accomplit après

un seul cri. Au ch. V, les démons, très nombreux, marchandent et finissent par obtenir de « ne pas quitter le pays ». Bien sûr, par la suite ils en seront expulsés quand même ; mais cette victoire coûtera à Jésus d'être lui-même chassé du territoire (V, 17). Néanmoins, il y laissera un missionnaire, insinuant par là que sa retraite ne sera pas définitive. Enfin, dans le troisième récit, la défaite est plus cuisante encore. Les disciples sont tenus en échec, et le Maître lui-même n'arrive à sauver l'enfant *qu'à travers une mort et une résurrection* (v. 26-27). Mieux encore, Jésus insinue que l'expulsion définitive du démon n'aura lieu que lorsque lui-même aura payé un tribut de « jeûne et de prière », symbole de sa mort sur la croix.

III, 22-30, Béelzébul.

1. Au sens technique, cette discussion avec les Scribes est une « controverse » [1] et, au point de vue de la forme autant qu'à celui du message, il conviendrait de l'étudier en même temps que les autres controverses de Marc ; notre explication y gagnerait en homogénéité et en clarté. D'autre part, cette discussion joue un rôle décisif dans les exorcismes : elle en fait la théologie et en explicite la portée messianique. Notre étude des exorcismes resterait fermée, si nous n'ajoutions pas ici la clef d'interprétations que Marc nous a lui-même donnée.

Déjà J. M. Robinson, pour qui les expulsions des démons sont un des thèmes essentiels de l'évangile de Marc, a souligné le fait que III, 22-30 interprète les exorcismes de Marc ; il en montre la signification « cosmique » [2]. Dans les exorcismes, Jésus affronte un démon [3]. Mais III, 22-30 montre ce que représentent ces expulsions particulières dans le cadre du grand combat du Fils de Dieu contre Satan.

Au v. 22, l'objection est posée. Il s'agit de l'interprétation de l'activité de Jésus. Cette interprétation est, bien entendu, erronée.

---

1. cf R. BULTMANN : *Gesch. syn. Trad.*, [4]1958, p. 10-12.
2. *The Problem of History in Mark*, 1957, p. 35 (*Geschichtsverständnis*, 1956, p. 42sv) ; suivi par U. W. MAUSER : *Christ in the Wilderness*, London, 1963, p. 130sv. Cf. J. JEREMIAS : *Jesus als Weltvollender*, Gütersloh, 1930, p. 58-60.
3. Bien que les expressions employées suggèrent déjà davantage : J. M. ROBINSON : *Problem of History in Mk*, 1957, p. 35.

Depuis le début (I, 27), les gens sont « stupéfaits » de l'autorité
et de la puissance de Jésus, mais ils n'en saisissent pas le secret.
Au ch. VI, 14-16, Hérode cherche une autre explication - à
peine plus heureuse - de cette puissance miraculeuse ; et, finalement, les Juifs posent explicitement à Jésus la question d'autorité, mais lui refuse de répondre (XI, 27-33).

Le but de la question - dans la perspective de Marc - est
donc de mettre une fois de plus en relief la personne et la mission de Jésus. Qui est-il ? Quelle puissance mystérieuse émane
de lui ? Les démons l'ont perçu du premier coup ; mais les hommes, eux, sont incapables de comprendre. De ce point de vue,
l'épisode entre dans la catégorie de l'incompréhension et de l'é-
tonnement des foules et des disciples (voir p. 264-276). Marc
donne à entendre que le secret obstiné gardé par Jésus se tourne
contre lui, et que les commentaires les plus malveillants com-
mencent à se donner cours.

La réponse à l'objection est donnée en trois étapes qui constituent trois logia probablement indépendants à l'origine : v. 23-
26, v. 27 et v. 28-30 [1]. Il semble bien, dans ce cas-ci, que ces
logia aient déjà été rapprochés par la tradition prémarcienne.
Pourtant on y trouve une progression très étudiée qui exprime
avec précision la conception marcienne de l'exorcisme.

2. v. 23-26 [2]. Jésus commence par se mettre sur le terrain des
adversaires. Admettons, dit-il, que ce soit au nom du Prince des
démons que je chasse les démons. Qu'est-ce que cela signifierait ? Cela voudrait dire que le Royaume de Satan est divisé et
bien près de s'écrouler.

Nous, Occidentaux, avons toujours tendance à examiner la
rigueur du *raisonnement* employé, et, précisément, celui-ci ne
nous convainc guère. Mais pour des Orientaux, le raisonnement
compte moins que ce qui est insinué. Or ici la vérité impliquée
dans ce logion est la fin du Royaume de Satan. Les exorcismes
de Jésus - qu'on les interprète avec bienveillance ou non -
signifient, aux yeux de ceux qui savent reconnaître les signes
de Dieu, que le Royaume de Satan est en train de s'écrouler.

---

1. Cf R. Bultmann : *Gesch. syn. Trad.* [4]1958, p. 11s.
2. Le v. 23a est probablement rédactionnel : V. Taylor : *Gosp. Acc. to
St Mk*, 1952, p. 239. Comparer Mc VII, 14 ; VIII, 34 ; X, 42.

L'interprétation est donc capitale. Elle fait passer un acte, qui aurait pu être un simple fait divers, sur le plan métaphysique, « cosmique » comme dit Robinson, et ainsi lui donne sa véritable signification. Tout le monde savait bien que le Royaume de Satan serait à son terme lorsque l'aurore des temps eschatologiques aurait pointé, lorsque le Royaume de Dieu ferait son apparition, lui qui, seul, pouvait mettre fin au Royaume de Satan (Col I, 13 ; Éph II, 2, etc) [1].

Mt XII, 28//Lc XI, 20 : « Si c'est par l'Esprit de Dieu que je chasse les démons, c'est donc que le Royaume de Dieu est présent parmi vous », est dans le prolongement exact de Mc III, 23-26. Il ne nous semble pas impossible que Marc ait connu ce verset, et qu'il l'ait intentionnellement écarté, parce qu'il estimait que cette allusion trop claire à la venue du Royaume [2] aurait été à l'encontre de son « secret messianique ». L'accord Mt-Lc manifeste en effet que ce logion était déjà relié au précédent dans la source Q [3]. En outre, Mc III, 29 *présuppose* que Jésus a dit auparavant que c'est par l'Esprit de Dieu qu'il chasse les démons ; Mc III, 29 présuppose donc Mt XII, 28. Toutefois, il ne nous est pas possible de trop nous appuyer sur cet argument, car il n'est pas du tout certain que Mc III, 28-30// se trouvait originairement dans ce contexte [4]. Une dernière confirmation par analogie pourrait nous être fournie du fait que certains auteurs admettent que Marc ait pu supprimer au v. 28 la mention du Fils de l'Homme, soit par contresens, soit intentionnellement [5].

---

1. Cf. H. VAN DER LOOS : *The Miracles of Jesus*, 1965, p. 252.
2. Marc ne parle du « Royaume de Dieu » que dans le programme initial (sommaire) I, 15, et dans le discours en paraboles (IV, 11, 26, 30). Mais, dans ce dernier, il est explicitement affirmé que la connaissance du Royaume caché (« le mystère du Royaume », hébraïsme) n'est donnée qu'aux privilégiés. Au contraire, dans la deuxième partie de son évangile, consacrée à la révélation du « secret », il parle jusqu'à douze fois du Royaume de Dieu. Voir ci-dessous, Deuxième partie, p. 389-394.
3. Malgré l'insertion, probablement postérieure, de Mt XII, 27//Lc XI, 19 (cf le καὶ εἰ au début du verset, et le εἰ δὲ de reprise au verset suivant).
4. Luc place ce logion dans un autre contexte (Lc XII, 10) et Marc juge nécessaire de le rapporter à ce qui précède au moyen d'une conclusion rédactionnelle (Mc III, 30). Voir pourtant H. E. TÖDT : *Der Menschensohn in der synoptischen Überlieferung*, Gütersloh, ²1963, p. 110.
5. Bien qu'il l'ait maintenu en II, 10, 28, voir discussion plus loin. H. E. TÖDT : *Der Menschensohn in der synoptischen Überlieferung*, Gütersloh, ²1963, p. 111sv et 282-88 estime que la suppression est intentionnelle.

La suggestion que Marc a connu la tradition représentée par Mt XII, 28// est donc peu étayée. Si on l'accepte, la méthode de Marc apparaît encore plus patente ; mais, même dans le cas contraire, on constate que Marc *suggère* la portée véritable de l'activité messianique de Jésus, sans jamais l'expliciter. Les exorcismes de Jésus, tout comme ses miracles, sont un *kérygme*. Ils sont la proclamation et la manifestation de la présence du Royaume messianique. Et pourtant Jésus ne le dira jamais clairement devant les foules, sauf devant Caïphe, tout à la fin de l'évangile, lorsque sera révélé le « secret ». Mais l'interrogatoire même de Caïphe prouve que Jésus ne s'était jamais prononcé sans équivoque auparavant. Nous retrouvons donc toujours le cadre d'une épiphanie cachée.

3. Le v. 27 ne fait qu'expliciter la véritable signification des v. 23-26. Si le Royaume de Satan est en ruine - comme vous venez de le constater vous-mêmes ! - ce ne peut être que parce que « Quelqu'un » de plus puissant que lui a fait irruption dans sa maison. Dans la conception juive, le Royaume du Messie devait mettre fin au Royaume de Satan [1]. C'était donc une allusion à la venue du Puissant qui doit détruire le Royaume infernal [2]. Mais la personnalité de ce « Plus Puissant » n'est évoquée en Marc que négativement : « *Personne* ne peut entrer dans la maison du Fort (Satan), s'il n'a d'abord ligoté le Fort ». Derrière ce « Personne » se profile évidemment, très enveloppée, la silhouette de « Quelqu'un ». Tout le monde savait bien que ce « Quelqu'un » devrait être le Messie, mais Marc suggère la chose en évitant soigneusement toute allusion trop expresse.

Nous saisissons donc sur le vif la manière de Marc [3] : il montre Jésus agissant comme Messie et suggérant même la véritable portée messianique de son action, mais en évitant toujours soigneusement toute explicitation trop claire. Pourquoi cette

---

1. Cf. W. FOERSTER dans *Theol. Wört.* II, p. 78-80 ; H. L. STRACK & P. BILLERBECK : *Kommentar zum Neuen Testament aus Talmud und Midrasch*, IV, 2, München, [2]1956, p. 802sv et P. VOLZ : *Die Eschatologie der jüdischen Gemeinde im neutest. Zeitalter*, Tübingen, 1934, p. 309sv. Cette opposition entre le Royaume de Dieu et celui de Satan est spécialement soulignée dans le *Testament des XII Patriarches*.
2. Comp. Dan II, 34sv ; Marc I, 7.
3. Qui est peut-être (au moins partiellement) celle de Jésus. Voir Conclusions : Le secret et l'histoire.

mystérieuse réticence ? Marc ne s'explique pas encore davantage ici.

4. v. 28-30. Il nous semble très difficile de décider si ces versets faisaient originairement partie de l'apophtegme ou non. Comme nous le disions ci-dessus, Luc situe ces deux versets dans un autre contexte, celui du jugement. H. E. Tödt estime que Luc a accompli ce transfert pour grouper ensemble deux logia sur le Fils de l'Homme (Luc XII, 8sv et XII, 10) [1]. Mais ces rassemblements par mots-crochets sont généralement le fait de la tradition *prélittéraire*. Ici, en particulier, on voit difficilement pourquoi Luc aurait tiré ce verset de son contexte original - où il convenait magnifiquement, comme nous le dirons tout de suite - pour le placer à côté d'un autre logion sur le Fils de l'Homme qui contredit celui-ci ! [2].

Tout d'abord, donc, à sa place actuelle, le logion Mc III, 28-30 convient parfaitement. Les Juifs viennent de prétendre que les exorcismes de Jésus ne sont rien d'autre qu'une mystification démoniaque. Jésus commence par montrer que leur calomnie ne tient pas debout (23b-25), puis il conclut en disant : Dieu est prêt à accorder aux hommes le pardon de tous leur péchés, et il le fait *maintenant* par le message que je vous annonce et par les guérisons que j'opère au milieu de vous ! Mais si vous vous butez, au point d'attribuer à l'esprit du mal ce qui est la plus éclatante manifestation du salut, alors il n'y a plus aucun (autre) espoir pour vous.

L'idée n'est pas très différente de Héb VI, 4-8, et elle est d'ordre *kérygmatique*. Elle est un appel pressant à la foi et à la pénitence. Les exorcismes (et les miracles) sont une preuve et un effet de la présence du Royaume. Il est donc urgent de croire. Le logion conclut ainsi la discussion sur les exorcismes en montrant de façon indiscutable leur véritable portée. Cela serait encore plus clair et plus charpenté si Mt XII, 28 venait s'intercaler entre Mc III, 26, et Mc III, 28. Mais précisément ce n'est pas le cas, et le début de III, 28 a tout l'air d'indiquer une reprise, tout comme Mc III, 30 porte la marque d'un raccord rédactionnel.

---

1. *Der Menschensohn*, [2]1963, p. 110sv.
2. Cf T. W. Manson : *The Sayings of Jesus*, London, [5]1957, p. 110.

L'histoire de la tradition de notre logion est donc malaisée à reconstituer. Il est tout aussi difficile de savoir si Marc a supprimé intentionnellement la mention du Fils de l'Homme au v. 28 (cf Mt XII, 32//Lc XII, 10). Cela nous paraît en tout cas très possible. La raison de cette suppression n'aurait probablement pas été la simple mention de son nom dans la première partie de l'évangile (Mc I, 14-VIII, 26), puisqu'il l'a maintenue ou introduite en II, 10, 28. On peut penser qu'il a estimé qu'une telle mention serait trop claire dans ce contexte particulier ou qu'il n'a pas jugé un péché « contre le Fils de l'Homme » rémissible comme n'importe quel autre péché.

Ce qui nous importe en tout cas, c'est ce que Marc a effectivement écrit, car c'est la seule chose dont nous soyons certains. Or là, le sens est très clair. Les exorcismes sont une manifestation (eschatologique) de l'Esprit Saint, et les hommes seraient inexcusables de ne pas la reconnaître. Une fois de plus, nous constatons que le « secret messianique » n'est pas un simple refus de se manifester, mais une volonté indiscutable de se manifester - sans quoi il serait injuste de qualifier d'impardonnables ceux qui n'ont pas cru - mais de se manifester avec une incompréhensible réticence et ambiguïté ; en fait, plutôt une volonté de manifester l'œuvre de l'Esprit et la puissance du Royaume, mais sans trahir sa qualité messianique.

I, 12-13, Tentation.

1. Nous avons intentionnellement laissé pour la fin le récit de la tentation de Jésus. Sa place dans le prologue lui confère une valeur de programme pour tout l'Évangile [1]. Le contenu théologique en est fort proche de celui que nous venons d'étudier dans l'épisode de Béelzébul.

E. Lohmeyer [2] a fait remarquer la différence de style entre les v. 9-11 et 12-13 :

---

1. Pour la même raison J. M. ROBINSON choisit la solution opposée : il commence par le récit du baptême, puisque c'est lui (ainsi que III, 22-30) qui révèle la dimension « cosmique » des exorcismes. Nous avons préféré la méthode analytique qui risque moins de forcer les textes.

2. *Das Evg des Mk*, [15]1959, p. 26-27. M. ZERWICK : *Untersuchungen zum Markus-Stil*, Roma, 1937, p. 76-81 a montré que le style des v. 12-13 est typiquement marcien.

9. Et il advint en ces jours-là
   vint Jésus de Nazareth en Galilée
   et fut baptisé dans le Jourdain par Jean.

10. Et aussitôt, en remontant de l'eau,
    il vit déchirés les cieux
    et l'Esprit comme une colombe
    descendant vers lui.

11. Et une voix (vint) du ciel :
    « Tu es mon Fils bien-aimé,
    en toi j'ai mis ma complaisance ».

12. Et aussitôt l'Esprit le chasse
    au désert.

13. Et il était dans le désert
    quarante jours,
    tenté par Satan.
    Et il était avec les animaux,
    et les anges le servaient.

Lohmeyer souligne le brusque passage du parfait au présent historique cher à Marc. De même la construction de la phrase change : aux v. 9-11, nous avons l'ordre verbe-sujet ; au v. 12-13, sujet-verbe. Peut-être y a-t-il même un certain rythme voulu dans le v. 13 : « Et il était dans le désert » correspond à « Et il était avec les animaux » ; tandis qu'il a un parallélisme antithétique entre « Tenté par Satan », et « Les anges le servaient ». A. Feuillet accepte sans hésiter la conclusion de Lohmeyer [1]. Il estime que « dans la tradition présynoptique le récit du baptême était distinct de celui de la tentation ». L. Cerfaux estime que le récit du baptême de Jésus provient des cercles baptistes [2], tandis que le récit de la tentation dérive d'une autre collection [3]. R. Bultmann est péremptoire « La connexion entre le baptême et la tentation est secondaire. Il n'y a pas de lien interne entre le sacre du Roi-Messie et la tentation » [4].

---

1. *Rev. Bibl.*, 1964, p. 322.
2. Cela se comprendrait bien pour Jean I, 34. Par contre en Mc I, 9-11, le Baptiste disparaît tout à fait à l'arrière-plan, et il ne paraît pas même être le témoin de la scène, puisque c'est Jésus qui voit, et que la voix s'adresse à Jésus : « Tu es... ». Chez Luc, le Baptiste est tout simplement rayé du tableau ; et Mt III, 14-15 doit être un développement apologétique postérieur.
3. *La Formation des Évangiles. Problème synoptique et Formgeschichte*, Bruges 1957, p. 27-28.
4. *Gesch. syn. Trad.* [4]1958, p. 270.

2. Par ailleurs, *dans le texte de Marc* un lien très intime est établi entre le baptême et la tentation. Or, comme Lohmeyer l'a montré, le style et le vocabulaire des v. 12-13 sont très marciens. En outre, la connexion violente de ces deux scènes contrastées, difficilement concevable au niveau de la tradition prémarcienne [1] correspond exactement à la christologie de Marc. Nous allons nous efforcer de le prouver.

Le prologue introduit une continuité étroite, essentielle, entre la proclamation du Fils de Dieu et son envoi au désert pour y affronter Satan. Les deux scènes se suivent immédiatement ; c'est trop peu dire : l'une entraîne l'autre. Le baptême confère à Jésus le don de l'Esprit. A la façon de Rom I, 3-4, Jésus est établi Fils de Dieu « avec puissance » [2], grâce à l'Esprit qui est descendu sur lui. Le ministère du Baptiste culminait déjà dans ce seul mot : l'annonce du Plus Puissant que lui, et dont le signe distinctif serait l'Esprit (I, 8). C'est l'Esprit de Dieu reçu par Jésus qui lui permet d'affronter et de vaincre l'esprit du mal (cf Éph II, 2). Cette doctrine est présupposée par Mc III, 28-30, comme nous l'avons constaté ci-dessus.

Le commencement du ministère de Jésus marque donc les préludes d'un âge nouveau que l'on pourrait caractériser avec Luc : « Dieu l'a oint d'Esprit Saint et de puissance, et il est passé en faisant le bien et en guérissant tous ceux qui étaient tombés au pouvoir du diable » (Act X, 38). Marc répète moins souvent que Luc que Jésus est rempli de la puissance de l'Esprit. Ce n'est pas son genre littéraire, ni surtout son propos théologique. Pour lui, la gloire et la puissance du Fils de l'Homme ne se manifesteront que lors de la résurrection (Mc IX, 1, 9 ; XIII, 26 (parousie) ; XIV, 62). Pendant le ministère terrestre, il faut qu'elle reste cachée. Il pose une fois pour toutes que l'œuvre messianique sera accomplie par la vertu de cette investiture dans l'Esprit. Mais ce pouvoir extraordinaire reçu au baptême ne transparaîtra qu'occasionnellement [3].

---

1. Contre V. Taylor : *Gosp. Acc. to St Mk*, 1952, 163.
2. Cf encore Éph I, 19-23 ; I Cor XV, 24-28 ; Mt XXVIII, 18b ; etc.
3. Par exemple I, 22, 24, 27 ; II, 7 ; IV, 39-41 ; IX, 2-8 ; ces manifestations ont toujours lieu « en secret ».

Mais l'évangéliste joint immédiatement (εὐθὺς !) au récit de la théophanie le récit de la tentation. L'Esprit, que Jésus vient de recevoir pour accomplir sa mission de Fils de Dieu, l'Esprit lui-même le « jette » au désert pour y affronter Satan. Un des points fondamentaux, sinon le principal, de la mission du Fils Dieu est donc sa lutte contre Satan [1]. Le démoniaque de Capharnaüm le lui dira à leur première rencontre : « Tu es venu *pour nous perdre* » (I, 24 ; cf V, 7) et Jésus lui-même suggère qu'il est le Plus Puissant dont la venue met à mal la maison de Satan (III, 27). C'est ainsi que Marc souligne discrètement la continuité de sa théologie. Jésus a été investi de l'Esprit *pour* lutter contre Satan, et d'ailleurs son ministère commence par l'exorcisme de Capharnaüm, tandis que les trois autres exorcismes, les sommaires et les ordres de mission [2] disent assez la place privilégiée qu'occupe, dans la mission du Fils de Dieu, cette lutte contre le démon [3].

L'Esprit de Dieu [4] est donc partie intégrante du secret de Jésus. Comme Jean-Baptiste (I, 8) et Jésus lui-même (III, 29) le suggèrent, c'est l'Esprit qui donne au Messie sa force divine. Mais, cette puissance redoutable, personne n'est capable de la voir. On l'éprouve, soit comme une « Autorité » qui maîtrise les démons [5], soit comme une « puissance » qui guérit les malades et ressuscite les morts [6] ; mais personne encore, hormis les démons, ne devine l'origine de ce pouvoir [7].

---

1. Comp. Col I, 13 ; Luc X, 17-19 ; Jean XII, 31 ; Apoc XII ; etc.
2. Mc I, 23-28, 34, 39 ; III, 11, 15, 22-30 ; V, 1-20 ; VI, 13 ; VII, 24-30 ; IX, 14-29, 38-40.
3. C'est J. M. ROBINSON qui a le mieux mis en relief l'importance centrale de cette lutte « cosmique » du Fils de Dieu contre Satan, chez Marc : voir *The Problem of History in Mk*, 1957, p. 20-53 ; et *Das Geschichtsverständnis des Mk-Evg*, 1956, p. 20-81, où certains aspects sont encore plus développés.
4. Qui le constitue « Fils de Dieu », cf Mc I, 10-11 ; Rom I, 4 ; VIII, 14 ; Act XIII, 33 ; comp. Act II, 33.
5. Ἐξουσία : en I, 27 ; III, 15 ; VI, 7, l'« autorité » a pour objet immédiat l'expulsion des démons. L'autorité pour remettre les péchés (II, 10) est assez apparentée (cf Éph II, 2, 5). En XI, 27-33, le sens du mot est encore plus vaste, c'est le pouvoir de remplacer toute l'ancienne économie par une nouvelle. Ce même sens affleure en I, 22, 27, bien que l'autorité de Jésus soit intimement liée à son pouvoir d'exorciste. D'ailleurs III, 22-27 dit bien que chasser Satan c'est détruire le Royaume (= l'ordre) ancien pour en fonder un nouveau.
6. Mc V, 30 ; VI, 2, 5, 14 ; IX, 39 ; XII, 24. La manifestation de cette puissance sera la révélation du secret messianique : IX, 1 ; XIII, 26 ; XIV, 62.
7. Cf W. WREDE : *Messiasgeheimnis*, ³1963, p. 71-73.

La théophanie de Mc I, 9-13 est, de toute évidence, une investiture divine secrète, destinée à donner *au lecteur* la signification théologique de toute l'histoire qui va suivre, mais que les contemporains de Jésus étaient censés ignorer complètement. Une série de textes caractéristiques disent clairement que les spectateurs ne comprenaient rien à cette puissance transcendante qui émanait de lui [1], ce qui n'aurait pas été le cas si Mc I, 9-13 avait eu des témoins [2]. Marc I, 9-13 est donc une théophanie secrète, destinée surtout à éclairer l'intelligence du *lecteur*.

C'est en ce sens que l'on peut dire que Marc I, 9-13 est le programme de tout son évangile [3]. Cette double et indivisible scène est sous-jacente partout. Dans chaque rencontre avec un démon apparaît un reflet de cette gloire du Fils de Dieu dans l'Esprit, tel qu'en Mc I, 12-13 il a été député pour affronter Satan. Mieux encore, pour le lecteur, tout comme pour le contemporain de Jésus, l'évangile serait incompréhensible, s'il ne possédait pas cette clef [4] qui lui donne accès au monde invisible, dimension véritable des rencontres visibles qui vont suivre. Mais c'est précisément cette dimension invisible qui est l'objet propre du secret, du mystère du Royaume (IV, 11) échappant aux hommes, mais que les démons, eux, perçoivent du premier coup. Le contenu du secret est donc donné d'avance au lecteur dans le prologue (I, 9-13), pour qu'il puisse ensuite comprendre la portée véritable, c'est-à-dire théologique, des événements. Cela revient d'ailleurs à dire que Marc veut enseigner à son lecteur

---

1. D'où leur étonnement : I, 22, 27 ; IV, 41 ; VI, 2, 14 ; etc.

2. En Mc I, 10, c'est Jésus qui voit et c'est à lui que la voix s'adresse (cf V. TAYLOR : *Gosp. Acc. to St Mk*, 1952, p. 160). Au contraire, en IX, 2-8, ce sont les privilégiés qui voient, et c'est à eux que la voix s'adresse Après le baptême donc, Jésus seul connaît son secret.

3. Dans le même sens : A. GELIN : *Dict. Bible, Suppl.* t. V, col. 1206sv (art. « Messianisme ») : « véritable résumé de tout l'évangile » ; J. M ROBINSON : *The Problem of History in Mk*, 1957, p. 26-28 et 52 (ROBINSON insiste tout particulièrement sur le parallélisme avec III, 22-30 : ibid. p. 30-31) ; U. W. MAUSER : *Christ in the Wilderness*, London, 1963, p. 92, 99 100, 102 et 130 (« We have to regard the forty days not as a period passed for ever once Christ starts his public ministry, but, as for Moses and Eliah as the sounding of the keynote of his whole mission », p. 99) ; H. G LEDER : *ZNW*, LIV (1963), p. 214 ; etc.

4. C'est le titre que J. M. ROBINSON donne à l'un de ses paragraphes « Die Schlüsselstellung der Einleitung im Markus-Evangelium » (il envisag surtout la fin du prologue, v. 7-13, dont le lien d'unité est l'Esprit), dan *Das Geschichtsverständnis des Markus-Evangeliums*, 1956, p. 26-33.

à relire tout le ministère de Jésus à la lumière de sa résurrection. Trait qui, encore une fois, le situe très près de saint Jean.

Dès lors que la forme témoigne de l'origine traditionnelle et indépendante des deux péricopes (baptême et tentation) ; vu le brusque changement de style qui manifeste l'activité rédactionnelle de Marc aux v. 12-13 ; et, étant donné que l'association de ces deux thèmes correspond à une idée fondamentale de Marc, on peut conclure avec beaucoup de vraisemblance que c'est Marc qui a dû unir aussi étroitement au récit de l'épiphanie du baptême celui de la tentation au désert.

3. Remarquons d'ailleurs que Jésus n'est pas envoyé au désert pour vaincre Satan dans son repaire. Il est « jeté » au désert pour y *être tenté* par Satan. Jésus n'affronte pas Satan comme un vainqueur, capable de le terrasser sous la seule pression de son petit doigt, mais il vient *pour* être lui-même tenté pendant 40 jours. C'est Marc qui introduit - selon nous - ce lien immédiat entre l'investiture du Fils de Dieu et sa tentation. Quarante jours sont un temps symbolique évoquant les 40 ans au désert, durée idéale d'une destinée humaine [1]. Les quarante jours du prologue sont le symbole de toute la vie de Jésus. Elle sera une longue tentation, durant laquelle le Fils de Dieu sera soumis au pouvoir de Satan en attendant - cela n'est pas dit explicitement, mais supposé - de pouvoir le vaincre définitivement [2].

Nous comprenons mieux, à présent, les récits d'exorcisme que nous avons étudiés. La résistance démoniaque s'y affirme de plus en plus jusqu'à ce que, finalement, Jésus ne parvienne plus à expulser le démon sinon au prix d'une mort et d'une résurrection (IX, 26-27), symboles de sa propre destinée. La phrase qui conclut cet exorcisme : « Cette espèce-là (de démon) ne peut être chassée que par la prière et par le jeûne » (IX, 29) est un discret rappel des quarante jours de jeûne de Jésus en I, 12-13. Comme le dit si bien U. W. Mauser : « Ce qui s'est passé dans le récit des 40 jours (I, 12sv), n'est pas un simple incident parmi d'autres, limité à une certaine période. L'Esprit n'a pas cessé de le traîner au désert. C'est en réalité le Leitmotiv de tout le minis-

---

1. Sur le sens du chiffre 40 dans l'Ancien Testament, voir M. NOTH : *Überlieferungsgeschichtliche Studien*, [2]Darmstadt, 1957, p. 18-27.
2. Cf U. W. MAUSER : *Christ in the Wilderness*, 1963, p. 141.

tère de Jésus, répété de temps à autre au cours de l'histoire qui commence au baptême et se termine à la Croix » [1].

A cette lumière aussi, le silence imposé par Jésus aux démons lors des premières rencontres (I, 25, 34 ; III, 12) donne à entendre que Jésus (ou Marc !) était parfaitement conscient de ce que la victoire facile remportée à ce moment n'était pas encore une victoire définitive, sans quoi les cris des démons ne l'eussent pas importuné. Ainsi donc l'ensemble des exorcismes laisse une impression inachevée et douloureuse. Marc insinue que la victoire sur les démons ne sera définitive que lors de la mort du Fils de Dieu (comp. Jean XII, 31 ; XVI, 33 !) : l'ombre de la passion domine tous ces récits.

Nous sommes aussi au cœur du secret messianique. U. W. Mauser dit encore, à propos du contraste entre les v. 8 (annonce de Jean-Baptiste) et 9 (venue de Jésus) : « Il n'y a aucun passage du second évangile qui exprime ledit secret messianique d'une manière aussi énergique que les v. 8 et 9 du premier chapitre lus à la suite » [2]. Nous en dirions autant du contraste existant entre le v. 11 et le v. 13, surtout si l'on admet, ce qui nous semble probable, que c'est *Marc* qui a établi un lien aussi intime et aussi essentiel entre les deux scènes. Tout le secret messianique est contenu en germe dans cette opposition.

Conclusions.

J. M. Robinson avait donc raison de parler de la portée « cosmique » des exorcismes en saint Marc. Marc y voit l'affrontement entre le Fils de Dieu et le démon, ou, plus précisément encore, entre le Royaume de Dieu et le Royaume de Satan. La controverse au sujet de Béelzébul et la scène du baptême explicitent finalement la signification théologique et eschatologique des exorcismes.

De ce point de vue, les exorcismes sont le reflet terrestre du combat eschatologique. Ce combat hautement spirituel entre le Fils de Dieu et Satan, les hommes ne peuvent en soupçonner

---

1. U. W. MAUSER : *Christ in the Wilderness*, 1963, p. 141.
2. *Christ in the Wilderness*, 1963, p. 91.

l'existence que par les cris et les soubresauts des démoniaques. Ces derniers sont donc la manifestation d'une réalité cachée.

Les hommes en sont stupéfaits et ils en éprouvent une terreur sacrée (I, 27) ; mais ils sont incapables de percevoir la signification véritable de ce dont ils sont les témoins. Dans le feu de l'affrontement, le diable débouté voudrait bien trahir le secret du Fils de Dieu, mais Jésus lui impose violemment silence. Ici encore, ce qui nous importe, c'est la détermination ferme de Jésus de ne pas dévoiler publiquement l'enjeu spirituel de sa venue.

Pourquoi ce silence ? L'acharnement avec lequel les démons voudraient le trahir fait augurer que Marc leur prête la connaissance au moins partielle du secret de Jésus. Mais l'insistance est surtout sur la détermination de Jésus. Comme le dit Ebeling, même les cris des démons sont en grande partie un procédé littéraire et théologique pour mettre en lumière le paradoxe de la puissance du Fils de Dieu et de sa faiblesse. Il vient invinciblement expulser le démon pour établir le Royaume de Dieu (III, 26 ; I, 24 ; V, 7, 10) ; et cependant, il fait cela comme en secret. Pourquoi ne proclame-t-il pas publiquement la fin du règne de Satan, montrant ainsi à tous la véritable portée eschatologique (« cosmique ») de ses exorcismes ?

Marc le laisse deviner douloureusement. Le règne de Satan n'est pas encore tout à fait à son terme. Sa résistance s'accentue. Certaines « espèces » de démons tiennent tête aux apôtres, et le Christ lui-même, semble-t-il, ne pourra en venir définitivement à bout que par la prière et le jeûne (V, 10, 17 ; IX, 29). C'est tout ce qui nous est dit pour le moment.

III. LES CONTROVERSES.

1. Si Marc a si souvent et si longtemps été considéré comme le parent pauvre parmi les évangélistes, c'est, en grande partie, à cause de son indigence en discours. Il ne possède en effet que deux grands discours de Jésus. Est-ce bien la marque d'une pauvreté ou est-ce l'effet d'un choix délibéré ? Remarquons que, de ces deux discours, le premier est exposé en paraboles, afin que « ceux du dehors » aient beau voir et n'aperçoivent pas (IV, 12) ; et le second est le discours eschatologique, dont seuls les quatre privilégiés ont la confidence « en particulier » (XIII, 3).

Par contre Marc abonde en controverses. C'est la façon caractéristique dont Jésus se révèle dans son évangile : non pas en un discours clair et direct, mais par des répliques pleines de sous-entendus, dont les auditeurs ne peuvent jamais saisir entièrement la portée.

L'importance donnée par Marc à ce genre littéraire se manifeste dans le fait qu'il a encadré tout le ministère public de Jésus entre deux grandes séries de controverses. Une première série de cinq (II, 1-III, 6) affronte Jésus aux autorités officielles et provoque déjà la rupture qui sera le fait de tout l'évangile. A la fin de son ministère, cinq autres controverses mettront un terme à son ministère public (XI, 27-XII, 37). La première série fait entendre le thème dont les variations seront modulées à travers tous les épisodes de l'évangile, et qui sera énoncé clairement une deuxième fois dans l'autre série de controverses avant la grande action de la passion.

Il y a là comme une sorte de grande inclusion qui englobe tout l'évangile et lui donne le ton. Nous avons déjà vu que Marc aimait ces inclusions [1] et que ce procédé familier signifiait chez

---

1. Cf ci-dessus, p. 52.

lui que les deux scènes ainsi emboîtées devaient être interprétées l'une par l'autre. De même ici, cette grande inclusion montre que les deux séries de controverses sont la clef d'interprétation de tout le ministère de Jésus qu'elles encadrent.

2. Il ne faudrait pas s'y tromper. Les premiers fondateurs de l'École des Formes - préoccuppés qu'ils étaient de retrouver le contexte ecclésial (« Sitz im Leben ») dans lequel se sont élaborées ces controverses - ont été immanquablement frappés par la ressemblance de forme entre les controverses évangéliques et les discussions rabbiniques [1]. Ils ont donc jugé que ces discussions avaient été créées et rassemblées pour les besoins apologétiques de la communauté primitive aux prises avec ses adversaires juifs.

Chacune des controverses de nos évangiles refléterait donc un problème particulier de la communauté primitive. Ainsi Marc II, 1-12 aurait-il été composé pour justifier la pratique du sacrement de pénitence dans l'Église ; Mc II, 18-22 pour rendre compte de l'attitude des chrétiens à l'égard des jeûnes prescrits par le Judaïsme, etc.

> De ce point de vue, il est tout à fait normal que S. W. Baron estime que Jésus est un Juif « essentiellement pharisien » [2]. Il se situe sur le plan des disputes d'écoles, sans en apercevoir la dimension kérygmatique. Si même les exégètes chrétiens ne perçoivent plus l'entièrement neuf manifesté sous le voile paradoxal de la controverse, comment peut-on espérer que les auteurs juifs de notre temps soient plus perspicaces qu'eux ? E. W. Baron est entièrement logique avec lui-même : il montre l'aboutissement inévitable d'une exégèse qui ne verrait dans les controverses qu'une discussion morale.

Bien des traits sont suggestifs dans l'analyse de la critique des formes, et il semble acquis que plusieurs de ces controverses reflètent des situations particulières de l'Église primitive. Neanmoins cette analyse risque de laisser échapper le message essentiel de ces apophtegmes.

En 1930, dans une étude qui annonçait déjà la méthode qu'il mettrait en œuvre dans *Les paraboles de Jésus*, J. Jeremias a

---

1. M. Alberz : *Die synoptische Streitgespräche*, Berlin, 1921 ; R. Bultmann : *Gesch. syn. Trad.* [4]1958, p. 8-73. Voir aussi D. Daube : *The New Testament and Rabbinic Judaism*, London, 1956, p. 151-157.
2. *Histoire d'Israël*, Paris, II, 1957, p. 680.

montré que le message fondamental des controverses était d'ordre kérygmatique [1]. Il ne faut donc pas se laisser abuser par l'apparence rabbinique de la discussion. Il ne s'agit pas d'une dispute d'écoles, mais d'un ordre nouveau qui fait irruption dans le monde et qui exige une optique neuve, une évaluation toute nouvelle des événements et des attitudes. Si Jésus agit autrement que les Pharisiens, ce n'est pas parce qu'il est d'une autre « École », mais parce qu'un Événement eschatologique s'est produit, qui a changé le cours de l'histoire humaine et qui fonde une norme nouvelle d'existence.

Les apophtegmes ne sont donc pas d'ordre rabbinique, mais prophétique, ou, si l'on veut, kérygmatique. L'attitude nouvelle de Jésus - qui choque les assistants et provoque l'étonnement ou le scandale - est un *signe* de ce qu'un ordre nouveau a changé le cours des choses. Ce qui jusque là était en vigueur et légitime ne l'est plus désormais, *parce que le Royaume de Dieu est arrivé*. Ce ne sont plus les paroles de Jésus, c'est tout son comportement qui annonce - à qui peut le comprendre - que quelque chose a changé, une économie nouvelle a fait son apparition ; exactement comme la conduite insolite de certains prophètes de l'Ancien Testament était un « signe » pour leurs contemporains [2].

Il faut donc éviter d'interpréter ces controverses comme des discussions casuistiques sur l'observance de la Loi ; comme si Jésus voulait - au nom d'une morale libératrice - critiquer l'étroitesse d'esprit de ses adversaires. Ce n'est pas de cela qu'il s'agit. S'il en est apparemment question une fois ou l'autre (II, 25sv ; III, 4,), ce n'est là qu'un revêtement extérieur qui masque l'enjeu profond de la controverse. Ce dont il est en réalité question, c'est de la venue d'un ordre radicalement nouveau, le Royaume, qui rend caduc l'ordre ancien et exige un comportement entièrement renouvelé.

---

1. J. JEREMIAS : *Jesus als Weltvollender* (Beitr. zur Förd. christl. Theol. XXXIII, 4) Gütersloh, 1930, p. 21-32 et passim ; il est suivi par H. RIESENFELD : *Jésus transfiguré. L'arrière-plan du récit évangilique de la Transfiguration de Notre-Seigneur*, Lund, 1947, p. 318-330.
2. Jér XXXII, 6-15 ; Ez XII, 1-20 ; etc.

II, 3-12, Paralytique.

1. Un bon nombre d'auteurs [1] voient dans ce morceau deux
éléments distincts :

    1. — un récit de miracle : v. 3-5a et 11-12

    2. — un apophtegme : v. 5b-10.

Voici les arguments de R. Bultmann pour justifier cette dicho-
tomie :

    a) Le récit actuel a deux pointes :
        — la guérison du paralytique
        — le pouvoir de remettre les péchés
        (on s'aperçoit immédiatement que le second motif a été greffé
        sur le premier).

    b) Les v. 5b-10 ne font plus mention de la foi du paralytique,
        laquelle avait été la raison qui avait entraîné l'intervention de
        Jésus (v. 5a).

    c) Les v. 11-12 sont la suite logique du récit de miracle interrompu
        par les v. 5b-10. Le v. 11 continue immédiatement le v. 5a [2].

    d) Les scribes, qui jouent un rôle essentiel dans l'apophtegme (v.
        5b-10), disparaissent complètement de la scène ensuite : ce
        sont certes pas eux qui poussent l'exclamation chorale du v. 12b,
        mais les foules du début (v. 2-5a).

Le début de la controverse est actuellement encastré dans le
récit du miracle, de sorte que l'introduction s'en est perdue. Il
faut chercher l'origine de cet apophtegme dans la communauté
palestinienne désireuse de justifier sa pratique de remettre les
péchés.

A l'exception de cette dernière phrase, V. Taylor accepte l'opinion de R. Bultmann. Il donne quelques arguments supplémentaires :

---

1. W. WREDE : « Zur Heilung des Gelähmten (Mk II, 1ff) » dans *Zeitschr. für neut. Wiss.* V, 1904, p. 354-358 ; R. BULTMANN : *Gesch. syn. Trad.*
⁴1958, p. 12-14 ; A. E. J. RAWLINSON : *The Gospel according to St. Mark*
(Westminster Comm.) London, ⁷1949, p. 25 ; V. TAYLOR : *Gosp. acc. to St
Mk*, 1952, p. 191 ; W. GRUNDMANN : *Das Evangelium nach Markus*, Berlin
⁸1962, p. 54 ; etc.
2. Contre F. HAHN : *Christologische Hoheitstitel*, Göttingen, 1963, p. 4[?]
note et 228 note, qui rattache le v. 5b au récit de miracle.

a) La différence entre le style vivant, animé, pittoresque, des v. 3-5a, 11-12 et le style des controverses des v. 5b-10.

b) Le raccord rédactionnel qui répète « et il dit au paralytique » (v. 5a et v. 11) renoue le fil du récit par-dessus l'interruption des v. 5b-10.

c) Bien qu'elle n'ait plus d'introduction, la controverse des v. 5b-10 est exactement du même type que celle des v. 16-17, 18-20, 23-26 ; III, 1-6.

2. Nous estimons ces raisons convaincantes ; mais nous voudrions proposer une mise au point. Dans sa forme actuelle, la scène a certainement une intention doctrinale très profonde. La pointe de cette affirmation théologique se trouve au v. 10 : *le miracle a pour but* de prouver - ou de manifester - (« *pour que vous sachiez* ») le pouvoir que possède le Fils de l'Homme de remettre les péchés.

Cela signifie donc que, dans la forme actuelle du récit, le récit de miracle trouve sa pointe dans la controverse [1]. Bien sûr, Bultmann répondra que cette signification a été greffée sur le miracle primitif. Soit. Mais inversement, si l'on se met à étudier la forme primitive de la controverse, on éprouve des difficultés analogues. Bultmann lui-même est obligé de concéder que l'introduction originelle de la controverse s'est perdue. Nous ajouterions une affirmation semblable en ce qui concerne la conclusion de l'apophtegme supposé. En effet, le v. 10 ne peut être *à lui seul* la pointe de la controverse : « Pour que vous sachiez que le Fils de l'Homme a le pouvoir sur terre de remettre les péchés » demande une démonstration quelconque. Dans le contexte actuel, le miracle fournit cette démonstration. Mais, si l'on met entre crochets les v. 5b-10, l'apophtegme reste sans conclusion définitive. Il postule encore une démonstration pour que le logion soit vraiment concluant [2].

Cela ne veut pas dire que nous estimions que le morceau soit une unité traditionnelle. Son caractère composite est trop évident. Nous voulons seulement dire que les v. 5b-10 n'ont

---

1. De même D. E. NINEHAM : *Saint Mark*, Harmondsworth, 1963, p. 90.
2. M. DIBELIUS : *Formgeschichte des Evg*, [4]1961, p. 65sv estime également que Mc II, 5b-10 n'a jamais pu constituer un paradigme indépendant. De même R. T. MEAD dans *Journal of Biblical Literature*, LXXX, 1961, p. 348-354.

jamais dû exister tels quels en dehors de notre récit de miracle.
En d'autres termes, *ils ont dû être composés en fonction du
miracle pour en donner l'interprétation* [1]. La véritable portée du
miracle est exposée dans le petit commentaire des v. 5b-10.
L'interprétation des v. 5b-10 se situe donc au niveau rédactionnel ou prérédactionnel. Mais C. H. Turner a montré que le style
de ces versets était très marcien [2]. En outre nous avons déjà
relevé un cas fort semblable en IX, 14-28 : là aussi une discussion avec des « scribes » - qui disparaissent ensuite de la
scène - a pour objet de donner au lecteur la pointe véritable
de l'épisode.

3. Puisque le procédé littéraire est attesté ailleurs dans l'évangile [3], il nous reste à examiner si l'affirmation théologique est,
elle aussi, spécifiquement marcienne et ce qu'elle apporte à la
compréhension de l'évangile.

Dans le texte *actuel* donc - le seul qui nous intéresse ici -
Marc nous dit que la guérison du paralytique a *pour but* de manifester le pouvoir du Fils de l'Homme de remettre les péchés.
En effet, dans la présentation actuelle, Jésus, au lieu de guérir
le paralytique, qu'on lui présente évidemment dans ce but, se
contente de lui dire : « Tes péchés te sont remis », laissant
ainsi entendre que ce pouvoir est beaucoup plus important et
plus messianique que celui de guérir. On a l'impression qu'il
n'accepte de guérir le paralytique que comme à contre-cœur, ad
duritiam cordis. Si les gens avaient eu assez de foi, il n'aurait
pas été nécessaire d'accomplir cette guérison ; mais, pour aider
leur foi et pour leur montrer que le Fils de l'Homme a le pouvoir de remettre les péchés, il consent à l'accomplir.

Autrement dit, nous nous trouvons en présence d'une théologie très johannique. Elle débute par un « quiproquo » que
Jean n'aurait pas renié. Et ensuite, tout comme en saint Jean,
la guérison du paralytique n'est pas la « preuve »[4], mais le

1. De même C. K. Barrett : *The Holy Spirit and the Gospel Tradition*,
London, ²1966, p. 82.
2. *Journal of Theological Studies*, XXVI, 1924-1925, p. 146.
3. Il est également fort apparenté à celui de l'inclusion, si familier à
Marc, cf ci-dessus, p. 52.
4. Nous avons déjà entendu cette objection, bien « occidentale », que la
« preuve » de Marc n'est pas valable, car elle arguë du moins au plus.
Mais il ne s'agit pas ici d'une « preuve » mathématique, mais bien d'un
« signe » (au sens johannique) donné à la foi.

« signe » d'une réalité spirituelle et mystérieuse : le pardon des péchés.

Sans doute, la rémission des péchés ne fait-elle pas partie explicite de l'attente *messianique* juive [1] ; elle n'en est pas moins un élément essentiel de son attente eschatologique. C'était en particulier la promesse centrale des deux grandes prophéties de la nouvelle alliance, Jér XXXI, 31-34 et Ez XXXVI, 25-29 ; XVI, 62-63 [2]. Voilà pourquoi la rémission des péchés dans le Nouveau Testament est principalement évoquée dans le contexte de la « Nouvelle Alliance » dans le sang du Christ [3]. Mais beaucoup d'autres textes néotestamentaires affirment que la rémission des péchés est l'œuvre messianique par excellence [4].

Dans le texte actuel de Marc, le miracle a donc pour but (« Pour que vous sachiez ») de manifester que la rémission des péchés, bienfait eschatologique capital, est désormais accordée aux hommes. Il suffit de comparer cette affirmation implicite avec telle formulation du kérygme néotestamentaire, pour en percevoir aussitôt toute la résonance kérygmatique. Ainsi, par exemple : « C'est de lui que tous les prophètes rendent ce témoignage que quiconque croit en lui recevra, par son nom, la rémission de ses péchés » (Act X, 43). À confronter ce texte ou l'un de ceux cités à la note précédente, on réalise que Mc II, 10 ne pouvait signifier rien d'autre aux yeux des premiers chrétiens, sinon que la guérison du paralytique avait, *dans l'interprétation de Marc*, valeur d'un kérygme : elle manifestait aux yeux de tous que la rémission des péchés était donnée, et, donc, que les temps messianiques ou eschatologiques étaient arrivés. C'est évidemment ce que les scribes n'ont pas su comprendre. La foule elle-même s'est bien rendu compte que quelque chose de très grand - de jamais vu auparavant (v. 12) - venait de se

---

1. Cf A. Feuillet : *Rech. Sc. Rel.* 1954, p. 167. En ce qui concerne en particulier le Fils de l'Homme de I Hénoch, cf E. Sjöberg : *Der Menschensohn im äthiopischen Henochbuch*, Lund, 1946, p. 79. Toutefois en I Hén LXII, 9-10, il s'agit d'une supplication, *non sur terre*, mais au jour du jugement.

2. Également Os XIV, 5 ; Mi VII, 18-19 ; Is XLIV, 21sv ; LIV, 7-8 et passim.

3. Mt XXVI, 28 ; Héb IX, 20-28.

4. Mt I, 21 ; Luc I, 77 ; XXIV, 47 ; Act II, 38 ; V, 31 ; X, 43 ; XIII, 38sv ; XXVI, 18 ; Eph I, 7 ; Col I, 14.

réaliser sous ses yeux ; mais elle n'en a pas saisi la portée (messianique).

4. Mais il est possible de préciser davantage encore - dans la pensée de Marc - la signification du v. 10, clef de tout l'épisode. Ce verset ne dit pas seulement que le miracle a pour but de manifester la rémission des péchés, mais : « Pour que vous sachiez que le *Fils de l'Homme a sur terre le pouvoir* de remettre le péché ».

A. Feuillet a écrit un très bel article sur la signification de ce « pouvoir » mystérieux conféré au non moins mystérieux « Fils de l'Homme », lequel fait ici sa première apparition en saint Marc [1]. Il établit de façon probante que le Fils de l'Homme possédant le « pouvoir » (ou l'autorité) sur la terre est une référence, discrète mais certaine, au Fils de l'Homme de Dan VII, 14, gratifié du « pouvoir » sur toutes les nations de la terre [2].

« L'ἐξουσία (pouvoir, autorité) est tellement l'attribut essentiel de ce personnage mystérieux qu'en Daniel VII, 14 le mot est répété trois fois ». Et Feuillet cite le texte de la LXX [3] dont voici la traduction : « Le *pouvoir* lui fut donné, et toutes les nations de la terre selon leur race et toute leur gloire lui rendent hommage. Et son *pouvoir* est un *pouvoir* éternel... » Le mot araméen qui correspond au grec ἐξουσία est *Shaltan*, dont provient le moderne « Sultan », titre de l'empereur turc. Le mot est répété trois fois dans l'araméen également.

Comme A. Feuillet le fait remarquer, il s'agit en ce texte d'une véritable intronisation royale, le Fils de l'Homme est convoqué en présence de Dieu et on lui confère le « Sultanat éternel, qui ne lui sera jamais enlevé ». Le texte original ajoute encore deux autres synonymes : « On lui conféra le Sultanat, la Majesté et la Royauté... » Il n'est donc pas douteux qu'il ne s'agisse d'une intronisation royale, et d'une intronisation escha-

---

1. « L'EXOUSIA du Fils de l'Homme » dans *Rech. Sc. Rel.* 1954, p. 161-192.
2. Le rapprochement avec *Reshut* proposé par D. DAUBE : *The New Testament and Rabbinic Judaism*, 1956, p. 205-223, et suivi par C. K. BARRETT : *The Holy Spirit and the Gospel Tradition*, ²1966, p. 78-82 se situe au niveau de la discussion de type rabbinique et laisse échapper le message kérygmatique.
3. Le texte grec de Théodotion ne cite que deux fois le mot ἐξουσία ; la première fois, il le remplace par ἀρχή qui est synonyme.

tologique, comme l'indique le pouvoir définitif conféré au Fils de l'Homme après la destruction des animaux qui représentent les empires païens (comparer d'ailleurs Dan II, 44).

« Pour que vous sachiez que le Fils de l'Homme a sur terre le pouvoir... », signifie donc, dans la pensée de l'auteur : le miracle manifeste - aux yeux de ceux qui peuvent le comprendre - que le Fils de l'Homme a reçu le « pouvoir ». Ces deux titres techniques « le Fils de l'Homme » et le « Pouvoir », le « Sultanat » sont donc une allusion à Daniel VII, 14, comme l'a montré A. Feuillet. Dans la pensée de l'auteur le miracle, ainsi interprété, est une manifestation eschatologique du Fils de l'Homme. Il est le signe terrestre de la Royauté du « Fils de l'Homme »[1].

D'autre part, si le pardon accordé d'« autorité » (comparer I, 22, 27) par *Jésus* manifeste que *le Fils de l'Homme* a reçu l'« Autorité », autant dire que Jésus lui-même est ce Fils de l'Homme[2]. Tout cela bien sûr n'est qu'insinué, et la suite du récit montre bien que personne n'a saisi clairement la revendication de Jésus. Néanmoins le problème est posé.

Au point de vue qui nous intéresse, nous nous trouvons donc en présence d'un exemple caractérisé du « secret messianique ». Encore une fois, ce « secret » ne signifie pas que Jésus ne se manifeste pas du tout. Il se montre, il se révèle comme « Fils de l'Homme » intronisé dans la gloire, mais sa manifestation garde une mystérieuse retenue. Il ne crie pas sur tous les toits qu'il est le Messie ou le Fils de l'Homme ; mais il le laisse deviner par ceux qui le peuvent. Pourquoi cette retenue ? Par discrétion ? par humilité ? Peut-être. Laissons Marc nous le dire en son temps.

Ce qu'il nous importe encore de remarquer avant de quitter cette première controverse est que l'auteur y présente une interprétation théologique du miracle de Jésus. Cette interprétation qui se trouve en tête de l'évangile vaut évidemment pour tout l'évangile. L'auteur interprète une fois pour toute un miracle, pour montrer la portée christologique et eschatologique de tous les miracles. Parallèlement, cette première controverse donne la dimension réelle de toutes les autres : non pas disputes d'écoles

---

1. On peut comparer Jean V, 27 : cf plus loin p. 134sv et 367sv.
2. Le fait que Jésus s'identifie ici au Fils de l'Homme ressort, entre autres, de l'affirmation : « il a reçu le pouvoir sur terre ». Voir discussion dans W. G. KÜMMEL : *Promise and Fulfilment. The Eschatogical Message of Jesus*, London, ²1961 (trad. angl.) p. 46sv.

mais épiphanies secrètes du Fils de l'Homme. La controverse,
dans son climat d'incompréhension et d'ambiguïté, est le lieu
privilégié du « secret messianique », révélation entourée d'un
voile.

II, 15-17, Repas avec les pécheurs.

La pointe de cette controverse prolonge la controverse précédente. Là, il était question du « pouvoir qu'a reçu le Fils de
l'Homme de remettre les péchés ». Ici, nous voyons Jésus manger
avec les pécheurs. Mais examinons plutôt la *raison* que Jésus
donne de son attitude : « Ce ne sont pas les gens bien portants
qui ont besoin du médecin, mais les malades... » En d'autres
mots, l'attitude de Jésus ne se fonde pas sur une argumentation
d'école, mais sur la présence du « Médecin ». Si Jésus mange
avec les pécheurs, c'est qu'ils sont des malades qui ont besoin
du « Médecin ».

Qui ne voit l'analogie avec la scène du paralytique ? Là, toute
la scène avait pour *but* : « Pour que vous sachiez que le Fils de
l'Homme a reçu le pouvoir ». Ici, tout le différend a pour *raison
d'être* la présence du « Médecin » capable de « guérir » les malades que sont ces pécheurs. En d'autres mots, l'attitude de Jésus
manifeste que des temps nouveaux sont arrivés : le Médecin est
là. Le fait que Jésus mange avec les pécheurs est donc aussi un
« signe » de la venue de la rémission des péchés, et de la présence de celui qui peut remettre les péchés.

La « guérison » est d'ailleurs un signe des temps messianique.
Dans l'Ancien Testament, le médecin, c'est Yahweh. Un grand
nombre de textes promettent ou attendent une « guérison » ultime, équivalant à une rémission des péchés. Ce sens transposé
de la « guérison » est des plus fréquents [1]. Parmi le nombre
considérable de textes eschatologiques [2], Is LXI, 1 est peut-être

---

1. Cf *Theologisches Wörterbuch* (KITTEL) III, 202s, A. OEPKE et G.
BERTRAM.
2. Voici les textes les plus importants. Tous n'ont pas une portée *immédiatement* eschatologique ; mais l'ensemble de leur témoignage montre ce
pouvoir exclusif de Dieu, qui est en même temps une promesse pour l'avenir : Ex XV, 26 ; Os V, 13 ; VI, 1 ; VII, 1 ; XI, 3 ; XIV, 5 ; Is VI, 10 ; XIX,
22 ; XXX, 26 ; LIII, 5 (serviteur) ; LVII, 18-19 ; LXI, 1 ; Jér III, 22 ; XIV,
19 ; XVII, 14 ; XXX, 17 ; XXXIII, 6 ; Mal III, 20.

celui qui a pu influencer le plus directement les auteurs néotestamentaires et Marc en particulier. Là, la guérison fait partie de
la proclamation de l'Évangile, tout comme en Mt X, 1, 8
(θεραπεύειν). Il semble donc bien qu'il faille regarder comme une
manifestation eschatologique l'attitude de Jésus mangeant avec
les pécheurs et justifiant son attitude par l'affirmation qu'il est
le « Médecin ».

Sans doute, Jésus ne dit-il pas explicitement : « Pour que vous
sachiez que le Fils de l'Homme a sur terre le pouvoir de guérir
les pécheurs... (c'est pour cela que je mange avec eux) ». Cela,
il l'a dit une fois pour toutes en II, 10 ; les autres scènes doivent s'interpréter de la même façon. Ici, il est symptomatique
que la réponse de Jésus ne vaut que s'il est lui-même le « Médecin ». Le titre implicitement revendiqué ici n'est pas moins
divin que celui de II, 5-7 ; mais c'est dit ici de façon plus enveloppée, comme s'il citait un proverbe.

A qui douterait de la portée kérygmatique de cette première
réponse de Jésus, la phrase suivante [1] enlèverait tous ses dou-
tes : « Je ne suis pas venu appeler les justes mais les pécheurs ».
Le dernier mot de la justification de Jésus se trouve donc dans
la mission qu'il est venu accomplir. Cela implique que la conduite de Jésus se fonde, non pas sur une différence de vues, une
question « d'école », mais sur un Événement particulier, à savoir
une mission qu'il a reçue de Dieu.

Or quelle était cette conduite ? Jésus mangeait avec des publi-
cains et des pécheurs [2]. Nous savons par Act X, 13-15, 28 ; XI,
3 ; Gal II, 12, que la commensalité avec les pécheurs et les païens
était sévèrement interdite aux Juifs et que, même pour les premiers chrétiens, il n'a pas été si évident dès l'abord que toutes
ces barrières légales étaient abolies. Les textes cités à l'instant le
prouvent. Il a fallu la grande voix de Paul pour faire admettre
(et encore, pas par tous !) que les temps étaient changés. En
Act X, 15 ; XI, 17-18 ; XV, 8-9, ce bouleversement est notifié
par une communication gratuite de l'Esprit Saint. Or le don de
l'Esprit Saint est lié à la résurrection du Christ (Act II, 33 ; Jean
VII, 39 ; XVI, 7). L'auteur de l'épître aux Éphésiens dit claire-

---

1. Elle provient peut-être d'une autre tradition, mais nous nous situons
au niveau de la rédaction marcienne.
2. Au moins au niveau rédactionnel, le lien est certain entre le repas et
les logia du v. 17.

ment que le Christ a aboli le « mur » séparant les chrétiens des païens, à savoir « cette Loi de préceptes et d'ordonnances » (Éph II, 14-16). Dans tous ces cas donc, un *Événement*, à savoir la venue du Christ, a supprimé la barrière existant entre les « pécheurs » (ou les « païens » - ce qui était souvent synonyme (Gal II, 15)) et les Juifs.

Dans notre épisode également, l'attitude de Jésus est un véritable kérygme en actes : elle manifeste que la séparation entre les « pécheurs » et les « justes » [1] est abolie *à cause de sa venue*. Lorsqu'on relit les affirmations si fortes de Jésus : « Je mange avec les pécheurs parce que je ne suis pas venu appeler les justes mais les pécheurs, et parce que je suis le « Médecin » (titre exclusivement divin !) capable de les guérir », il est difficile de ne pas reconnaître en son attitude révolutionnaire le signe du changement des éons. L'aurore des temps eschatologiques - le « Royaume » - a point ; c'est pour cela que les normes anciennes sont abrogées.

II, 18-22, Discussion sur le jeûne.

1. Examinons la *raison* invoquée par Jésus pour dispenser ses disciples d'une pratique traditionnelle juive. Il ne s'agit pas d'une question d'interprétation, d'une discussion d'École, plus laxiste ou plus stricte. La raison pour laquelle les disciples de Jésus sont dispensés du jeûne est une raison « historique » (au sens biblique de l'histoire du salut). L'« Époux » est avec eux ; c'est pourquoi ils sont dispensés de jeûner. En d'autres mots, si l'on veut retourner la proposition, on peut lire : le fait que les disciples de Jésus ne jeûnent pas manifeste à ceux qui peuvent le comprendre que l'Époux est avec eux. Cela nous ramène à II, 10 : « Pour que vous sachiez que le Fils de l'Homme a reçu le Pouvoir... »

Reste à nous demander qui est cet « Époux » ayant le pouvoir de dispenser ses disciples du jeûne. Sans doute, le Messie lui-même n'est-il jamais désigné du nom d'« Époux » dans l'Ancien

---

1. Sur les « justes », voir A. Descamps : *Les Justes et la Justice dans les évangiles et le christianisme primitif hormis la doctrine proprement paulinienne*, Louvain, 1950, p. 98-110.

Testament ni dans le Judaïsme [1] ; ce titre - tout comme les deux qualificatifs précédents : Médecin (v. 17) et celui qui remet les péchés (v. 7) - est réservé à Dieu seul dans l'Ancien Testament. Plusieurs textes parlent du « mariage » définitif entre Yahweh et son peuple aux temps eschatologiques [2]. Et si le Cantique a finalement été admis dans le canon juif, c'est bien parce que sa signification allégorique s'était imposée [3].

Dans le judaïsme rabbinique, le Sinaï est considéré comme le lieu des noces de Yahweh avec son peuple [4], et ce contrat violé sera rétabli pour toujours aux temps messianiques. Les jours du Messie seront les jours des noces par excellence [5].

Jésus entre lui-même dans cette perspective : « Le Royaume est semblable à un roi qui fit un festin de noces pour son fils », dit-il (Mt XXII, 2). Ou bien il le compare à dix vierges qui attendent la venue de l'Époux (Mt XXV, 6). Jean-Baptiste, dans le quatrième évangile, donne explicitement à Jésus le titre d'« Époux » (Jean III, 29), titre qui est développé en Éph VI, 32.

Le fait que les disciples ne jeûnent pas est donc interprété par Jésus *comme un signe des temps messianiques*. Ceux qui ne perçoivent pas ces signes des temps (cf Mt XVI, 2-3), comme les Pharisiens dont il est question ici, s'en scandalisent, mais les humbles et les petits s'en réjouissent (cf Mt XI, 16-19 et 25).

Nous constatons ainsi l'attitude déconcertante de Jésus : il agit ou laisse agir ses disciples de façon choquante pour ceux de l'extérieur, et il se contente d'insinuer que cette conduite apparemment scandaleuse est le signe que les temps sont changés. Mais son explication est toujours tellement allusive et enveloppée que même les exégètes chrétiens de notre temps s'y sont laissé prendre [6]. N'aurait-il pas été plus simple et plus sage de parler clairement et sans ambiguïté [7] ?

---

1. Cf J. Jeremias dans *Theol. Wört.* IV, p. 1094.
2. Os II, 18, 22 ; Is LIV, 4-6 ; LXII, 4-5 ; Éz XVI, 7-14, 59-63.
3. J. Jeremias : *Jesus als Weltvollender*, Gütersloh, 1930, p. 22sv et *Theol. Wört.* IV, p. 1094sv.
4. E. Stauffer dans *Theol. Wört.* I, p. 652.
5. H. L. Strack & P. Billerbeck : *Kommentar zum NT* I (München, 1956), p. 517sv ; J. Jeremias : *Jesus als Weltvollender*, 1930, p. 22.
6. Nous ne parvenons pas à comprendre comment M. Dibelius : *Formgeschichte* [4]1961, p. 224 peut affirmer que nulle part en Marc n'est exprimée l'idée que la dissolution de l'ordre ancien est causée par l'apparition des temps nouveaux. Cela est suggéré partout.
7. Cf W. Wrede : *Messiasgeheimnis*, [3]1963, p. 40 !

2. Mais l'image de l'« Époux » n'est pas achevée. Jésus poursuit en annonçant qu'un temps viendra où l'Époux sera enlevé et où ses compagnons se trouveront dans l'affliction. Les exégètes qui veulent voir dans ces controverses une dispute d'écoles entre l'Église primitive et le Judaïsme sont obligés d'admettre que les v. 19b-20 contredisent le v. 19a. Dans leur hypothèse, en effet, le v. 19a est la conclusion d'un apophtegme voulant justifier la jeune Église de sa non-observance des jeûnes traditionnels juifs. Les v. 19b-20, au contraire, signifieraient que l'Église jeûne quand même. Il faut donc, de toute nécessité, en faire une surcharge plus tardive.

Pour nous, il paraît certain que le sens primitif de ces apophtegmes était d'ordre kérygmatique, exactement comme les paraboles. Nous n'avons donc pas les mêmes difficultés que les Formgeschichtler. Néanmoins nous admettons que la conclusion primitive de la controverse devait être brève, comme le v. 19a. Les précisions qui suivent ont très bien pu être ajoutées par Marc, comme le veut Bultmann [1] pour présager la mort de Jésus. Effectivement les v. 21-22 prolongent le v. 19a, tandis que les v. 19b-20 sortent du cadre de la controverse.

3. Les deux allégories suivantes, celle de la pièce dans le vêtement et celle du vin nouveau dans les vieilles outres, sont encore plus claires. V. Taylor les trouve révolutionnaires [2] et Bultmann est naturellement obligé d'en faire une addition rédactionnelle [3], car il n'y a vraiment plus moyen de les faire entrer dans le cadre des discussions d'Écoles. Il s'agit trop manifestement de logia kérygmatiques.

Comme J. Jeremias le soutient [4], il est possible que le vieux vêtement symbolise le ciel. Dans l'épître aux Hébreux, l'auteur reprend et applique au Christ le Ps CII, 26-28 :

> C'est toi, Seigneur, qui aux origines fondas la terre,
>   et les cieux sont l'ouvrage de tes mains.
> Eux périront, mais toi tu demeures,
>   et tous ils vieilliront comme un vêtement.

---

1. *Gesch. syn. Trad.*, [4]1958, p. 17-18.
2. *Gospel Acc. to St Mk*, 1952, p. 212.
3. Bien que les logia cités soient traditionnels : *Gesch. syn. Trad.* [4]1958, p. 18.
4. *Jesus als Weltvollender*, 1930, p. 24-27.

Comme un manteau tu les rouleras,
    comme un vêtement ils seront changés... (Héb I, 10-12)

En Apoc VI, 14, il est annoncé que les cieux disparaîtront comme une livre que l'on roule. C'est d'ailleurs un trait commun de toute l'eschatologie chrétienne que les cieux devaient disparaître pour faire place à la nouvelle création (Apoc XX, 11 ; XXI, 1 ; cf Is LI, 6 [1] ; LXV, 17 ; LXVI, 22). Dans ce cas, l'allusion au vieux vêtement qui ne peut plus être réparé serait encore plus nette. Il nous semble probable que ce sens symbolique soit sous-entendu. Même s'il s'agit d'une simple comparaison, le sens ne saurait être différent : la raison pour laquelle les disciples de l'« Époux » ne jeûnent pas est qu'une économie toute nouvelle a fait son apparition, économie qui rend caduc l'ordre ancien tout entier. Le sens de cet apophtegme ressemble à celui du logion imputé à Jésus : « Je détruirai (ou : Détruisez) ce temple fait de main d'homme et, en trois jours, j'en rebâtirai un autre qui ne sera pas fait de main d'homme » (Mc XIV, 58).

4. Le vin nouveau est lui aussi un symbole chantant de la joie et du festin eschatologiques. A la suite d'Is XXV, 6 et du Cantique, les écrits néotestamentaires ont vu dans le vin nouveau le le symbole des noces messianiques, thème développé dans plusieurs logia et paraboles, et qui trouve sans doute sa forme la plus évocatrice dans le miracle de Cana [2].

Le logion du vin nouveau dans des outres neuves a donc le même sens messianique que celui du remplacement de l'eau des purifications juives par le bon vin des noces (Jean II, 6-10) ou que celui du don de l'Eau vive au lieu de celle du puits de Jacob (Jean IV, 12-14). Nous trouverons le même thème développé de façon très analogue au sujet du sabbat et des purifications juives.

Dans l'Évangile de Marc lui-même, Jésus parle une fois encore du vin nouveau qui est le signe de la venue du Royaume (Mc XIV, 25). L'expression du vin nouveau faisant éclater les vieilles outres rejoint fondamentalement le logion incriminé de Mc

---

1. Dans ce texte, c'est la terre qui est comparée à un vêtement.
2. Voir le beau commentaire de J.-P. CHARLIER : *Le signe de Cana*, Bruxelles, 1959 (Études religieuses), spécialement p. 27-39 : « Le vin des promesses » ; J. JEREMIAS : *Jesus als Weltvollender*, 1930, p. 27-29.

XIV, 58 et le discours eschatologique. La même idée est encore suggérée par le fait que le rideau du Temple désormais périmé se déchire du haut en bas au moment même où Jésus expire. L'économie ancienne a vécu.

II, 23-28 ; III, 1-6, Le Sabbat.

1. À première vue, on imaginerait qu'il s'agit d'une discussion rabbinique concernant ce qu'il est permis de faire le jour du Sabbat. La Mishna[1] a statué 39 activités prohibées le jour du Sabbat, nombre encore multiplié par les générations postérieures. À la question posée par Jésus en III, 4 : « Est-il permis de sauver une vie le jour du Sabbat ? » les Rabbins avaient déjà répondu : Oui, lorsqu'il y a danger de mort, il est tout à fait licite d'intervenir pour sauver quelqu'un ; mais, lorsqu'il n'y a pas danger de mort, il faut attendre jusqu'au lendemain. Dans le cas présent, vu que la main desséchée n'entraînait aucun péril immédiat pour la vie de l'homme, il était clair qu'il fallait attendre jusqu'au lendemain[2]. Les Pharisiens auraient répliqué que l'argumentation de Jésus était à côté de la question, puisque tout le monde était bien d'accord sur le fait qu'on pouvait sauver une vie le jour du Sabbat, mais qu'ici, précisément, il n'y avait pas péril de mort.

De même pour le premier épisode. Le glanage, autorisé par Deut XXIII, 26, était considéré comme un travail auxiliaire de la récolte et, à ce titre, prohibé le jour du Sabbat. On pourrait donc estimer que Jésus donne une interprétation plus large - les Pharisiens auraient dit « laxiste » - de l'observance du Sabbat.

Mais s'agit-il bien d'une controverse rabbinique ?[3] ou bien ce manteau littéraire cache-t-il une réalité beaucoup plus profonde, à la manière des quiproquos johanniques ? La pointe du

---

1. Traité du Sabbat VII, 2. Voir H. L. STRACK & P. BILLERBECK : *Komm. NT*, I (²1956), p. 616.
2. STRACK-BILLERBECK : *Komm. NT*, I (²1956), p. 623sv.
3. J. BOWMAN : *The Gospel of Mark. The New Christian Jewish Passover Haggada*, Leiden, 1965 (Studia post-Biblica VIII), p. 113-121, s'y est laissé prendre : il interprète les cinq controverses comme des discussions rabbiniques.

récit se trouve dans le logion - qui a peut-être été ajouté par Marc - : « En sorte que le Fils de l'Homme est Seigneur du Sabbat » (III, 28). Cette formule est étonnamment proche de celle étudiée plus haut : « Pour que vous sachiez que le Fils de l'Homme a reçu le Pouvoir... » (II, 10) et montre la véritable portée de l'épisode, au moins dans la pensée de Marc (celle qui nous concerne ici).

Contrairement à ce que l'on a souvent affirmé [1], les miracles accomplis par Jésus le jour du Sabbat ne sont pas occasionnels ni accidentels. Ils répondent à une intention précise. Ils sont en eux-mêmes le signe et la manifestation de la venue du Royaume [2]. Or il convenait souverainement que le Royaume de Dieu fût manifesté précisément le jour consacré à Dieu ; exactement comme il convenait que la rédemption nouvelle s'accomplît à l'heure même du renouvellement liturgique de l'ancienne Pâque.

2. Pour expliquer la signification eschatologique de l'activité de Jésus le jour du Sabbat, nous serons obligés de prendre un certain recul, car elle représente un cas privilégié d'accomplissement de l'attente juive, et elle ne peut se comprendre que replacée dans le dynamisme de cette espérance.

L'expression employée par Jean V, 16 : « Les Juifs poursuivaient Jésus parce qu'il faisait cela pendant le Sabbat », laisse entendre qu'il ne s'agissait pas d'un cas isolé, mais d'une activité habituelle [3]. La tournure de Jean V, 18 ne laisse place à aucune hésitation : « Parce qu'il abolissait le Sabbat ». Jean indique ici la portée véritable du différend. L'activité de Jésus manifeste qu'il abolit le Sabbat, et c'est très précisément *là* que réside la signification eschatologique de son attitude. Il ne s'agit donc nullement d'un cas particulier où l'on croit pouvoir violer matériellement une loi positive pour accomplir un précepte plus grave et plus urgent - dans ce cas, il aurait exposé ses raisons. Le fait que Jésus accomplit l'œuvre messianique le le jour du Sabbat est un signe des temps, le signe de la venue de l'éon nouveau.

---

1. Par ex. H.-M. Féret : « Les sources bibliques », dans *Le Jour du Seigneur*, Paris, 1948, p. 79sv ; etc.
2. Cf Mt XI, 4-6, 21-24. Voir aussi A. Fridrichsen : *Le problème du miracle*, Strasbourg, 1925, p. 40-56 ; A. Richardson : *The Miracle Stories of the Gospels*, London, [6]1959, p. 38-58.
3. C'est ce que suggère l'imparfait : « il faisait cela ».

En saint Jean encore, Jésus s'explique ainsi : « Mon Père accomplit son œuvre jusqu'à ce jour, et moi aussi j'accomplis mon œuvre » (Jean V, 17). Jésus rattache par là son activité messianique à l'œuvre créatrice de Dieu. L'établissement du Royaume de Dieu reprend et prolonge l'œuvre de la création, et c'est pour cela qu'il convient de l'accomplir le jour du Sabbat.

Chez les Hébreux, tout comme chez les autres Sémites, le récit de la création n'était pas la simple relation d'un fait passé. A Babylone, la récitation de l'Enuma Elish était un événement liturgique qui *renouvelait* d'année en année l'œuvre de la création. Les anciens étaient persuadés que, s'ils négligeaient de renouveler, par la célébration liturgique, l'énergie créatrice du cosmos, celui-ci s'épuiserait et retomberait dans le chaos. C'est pourquoi le renouvellement liturgique de la création avait valeur déterminante pour l'avenir du cosmos [1].

Chez les Juifs aussi, la fête de Pâque, par exemple [2], *renouvelait* d'année en année, *jusqu'à son accomplissement eschatologique* [3], la geste de l'Exode, où Dieu était intervenu pour arracher son peuple de l'esclavage égyptien. Ce salut accompli en son temps redevenait sans cesse actuel dans la « re-présentation » liturgique. Le Deutéronome répète à toutes les générations de Juifs : « Ce n'est pas avec nos pères que Yahweh a conclu cette alliance, mais avec nous, nous-mêmes, qui sommes ici aujourd'hui tous vivants » (Deut V, 3). Et la Haggada de Pâque renouvelle encore le même mystère pour le Juif d'aujourd'hui :

> « Tel un drame inachevé, la nuit de l'Exode se poursuit à travers les siècles, cherchant des acteurs qui doivent le revivre perpétuellement, pour en connaître le sens réellement distinctif. Dans tous les siècles, chaque homme a le devoir de se considérer comme s'il était lui-même sorti d'Égypte. Ce ne sont pas nos ancêtres seulement que le Saint - béni soit-il - a rédimés, mais nous aussi, avec eux... » [4]

---

1. Cf. E. O. James : *Mythes et rites dans le Proche-Orient ancien*, Paris, 1960 (Bibliothèque historique), p. 47-77, et passim.
2. Nous choisissons cet exemple de la Pâque, parce qu'il nous fait saisir sous sa forme la plus explicite, la dimension eschatologique de renouvellement liturgique. Le cas du Sabbat est fort apparenté.
3. Les chrétiens en diront autant de l'Eucharistie : I Cor XI, 26.
4. A. Neher : *Moïse et la vocation juive*, Paris, 1956 (Maîtres spirituels), p. 135.

La nuit de l'Exode a inauguré une nouvelle ère pour le peuple juif et pour l'humanité entière : la rédemption de l'esclavage et de la misère, pour annoncer la liberté de Dieu.

L'Exode n'est pas *seulement* un événement historique, il est la rencontre entre l'Éternité et le temps, et c'est pourquoi il est nécessairement aussi transhistorique. Conviction que la liturgie exprime selon son mode unique, car toute liturgie est ressourcement du temps dans l'Éternité ; c'est pourquoi elle peut ainsi, d'année en année, « re-présenter » dans le temps le mystère de l'Exode. Ce dernier n'est plus alors événement du passé seulement, il devient événement contemporain - de la contemporanéité même de l'Éternité - et promesse d'avenir, promesse eschatologique au sens le plus fort, car de tout son dynamisme la liturgie tend vers ce point d'impact où le temps rejoindra définitivement l'Éternité pour s'y consommer. La liturgie est donc la marche en avant, qui entraîne l'humanité de la promesse à la réalisation parfaite, à travers la re-présentation symbolique et sacramentelle indéfiniment et rythmiquement renouvelée.

Le grand prophète de la Consolation avait brillamment promis le renouvellement eschatologique de toutes les merveilles de l'Exode [1], et les écrivains du Nouveau Testament en gardent la vivante conviction, lorsqu'ils soulignent le fait que Jésus fut mis à mort à l'heure même où l'on immolait l'antique agneau pascal, assumant ainsi en lui et faisant aboutir par son sacrifice la promesse séculaire.

3. Cet exemple montrant la dimension eschatologique de la liturgie de Pâque sera accepté par tous. Mais ce qui est dit de la rédemption d'Égypte vaut aussi de la création [2]. Elle aussi se renouvelle sans cesse de liturgie en liturgie [3]. Le Sabbat est précisément l'irruption du temps sacré au cœur du temps profane. Il est marqué par l'arrêt du temps profane, par l'arrêt de toute

---

1. Is XLIII, 16-21 et passim. Voir R. Le Déaut : *La nuit pascale*, Rome, 1963 (Analecta Biblica), p. 119 : « Eschatologie et Exode ».

2. Cf Le Déaut : *La nuit pascale*, 1963, p. 88-93 (Exode - Création) et p. 94-100 (Conception sotériologique de la création).

3. Il semble bien que c'était spécialement la fête du Nouvel-An (Rosh-as-Shanah) ou celle des Tabernacles qui célébrait le renouvellement de a création. Mais la question est trop débattue actuellement pour que nous puissions entrer ici dans cette discussion.

activité profane. Tout comme, en Égypte ou à Babylone, le sol
sacré du temple est le nombril, le fondement du ciel et de la
terre, ainsi le temps sacré est aussi le fondement du temps profane. L'éternité fonde le temps. Et pour que le temps profane
dans lequel vit l'homme renaisse sans cesse comme une création
indéfiniment renouvelée, il faut que le temps sacré l'interrompe
ou le « ressource » périodiquement, rythmiquement. C'est ce
qu'exprime le retour régulier du Sabbat, temps de Dieu venant
renouveler le temps de l'homme.

Il était obvie dès lors que le Sabbat prît une signification
eschatologique, celle d'une entrée définitive dans le temps de
Dieu, ou celle d'un renouvellement définitif du temps de l'homme, le moment où le temps et l'éternité se rejoindront. C'est
déjà le Code sacerdotal qui rattache le Sabbat à la première
création (Gen I, 1-II, 4a et Exode XX, 8-11), tandis que le Deutéronome le fait dériver de la rédemption d'Égypte (Deut V,
14sv). L'un et l'autre sont une intervention décisive de Dieu
dans le destin de l'homme, intervention qui change le sens de
ce destin.

La première conception trouve un écho en Jean V, 17 ; les
deux ensemble - mais avec insistance spéciale sur la seconde -
en Héb IV, 1-11. Le récit de la création devient ici promesse
eschatologique par le truchement du Ps. XCIV, tout comme la
nuit de l'Exode se mue en sacrement d'éternité dans la liturgie
de Pâque. La semaine renouvelle rythmiquement le dynamisme
de la création, rythme élémentaire lui-même relayé par le grand
rythme des années sabbatiques [1] et jubilaires [2], pour aboutir au
rythme cosmique des sept millénaires en lesquels on voyait se
dérouler toute l'histoire de l'univers :

> « Dieu montra à Hénoch l'âge de ce monde, sept mille ans d'exis-
> tence, et le huitième millénaire est la consommation. Il n'y aura
> plus là ni années, ni mois, ni semaines, ni jours. J'ai établi le
> huitième jour également, en sorte que ce huitième jour devienne
> les prémices de la nouvelle création après la première, et que les
> sept premiers jours deviennent sept mille ans, et qu'au début du
> huitième millénaire il y ait un temps non mesurable, infini, sans

---

1. Une « semaine d'année », Lév. XXV, 1-7.
2. 7 x 7 semaines d'années + 1 année (= 50 années), Lév. XXV, 8-17.
Voir aussi Dan IX, 24-27 : 70 semaines d'années, promesse messianique.

années, ni mois, ni semaines, ni jours, ni heures » (Hén. slave, XXXII, 2-XXXIII, 2) [1].

Cette idée est souvent répétée dans le Judaïsme, avec une hésitation caractéristique entre le septième et le huitième jour. Voici encore un témoignage tiré du Pirqé Rabbi Eliézer :

> « Dieu a créé sept éons et parmi eux il ne s'est réservé que le septième. Six ont été créés pour les allées et venues (de l'homme), et le septième est tout entier Sabbat et repos dans la vie éternelle »
> (Pirqé R. Eliézer, XVIII (9b)) [2].

C'est bien pourquoi le septième jour est à la fois le signe de la résurrection et celui de la nouvelle création [3] - les deux sont d'ailleurs synonymes. À la fin de la Vie d'Adam et d'Ève, l'archange Michel vient trouver Seth pleurant la mort de sa mère et l'avertit en ces termes :

> « Homme de Dieu, ne pleure pas ton mort plus de six jours, car le septième est le signe de la résurrection et du repos de l'âge à venir. Le septième jour, Dieu s'est reposé de toutes ses œuvres »
> (Vita Adae et Evae, LI, 2) [4].

Il importe de noter que ce symbolisme, assez répandu dans le Judaïsme au premier siècle de notre ère, - comme en témoignent les textes cités ici et d'autres qu'on pourrait ajouter - a trouvé une expression, non seulement en Philon qui relève de la tradition juive [5], mais aussi dans la tradition chrétienne du premier siècle et des débuts du second. Outre Irénée et Justin, Barnabé en est un témoin caractéristique. Le huitième jour est celui de la résurrection ; il inaugure l'ère nouvelle, c'est pour cela qu'il

---

1. Idée analogue : Bab. Sanh. 97a, voir H. L. Strack & P. Billerbeck : *Komm. z. NT*, III (²1954), p. 687.
2. Même conception chez les Samaritains : P. Volz : *Die Eschatologie der jüdischen Gemeinde*, Tübingen, 1934, p. 62 ; H. L. Strack & P. Billerbeck : *Komm. z. NT*, IV (²1956), p. 990-996.
3. Voir encore : P. Volz : *Die Eschatologie*, 1934, p. 384sv ; C. Spicq : *L'épître aux Hébreux*, II, Paris, 1953, p. 95-104, spécialement, p. 99 : « L'image du monde à venir est le Sabbat ».
4. Comparer Apocalypse de Moïse, XLIII, 2-5.
5. *Legum Allegoriae*, I, 2-6 (édition L. Cohn & P. Wendland : *Philonis Alexandrini opera quae supersunt*, Berlin, t. I (1902) p. 61-62.)

est célébré par les chrétiens à la place de l'antique Sabbat. C'est
le Fils qui, le septième jour, est venu juger, changer et se
reposer [1].

La signification eschatologique et messianique du Sabbat,
comme sacrement de l'éon eschatologique et signe de la résurrection, est donc bien attestée tant dans la tradition chrétienne
que dans la tradition juive. Reste à examiner si les textes du
Nouveau Testament, et en particulier celui de Marc qui nous
occupe, n'ont pas servi de maillon entre la tradition juive et la
tradition chrétienne, et donc si eux aussi n'ont pas connu et
exprimé ce sens eschatologique du Sabbat.

4. Les textes de Jean V, 17-18 et IX, 3-7 en témoignent : l'activité de Jésus le jour du Sabbat a valeur de signe. Jésus reprend
et prolonge l'œuvre de son Père, il le dit explicitement en Jean
V, 17 : « Mon Père travaille toujours et moi aussi je travaille ».
Et Jean commente : « Il se faisait ainsi l'égal de Dieu » (V, 18b).
Au ch. IX, Jésus « manifeste les œuvres de Dieu » le jour du
Sabbat (Jean IX, 3). C'est le Jour où il lui importe de « travail-
ler » (IX, 4), et il fait ensuite de la boue pour en oindre les yeux
de l'aveugle, action qui rappelle peut-être celle de Dieu en Gen
II, 7 : « Yahweh modela l'homme avec la glaise du sol, et il
insuffla dans ses narines une haleine de vie, et l'homme devint
être vivant » [2]. Le travail messianique de Jésus en ce jour de
Sabbat se termine par un *jugement* (IX, 39), autre manifestation eschatologique et messianique décisive. Jean V, 19-47

---

1. Chez les chrétiens aussi, il y a un certain flottement entre le sep-
tième et le huitième jour. Jésus œuvre le jour du Sabbat, mais le jour du
Seigneur, le jour de la résurrection, est le huitième, le Dimanche chrétien. -
Pour l'Épître de Barnabé, ch. XV, texte dans *Les Pères Apostoliques*, édition
par G. OGER et A. LAURENT, Paris, 1926 (Hemmer et Lejay), p. 84-89, ou
dans K. BIHLMEYER : *Die apostolischen Väter. Neuarbeitung der Funk'schen
Ausgabe* I. *Didache, Barnabas, Klemens I & II, Ignatius, Polykarp, Papias,
Quadratus, Diognetus*, Tübingen, ²1956, - Voir la discussion avec apport
d'un grand nombre de témoignages tirés du Judaïsme, du Nouveau Testament et du christianisme primitif, dans A. HERMANS : « Le Pseudo-Barnabé
est-il millénariste ? » *Eph. Theol. Lovan.* XXXV, 1959, p. 849-876 ; discussion plus brève dans P. PRIGENT : *L'épître de Barnabé I-XVI et ses sources*,
Paris, Gabalda, 1961 (Études Bibliques), p. 65-70.

2. Cf IRÉNÉE DE LYON : *Adversus Haereses*, V, 15, 2-3 : « en *re-modelant*
avec de la boue les yeux de l'aveugle-né, Jésus montre qu'il est Celui qui
aux origines, avait *modelé* l'homme avec de l'argile ».

résume en deux points l'œuvre messianique accomplie le jour du Sabbat :

> a) Faire aboutir l'œuvre créatrice de Dieu par la résurrection des morts (Jean V, 21, cf v. 26 et 28-29).
> b) Accomplir le jugement (Jean V, 22, cf v. 27).

En fait, ce ne sont là que les deux aspects d'une seule et même activité eschatologique. Le jugement et la résurrection (qui est la nouvelle création) sont inséparables dans l'eschatologie juive et chrétienne [1]. Chez Jean aussi, les deux idées sont solidaires : il n'est que de considérer le lien entre les v. 21-22. Les deux aspects complémentaires sont synthétisés dans le v. 29. Seulement, chez les chrétiens, l'accent est déplacé. Dans les apocalypses juives, la condamnation des impies et des anges déchus est souvent beaucoup plus développée que la résurrection des justes. Dans le Nouveau Testament on répétera que le « Juge » est venu pour sauver plus que pour condamner (Jean III, 17 ; Rom III, 23-24 ; V, 8-9).

Il nous reste à examiner les formules par lesquelles Jean exprime l'idée que Jésus a été constitué Souverain Juge [2]. Elles sont en tout point remarquables. (Le Père) « a donné le jugement au Fils », lit-on en Jean V, 22. Cette formule est un écho de celle de Dan VII, 22 : « L'Ancien des Jours donna le jugement aux Saints du Très-Haut ». Mais Dan VII, 22 n'est que l'interprétation authentique donnée par l'ange de Dan VII, 14, verset qui relate l'intronisation du Fils de l'Homme.

La seconde formule de Jean est encore plus nette : « Il lui a donné le Pouvoir (ἐξουσία) pour accomplir le jugement, car il est Fils d'Homme » (Jean V, 27). C'est une allusion certaine à Dan VII, 14 : « Le Pouvoir fut donné (au Fils d'Homme [3]), et toutes les nations de la terre selon leur race et toute leur gloire lui rendent hommage. Et son Pouvoir est un Pouvoir éternel... » [4].

---

1. Dan XII, 2-3 ; Hén. Slave LXVI, 6-8 ; Mt XIII, 41-43 ; XXV, 46 ; etc.
2. Selon la traduction suggestive de la *Bible de Jérusalem*, Jean V, 27.
3. Dans le texte grec (LXX et Théodotion) de Daniel VII, 13, le « Fils d'Homme » est employé sans article. Jean s'inspire de cette formulation en V, 27, plutôt que de celle de I Hén (qui emploie presque toujours l'article fort : « *Ce* Fils d'Homme »).
4. Cf ci-dessus, p. 120sv.

5. A présent nous voici à pied d'œuvre pour reprendre l'étude de Marc. Le texte de Jean cité à l'instant est étonnamment proche de Marc II, 10 : « Afin que vous sachiez que le Fils de l'Homme a reçu le Pouvoir (ἐξουσία) pour remettre les péchés sur terre ». Les deux pouvoirs, celui de pardonner les péchés avant le grand jugement, et celui d'accomplir ensuite ce grand jugement sont complémentaires ; le premier appuyant davantage sur le salut chrétien comme Jean III, 17 ou Mat XII, 17-21. Cela confirme l'allusion à Dan VII, 14 bien mise en relief par A. Feuillet [1].

En Jean V, 27, ce Pouvoir du Fils d'Homme pour accomplir le jugement est lié au Sabbat (Jean V, 17). De même en Marc II, 28 : « En sorte que le Fils de l'Homme est Seigneur même du Sabbat ». Le « En sorte que » fait difficulté, parce qu'on y voit un lien entre le v. 27 et le v. 28, lien que le sens des deux phrases respectives rend difficile [2]. En réalité, le « En sorte que » ne se rattache pas au v. 27, mais à tout l'épisode. Il a la même portée que le « Pour que vous sachiez » de Mc II, 10 : tout l'épisode manifeste que le Fils de l'Homme est Seigneur du Sabbat (tout comme en Jean V, d'ailleurs).

En d'autres mots, l'attitude de Jésus guérissant un malade le jour du Sabbat et celle des disciples glanant des épis sont des actions symboliques [3] qui ont pour but de manifester à qui peut le comprendre que le Fils de l'Homme a reçu le pouvoir (le Sultanat) de fonder l'éon nouveau, caractérisé par le pardon des péchés, la joie eschatologique, l'abolition des jeûnes pénitentiels anciens (Mc II, 10, 17, 19). C'est l'inauguration du Sabbat messianique (Mc II, 28) [4].

En Marc III, 4 : « Est-il permis [5], le Jour du Sabbat... de sauver une vie ? » Jésus interprète au sens eschatologique le miracle qu'il vient d'accomplir. La guérison accomplie le jour du Sabbat est le symbole de la résurrection des morts. En Mc II, 10, un argument analogue est employé « pour que vous sachiez que

---

1. Cf ci-dessus, p. 120-122.
2. Cf A. FEUILLET : *Rech. Sc. Rel.* 1954, p. 183sv.
3. Ou, du moins, Marc les *interprète* ainsi.
4. Cf. R. GROB : *Einführung in das Markus-Evangelium*, Zürich-Stuttgart, 1965, p. 129, à propos des 6 jours de Mc IX, 1.
5. Ἔξεστιν, encore une allusion au « Pouvoir » du Fils de l'Homme, de même en II, 24.

le Fils de l'Homme a le pouvoir de remettre les péchés ». Comme nous le disions plus haut (p. 118sv), la guérison du paralytique n'est pas la « preuve » - au sens rationaliste occidental - mais le « signe » que le Fils de l'Homme peut remettre les péchés. De même ici, il y a apparemment disproportion entre le miracle opéré par Jésus et la question posée aux membres de la synagogue : « Est-il permis, le jour du Sabbat... de sauver une vie ? » (III, 4). Jésus insinue ainsi que la guérison opérée intentionnellement le jour du Sabbat est le signe du pouvoir (du Sultanat) que possède le Fils de l'Homme de ressusciter les morts.

Remarquons que cette interprétation de Marc III, 4 rejoint exactement celle de Jean V. Là aussi, en effet, il s'agissait de la guérison d'un malade et Jésus (ou Jean) l'interprète comme le signe messianique de la résurrection des morts (Jean V, 17, 20-21, 25). Et Marc, tout comme Jean, fait culminer sa théologie dans un logion sur le Fils de l'Homme, montrant qu'il s'agit là d'un exercice spécifique du Pouvoir reçu par le Fils de l'Homme (Jean V, 27 = Marc II, 28). Ils soulignent ainsi l'un et l'autre la portée eschatologique et messianique du « signe » opéré par Jésus.

6. Reste la péricope Mc II, 23-28 : pourquoi Jésus fait-il appel à David pour justifier ses disciples égrenant des épis le jour du Sabbat ? Apparemment la réponse manque l'objection, et l'on comprend que Matthieu ait ajouté une réponse plus adéquate (Mt XII, 5). Mais celle de Marc est très valable, lorsqu'on sait que les rabbins juifs, discutant de cette liberté prise par David, en avaient conclu que l'épisode avait dû se passer un jour de Sabbat, précisément au moment où l'on avait l'habitude de retirer les pains de proposition de devant la face de Yahweh pour les remplacer par des pains frais (Lév XXIV, 8) [1]. Jésus, discutant avec des Pharisiens, pouvait donc très bien employer cet argument, d'autant plus que David était précisément un type privilégié du Messie [2].

---

1. Cf H. L. STRACK & P. BILLERBECK : *Komm. z. NT*, [2]1956, p. 618sv ; E. LOHSE, dans *Theol. Wört.* VII (Stuttgart, 1964), p. 22.
2. A. FEUILLET : *Rech. Sc. Rel.* 1954, p. 184 ; J. SCHNIEWIND : *Das Evg nach Mk*, Göttingen, [9]1960, p. 30 ; etc.

On peut sans doute accepter les grandes lignes de l'étude de B. Murmelstein [1]. Il tire argument d'un texte rabbinique [2] dans lequel Doèg l'Édomite devient le type des Hasmonéens-Sadducéens honnis, tandis que David est le représentant du laïcat pharisien :

> « David arriva le jour du Sabbat et vit que le prêtre, s'appuyant sur l'interprétation de Doèg, avait cuit le nouveau pain de proposition. Il lui dit alors : « Que faites-vous là ? » - En effet, la cuisson du pain ne peut primer le Sabbat. D'après Lév XXIV, 8, seule la présentation des pains est permise. - Comme David ne trouvait pas d'autre pain, il dit au prêtre : 'Donne-moi du pain de proposition, pour que nous ne mourrions pas de faim'. - En effet, lorsqu'il y a danger de mort, on peut violer le Sabbat » [3].

Il semble bien y avoir dans ce texte un reflet de l'opposition entre la caste sacerdotale au pouvoir et les Pharisiens. Les Sadducéens se permettaient tout le jour du Sabbat pour le service du temple. Les Pharisiens rétorquaient que, a fortiori pour sauver une vie, on pouvait violer le Sabbat. Cette opposition entre Sadducéens et Pharisiens datant de la persécution d'Alexandre Jannée (103-76 av. J.-C.), il n'est pas impossible qu'une telle interprétation pharisienne de I Sam XXI, 1-8 ait eu cours au temps de Jésus. La réponse de Jésus aux Pharisiens eût alors été dirimante : il se fondait sur l'argument opposé aux Sadducéens par les Pharisiens eux-mêmes !

Cette interprétation semble confirmée par la mention des prêtres violant le Sabbat en Mt XII, 5. Elle résoudrait en tout cas la difficulté majeure de ce texte, qu'apparemment la réponse manque l'objection [4]. Néanmoins Murmelstein lui-même montre qu'au fond la vraie pointe de l'épisode réside en II, 28, répondant lui aussi à l'attente pharisienne que le Messie donnerait une nouvelle Loi (abolissant ainsi les privilèges des Sadducéens !)

---

1. « Jesu Gang durch die Saatfelder », dans ΑΓΓΕΛΟΣ, III, 1930, p. 111-120.
2. Le Yalkut sur I Samuel, § 130, auquel il se réfère, date du Moyen-Age, mais il cite en cet endroit le vieux Midrash de Yélamdénu (aujourd'hui perdu).
3. B. MURMELSTEIN, article cité, p. 112sv.
4. Comme le dit encore E. HAENCHEN : Der Weg Jesu, Berlin, 1966, p. 119-121. Pour cette raison, HAENCHEN propose de considérer II, 25-26 comme secondaire.

La véritable justification de Jésus réside donc dans sa revendication messianique. L'action des disciples est interprétée par Jésus comme le *signe* que les temps messianiques ont fait leur apparition. Le v. 27, intercalé avant le v. 28 ne fait que camoufler un peu ce que cette affirmation aurait de trop brutal.

Il nous semble remarquable que Murmelstein, bien qu'il ait débuté par une exégèse typiquement rabbinique, soit obligé ensuite de faire éclater ce cadre pour déboucher sur le kérygme chrétien. C'est finalement parce que le Fils de l'Homme est Seigneur du Sabbat, que ses disciples peuvent agir ainsi.

7. Par ailleurs, Luc - ou la tradition post-lucanienne [1] - a cherché à commenter le texte laconique de Marc. Immédiatement après la péricope des épis arrachés le jour du Sabbat, le Codex Bezae ajoute cet épisode significatif :

> « Le même jour, voyant un homme travailler le jour du Sabbat, il lui dit : « O homme, si tu sais ce que tu fais, tu es bienheureux ; mais, si tu ne le sais pas, tu es un maudit et un transgresseur de la Loi » (Luc VI, 5 D).

Cette anecdote interprète admirablement l'épisode qui nous concerne. Si Jésus et ses disciples peuvent agir comme ils le font, ce n'est pas du tout parce qu'ils ont une conception plus large au sujet de la Loi que les Pharisiens. Car, d'une part, cette façon provocante de Jésus serait en contradiction avec Mt XXIII, 2-3a et, d'autre part, on trouverait facilement certaines écoles pharisiennes professant les mêmes opinions que Jésus dans des cas particuliers [2]. Si Jésus agit ainsi, c'est parce qu'il a conscience d'inaugurer des temps nouveaux. Chez ceux qui comprennent les signes des temps (Mt XVI, 2-3), l'attitude de Jésus et de ses disciples est prophétique. Elle manifeste la présence du « Royaume », c'est-à-dire de l'éon nouveau et de la béatitude. Elle est

---

1. D'après O. Cullmann : *Le Christ et le temps*, Neuchâtel, 1947, p. 164, le texte est « certainement authentique ». Nous croyons cependant que peu d'exégètes accepteraient de souscrire à un tel jugement. La variante n'étant attestée que par D. Discussion plus approfondie dans J. Jeremias : *Unknown Sayings of Jesus*, London, 1958, p. 49-54.

2. Par exemple, Rabbi Siméon ben Menasya dit, dans la *Mékilta* sur Exode XXXI, 14 : « Le Sabbat vous a été remis ; ce n'est pas vous qui avez été remis au Sabbat ».

donc une proclamation en acte, exactement comme Jérémie ache-
tant un champ dans Jérusalem assiégée (Jér XXXII).

Ceux qui saisissent la valeur eschatologique de ces signes et
qui agissent ainsi par conviction messianique sont bienheureux,
c'est-à-dire qu'ils participent déjà de l'ère eschatologique. Au
contraire, ceux qui n'ont pas vu ces signes messianiques et qui
pourtant travaillent le jour du Sabbat - par légèreté ou par orgueil - sont de simples violateurs de la Loi et, comme tels, en-
courent la condamnation prévue par la Loi.

C'est bien pourquoi les Pharisiens condamnent Jésus, parce
qu'ils n'ont pas saisi la valeur prophétique de son attitude. Ils
estiment donc qu'il est un violateur de la Loi et que, comme tel,
il mérite la mort. Dans leur perspective, ils sont absolument
logiques. Ce que Jésus reproche implicitement aux Pharisiens,
ce n'est pas leur étroitesse d'esprit ou leur légalisme mal compris, mais la « dureté de leur cœur » (Mc III, 5). On sait que,
pour les Sémites, le cœur n'est pas tant le siège de la miséricorde [1] que de l'intelligence. Effectivement, ce même mot d'« endurcissement du cœur » est employé par Marc en deux autres
endroits - et exclusivement là - pour signifier l'*incompréhension*
des disciples : ils n'ont pas perçu la portée messianique de la
multiplication des pains (Mc VI, 52 ; VIII, 17). Cet « endurcissement du cœur » est immédiatement qualifié d'« aveuglement » en
Mc VIII, 18. Dans un cas analogue, Luc préfère l'expression -
plus compréhensible pour des Grecs - de « lents de cœur » (Luc
XXIV, 25). Luc, tout comme Marc, donne un synonyme pour
interpréter ce « lents de cœur » : « inintelligents » (ἀνόητοι :
comp. Gal III, 1). La raison de ce reproche est que les disciples
d'Emmaüs n'ont pas *compris* la portée messianique des événements qui viennent de se dérouler à Jérusalem et qui pourtant
avaient été prédits par les prophètes [2].

En Marc III, 4, c'est très précisément - selon nous - parce que
les Pharisiens *n'ont pas compris* l'activité messianique de Jésus
et de ses disciples qu'ils le considèrent comme un violateur du
Sabbat passible de mort. Dans cette séquelle de controverses,
qui sont en réalité des quiproquos au sens johannique, nous

---

1. Ce sont « les entrailles » qui en sont le siège.
2. Tous ces textes font probablement allusion à Is VI, 10, où l'hébétude
du peuple l'empêche de comprendre : « que leur cœur ne *comprenne* ».

nous trouvons confrontés à la formulation la plus abrupte et aussi la plus caractéristique du « secret messianique » tel que Marc le comprend.

8. Nous sommes très conscients de ce que notre interprétation ne suit pas les sentiers battus et risque de rencontrer le scepticisme ou même la vive opposition de plusieurs. Nous croyons que cette difficulté à accepter le sens proposé ici - et qui nous paraît imposé par le texte de Marc lui-même replacé dans la tradition vivante de son temps - provient surtout d'une différence de mentalité. Nous sommes des Occidentaux férus de rationalisme, et le symbolisme nous paraît a priori suspect.

C'est pourquoi, nous ajoutons ici une note qui veut répondre à l'interprétation courante, à savoir qu'il s'agirait ici d'une controverse entre Juifs et chrétiens. L'Église justifierait ainsi sa pratique de substituer le dimanche chrétien au Sabbat juif [1].

Cette solution ne fait que reculer le problème : d'où vient alors que les chrétiens ont eu l'audace de supprimer le Sabbat et de le remplacer par le huitième jour, jour de la nouvelle création selon l'eschatologie juive ? Sans doute est-ce parce que Jésus lui-même est ressuscité le lendemain du Sabbat et que le dimanche veut commémorer sa résurrection.

Mais le simple fait historique que le dimanche rappelait le souvenir de la résurrection de Jésus n'aurait pas suffi pour abolir le Sabbat, s'il n'y avait pas eu une raison théologique de le faire. On aurait pu se contenter d'une simple commémoration dans la nuit du premier jour de la semaine, sans abolir le Sabbat pour autant.

Cette solution eût été d'autant plus impérieuse que l'observance du Sabbat était fondée sur le rythme même de la création (Gen II, 2-3). Or selon toute l'attente juive et selon la conviction chrétienne, le Messie ne devait pas abolir, mais rétablir l'ordre de la création (cf Mc X, 9) [2].

En Mc II, 28 - pour nous placer dans la perspective que nous nous efforçons de réfuter - l'Église ferait appel à l'autorité du Fils de l'Homme pour justifier sa pratique révolutionnaire. Mais on se demande quel sens pourrait avoir pour le Fils de l'Homme ce pouvoir de remplacer le Sabbat par le dimanche ? Cela signifierait-il que le Fils de l'Homme a le pouvoir arbitraire de changer toutes les institutions les plus sacrées et de les bouleverser uniquement pour affirmer son pouvoir et... pour faire enrager les Juifs ? Nos commentaires partent tous ici d'une notion beaucoup trop juridique et trop occidentale : le législateur a le droit de modifier la Loi. Dans la mentalité des Juifs contemporains de Jésus - à qui s'adressait pourtant le message - un tel principe eût été incompréhensible. La Loi donnée à Moïse était l'image et le signe des biens éternels. Elle ne passerait jamais que tout ne fût accompli (Is XL, 8 ; LV, 11) et Matthieu lui-même est encore de cet avis (Mt V, 18 ; cf Jean X, 35).

---

1. R. Bultmann : *Gesch. syn. Trad.* [4]1958, p. 50 ; A. Feuillet : *Rech. Sc. Rel.* 1954, p. 181 ; E. Lohse : *Theol. Wört.* VII (1964) p. 22sv ; etc.
2. Cf aussi S. Mowinckel : *He That Cometh*, Oxford, 1956, p. 310sv ; H. L. Strack & Billerbeck : *Komm. z. NT*, III, [2]1954, p. 570sv, 577 ; etc.

En outre, si un bouleversement aussi grave d'une des traditions les plus essentielles du Judaïsme avait été le fait d'une initiative de l'Église, il est certain que cela n'aurait pas été sans provoquer de vives discussions et des affrontements comparables à ceux qui ont eu lieu à propos de la circoncision. Or nous n'en voyons pas la moindre trace, si ce n'est - d'après les Formgeschichtler - dans les deux épisodes qui nous occupent. Mais, précisément là, l'Église rejette sur Jésus la responsabilité de ce changement.

Le remplacement de la Pâque juive par la Pâque chrétienne est un précédant éclairant. Dans ce cas, en effet, il était normal que la commémoration *annuelle* de la mort-résurrection de Jésus remplaçât l'ancienne fête de Pâque, puisque, dans la pensée chrétienne, la nouvelle Pâque accomplie en Jésus-Christ *réalisait* la promesse eschatologique contenue dans l'ancienne fête de Pâque. C'est ce que symbolisait la mort de Jésus à l'heure de l'immolation de l'ancien agneau pascal.

De même, les chrétiens n'auraient jamais remplacé le Sabbat par le dimanche, s'il n'y avait pas eu une impérieuse raison de le faire, et même :

> 1° une raison précise de commémorer la résurrection de Jésus *toutes les semaines* ;
>
> 2° une raison précise de *remplacer* le Sabbat par la commémoraison hebdomadaire de la résurrection.

Selon nous, la raison impérieuse, dans les deux cas, de cette substitution est la signification eschatologique du huitième jour comme jour de la résurrection et de la nouvelle création. Cette signification traditionnelle juive a été authentifiée par la résurrection du Christ le huitième jour. Et ce jour a été désormais honoré d'un culte spécial par les chrétiens en tant que signe de la résurrection. La pratique chrétienne a donc valeur kérygmatique : elle manifeste la venue de l'éon nouveau. C'est parce que la résurrection, la nouvelle création attendue par tout le peuple juif s'est réalisée le huitième jour, que les chrétiens ont aboli le Sabbat et institué le « Jour du Seigneur ».

De même, dans l'évangile de Marc, l'activité salvifique de Jésus le jour du Sabbat manifeste à qui peut le comprendre que le temps de l'accomplissement est arrivé.

Sans doute a-t-on objecté encore que la violation du Sabbat n'avait pas été retenue dans l'accusation de Jésus devant le Sanhédrin. Mais ce grief - motivant une condamnation capitale - est nettement formulé en Jean V, 18 et, plus fortement encore en Marc III, 6 ; en outre, il est implicitement contenu dans l'accusation fondamentale formulée contre le Christ et les chrétiens d'abolir le Temple et la Loi de Moïse (Mc XI, 18 ; XIV, 58 ; Act VI, 14 ; etc) [1].

Nous avons été contraints de nous étendre beaucoup sur ces cinq premières controverses de Marc, parce qu'elles donnent le

---

1. Cf aussi E. KAESEMANN : *Exegetische Versuche und Besinnungen*, I, Göttingen, [3]1964, p. 206sv.

ton à toutes les autres, et d'une certaine façon à tout l'évangile. Il nous sera possible à présent d'examiner plus rapidement les autres apophtegmes de l'évangile.

III, 22-30, Béelzébul.

Nous avons étudié cet épisode dans les exorcismes (ci-dessus, p. 99-104). Il suffit donc de rappeler ici qu'il ne s'agit pas d'une discussion rabbinique, mais d'une manifestation kérygmatique : les expulsions des démons sont le signe - le perçoive qui peut - de la ruine du royaume infernal et de la venue du Royaume de Dieu.

VII, 1-23, Les purifications juives.

Cette laborieuse discussion se subdivise en deux groupes principaux. Le premier, v. 1-13, concerne surtout les purifications juives ; et le second, v. 14-23, la distinction entre le pur et l'impur. La parenté des sujets a permis de grouper ensemble ces logia et apophtegmes assez composites.

1. La signification des v. 1-13 n'est pas trop difficile à découvrir après l'étude de Mc II, 18-III, 6. Nous venons de voir Jésus abolir les anciens jeûnes traditionnels en raison de la présence de l'Époux et accomplir messianiquement le Sabbat. Le début de notre ch. VII continue dans la même ligne. Il ne s'agit plus seulement des jeûnes observés par les Pharisiens (II, 18), mais des ablutions prescrites par les « Anciens ».

Cette première partie est fort semblable, pour le fond, au miracle de Cana chez saint Jean (Jean II, 1-12). Là aussi nous voyons Jésus changer en excellent vin de noces les eaux destinées à la purification des Juifs (Jean II, 6). Bien peu d'auteurs mettraient en doute la signification symbolique de ce geste, soulignée à l'envi par les Pères [1].

---

1. Parmi les auteurs modernes, défendent la signification symbolique : J. P. CHARLIER : *Le signe de Cana, essai de théologie johannique*, Bruxelles, 1959, surtout p. 27-39 ; R. H. LIGHTFOOT : *St John's Gospel*, Oxford, 1960 (Paperback) p. 100-102 ; C. K. BARRETT : *The Gospel according to St John*, London, 1962, 156-162, etc.

Il est assez remarquable que la discussion de Mc VII, en dépit des différences de forme, se situe dans un contexte théologique assez semblable. La scène s'insère, en effet, en plein centre de la fameuse « section des pains », dont E. Lohmeyer [1] et L. Cerfaux [2] ont éclairé la signification et montré l'unité. Tous les épisodes jouent sur le thème des « pains ». L'allusion y revient sous toutes les formes possibles : en VI, 8, Jésus recommande à ses disciples de ne pas prendre de pain avec eux ; en VI, 37, les disciples veulent quand même en acheter et, en VIII, 14-17, ils se désolent de ne pas en avoir pris. Mais Jésus, à deux reprises, rassasie de pain la foule qui l'a suivi dans le désert. Ensuite la syrophénicienne veut avoir, elle aussi, quelques miettes au moins du pain des enfants (VII, 27-28), tandis que les Pharisiens reprochent aux disciples de manger leur pain sans s'être d'abord lavé les mains selon la tradition des « Anciens » (VII, 1-23). Jésus répond en substance que tout cela est dépassé. C'est ce que nous voyons à présent.

La longue controverse de Mc VII, 1-23 se trouve en plein centre de cette « section des pains », exactement à mi-chemin entre les deux multiplications des pains, dont la signification eucharistique paraît assez évidente [3]. Or cette controverse part d'une constatation : les Pharisiens remarquent que les disciples de Jésus s'affranchissent d'une tradition des Anciens. Et Jésus répond en affirmant substantiellement que *toute cette tradition* n'est qu'humaine et fait obstacle à la Parole de Dieu (v. 13). Il faut donc l'abroger pour en revenir à l'authentique volonté de Dieu.

Comme le fait remarquer R. Bultmann, cette discussion n'est pas un « apophtegme » au sens fort. Elle ne se termine pas par une réponse définitive qui cloue la bouche des adversaires. C'est bien pourquoi Bultmann estime qu'elle n'est pas authentique, mais qu'elle est une création polémique de l'Église [4]. Une fois encore nous aimons citer cette interprétation basée sur le

---

1. *Das Evangelium des Markus*, Göttingen, [15]1959, p. 121sv.
2. « La section des pains » dans *Recueil Lucien Cerfaux* I (Gembloux, 1954) p. 471-485 (= *Synoptische Studien* (Festschrift WIKENHAUSER) 1954, p. 64-77).
3. Cf. les formules eucharistiques : VI, 41 et VIII, 6 (Cf, p. ex V. TAYLOR : *Gosp. Acc. to St Mk*, 1952, p. 324).
4. *Gesch. syn. Trad.* [4]1958, p. 15sv.

jugement a priori que toute la tradition évangélique a été élaborée dans l'Église primitive. Dans le cas présent, cette façon de voir suppose que le différend entre Juifs et chrétiens trahit des usages différents dans les deux communautés.

Nous nous accordons tout à fait avec Bultmann sur ce dernier point, sauf que, pour nous, cette différence d'usage n'a pas une simple valeur historique - à ce titre, elle serait assez banale, et cela ne vaudrait guère la peine de se disputer là-dessus - mais valeur *kérygmatique*. Le fait que Jésus et ses disciples manifestent que la tradition des « Anciens » est abrogée, signifie, pour qui peut le comprendre, qu'un ordre nouveau a fait son apparition. Cet ordre nouveau prétend revenir à « la Parole de Dieu » par-dessus la tradition des Anciens, qui n'était que tradition humaine incapable de purifier vraiment les hommes.

Toute cette discussion, située en plein cœur de la « section des pains », entre les deux multiplications des pains qui reprennent, l'une et l'autre, la formule liturgique de l'Eucharistie, insinue un puissant contraste entre le repas eschatologique servi par Jésus à ses disciples au désert [1] et les chicaneries périmées des Rabbins. La disposition des épisodes dans le plan de l'évangile montre que Marc a voulu souligner cette opposition. La raison la plus profonde pour laquelle Jésus rejette les traditions des anciens, et, en particulier, les ablutions, est qu'une économie beaucoup plus puissante et efficace vient d'être instaurée. La théologie sous-jacente de Marc pourrait donc s'exprimer en des termes fort semblables à Héb X, 1-10. Une fois encore, il ne s'agit donc pas d'une discussion rabbinique, mais d'un signe messianique.

2. Cette conclusion est confirmée par l'étude de la seconde partie de la controverse (v. 14-23). La pointe théologique de cette seconde partie se trouve dans l'incise rédactionnelle du v. 19b : « Ainsi il déclarait purs tous les aliments ». Dans la première partie du ch. VII, Jésus déclarait caduques les traditions des Anciens ; ici il déclare purs tous les aliments, mettant ainsi un terme à toutes les distinctions entre le pur et l'impur du judaïsme.

---

1. Cf E. Lohmeyer : *Evg des Mk*, [15]1959, p. 128-130.

Comme le dit Héb IX, 10, ces prescriptions pouvaient bien
conférer une certaine purification « de la chair », mais elles
étaient incapables de purifier vraiment le cœur de ceux qui les
observaient et de leur donner authentiquement accès auprès de
Dieu (Héb IX, 9). C'est pourquoi elles n'étaient que des symboles et des images des temps messianiques. Une fois venu
l'accomplissement, elles peuvent disparaître pour faire face à la
réalité (Héb X, 9).

De la même façon donc que, en III, 22-30 la destruction du
Royaume de Satan manifestait la venue du Royaume de Dieu ;
de même ici l'affirmation par Jésus que les distinctions légales
entre le pur et l'impur sont abolies est un kérygme. Si l'ordre
ancien est périmé, cela ne peut être que parce qu'un ordre nouveau et transcendant - l'Accomplissement dont l'ordre ancien
n'était que l'image - vient d'être établi. Que ceux qui peuvent
comprendre comprennent !

> Nous n'acceptons donc pas la solution proposée par M. Black [1]. Il
> suppose que καθαρίζων est une traduction erronée. Il se base sur la
> leçon du manuscrit syriaque du Sinaï qui lit le verbe au passif (se
> rapportant à « tous les aliments ») : « au lieu d'aisance tous les
> aliments sont évacués et purgés ».
>
> Avouons que la signification donnée ainsi au logion est pour le
> moins assez plate, pour ne pas dire vulgaire, et il n'était vraiment
> pas nécessaire, semble-t-il, pour Jésus, d'attirer ses disciples « à
> l'écart de la foule, dans la maison » pour leur expliquer cela. D'ail-
> leurs le texte syriaque sur lequel s'appuie Black est presque seul à
> présenter cette leçon (avec le minuscule 1047). Il s'agit manifeste-
> ment de l'une des tentatives de correction de ce texte difficile qui
> a déjà heurté Matthieu (Mt XV, 17 omet cette incise). Quelques
> rares manuscrits secondaires ont écrit καθαρίζον au neutre, le fai-
> sant ainsi accorder avec « le lieu d'aisance ». Mais la leçon de très
> loin la mieux attestée est la lectio difficilior καθαρίζων, qui ne
> peut se rapporter qu'à Jésus [2].

L'argumentation de Mc VII, 14-23 est étonnamment proche
de celle de Hébreux IX-X. Tout comme l'auteur de cette épître,

---

1. *An Aramaic Approach to the Gospels and Acts*, Oxford, 1946, p. 159
2. V. TAYLOR : *Gosp. Acc. to St Mk*, 1952, p. 344sv et E. HAENCHEN :
*Der Weg Jesu. Eine Erklärung des Markus-Evangeliums und der kanonischen
Parallelen*, Berlin, 1966, p. 264, rejettent également l'explication de
M. BLACK. - Sans citer BLACK, beaucoup d'auteurs admettent également que
le v. 19b est une incise de l'évangéliste et rejoignent donc l'interprétation
proposée ici : J. SCHMID : *L'Evangelio secondo Marco* (tr. ital), Brescia,
1956, p. 180 ; E. LOHMEYER : *Evg des Mk*, 15 1959, p. 142 ; etc.

le Jésus de Mc VII, 18-23 montre que la discrimination légale
entre le pur et l'impur est incapable de purifier vraiment le
cœur de l'homme. Replacé dans tout le contexte du christianisme primitif, cela veut dire que cette distinction ne peut donc
être qu'une mesure provisoire « pour la purification de la chair »,
jusqu'à l'établissement de l'ordre définitif (Héb IX, 10). Mais,
précisément, si Jésus déclare *maintenant* cette disposition cadu-
que et périmée, cela ne peut être que pour une seule raison :
parce que l'ordre définitif a mis fin à la disposition provisoire.
Mais cette raison fondamentale, qui explique et justifie tout le
reste et donne sa véritable portée à la discussion, n'est formulée
nulle part. Elle est présupposée. Marc se contente de suggérer
cette signification par les reproches de VII, 18 : « Êtes-vous
donc sans intelligence ? Ne comprenez-vous donc pas ? » Ces
reproches sont un procédé littéraire comparable à Apoc XIII, 18 ;
XVII, 9 ou Mc XIII, 14, pour inviter le lecteur à chercher la
signification cachée des paroles prononcées en cet endroit. Et,
pour mettre son lecteur sur la piste, Marc ajoute ce petit commentaire : « Par là il déclarait purs tous les aliments ».

3. Cette dernière expression rappelle d'ailleurs une scène prophétique analogue, racontée très en détail [1] par Luc au livre des
Actes. Il s'agit de la vision symbolique de Pierre à Césarée.
Par trois fois, Pierre voit descendre du ciel une nappe remplie
de tous les animaux considérés comme rituellement impurs par
la Loi juive (Lév XI = Deut XIV, 3-21). La voix céleste veut
faire comprendre que ces prescriptions sont abolies dans le
Christ : « Ce que Dieu a purifié, toi ne le dis pas impur » (Act
X, 15). Les anciennes prescriptions rituelles n'étaient que le
signe d'une purification intérieure beaucoup plus profonde :
« Ce que Dieu a purifié ». La suite du texte montrera que le
principe de cette purification *du cœur* (Act XV, 9) est l'Esprit
Saint (Act X, 44 ; comp. XI, 44 ; comp. XI, 18). En d'autres
mots, les purifications rituelles juives n'étaient que l'ombre de
la purification intérieure conférée par l'Esprit Saint à tous ceux
qui croient au Christ ressuscité. Cette purification nouvelle rejoint d'ailleurs le *pardon des péchés* (Act X, 43) qui avait fait
l'objet des deux premières controverses de Marc (Mc II, 1-17),

---

1. Ce qui montre l'importance du problème dans le christianisme primitif.

confirmant ainsi que cette rémission des péchés était bien un
signe des temps messianiques.

L'épisode que nous étudions a la même signification. Jésus
montre que les préceptes rituels juifs sont incapables de purifier
le *cœur* de l'homme. En disant cela, il laisse entendre - sans le
dire explicitement - qu'une purification plus efficace vient
d'être instaurée. L'abrogation des anciennes prescriptions n'est
que *l'envers* de l'affirmation (implicite) de la présence d'un
ordre plus efficace et définitif [1].

Dernier point de contact entre la vision d'Act X et Mc VII :
après sa vision, Pierre se demande « ce que pouvait bien signifier la vision qu'il venait d'avoir » (Act X, 17), laissant bien
entendre ainsi que la vision - dans la pensée de l'écrivain sacré -
avait une signification symbolique. En Mc VII, 17, ce sont les
disciples qui interrogent Jésus « à l'écart » sur la signification
de la « parabole ». Et Jésus reproche aussitôt à ses disciples
d'être « sans intelligence », parce qu'ils ne comprennent pas la
portée (messianique) de sa « parabole ». C'est alors que Marc
ajoute le petit commentaire « C'est ainsi qu'il déclarait purs
tous les aliments ».

Il apparaît donc que le chapitre VII, en plein centre de la
« section des pains », a une portée kérygmatique et messianique. L'abolition par Jésus des traditions juives et des prescriptions sur le pur et l'impur manifeste à qui peut le comprendre
qu'un ordre nouveau est apparu, qui accomplit et abolit en même
temps les anciennes prescriptions rituelles, exactement comme
il abolissait les anciens jeûnes ou le Sabbat.

X, 1-12, Mariage.

De même que Jésus était remonté par-delà la tradition humaine des Anciens jusqu'à la parole de Dieu (VII, 1-13), il rejoint ici l'ordre divin de la création par-dessus les concessions
provisoires faites par Moïse « ad duritiam cordis ». Jésus montre
une fois encore que les prescriptions de la Loi sont provisoires

---

1. Dans le même sens : E. Kaesemann : *Exegetische Versuche und Besinnungen* I, Göttingen, [3]1964, p. 207-208.

et que, *maintenant* l'heure est venue de remonter à l'ordre parfait, celui de la création et celui de l'eschatologie, les deux se rejoignant dans l'éternité de Dieu. Dans l'eschatologie juive, les temps de la fin étaient les temps de la résurrection et de la nouvelle création.

Il n'est pas question en tout cela d'une discussion rabbinique sur l'interprétation de la Loi [1], mais, comme le dit Marc, d'un enseignement d'autorité, étonnamment et même scandaleusement différent de celui des scribes et des Pharisiens (Mc I, 22), pour ceux qui n'en saisissent pas l'implication. Il n'est pas davantage question d'une discussion apologétique de l'Église primitive, mais d'une proclamation *voilée* du kérygme messianique. Jésus annonce la présence du Royaume, mais *indirectement* : il montre par son attitude que les temps sont changés, mais il n'explique jamais clairement (sinon « en particulier ») la raison de son attitude révolutionnaire. Il se contente de l'insinuer [2].

X, 17-31 ; XII, 28-34, Loi juive et Loi nouvelle.

1. Il importe de rapprocher Mc X, 17-22 et XII, 28-34: on se rend compte aussitôt qu'il s'agit du même problème, ou plutôt du même mystère (Mc IV, 11). De part et d'autre, il ne s'agit plus seulement de telle ou telle tradition particulière, comme les jeûnes ou les purifications, mais de toute la Loi de Moïse prise dans son ensemble. De part et d'autre, deux Juifs convaincus font de la Loi récapitulée dans le décalogue la norme de leur vie. Jésus les approuve, mais, en même temps, à l'un et à l'autre, il dit qu'il leur manque encore quelque chose pour entrer dans le Royaume.

---

1. Contre R. BULTMANN : *Gesch. syn. Trad.*, [4]1958, p. 26.
2. Dans le même sens : D. E. NINEHAM : *Saint Mark*, 1963, p. 262.

X, 17-22	XII, 28-34
Il se mettait en route quand un homme accourut et, fléchissant devant lui le genoux, lui demanda :	Un scribe qui les avait entendus discuter, voyant qu'il avait bien répondu, s'avança et lui demanda :
« Bon Maître, que dois-je faire pour avoir en partage la vie éternelle ? » Jésus lui dit : « Pourquoi m'apelles-tu bon ? Nul n'est bon que Dieu seul.	
Tu connais les commandements : « Ne tue pas, Ne commets pas d'adultère, Ne vole pas, Ne porte pas de faux témoignage. Ne fraude pas. Honore ton père et ta mère. »	« Quel est le premier de tous les commandements ? » Jésus répondit : « Le premier, c'est Écoute, Israël, le Seigneur notre Dieu est l'unique Seigneur. Et tu aimeras le Seigneur ton Dieu de tout ton cœur, de toute ton âme et de toute ta force. Voici le second : Tu aimeras ton prochain comme toi-même. Il n'y a pas de commandement plus grand que ceux-là. »
L'homme lui répondit : « Maître, tout cela, je l'ai gardé dès ma jeunesse. »	Le scribe lui dit : « Fort bien, Maître, tu as eu raison de dire qu'il est unique et qu'il n'y en a pas d'autre que lui. L'aimer de tout son cœur, de toute son intelligence et de toute sa force, et aimer le prochain comme soi-même, vaut mieux que tous les holocaustes et tous les sacrifices. »
Alors Jésus fixa sur lui son regard et l'aima. Et il lui dit : « Une seule chose te manque : Va, vends tout ce que tu as, donne-le aux pauvres, et tu auras un trésor dans le ciel. Puis, viens, suis-moi. »	Jésus, voyant qu'il avait fait une remarque pleine de sens, lui dit : « Tu n'es pas loin du Royaume de Dieu. »
Mais lui, à ces mots, s'assombrit et il s'en alla contristé, car il avait de grands biens.	Et nul n'osait plus l'interroger.

En ce qui concerne le troisième alinéa de ce tableau, il fau[t] évidemment comparer le texte de Paul :

> « Celui qui aime autrui a de ce fait accompli la Loi. En effet, le précepte : Tu ne commettras pas d'adultère, tu ne tueras pas, tu ne voleras pas, tu ne convoiteras pas, et tous les autres, se résument en cette formule : Tu aimeras ton prochain comme toi-même » (Rom XIII, 8-9).

2. De part et d'autre, ce dont il s'agit, c'est d'entrer dans le Royaume. L'homme riche en formule la requête au début de son entretien (X, 17) et Jésus conclut le dialogue avec le scribe par ces mots encourageants : « Tu n'es pas loin du Royaume de Dieu » (XII, 34). La dimension véritable des deux discussions est donc eschatologique et messianique. Jésus, en tant que Maître de ce Royaume, enseigne à ceux qui le lui demandent - fussent-ils docteurs en Israël (Jean III, 10) - les conditions d'entrée dans le Royaume.

Marc se situe fort près de la ligne développée longuement par Matthieu V, 17-48. La tradition des Anciens tombe, parce qu'elle n'était que préceptes humains. Les purifications rituelles disparaissent, parce qu'elles sont incapables de purifier vraiment l'homme et de le faire accéder à Dieu. Seul subsiste l'essentiel de la Loi, parce qu'elle est Parole de Dieu. Le Sabbat n'est pas aboli, mais accompli ; la promesse du Repos divin (Héb IV, 3) est remplacé par le signe de la Résurrection. Le Décalogue lui-même s'accomplit en se radicalisant dans les deux commandements essentiels.

Et pourtant, de part et d'autre, bien qu'il approuve cette observance fondamentale, Jésus affirme que cela ne suffit pas. Au jeune homme, il dit : « Une seule chose te manque » ; au scribe : « Tu n'es pas loin du Royaume ». La justice de la Loi ne suffit donc pas pour entrer dans le Royaume (Mt V, 20) ; il faut encore quelque chose de plus : tout quitter pour suivre pauvre le Christ pauvre (Mc X, 25-31), redevenir enfant pour recevoir le Royaume de la gratuité de Dieu (Mc X, 13-16). Nous voyons ici se profiler le mystère de l'humilité du Christ ou, si l'on veut, l'ombre de la croix.

Ces deux discussions ne sont donc pas des disputes rabbiniques touchant l'essentiel de la Loi de Moïse [1], mais une proclamation des exigences et de la nature du Royaume. Il y a ici plus

---

1. Cf. H. L. Strack & P. Billerbeck : *Komm. z. NT*, I, [2]1956, p. 907sv.

que Moïse, pourrait dire Matthieu (cf. Mt XII, 6, 42). La rencontre de l'homme riche se termine par l'appel à suivre Jésus ; celle du scribe se prolonge par la révélation de la grandeur transcendante du Messie (Mc XII, 35-37).

XI, 27-33, L'autorité de Jésus.

Notre péricope n'a rien d'une discussion d'École ; nous sommes au cœur du secret messianique. A. Feuillet [1] a montré que la mystérieuse ἐξουσία de Jésus est le « Pouvoir » (Sultanat, d'après l'araméen) conféré au Fils de l'Homme. Depuis le début de l'évangile, tout le monde est stupéfait de l'extraordinaire « Autorité » - qui appartient à Dieu seul (II, 7) - par laquelle Jésus remet les péchés (II, 10), dispose de la Loi et de toutes les traditions juives, non comme les Rabbins, mais en Maître (I, 22), par laquelle aussi il chasse les démons. « Autorité » (ou « Pouvoir ») qu'il commet à ses disciples pour expulser, eux aussi, les démons (III, 15 ; VI, 7). Ici, il a dépassé toute mesure : il a osé se manifester dans le temple comme Dieu lui-même y était attendu (Mal III, 1-4) et déclarer prophétiquement que désormais tous les païens auraient accès à la Maison de Dieu (XI, 17).

À ce moment toutes les autorités officielles du temple (XI, 27) se rassemblent autour de lui pour lui demander clairement par quelle « Autorité » il accomplit tous ces signes. La question posée est très importante au point de vue du « secret messianique », car elle prouve que Jésus n'avait jamais dit ouvertement que c'était en tant que Messie, instaurateur d'une économie entièrement nouvelle qu'il agissait - sans quoi la question eût été sans objet. Or, précisément, Jésus se dérobe à la question et refuse de répondre. Pourquoi ? Marc ne le dit pas.

Certains penseront que ses adversaires étaient trop mal disposés envers lui et que Jésus a voulu éviter une arrestation ou une lapidation immédiate. En saint Jean, cela pourrait se concevoir (Jean VII, 6, 30, 32-33, 44), mais Marc ne suggère rien de pareil. La dérobade de Jésus ne représente pas un cas isolé chez Marc, mais une attitude déconcertante se manifestant à

---

1. Voir ci-dessus, p. 120-122.

travers tout l'évangile. Il ne nous importe pas d'inventer une solution historisante ou psychologique plus ou moins vraisemblable, mais de rechercher ce que *Marc* a voulu dire. Pour ce faire, nous ne pourrons que poursuivre notre analyse.

Mais, avant d'abandonner cet apophtegme, nous voudrions ajouter une remarque. Jésus, en effet, ne se contente pas de récuser la question posée. Il répond par une contre-question qui, apparemment, élude la difficulté en plaçant les adversaires eux-mêmes dans une situation critique, mais qui, à y bien regarder, suggère la solution vraie du problème. Jésus y pose une alternative qui délimite la question et ne laisse que deux issues possibles : « du ciel ou des hommes ». Tout chrétien connaissait bien la réponse à cette question, et l'ensemble de la controverse replacée dans le cadre de l'évangile de Marc ne laisse pas la moindre hésitation sur le choix à faire dans cette alternative. En d'autres mots, Jésus situe d'emblée le problème sur son vrai terrain et, par là même, il suggère la solution à qui veut comprendre.

XII, 13-17, L'impôt dû à César.

Ici surtout, on aurait l'impression d'un cas de conscience ou d'un problème de casuistique. On a souvent fait de cet apophtegme fameux le principe chrétien de la distinction entre l'Église et l'État [1]. Mais il ne s'agit là que d'une application moralisante d'un logion de Jésus. La portée primitive de celui-ci est toute différente.

La question de l'impôt exigé par les Romains avait une portée non seulement politique, ni simplement religieuse, mais avant tout messianique. Le peuple juif croyait ne rester soumis à la domination étrangère que jusqu'à la venue du Messie lequel bouterait dehors le Romain et rétablirait l'hégémonie d'Israël [2]. En posant donc à brûle-pourpoint au prétendu Messie la question : « Faut-il (encore) payer le tribut, oui ou non », les Phari-

---

1. Voir bonne mise au point dans F. M. STRATMANN : *Jésus-Christ et l'État*, Tournai, 1952, p. 155-161 ; E. LOHMEYER : *Evg des Mk*, [15]1959, p. 250-54.
2. Dans cette perspective, les zélotes refusaient le paiement du tribut : H. L. STRACK & P. BILLERBECK, *Komm. z. N.T.* I, [2]1956, p. 884.

siens et les Hérodiens voulaient mettre le prétendant au pied
du mur. S'il disait non, il se révoltait ouvertement contre César ;
s'il disait oui, il renonçait à ses prétentions messianiques.

Jésus ne choisit pas la tangente pour échapper à l'alternative,
et il ne pose pas non plus un principe d'application morale pour
les communautés primitives [1]. Il situe tout simplement sur son
vrai plan le Royaume de Dieu qui a fait son apparition. Sa
réponse doit se comprendre au sens de Jean XVIII, 36 : « Mon
Royaume n'est pas de ce monde ». Jésus élude un malentendu.
Remarquons qu'il ne fait en cela que prolonger l'alternative in-
sinuée par lui en XI, 30. Il avait dit en cet endroit : « Du ciel
ou des hommes », suggérant ainsi la seule réponse possible. Ici,
il affirme que le Royaume de Dieu n'interfère pas avec celui de
César. Il se situe sur un tout autre plan.

Une fois de plus, cette controverse n'expose pas un point particulier de la Loi ou de la morale, mais la nature même du
Royaume eschatologique que les adversaires de Jésus ne comprennent pas. Toutefois, ici plus encore que dans la discussion
sur l'« Autorité » de Jésus, la question posée suppose que les
Pharisiens et Hérodiens ont déjà perçu, au moins obscurément,
la prétention messianique de Jésus. Nous ne sommes pas loin de
la révélation publique du « secret ».

XII, 18-27, La résurrection des morts.

Qu'il s'agisse d'une attente eschatologique et non pas d'une
discussion casuistique, voilà qui est évident par soi-même. La
discussion se porte ouvertement sur le monde futur et l'ère de
la résurrection. Les Sadducéens se font une idée matérielle de ce
monde spirituel, et Jésus, comme un Maître d'éternité, enseigne
aux Docteurs la vraie nature de la résurrection.

A travers ces trois controverses (XI, 27-33 ; XII, 13-17 et
18-27), on sent passer un souffle unique. Dès le début Jésus
marque nettement la distance : « Du ciel ou des hommes ? »,

---

1. Au sens littéral, ce principe aurait d'ailleurs conduit à un dualisme
moral, comme si « ce qui est à César » n'appartenait pas aussi et d'abord
à Dieu. Voir les deux ouvrages cités à la note 1, p. 153.

puis il insiste : Le Royaume *de Dieu* ne se situe pas sur le même plan que celui de César. Ici, il explicite davantage encore la vraie nature de ce Royaume : la résurrection, situant les hommes dans le milieu divin (cf. Mt VIII, 11).

Sans aucun doute nous objectera-t-on que la discussion se déroule entièrement dans le cadre des discussions rabbiniques [1]. Mais, ici comme ailleurs, cela ne vaut que de la *forme*. Quant au contenu de la discussion, il s'agit du message central, pour ne pas dire unique du kérygme chrétien primitif (Act IV, 2). Comme le dit Paul : si l'on nie la résurrection, on évacue le kérygme (I Cor XV, 12-17). Il ne semble pas nécessaire de multiplier les exemples, car cette place centrale de la résurrection dans le message chrétien est aujourd'hui admise par tous [2].

Que ce message chrétien fondamental ait été également l'objet de discussions parmi les Docteurs juifs, cela est tout à fait normal, car la résurrection n'est que la réalisation transcendante de l'attente séculaire du peuple de la révélation, comme l'affirme Paul au cours de son procès :

> « Maintenant, si je suis mis en jugement, c'est à cause de mon espérance en la promesse faite par Dieu à nos pères et dont les douze tribus, dans le culte qu'elles rendent à Dieu avec persévérance, nuit et jour, espèrent atteindre l'accomplissement. C'est pour cette espérance, ô Roi, que je suis mis en accusation par les Juifs. Pourquoi juge-t-on incroyable parmi vous que Dieu ressuscite les morts ? » (Act XXVI, 6-8) [3].

Mais Jésus ne discute pas cette vérité comme les Rabbins. Il ne s'agit pas d'opinions. Il ne craint même pas de dire aux Docteurs sadducéens qu'ils ne comprennent rien ni aux Écritures ni à la Puissance de Dieu, et qu'ils sont grandement dans

---

1. Voir H. L. Strack & P. Billerbeck : *Komm. z. NT*, I ([2]1956), p. 885-889 ; et IV ([2]1956), p. 344. E. Lohmeyer : *Evg des Mk*, [15]1959, p. 257, suivi par V. Taylor : *Gosp. Acc. to St Mk*, 1952, p. 480, tire argument de ce fait pour prouver qu'elle n'est pas une création de la communauté primitive.

2. Chez les catholiques français l'importance primordiale de la résurrection a été redécouverte surtout grâce aux deux ouvrages de grand mérite : J. Schmitt : *Jésus ressuscité dans la prédication apostolique*, Paris, 1949 et F. X. Durwell : *La résurrection de Jésus, mystère de salut*, Le Puy, 1950. - Sur le sens vrai de l'argumentation de Jésus en Mc XII, 26-27, voir F. Dreyfus : *Rev. Bibl.* 1959, p. 213-224.

3. Les Sadducéens, alliés au pouvoir royal des Hasmonéens, dont le roi Agrippa était l'un des derniers descendants, niaient la résurrection.

l'erreur. Jésus enseigne en Maître la nature vraie du Royaume
qu'il vient fonder. Ce Royaume n'est pas comparable à celui de
César. Il ne faut pas non plus se faire une idée grossière de la
résurrection, comme s'il s'agissait simplement de la continuation d'une vie momentanément interrompue. La résurrection est
le transfert de l'homme dans l'intimité de Dieu. Par elle, il
devient un être céleste (v. 25).

Pourtant, il y a un changement de ton ; car, si les premières
controverses que nous avons étudiées visaient toutes l'abolition
des usages juifs, ces dernières discussions veulent montrer, au
contraire, la continuité profonde, mais dans une transcendance
radicale, du message chrétien et de l'espérance juive annoncée
dans les Écritures. Au point de vue du « secret messianique »,
le voile devient de plus en plus transparent. Jésus révèle ici presque sans ambages le Royaume de Dieu. Seule réticence : il ne
dit pas encore quel est son rôle personnel dans le don de la
résurrection.

XII, 35-37, Le Christ, Fils et Seigneur de David.

Plus on avance dans la série des controverses de Marc, plus
leur signification eschatologique et messianique devient patente.
Beaucoup d'exégètes admettent ici que l'objet principal de cette
« controverse » - si l'on peut encore la nommer ainsi - est de
montrer la portée véritable, transcendante du titre de Messie [1].
Le texte est fort comparable à Rom I, 3-4 : Le Messie est fils de
David, *selon la chair*, mais, en fait, sa mission dépasse de très
loin celle de son père David.

David était roi et il a fondé l'empire d'Israël. Mais il était
aussi et surtout prophète et c'est en tant que prophète qu'il a
composé son Psaume [2]. Ce Psaume montre que David attendait
« dans l'Esprit » beaucoup plus qu'une simple continuation

---

1. E. LOHMEYER : *Evg des Mk*, [15]1959, p. 261-63 ; V. TAYLOR : *Gosp.
Acc. to St Mk*, 1952, p. 490-93, et la presque totalité des commentateurs.
2. On supposait, naturellement, que tous les Psaumes avaient été composés par David.

matérielle de son Royaume, il attendait quelqu'un qui viendrait après lui, mais qui serait plus grand que lui et qu'il nomme « son Seigneur » [1].

L'objet de la discussion, on le voit, se situe dans le prolongement exact de la controverse sur l'impôt. Le Royaume du Messie n'interfère pas avec celui de César parce qu'il ne se situe pas au même plan. De même, le Royaume messianique prolonge le royaume de David [2], mais à travers une rupture, dans une transcendance. Il est Fils de David pour accomplir l'attente d'Israël, mais cette attente se réalise selon une modalité toute différente, une modalité divine.

Dans la première de toutes les controverses, Jésus s'arrogeait un « pouvoir » qui n'appartient qu'à Dieu (II, 7) ; dans la dernière, il revendique le titre divin de « Seigneur », posé en regard de l'appellation identique de Dieu : « Le Seigneur a dit à mon Seigneur » [3].

Au point de vue du « secret », c'est ici l'épisode où, de tout l'évangile de Marc, Jésus parle le plus clairement et le plus directement de sa mission. Néanmoins il ne s'identifie pas encore lui-même explicitement avec ce Messie.

Conclusions.

a) Portée eschatologique des controverses.

Il est temps de tirer quelques conclusions d'ensemble. Et tout d'abord au point de vue du fond : il ne faudrait pas se laisser prendre à l'apparence rabbinique de la discussion [4]. Ce

---

1. Notre interprétation rejoint substantiellement celle d'O. CULLMANN : *Christologie du Nouveau Testament*, Neuchâtel, 1958, p. 78 et 113-115 ; A. RICHARDSON : *An Introduction to the Theology of the New Testament*, London, [2]1961, p. 126-128 ; etc.
2. Nous ne pensons pas que le texte nie la filiation davidique du Messie contre E. MEYER : *Ursprung und Anfänge des Christentums*, II (Stuttgart, 1921, p. 446 ; R. BULTMANN : *Gesch. syn. Trad.* [4]1958, p. 144-146 ; etc.
3. Cette dernière remarque ne vaut évidemment que pour le texte *grec*, donc pour la rédaction de Marc.
4. Nous pensons que R. BULTMANN, malgré son génie, a fait fausse route, en raison même de ses présupposés : *Gesch. syn. Trad.* [4]1958, p. 39-56. De même É. TROCMÉ : *Formation de l'évg selon Mc*, 1963, p. 70-109. Voir J. GNILKA : *Die Verstockung Israels*, München, 1961, p. 43, note 76.

n'est là qu'un voile. Les échanges se situent dans un continuel climat de quiproquo johannique. Jésus agit de façon révolutionnaire parce que l'Eschaton, le Royaume de Dieu, a fait son apparition dans le temps et modifié par la base l'échelle de valeurs. Les Pharisiens, qui en sont toujours à l'édition vétéro-testamentaire du barème moral, tiennent logiquement Jésus pour un blasphémateur et violateur de la Loi (ancienne).

En leur pointe la plus mordante donc, pour qui sait lire, les controverses sont d'ordre kérygmatique. Elles sont une façon indirecte, détournée de laisser entendre, sans jamais le dire explicitement ni clairement, que l'ordre ancien est aboli, parce qu'un Ordre entièrement nouveau, divin, a fait son entrée dans le monde, bouleversant nécessairement les normes jusque là en vigueur.

De ce point de vue, le message des controverses rejoint celui des béatitudes, dont J. Dupont a magistralement montré la portée avant tout kérygmatique [1], celui des paraboles qui, elles aussi, sont primitivement l'annonce du Royaume (c'est l'Église qui, par la suite, en a fait une application moralisante [2]), ou celui des miracles de Jésus : ils sont également une démonstration par les faits de la présence dans le monde d'une puissance inouïe, celle de la résurrection et du monde nouveau. Miracles, béatitudes, paraboles ou controverses sont autant de façons de suggérer la venue révolutionnaire d'un Ordre nouveau, le Royaume.

En ce sens, les textes qui pourraient le mieux expliquer l'intention de Marc sont Mt XVI, 2-3 : les Juifs sont incapables de reconnaître que les « temps » sont changés ! ou l'admirable anecdote citée par le Codex Bezae après Luc VI, 5, ou encore les explications de Mt XI, 21 ; XII, 6, 42 et surtout XII, 28.

Mais précisément Marc ne contient aucun logion aussi clair, même les toutes dernières controverses - encore qu'elles deviennent de plus en plus transparentes - ne disent pas avec autant de netteté la raison profonde de l'attitude déconcertante de Jésus. Jésus se contente d'*agir* d'une façon révolutionnaire, ou, plus exactement d'une façon prophétique. Mais jamais il n'explique clairement *pourquoi* il agit ainsi (opposer Éz XII, 1-16). Son

---

1. *Les béatitudes*, Louvain, [1]1954, [2]1958.
2. Cf. J. JEREMIAS : *Les Paraboles de Jésus*, Le Puy, 1966.

attitude fait nécessairement « choc », elle scandalise tous ceux
qui n'en comprennent pas la raison profonde, eschatologique.
Cela provoque de violentes discussions, dont Jésus parvient toujours à sortir, sans donner jamais les *vraies* raisons de sa conduite. Il se contente de les suggérer. L'apparence rabbinique de
la discussion n'est que le voile dont Jésus entoure son action.

Nous sommes donc au cœur du « secret messianique ». S'il
est un cas dans l'évangile où s'applique intégralement la remarque de W. Wrede [1], c'est bien ici :

> « N'y aurait-il pas eu un moyen plus simple d'éviter les malenten-
> dus ? Pourquoi ne discute-t-il pas franchement au moins avec les
> chefs du peuple - ou avec ses disciples - pour leur dire :
>   'Écoutez, je comprends très bien votre raisonnement. Il était vala-
> ble en son temps. Mais actuellement un Événement d'un tout
> autre ordre vient de faire son apparition, et il rend caduques toutes
> vos façons de juger de la vie et de la conduite des hommes. Et cet
> Événement, c'est moi qui suis chargé de l'annoncer et de l'inau-
> gurer' ».

Mais Jésus ne tient jamais pareil langage. Il se contente d'agir
autrement que tout le monde, quitte à scandaliser ceux qui ne
réalisent pas ce qui se passe. Et, au fond, personne ne comprend
jusqu'à ce que tout soit accompli.

Pourquoi Jésus agit-il ainsi ? Pourquoi ne dit-il pas clairement
son intention ? Ni Jésus, ni Marc n'en donnent d'explication
pour le moment.

b) Activité rédactionnelle.

L'analyse des différentes controverses, tout comme l'enseignement d'ensemble qui s'en dégage, posent aussitôt la question de
la part prise par Marc dans la composition et la transmission
des controverses. Pour y voir plus clair, commençons par donner
un petit schéma de l'ensemble des controverses avec leur pointe
kérygmatique :

> 1. Rémission des péchés (II, 1-12)
> 2. Rémission des péchés (II, 15-17)
> 3. Abolition du jeûne (II, 18-22)

---

1. *Das Messiasgeheimnis*, p. 40 : nous paraphrasons.

Ce simple coup d'œil nous fait prendre conscience de la richesse théologique cachée dans ces « controverses ». Toute une christologie s'y exprime. Mais on remarque en même temps la différence de ton et de message entre les cinq premières controverses (II, 1-III, 6) et les cinq dernières. Les premières témoignent de la présence de l'Ordre Nouveau uniquement par ses conséquences : l'ordre ancien est aboli, les péchés sont pardonnés, les disciples de Jésus sont dans la joie à cause de la présence de l'« Époux » et célèbrent le Sabbat messianique. Tous ces signes sont évidemment incompréhensibles pour les Pharisiens (« pour ceux du dehors », dirait Marc), et ils jugent fort sévèrement ces attitudes révolutionnaires.

Dans les cinq dernières « controverses », au contraire, il est question directement du Royaume et de l'autorité messianique de Jésus. En XI, 27-33, c'est déjà de l'« Autorité » (du « Sultanat ») céleste du Fils de l'Homme que l'on traite à mi-mots, et la série se clôt par la proclamation triomphale du grand psaume de la résurrection et de l'intronisation du Messie.

Il y a une telle homogénéité et une telle continuité dans chacune des séries de controverses qu'il ne peut s'agir de la simple transcription matérielle d'un recueil traditionnel. Les controverses ne sont pas juxtaposées au hasard, mais placées dans un ordre soigneusement étudié et voulu. Il y a une gradation qui va du plus obscur au plus clair. Dans la première série, bien qu'il soit tout le temps question du Messie et de son pouvoir céleste (Le « Sultanat » du Fils de l'Homme, II, 10 ; le Médecin II, 17 ; l'Époux, le vin nouveau II, 19, 22 ; le Fils de l'Homme, Seigneur du Sabbat II, 28), aucun des adversaires ne s'en rend vraiment compte. - La deuxième série est beaucoup plus transparente. La brume matinale se dissipe de plus en plus autour de l'« Autorité » de Jésus, du Royaume qui n'est pas de ce monde, de la résurrection et du Messie.

L'ensemble et le détail du mouvement correspondent si étroitement au mouvement de l'évangile et à la progression du « secret messianique » qu'il nous paraît impossible de supposer que Marc ait trouvé ces séries toutes faites et se soit contenté de les reprendre en bloc. Les deux séries de cinq controverses [1] encadrent le ministère public de Jésus et en donnent la clef d'interprétation. Mc II, 1-III, 6 représente la première confrontation explicite [2] avec le Judaïsme officiel, et XI, 27-XII, 37 clôture définitivement la série avant l'arrestation. Dans ce cadre théologique et littéraire très ferme est exprimé tout l'enjeu de l'évangile. C'est une sorte de grande « inclusion » structurant toute la manifestation publique de Jésus et montrant par là la véritable portée de la passion.

Comme nous le disions plus haut, nous estimons que Marc a délibérément *choisi* ce genre littéraire obscur, à l'exclusion des discours qui auraient exprimé trop clairement sa pensée. Il l'affirme d'ailleurs explicitement en IV, 34 et en IV, 11, comme nous le verrons par la suite.

Marc est donc largement responsable de l'ordonnance des controverses ; c'est-à-dire, non seulement de leur place structurale dans le cadre de l'évangile, mais aussi de l'ordonnance interne et de la gradation de chacune des séries. Peut-être y avait-il des recueils de « controverses » dans lequel Marc a puisé. Cela est assez vraisemblable étant donné l'homogénéité de la forme. Mais Marc a dû y faire son choix et les disposer soigneusement dans la structure de son évangile.

La plupart des auteurs admettent d'ailleurs que la première série (II, 1-III, 6) doit provenir de la composition de Marc [3]. Cela est évident, si l'on accepte notre analyse de II, 1-12, puis-

---

1. Malgré l'initiative prise par Jésus en XII, 35-37, nous estimons que XI, 27-XII, 37 présente une série de cinq « controverses » parallèles aux cinq discussions de II, 1-III, 6. Mc XII, 35-37 est le point d'aboutissement qui marque le sommet et la victoire théologique de Jésus, ou, plus exactement, une sorte de manifestation du Messie, et c'est pour cela que Jésus, dans ce dernier cas, prend l'initiative.

2. « Auseinandersetzung », comme diraient les Allemands.

3. M. DIBELIUS : *Formgeschichte des Evg*, [4]1961, p. 220 ; É. TROCMÉ : *La formation de l'évg selon Mc*, 1963, p. 28-29, 78-79, 94 ; etc.

que nous pensons avoir montré que les v. 5b-10 sont de Marc. Or, sans ces versets, II, 1-12 n'est plus une « controverse », mais un simple récit de miracle. Nous pensons qu'il a dû intervenir également pour expliciter la pensée de la troisième discussion (II, 18-22). Les v. 19b-20 sont peut-être de lui [1] et il est possible que ce soit lui encore qui ait ajouté les deux logia à la fin (v. 21 et 22) pour souligner la valeur eschatologique de la controverse (création d'un ordre nouveau). De même les deux logia à la fin de l'épisode suivant (II, 27, 28) et celui qui conclut la série des cinq controverses (III, 6) [2].

En III, 30, le petit membre de phrase rédactionnel a pour but de rattacher à la controverse de Béelzébul les v. 28-29 : c'est peut-être qu'ils n'en faisaient pas originairement partie [3]. Au ch. VII également, il doit y avoir plusieurs discussions et logia combinés [4]. Le tout a été unifié partiellement par Marc autour d'un thème kérygmatique fondamental. Au ch. X, les v. 10-12 sont une « rallonge à tiroirs » de Marc. Les v. 22-27 (et peut-être 28-31) interprètent pour les disciples la scène du jeune homme riche (v. 17-22).

Dans la dernière série de controverses (XI, 27-XII, 37), les additions sont moins patentes. Néanmoins nous pensons que l'ordre de succession des cinq discussions provient largement de Marc [5]. C'est lui qui a dû y mettre cette continuité et cette gradation qui achève et couronne la manifestation publique du Messie avant sa condamnation. Il nous est impossible ici d'analyser plus en détail la part d'élaboration effectuée par Marc sur la matière traditionnelle utilisée par lui ; nous voulions simplement montrer que cette activité rédactionnelle est beaucoup plus considérable qu'on ne le dit ordinairement.

---

1. R. Bultmann : Gesch. syn. Trad. [4]1958, p. 17sv ; D. E. Nineham : Saint Mark, London, 1963 (Pelican G. Com) p. 102sv.
2. F. Gils, dans Rev. Bibl. 1962, p. 506-523 (pas entièrement convaincant) ; T. W. Manson, dans Coniect. Neotestam. II, 1947, p. 138sv.
3. V. Taylor : Gosp. acc. to St Mk, 1952, p. 240.
4. R. Bultmann : Gesch. syn. Trad., [4]1958, p. 15sv.
5. D. Daube : New Test. Studies, V, 1958-59, p. 180-184 et The New Testament and Rabbinic Judaism, London, 1956, p. 158-169 voudrait y voir une série rabbinique inspirée de la Haggada de Pâque. Cela paraît aventureux.

COROLLAIRE.

On nous permettra de noter en passant que le fait d'avoir souligné la portée originairement *kérygmatique* des « controverses » émousse singulièrement leur pointe antijuive. Il n'y a aucune polémique contre les Juifs dans toutes les discussions étudiées. Le but véritable de ces affrontements est de rendre sensible l'irruption révolutionnaire, - scandaleuse pour qui n'en comprend pas la signification - de l'Eschaton dans le temps. Les Pharisiens et les scribes ne sont que des figurants destinés à souligner pour le lecteur la grandeur déroutante de l'événement. Ils sont choisis, non par une antipathie polémique qui tendrait à les ridiculiser ou à les rendre odieux ; mais uniquement parce qu'ils sont les représentants les plus autorisés et les plus compétents du monde ancien, et qu'à ce titre ils sont, mieux que tout autre, à même de mettre en relief la nouveauté de l'ordre inauguré par Jésus et ses disciples. Au point de vue de Marc, ils jouent un rôle analogue à celui des chœurs dans les tragédies grecques, avec cette différence toutefois, qu'ils sont ici les témoins aveugles de la manifestation messianique. Tels les prisonniers de la grotte de Platon, ils voient bien les ombres de l'Eschaton se profiler sur les murs de leur caverne, mais ils n'en saisissent pas la signification. C'est pourquoi ils s'en scandalisent. C'est une expression aiguë du secret messianique avec son mélange de manifestation et de mystère.

IV. LES PARABOLES.

En Marc IV, 11, Jésus affirme, de façon choquante, qu'il entend réserver à un groupe privilégié « le mystère du Royaume », tandis qu'il s'adresse intentionnellement aux autres, c'est-à-dire « à ceux du dehors », en paraboles, pour qu'ils ne comprennent pas. On a vu avec raison, dans cette déclaration abrupte, l'un des lieux privilégiés du secret messianique [1]. Il nous appartient donc d'étudier de façon détaillée la portée de ces versets. Ils nous feront entrer dans l'intention de Marc.

A. ANALYSE LITTÉRAIRE.

Nous cherchons à découvrir la façon dont Marc interprète les paraboles. Il nous faut donc déceler le niveau rédactionnel et délimiter exactement les formules d'introduction, de conclusion et de transition, par lesquelles Marc présente et interprète la matière traditionnelle. Tous les critiques admettent, en effet, que les paraboles procèdent d'un fonds traditionnel. Mais elles ont été reprises, retouchées, encadrées par l'évangéliste. Impossible de comprendre rigoureusement la pensée de ce dernier, sans une analyse précise des trois niveaux :

a) Le fonds traditionnel primitif.
b) Les additions postérieures.
c) La rédaction de Marc.

---

1. Voir, par exemple, W. WREDE : *Messiasgeheimnis*, [3]1963, p. 54-65.

1. Formules d'introduction.

- v.   2 : Et il leur disait
- v.   9 : Et il disait
- v. 11 : Et il leur disait
- v. 13 : Et il leur dit (au présent)
- v. 21 : Et il leur disait
- v. 24 : Et il leur disait
- v. 26 : Et il disait
- v. 30 : Et il disait

Ce très simple tableau nous livre toutes les sutures rédactionnelles du chapitre en paraboles. A nous d'examiner quelles sont les formules marciennes et celles qui ne le sont pas. On a souligné que la formule courte et indéterminée : « Et il disait » ne se rencontre nulle part ailleurs en saint Marc, tandis qu'on la trouve trois fois de suite ici (IV, 9, 26, 30). Il y a donc des chances pour qu'elle ne soit pas de la main de Marc. Elle a dû être reprise telle quelle du recueil traditionnel de paraboles utilisé par Marc [1].

Cette conclusion est d'ailleurs largement confirmée par le contenu des pièces ainsi reliées entre elles : ce sont précisément les trois paraboles dans leur forme la plus pure [2]. Toutes trois parlent de semences jetées en terre ; apparemment de peu d'avenir, ces semences finissent quand même par donner un produit magnifique. On peut donc considérer comme très probable que ces trois paraboles se trouvaient déjà, avec leur formule d'introduction, dans le recueil où Marc a puisé [3].

---

1. Ainsi J. Jeremias : *Die Gleichnisse Jesu*, [6]1962, p. 10, note 2 (cette note manque dans la traduction française) ; W. Marxsen : « Redaktionsgeschichtliche Erklärung des sogenanten Parabelstheorie des Markus », *Zeitschr. Theol. & Kirche*, LII, 1955, p. 258.
2. Pour IV, 9, voir W. Marxsen : *ZThK*, LII, 1955, p. 259 (le v. 9 faisait déjà partie du recueil de paraboles).
3. Ce « recueil de paraboles » antérieur à Marc est admis par la majorité des auteurs : R. Bultmann : *Gesch. syn. Trad.*, [4]1958, p. 361 ; C. Masson *Les Paraboles de Marc IV*, Neuchâtel, 1945, p. 48, 54 ; J. Jeremias : *Die Gleichnisse Jesu*, [6]1962, p. 10sv, note 5 ; *Les paraboles de Jésus*, Le Puy 1966, p. 18, note 4 ; etc. En sens contraire : É. Trocmé : *La formation de l'évg selon Mc*, 1963, p. 35, note 133 ; il reconnaît être une exception à ce point de vue.

Par contre la formule : « Et il leur disait » (v. 2, 11, 21, 24), est tout à fait caractéristique du style de Marc [1]. Il est donc vraisemblable que ces sutures-là sont de lui [2]. Confirmation : les v. 21-23 et 24-25 contiennent quatre logia qui ne relèvent pas à proprement parler du genre parabolique [3], et qui se trouvent ailleurs en Matthieu et Luc. Il paraît bien que Marc les a tirés d'un autre contexte pour les introduire dans son chapitre de paraboles [4]. Les v. 2 et 11 posent des problèmes particuliers et seront étudiés à part ; mais l'on peut, d'ores et déjà, considérer la formule « Et il leur dit » qui s'y trouve comme un indice probable d'une retouche ou d'une rédaction marcienne [5].

2. IV, 13-20.

Nous suivrons l'analyse approfondie de J. Jeremias [6]. L'emploi absolu de « La Parole » (sans aucun complément) est technique dans l'Église ancienne : il désigne l'Évangile [7]. Marc l'emploie à plusieurs reprises en des passages rédactionnels [8] ; mais jamais, chez Marc ni ailleurs, ce mot n'est employé, sous cette forme absolue, par Jésus lui-même.

Seule, l'explication de la parabole du semeur semble faire exception. Elle emploie, huit fois de suite, la tournure absolue « La Parole » dans le sens tout à fait technique de l'Église primitive. Les expressions employées : « subir la persécution à

---

1. J. Jeremias : *Die Gleichnisse Jesu*, [6]1962, p. 10 ; *Les paraboles de Jésus*, 1966, p. 17-18 ; W. Marxsen : *Zeitschr. Theol. & Kirsche*, LII, 1955, p. 258 ; R. Schnackenburg : *Règne et Royaume de Dieu*, Paris, 1965, p. 155 : « typiquement marcien ».
2. C'est la conclusion des trois auteurs cités à la note précédente.
3. Avec la majorité de auteurs contre C. Masson : *Les Paraboles de Mc IV*, 1945. J. Schniewind : *Evg nach Mk*, [9]1960, p. 45-46, cité par Masson, fait très bien la distinction du genre littéraire.
4. Ainsi J. Gnilka : *Die Verstockung Israels. Isaias VI, 9-10 in der Theologie der Synoptiker*, München, 1961, p. 61sv ; J. Jeremias : *Gleichnisse Jesu*, [6]1962, p. 10sv, note 5 ; *Les paraboles de Jésus*, 1966, p. 18, note 4 ; V. Taylor : *Gosp. Acc. to St. Mk*, 1952, p. 262.
5. Voir les auteurs cités à la note 1, ci-dessus.
6. *Die Gleichnisse Jesu*, [6]1962, p. 75-78 ; *Les paraboles de Jésus*, 1966, p. 83-85.
7. Voir Luc I, 2 ; Act IV, 4 ; VI, 4 ; VIII, 4 ; X, 36, 44 ; XI, 19 ; XIV, 25 ; XVI, 6 ; XVII, 11 ; XVIII, 5 ; Gal VI, 6 ; Col IV, 3 ; I Thes I, 6 ; 2 Tim IV, 2 ; Jac I, 21 ; I Pi II, 8 ; III, 1 ; I Jean II, 7.
8. I, 45 ; II, 2 ; IV, 33 (XVI, 20 : finale inauthentique).

cause de la Parole », « la Parole croît », « la Parole porte du fruit », etc. sont employées couramment dans l'Église chrétienne pour parler des progrès de l'Évangile, mais ne se rencontrent jamais ailleurs sur les lèvres de Jésus.

La situation décrite est celle des premiers chrétiens. En effet, nul, parmi les auditeurs de Jésus, n'avait eu à subir de persécution « à cause de la Parole », et aucun d'entre eux n'était dans le cas, après avoir reçu « la Parole », de la laisser étouffer par des soucis mondains ; tandis que ce danger était tout à fait actuel dans la communauté primitive (Phil III, 18-19).

J. Jeremias cite encore douze mots qui ne se rencontrent pas dans les évangiles synoptiques, mais qui sont courants dans le reste de la littérature néotestamentaire et spécialement chez Paul.

L'analyse de J. Jeremias nous semble contraignante. Il est suivi par tous. Il est désormais communément admis que cette interprétation allégorique de la parabole du semeur ne provient pas de Jésus. Elle est une relecture de la parabole, dans le but d'appliquer les paroles de Jésus à la situation actuelle de la communauté chrétienne [1].

Toutefois, si l'on s'accorde à dire que les v. 14-20 sont secondaires par rapport à IV, 3-8, on est presque aussi unanime à affirmer que cette interprétation ne vient pas de Marc. Le vocabulaire n'est pas de lui [2] et la surcharge des v. 10-13 - nous allons y arriver à l'instant - prouve qu'il a retouché une tradition plus ancienne [3].

3. IV, 10-13. [4]

Ces versets, qui sont les plus décisifs de tout le ch. IV, sont aussi les plus difficiles :

---

1. V. Taylor : *Gospel Acc. to St Mk*, 1952, p. 258 cite de la bibliographie et d'autres arguments importants. Voir aussi J. Gnilka : *Die Verstockung Israels*, 1961, p. 192.

2. Voir J. Jeremias : *Die Gleichnisse Jesu*, 6 1962, p. 75-78 ; *Les paraboles de Jésus*, 1966, p. 83-85 ; C. H. Dodd : *The Parables of the Kingdom*, London, 14 1956, p. 13-16.

3. W. Marxsen : *Zeitsch. Theol. & Kirche*, LII, 1955, p. 260.

4. Voir G. H. Boobyer : « The Redaktion of Mark IV, 1-34 », dans *New Testament Studies*, VIII, 1961-1962, p. 59-70.

v. 10 : Ceux qui l'entouraient... lui demandairent le sens des paraboles.

v. 11 : Et il leur disait : « A vous le mystère du Royaume a été donné ; mais à ceux-là, ceux du dehors, tout arrive en paraboles, afin qu'ils aient beau voir et n'aperçoivent pas... » etc.

v. 13 : Et il leur dit : « Vous ne saisissez pas cette parabole ? Alors comment comprendrez-vous toutes les paraboles ? Le semeur, c'est la Parole qu'il sème... » etc.

a) v. 11-12.

1) Dans l'état actuel du texte, nous avons deux réponses distinctes, aux v. 11-12 et aux v. 13-20. Les deux réponses ne sont pas absolument contradictoires. Néanmoins la première, v. 11-12, affirme qu'en vertu d'un privilège spécial et grâce à une révélation particulière les disciples peuvent recevoir l'interprétation des paraboles. Cela suppose que, sans cette interprétation, les paraboles resteraient incompréhensibles (v. 12 !). Au contraire, le v. 13 reproche aux questionneurs de n'avoir pas compris. Ils eussent donc été capables de comprendre.

2) Par ailleurs, on a remarqué que le v. 11 ne répond pas à la question posée au v. 10 [1]. Les apôtres n'avaient pas demandé pourquoi Jésus parlait en paraboles [2], mais seulement quel était le sens de la parabole [3]. Entre la question (v. 10) et la réponse (v. 13-20) un autre auteur a introduit une considération sur les paraboles en général. Il y a donc surcharge rédactionnelle et tout semble indiquer que les v. 11-12 ont été introduits en dernier lieu dans le texte.

3) Vu que la question est d'importance, prenons la peine d'analyser plus exactement les formules littéraires employées. La première réponse, au v. 11, est introduite par un « Et il leur disait » (imparfait) ; la seconde, au v. 13, par un « Et il leur dit » (présent). M. Zerwick a étudié très en détail les procédés

---

1. J. Jeremias : *Die Gleichnisse Jesu*, [6]1962, p. 10 ; *Les paraboles de Jésus*, 1966, p. 17sv.

2. Matthieu a été heurté par cette difficulté et a modifié la question en conséquence (Mt XIII, 10).

3. Le pluriel « des paraboles » est probablement secondaire ; nous y reviendrons.

de style utilisés par Marc [1]. Il constate qu'il commence toujours *un nouveau développement* par « Et il leur dit » (présent ou aoriste) ; au contraire, lorsqu'il s'agit simplement de *continuer* un discours, il emploie « Et il leur disait ». Ce qui est d'ailleurs normal car, de soi, l'imparfait indique une action inachevée ou continuée, tandis que le présent historique (Marc !) ou l'aoriste sont une forme verbale plus incisive et connotent un (nouveau) début.

Effectivement dans tous les cas, facilement reconnaissables, où Marc a intercalé une interrogation des disciples pour faire rebondir le discours, la réponse de Jésus est toujours introduite par un présent ou un aoriste :

- VII, 17 : Les disciples l'interrogeaient sur la parabole
      18 : Et il leur dit (présent)
- IX, 11 : Et ils l'interrogeaient, disant
      12 : Mais il leur dit (aoriste)
- X, 10 : Les disciples l'interrogeaient à ce sujet
     11 : Et il leur dit (présent)
- X, 28 : Pierre se mit à lui dire
     29 : Jésus lui dit (aoriste)
- XIII, 3 : Pierre, Jacques, Jean et André l'interrogeaient
     5 : Jésus se mit alors à leur dire (aoriste, tournure périphrastique pour introduire un long discours).

La réponse de Jésus à l'interrogation des disciples est donc toujours introduite par un « Et il leur dit » (présent ou aoriste), puisque, par le détour de cette question posée, *un nouveau développement* est introduit.

Or, dans le texte qui nous occupe (IV, 10-13), il y a précisément une remarquable exception :

- IV, 10 : Ceux qui l'entouraient... l'interrogeaient.
     11 : Et il leur disait : A vous est donné...
     13 : Et il leur dit (présent) : Vous ne comprenez pas...

C'est trop peu dire qu'il y a une exception, il y en a deux, et deux exceptions contraires, comme le fait remarquer M. Zerwick [2]. La réponse à la question (v. 11, dans le texte actuel)

1. M. ZERWICK : *Untersuchung zum Markus-Stil. Ein Beitrag zur stilistichen Durcharbeitung des NT*, Roma, 1937, p. 38 et 67-70. Il est suivi par J. GNILKA : *Die Verstockung Israels*, 1961, p. 24.
2. *Untersuchung zum Markus-Stil*, 1937, p. 69sv.

devrait être introduite par un « Et il leur dit » (présent ou aoriste). Or c'est un imparfait qui vient « Et il leur disait » ; imparfait qui, de soi, indique la simple continuation d'un discours [1] ou de l'action commencée [2]. Comme réponse à une question des disciples, l'imparfait « Et il leur disait » v. 11 est donc tout à fait insolite et incorrect. Il suffit de se reporter au petit tableau de la page précédente pour se rendre compte que c'est le seul cas en saint Marc.

D'autre part, au v. 13, nous nous trouvons en face d'une exception contraire. Après une patiente analyse, M. Zerwick constate que c'est également le seul exemple où l'on trouve la simple *continuation* d'un discours introduite par « Et il leur dit » (présent) [3].

En d'autres mots, on aurait attendu exactement l'opposé de ce que nous avons : le v. 11, qui marque le rebondissement de l'exposé après l'intervention des disciples aurait dû être amené par un « Et il leur dit », tandis que le v. 13, qui ne fait que prolonger - dans le texte actuel - la réponse amorcée aux v. 11-12, aurait dû être poursuivi par un simple « Et il leur disait » (imparfait de continuité). Or c'est l'inverse qui a lieu.

Cette constatation stylistique confirme ce que nous disions plus haut, à savoir que la réponse primitive à la question sur la signification de la parabole se trouve au v. 13. Les v. 11-12 ont donc été intercalés secondairement entre la question et la réponse.

4) Il suffit d'ailleurs de comparer le mode d'insertion des v. 11-12 avec celui des v. 21-23 et 24-25 :

- IV, 11-12 : Et il leur disait : « A vous le mystère du Royaume de Dieu a été donné ; mais à ceux-là, ceux du dehors, tout arrive en paraboles, afin qu'ils aient beau voir et n'aperçoivent pas... »

- IV, 21-23 : Et il leur disait : « Est-ce que la lampe paraît pour qu'on la mette sous le boisseau... Car il n'y a rien de caché qui ne doive être manifesté... »

---

1. Cf Mc II, 27 ; IV, 21, 24 ; VI, 10 ; VII, 9 ; VIII, 21 ; IX, 1.
2. En IV, 2, « Et il leur disait » se situe dans l'ensemble de l'enseignement de Jésus : IV, 1-2.
3. M. Zerwick : *Markus-Stil*, 1937, p. 69sv ; J. Gnilka : *Die Verstockung*, 1961, p. 24.

- IV, 24-25 : Et il leur disait : « Prenez garde à ce que vous en-
tendez ! ...Car à celui qui a l'on donnera, et à celui
qui n'a pas, on enlèvera même ce qu'il a ».

Le procédé est identique dans les trois cas. Chaque fois, un ou
plusieurs logia traditionnels sont amenés par la formule fort
générale : « Et il leur disait ». Nous venons de voir que cette
formule est spécifiquement marcienne [1]. Marc introduit donc,
trois fois de suite, de façon très peu variée, un ou plusieurs
logia tirés d'autres contextes, dans le but de commenter son
chapitre en paraboles. En IV, 21-23 et 24-25 les deux séries de
logia ont été intercalées entre l'explication de la parabole du
semeur et les deux autres paraboles. En IV, 11-12, le logion a
été inséré entre la question des disciples (v. 10) et la réponse
de Jésus (v. 13-20).

Ce n'est pas seulement le procédé littéraire qui est identique ;
le contenu des trois additions est, lui aussi, étroitement apparenté. Dans les deux premiers cas (IV, 11-12 et 21-22), un enseignement caché n'est révélé qu'à un petit nombre de privilégiés. Cette situation est provisoire (v. 21-22). Dans le premier et
le dernier cas (IV, 11-12 et 24-25), ceux qui ont sont opposés
aux réprouvés. Les trois insertions ont en commun de ne pas
être un enseignement nouveau, indépendant de la parabole
précédente (comme le sont, par exemple, les deux paraboles IV,
26-29 et 30-32). Elles sont toutes trois une réflexion sur l'enseignement en paraboles comme tel. Elles sont donc des additions rédactionnelles.

En voilà assez pour conclure, avec la certitude que l'on peut
espérer obtenir dans ce genre de problèmes, que ces trois logia
ou séries de logia (IV, 10-12, 21-23 et 24-25) n'appartenaient
pas primitivement au recueil de paraboles. Ils ont été intercalés

---

1. Voir ci-dessus, p. 166sv. - Dans leur étude, par ailleurs si fouillée,
M. ZERWICK (*Untersuchung zum Markus-Stil*, 1937) et J. GNILKA (*Die Verstockung Israels*, 1961) ne font malheureusement pas la distinction entre la
formule marcienne « Et il *leur* disait » et la formule *non-marcienne* « Et il
disait ». Cela se comprend pour M. ZERWICK qui écrivait en 1937, bien
avant la Redaktionsgeschichte. Mais cela amène J. GNILKA (o.c. p. 62) à
attribuer à Marc le groupement des paraboles IV, 26-29 et 30-32 dans le
ch. IV. - Avec la majorité des auteurs, nous sommes persuadés, au contraire, que Marc a trouvé les trois paraboles (IV, 3-9 + 14-20, 26-29 et
30-32) dans le recueil où il a puisé. Il a intercalé de sa main les logia des
v. 11-12, 21-23 et 24-25.

par Marc pour commenter les paraboles ou, plus précisément, pour expliquer - de son point de vue - pourquoi Jésus parle en paraboles. En d'autres mots, ces trois insertions sont le lieu privilégié où l'on pourra découvrir la « théorie des paraboles » de Marc.

Cette première conclusion rejoint la conviction exprimée déjà par un grand nombre d'exégètes [1] et plus d'un lecteur se demandera sans doute si nous n'enfonçons pas des portes ouvertes. C'est que, pour nous, la délimitation aussi exacte que possible de l'intervention rédactionnelle de Marc dans la matière traditionnelle est un problème fort important. C'est pourquoi il nous a paru justifié de refaire un travail de première main pour prouver que l'insertion des v. 11-12 est bien le fait de Marc. La solidité de notre étude théologique en dépend.

b) v. 10.

Ce n'est pas tout. L'affirmation que les v. 11-12 ont été intercalés par Marc entre la question des disciples (v. 10) et la réponse de Jésus (v. 13-20) ne résout pas tout le problème de la composition littéraire du ch. IV.

1) Les lecteurs ont été choqués par le brusque changement de tableau entre les v. 1-2 et 10-12. Au début du chapitre, Jésus, de la barque où il se trouve, s'adresse à la foule massée sur le rivage. Au v. 36, on se trouve toujours dans la même situation : les disciples, sans revenir à terre, emmènent Jésus « comme il était, dans la barque » vers l'autre rive. Or, entre deux, ce théâtre est abandonné et Jésus se trouve tout à coup « à part de la foule » (κατὰ μόνας) avec ses privilégiés. Pourtant aucun mouvement de la barque n'a été mentionné et, fait plus étrange encore, la foule est présente au v. 36, sans qu'on ait été averti du nouveau changement survenu. Il est probale que les v. 26-32 sont censés s'adresser à la foule, comme le supposent les v. 33-

---

1. V. Taylor : *Gosp. Acc. to St Mk*, 1952, p. 83 et 254sv ; J. Gnilka : *Die Verstockung Israels*, 1961, p. 23-24 ; J. Jeremias : *Die Gleichnisse Jesu*, ⁶1962, p. 10sv ; id. *Les paraboles de Jésus*, 1966, p. 17sv ; W. Marxsen : *Zeitschr. f. Theol. & Kirche*, 1955, p. 260 ; R. Bultmann : *Gesch. syn. Trad.* ⁴1958, p. 215 et 351, note 1 ; C. Masson : *Les paraboles de Mc IV*, 1945, p. 24-25, etc.

34 et 36 [1]. Au contraire les v. 10-25 - dans l'état actuel du texte - sont réservés à l'enseignement des seuls disciples. Ce changement artificiel de cadre au milieu de l'exposé démontre le caractère littéraire (rédactionnel) du procédé.

2) La structure des v. 10 et 13 est d'ailleurs très particulière et mérite d'être comparée en détail avec d'autres constructions similaires :

IV, 10, 13	VII, 17-18
Et, lorsqu'il fut en particulier, ceux qui l'entouraient avec les Douze l'interrogeaient sur les paraboles...	Et, lorsqu'il entra dans la maison loin de la foule ses disciples l'interrogeaient sur la parabole.
Et il leur dit (présent) : « Vous ne saisissez pas cette parabole ? Et comment comprendrez-vous toutes les paraboles ? »	Et il leur dit (présent) : « Ainsi donc, êtes-vous, vous aussi, dépourvus d'intelligence ? Ne savez-vous pas que... »

Nous avons repris à W. Marxsen la substance de ce tableau. Pourtant nous ne pouvons pas souscrire à sa conclusion que IV, 10, 13 provient de la tradition [2]. En effet, il y a cinq cas absolument semblables dans l'évangile de Marc, cinq cas se trouvant dans des contextes traditionnels fort différents les uns des autres. L'un se trouve après un récit d'exorcisme (IX, 28), un autre introduit le discours eschatologique (XIII, 3), un autre encore suit l'apophtegme sur le mariage (X, 10-12), tandis que celui du ch. VII fait rebondir la discussion après le développement sur les purifications juives et que, dans notre ch. IV, il prépare l'interprétation des paraboles. Il s'agit donc d'un procédé littéraire rédactionnel [3].

---

1. Ainsi, parmi beaucoup d'autres, J. GNILKA : *Die Verstockung Israels*, 1961, p. 39.
2. *Zeitschr. f. Theol. & Kirche*, LII, 1955, p. 259sv. Même refus de la conclusion de W. MARXSEN chez G. H. BOOBYER : *New Testament Studies*, VIII, 1961-1962, p. 66, note 1.
3. Ainsi, outre BOOBYER (voir note précédente), V. TAYLOR : *Gospel Acc. to St Mk*, 1952, p. 83 et 254 ; C. H. DODD : *The Parables of the Kingdom*, London, [14]1956, p. 61sv ; R. BULTMANN : *Gesch. syn. Trad.* [4]1958, p. 215. Cf. ci-dessous, Deuxième partie, p. 227-237.

En outre, la tournure « Lorsqu'il fut en particulier », au v. 10
sert à introduire cet aparté. Elle est encore plus fréquente chez
Marc [1]. Le minime changement de vocabulaire - nous avons ici
κατὰ μόνας alors que les sept autres cas ont κατ᾽ἰδίαν - ne suffit
pas pour affirmer que l'expression ne vient pas de Marc [2].
L'objection vaudrait si κατὰ μόνας se rencontrait ailleurs dans la
tradition tout en étant étranger à Marc. Ce n'est pas le cas :
l'expression se trouve uniquement en Luc IX, 2 et est donc aussi
rare ailleurs qu'en Marc [3]. Chez ce dernier, le mot est fort
proche de son expression favorite κατ᾽ἰδίαν. La situation particulière ou simplement le fait que c'était le premier et le plus
topique emploi a pu suffire pour lui faire modifier très légèrement la tournure. Nous admettons donc que le « Lorsqu'il fut
en particulier », au v. 10, est de Marc.

3) Dans le même verset 10, une autre surcharge vient confirmer l'intervention rédactionnelle de Marc, c'est l'expression
« ceux qui l'entouraient avec les Douze ». Tous les commentateurs sont heurtés par le caractère composite de la proposition
et estiment que l'une des deux dénominations doit être traditionnelle, tandis que l'autre a été (maladroitement) ajoutée par
Marc. Presque tous optent pour la première formule « ceux qui
l'entouraient », οἱ περὶ αὐτὸν, comme expression traditionnelle.
La seconde, « avec les Douze », aurait été insérée par Marc [4].

Nous hésitons cependant. Sans aucun doute, le mot « les
Douze » est très fréquent chez Marc [5]. Néanmoins la préposition employée ici pour dire « *avec* les Douze », σὺν τοῖς δώδεκα,
n'est pas courante chez lui. Sa préposition propre pour exprimer
la communauté de Jésus avec les Douze est μετά [6].

---

1. Voir ci-dessous, p. 237-242.
2. Contre J. GNILKA : *Die Verstockung Israels*, 1961, p. 58sv.
3. Bien qu'elle soit classique : V. TAYLOR : *Gospel Acc. to St. Mk*, 1952,
p. 255.
4. Ainsi : R. BULTMANN : *Gesch. syn. Trad.*, [4]1958, p. 71 ; E. LOHMEYER :
Evg des Mk, [15]1959, p. 83, note 1 ; C. MASSON : *Les paraboles de Mc IV*,
1945, p. 23-24 ; G. STRECKER : « Zur Messiasgeheimnis-Theorie im Mk-
Evg » dans *Studia Evangelica* III, Berlin 1964, p. 100 ; T. A. BURKILL :
Mysterious Revelation, 1963, p. 98 ; etc. - W. MARXSEN : *Zeitschr. Theol.
& Kirche*, LII, 1955, p. 261, laisse la question ouverte.
5. (III, 14, 16) ; IV, 10 ; VI, 7 ; IX, 35 ; X, 32 ; XI, 11 ; XIV, 10, 17,
20, 43.
6. Voir J. GNILKA : *Die Verstockung Israels*, 1961, p. 29.

D'autre part, la seconde désignation « ceux qui l'entouraient » οἱ περὶ αὐτόν ne lui est pas étrangère non plus. Nous pensons tout particulièrement à III, 32, 34. Il s'agit de l'épisode qui précède immédiatement le discours en paraboles. Il avait été dit auparavant (III, 20) que les proches de Jésus, οἱ παρ᾽αὐτοῦ, le tenaient pour fou. Ils arrivent jusqu'à la maison où Jésus enseigne pour se saisir de lui. Marc note soigneusement et *à deux reprises* (v. 31 et v. 32) qu'ils se tiennent « dehors » ἔξω et qu'ils le font appeler. Tout aussi soigneusement, Marc dit - par *deux fois* également (v. 32 et 34) - que la foule se tenait « autour de lui », περὶ αὐτὸν. La deuxième fois (v. 34), l'expression est fort semblable à celle de IV, 10. Il est dit, en effet, que Jésus promena son regard sur « ceux qui étaient assis en cercle autour de lui » (τοὺς περὶ αὐτὸν κύκλῳ καθημένους) Dans cette scène, il y a opposition voulue (cf encore VI, 4) entre les proches de Jésus (οἱ παρ᾽αὐτοῦ, v. 21), qui ne comprennent rien à sa mission et le tiennent pour fou, et les disciples assis en cercle autour de Jésus (τοὺς περὶ αὐτὸν, v. 34) et qui font la volonté de Dieu (v. 35). Les παρ᾽αὐτοῦ se tiennent « dehors », ἔξω, tandis que les περὶ αὐτὸν sont assis en cercle autour de lui et écoutent sa parole. Une comparaison avec Mc X, 29-31 montre clairement la portée ecclésiale du logion prononcé par Jésus en cette occasion (III, 33-35).

Or, dans notre ch. IV, 11, Marc insiste à nouveau - et de façon pléonastique, comme s'il voulait donner une définition [1] - sur le fait que le mystère du Royaume est réservé à ceux qui sont « autour de lui » οἱ περὶ αὐτὸν (v. 10), tandis qu'à ceux-là, « ceux du dehors », τοῖς ἔξω, tout arrive en paraboles [2].

J. Gnilka [3] a bien mis en relief le fait que l'expression « ceux du dehors » est un terme technique du Judaïsme [4] et surtout de

---

1. Ἐκείνοις, « ceux-là » désignent déjà les absents comme tels. Cf F. BLASS & A. DEBRUNNER : *Grammatik des neutestamentlichen Griechisch*, Göttingen, [11]1961, § 291, 1. Il était inutile donc d'ajouter encore « ceux du dehors ».

2. V. TAYLOR avait déjà suggéré d'un mot le même rapprochement entre Mc IV, 10 et III, 21 : *Gospel Acc. to St Mk*, 1952, p. 255. Le parallèle est développé et les conclusions en sont tirées chez L. CERFAUX : « La connaissance des secrets du Royaume... » dans *New Testament Studies*, II (1955-56), p. 239 et 241 (= *Recueil Lucien Cerfaux* III, Gembloux, 1962, p. 124-127). Voir aussi J. COUTTS : « Those Outside », dans *Studia Evangelica* II, Berlin, 1964, p. 155-157.

3. *Die Verstockung Israels*, 1961, p. 83-86. Voir aussi J. BEHM : *Theol. Wört.* II, 572sv.

4. cf H. L. STRACK & P. BILLERBECK : *Kommentar z. NT*, II, [2]1956, p. 7.

l'Église primitive [1]. Nous croyons donc que W. Marxsen a bien fait de souligner la dimension ecclésiale du secret messianique en cet endroit [2]. Ceux qui entourent Jésus et à qui est donné « le mystère du Royaume » ne sont pas simplement les Douze, mais aussi la communauté à laquelle Marc adresse son évangile ; tandis que « ceux du dehors » ne sont pas les seuls adversaires de Jésus, mais aussi tous les non-chrétiens postérieurs. En sorte que ce qui était vrai de Jésus au cours de son ministère est appliqué par Marc à l'expérience contemporaine de l'Église [3].

4) Nous devrions pouvoir conclure ; et cependant nous sommes embarrassés. S'il nous paraît certain que l'opposition entre « ceux qui l'entouraient » de IV, 10 et « ceux du dehors » de IV, 11 répond à un thème développé par Marc, il nous semble moins facile d'affirmer simplement que « ceux qui l'entouraient » vient de Marc, tandis que « avec les Douze » était l'expression traditionnelle antérieure à Marc. Comme le fait remarquer W. Marxsen [4], on aurait attendu dans ce cas que l'expression ajoutée par Marc vînt en second lieu.

D'autre part, est-il tellement certain que l'expression globale « ceux qui l'entouraient avec les Douze », pour maladroite qu'elle paraisse, soit le signe d'une combinaison (formule traditionnelle + formule propre à Marc) ? Si Marc avait voulu corriger la formule qu'il trouvait dans son texte, n'y aurait-il pas simplement substitué une formule de son choix plutôt que de s'engager dans une telle complication ? S'il en a jugé autrement ne peut-on pas penser, avec W. Marxsen [5], que c'est dans une intention particulière ? La chose deviendrait plus vraisemblable si l'on pouvait trouver d'autres constructions analogues en Marc.

Nous avions dit plus haut, avec J. Gnilka, que la proposition grecque σύν n'était jamais employée ailleurs, chez Marc, pour signifier « *avec* les Douze ». Dans ce sens Marc emploie toujours μετά [6]. Néanmoins il existe quelques tournures - précisément en des passages *rédactionnels* [7] - où Marc fait usage d'une

---

1. I Cor V, 12-13 ; Col IV, 5 ; I Thes IV, 2 ; (I Tim III, 7).
2. *Zeitschr. Theol. & Kirche*, 1955, p. 268.
3. Voir plus loin : « Dimension ecclésiale du secret ».
4. *Zeitschr. Theol. Kirche*, LII, 1955, p. 261.
5. ibid. p. 266-68.
6. Cf J. GNILKA : *Die Verstockung Israels*, 1961, p. 29.
7. Marc II, 26 a retouché la phrase de I Sam XXI, 7 (cf. H. RIESENFELD : *ésus transfiguré*, Lund, 1947, p. 318-324) ; et Mc VIII, 34 est une tran-

formule analogue. La première est en Mc II, 26. Jésus affirme
que David prit des pains de proposition et en donna « à ceux
qui étaient avec lui » (τοῖς σὺν αὐτῷ οὖσιν). L'expression est
assez proche de celle de IV, 10 « ceux qui l'entouraient avec les
Douze » (οἱ περὶ αὐτὸν σὺν τοῖς δώδεκα) et de part et d'autre, il
est fait mention d'un privilège spécial, messianique, de ceux qui
« sont avec » David ou Jésus.

Mais le second texte est beaucoup plus parallèle encore à
celui qui nous intéresse ici. En VIII, 34 appelle « la foule avec
les disciples » (τὸν ὄχλον σὺν τοῖς μαθηταῖς). Dans ce passage,
l'appel de la foule est assez artificiel et signifie que l'exhortation à embrasser la croix ne concerne pas seulement les Douze,
mais aussi tout chrétien. La résonance ecclésiale de ce verset
paraît assez évidente. C'est pourquoi il est permis de souscrire
à l'interprétation de W. Marxsen lorsqu'il souligne la dimension ecclésiale de la tournure semblable en IV, 10 [1].

5) Il reste encore un mot avant de conclure : « *les* paraboles ».
Il est généralement admis que le texte traditionnel original
posait simplement la question du sens de *la* parabole du semeur.
Marc a dû introduire un pluriel pour insinuer que l'explication
donnée était plus que l'exégèse d'*une* parabole particulière. Elle
est la clef d'interprétation de *toutes* les paraboles [2].

6) Concluons notre laborieuse analyse : les v. 11-12 sont une
insertion rédactionnelle de Marc entre la question sur la signification de la parabole du semeur et son interprétation aux v.
14-20. Mais, outre cette insertion, Marc a encore retouché assez
profondément la façon même de poser la question au v. 10. Les
v. 11-12 montreront en effet qu'il ne s'agit plus seulement de
l'interprétation d'une parabole, mais de la valeur du genre parabolique comme tel. La question sur le sens de *la* parabole est
donc mise au pluriel. Ensuite, en accord avec la théorie sur le

---

sition rédactionnelle entre la monition aux disciples et l'enseignement
public sur la nécessité de porter sa croix.
    1. Nous n'acceptons donc pas l'exégèse de R. P. Meye dans *Studia
Evangelica* II, Berlin, 1964, p. 211-218.
    2. Il y a correspondance entre la question du sens *des* paraboles et la
réponse générale du v. 11-12, expliquant pourquoi Jésus parle en paraboles.
Le pluriel introduit au v. 10 atténue un peu le désaccord entre la question posée et la première réponse intercalée par Marc (v. 11-12).

genre parabolique exprimée aux v. 11-12, elle est réservée aux
seuls disciples. Mais Marc a un peu élargi l'expression, il n'y
a pas que les Douze, il y a aussi « ceux qui entourent Jésus avec
les Douze », expression que Marc a dû assez largement forger,
sans qu'il soit possible de déterminer exactement ce qu'il y avait
dans le texte traditionnel utilisé par Marc. La question devait
en tout cas être très brève.

c) v. 13.

Ce verset aussi paraît avoir été retouché par Marc en accord
avec sa théorie du secret. Il semble peu vraisemblable que la tradition primitive comportât déjà ces durs reproches aux disciples
demandant une explication. Le parallélisme de structure entre
IV, 10, 13 et VII, 17-18, donné plus haut (p. 174), vaut aussi
pour montrer que les reproches de IV, 13 sont bien dans la
ligne de Marc. Nous remarquons d'ailleurs dans le v. 13 la
même tendance à généraliser, déjà relevée au v. 10 (« les paraboles ») et au v. 11. Il ne s'agit plus de l'interprétation d'une parabole particulière, mais de « la science *des* paraboles » [1], qui n'est
autre - d'après le v. 11 - que la connaissance du mystère du
Royaume. Les mêmes reproches sont faits trop régulièrement
par Marc et dans des contextes très différents et d'une façon
trop évidemment rédactionnelle pour qu'on puisse songer à une
origine traditionnelle [2]. Il s'agit d'une théorie propre à Marc.

On nous objectera naturellement qu'il y a contradiction entre
le v. 11 et le v. 13. D'une part (v. 11), on affirme que les
disciples ne peuvent pas comprendre sans un « don » particulier
de Dieu ; tandis que, au v. 13, on leur reproche de n'avoir
pas compris, ce qui présuppose qu'ils auraient dû et donc *pu*
comprendre. Nous répondrons simplement que les deux affirmations font partie l'une et l'autre de la théologie particulière

---

1. Même remarque : Ed. SCHWEIZER dans *Zeitschr. f. Neutest. Wiss.* 1965,
p. 5.
2. E. LOHMEYER : *Evg des Mk,* [15]1959, p. 84 remarque que cette confrontation paradoxale entre le privilège des disciples et les violents reproches
qui leur sont faits est une caractéristique de Marc : Mc VII, 17ss ; VIII,
13-21 ; VIII, 27-33. Il est symptomatique que Matthieu et Luc se soient
accordés pour supprimer ces reproches. C'est un signe important de leur
caractère non traditionnel.

de Marc. L'opposition n'est qu'apparente. Ce sont plutôt deux
aspects d'une même réalité eschatologique. Comme le dirait
Ebeling, la lenteur des disciples à comprendre ne fait que mettre
en relief la grandeur de la révélation qui leur est faite. Nous
verrons d'ailleurs que les disciples n'arriveront pas par eux-mêmes à voir le mystère du Royaume ; il faudra que Jésus lui-
même leur ouvre les yeux.

Ajoutons une dernière remarque en attendant un développement plus explicite : la dimension *ecclésiale* de l'évangile de
Marc peut éclairer cette apparente antinomie. En effet, si les
apôtres ni l'Église chrétienne ne peuvent avoir connaissance
du mystère évangélique sans un don tout particulier de Dieu,
il est cependant normal que le prédicateur chrétien fasse grief
à la communauté de n'avoir pas encore compris plus profondément la signification du message (comp. Héb V, 12-14). En
d'autres termes, le sens authentique des paraboles ne peut être
acquis sans un véritable don prophétique ; et le pasteur chrétien
reproche précisément à ses ouailles de n'avoir pas encore suffisamment ce sens prophétique, d'être encore obtus et fermés
à la lumière divine.

4. IV, 1-2.

Restent à analyser l'introduction et la conclusion du discours
en paraboles. Elles sont fort apparentées et mieux valait rapprocher leur analyse.

Les deux premiers versets du chapitre IV sont rédactionnels
et servent de cadre au discours en paraboles. D'après R. Bultmann [1], cette rédaction pourrait être antérieure à Marc. V. Taylor, au contraire [2], montre que le vocabulaire du v. 1 en particulier est très marcien.

> « Il commença à enseigner », construction périphrastique fréquente
> chez Marc. Comparer I, 45 ; V, 20 ; VI, 2, 34 ; VIII, 31 ; XII, 1 ;
> XIII, 5. La plupart de ces passages sont rédactionnels.

---

1. *Gesch. syn. Trad.* [4]1958, p. 366.
2. *Gosp. Acc. to St Mk*, 1952, p. 251 : « Mark's vocabulary is clearly
apparent in this verse ». De même : J. GNILKA : *Die Verstockung Israels*,
1961, p. 57sv.

« Il se mit de nouveau à les enseigner au bord de la mer » : voir I, 16 ; II, 13 ; III, 7. « La foule était si nombreuse que... » cf II, 2 ; III, 20 ; également I, 45 ; VI, 31. La préposition ὥστε + infinitif a souvent chez Marc le sens de « au point que » (comme en hébreu ʿad + infinitif) : I, 27 ; I, 45 ; II, 2, 12 ; III, 10, 20 ; IV, 1, 32 ; IX, 26 ; XV, 5. Il est remarquable que Luc ait modifié la plupart de ces tournures (Matthieu a conservées).

La mention de la barque est certainement *traditionnelle* en I, 16-20 ; IV, 35-41 ; VI, 45-52, et peut-être en V, 1-20. Elle est probablement *rédactionnelle* en III, 9 ; V, 21 ; VI, 32-34 [1] ; VIII, 13, et peut-être aussi en VI, 53-54 ; VIII, 10, 14. En ce qui concerne IV, 1, il est possible que la scène ait été construite par Marc : elle répond à sa façon de concevoir les choses en I, 45 ; III, 9 ; VI, 31-32.

Plusieurs indices militent donc en faveur d'une intervention rédactionnelle de Marc assez large dans le v. 1 surtout. Pourtant il ne nous est pas possible d'arriver pour le moment à une certitude. Cela n'est d'ailleurs pas nécessaire, ces versets étant infiniment moins importants à notre point de vue que les v. 10-13.

5. IV, 33-34.

a) À l'exception d'É. Trocmé, la quasi-unanimité des exégètes tient le v. 33 pour la conclusion primitive des paraboles, tandis que le v. 34 serait une correction apportée par Marc dans le sens de sa propre théorie. On note en effet le rapprochement entre le v. 33 et la partie la plus traditionnelle du v. 2 [2] :

- v. 2 : Il leur enseignait beaucoup de choses en paraboles
- v. 33 : C'est par beaucoup de paraboles semblables qu'il leur annonçait la Parole, à la mesure de leur entendement.

Le v. 34 corrige le v. 33 :

- v. 34 : Mais il ne leur parlait qu'en paraboles ; mais, en particulier, il expliquait tout à ses disciples.

---

1. Ce passage est considéré comme rédactionnel par R. Bultmann : *Gesch. syn. Trad.* ⁴1958, p. 259 et 365. V. Taylor : *Gosp. Acc. to St Mk,* 1952, p. 318 est plus nuancé.
2. Nous avons dit plus haut (p. 166sv.) que « et il leur disait » est une formule typiquement marcienne.

É. Trocmé estime que les v. 33-34 sont de Marc, tandis que IV, 10-12 sont l'explication *traditionnelle* - donc antérieure à Marc - des paraboles [1]. En ce qui concerne IV, 10-13, notre analyse a montré, pensons-nous, que cette affirmation simpliste est indéfendable ; le texte porte trop clairement la marque d'une surcharge rédactionnelle.

En ce qui concerne IV, 33-34, il est difficile de ne pas remarquer une contradiction entre ces deux versets : au v. 33, il dit que Jésus racontait encore beaucoup d'autres paraboles à la foule. C'est une conclusion tout à fait attendue à la fin d'un petit recueil de paraboles qui ne prétend pas être exhaustif (comp. Jean XX, 30 ; XXI, 25). Le compilateur du recueil de paraboles avait ajouté « à la mesure de leur entendement », ce qui présuppose que les paraboles étaient un genre adapté à l'auditoire et que les foules étaient capables de comprendre.

Au contraire, le v. 34 affirme que Jésus *ne* parlait à la foule *qu'*en paraboles, puis il trace une opposition entre la foule et les disciples : mais aux disciples il expliquait tout en particulier. Ce qui suppose que, sans explication, les disciples - et donc a fortiori la foule ! - n'auraient pas pu comprendre. Nous nous trouvons donc en présence d'une théorie particulière selon laquelle les paraboles sont un genre *volontairement* obscur, dont la signification est réservée à un groupe de privilégiés. Nous disons bien volontairement obscur : en effet, la proposition « et sans paraboles il ne leur parlait pas » dit tout autre chose que ce qu'affirmait le v. 33. Dans celui-ci il n'était question que d'un grand nombre d'autres paraboles non rapportées dans le recueil. Au v. 34, il y a une pointe polémique ou théologique : Jésus *refuse* de s'adresser à la foule sans paraboles, parce qu'il réserve l'enseignement explicite à ses seuls disciples.

b) Il est donc impossible d'attribuer le v. 33 et le v. 34 au même auteur. Le v. 34 est une *correction* du verset traditionnel 33. J. Jeremias fait remarquer la parenté entre le v. 34 et le v. 11b [2] :

---

1. *Formation de l'évg selon Mc*, 1963, p. 127, note 71.
2. *Gleichnisse Jesu*, [6]1962, p. 11, note ; *Les paraboles de Jésus*, 1966, p. 18, note 4, fin. Voir également l'analyse d'A. Charue : *L'incrédulité des Juifs dans le Nouveau Testament*, Gembloux, 1929, p. 128-134.

- v. 11 : A vous est donné le mystère du Royaume de Dieu,
      mais à ceux-là, ceux du dehors, tout arrive en paraboles...

- v. 34 : Mais il ne leur parlait pas sans paraboles ;
      mais en particulier il résolvait tout pour ses disciples.

Il n'y a pas seulement correspondance entre le v. 11b et 34a ;
il y a un parallélisme tout aussi strict entre le v. 11a et 34b.
Les deux versets se répondent en un chiasme. L'un et
l'autre développent la même idée, idée opposée à celle exprimée
au v. 34. Le v. 11 et le v. 34 sont donc d'un même auteur, différent de celui du v. 33. Or le v. 34 ne peut guère avoir existé
à l'état indépendant : il est trop manifestement une correction
qui *suppose* le v. 33. Ce dernier, au contraire, est la conclusion
toute simple de la série de paraboles. Il devait clôturer le petit
recueil de paraboles ; tandis que le v. 34 apporte la dernière correction à la présentation traditionnelle dans le sens de IV, 10-12.
Tout comme IV, 10-12, il doit donc être de la main de Marc [1].

> - L'exégèse d'E. Molland : « Zur Auslegung von Mk IV, 33 », dans
> *Symbolae Osloenses*, VIII, 1929, p. 83-91 est peu convaincante [2].
> Il fait appel à Jean VI, 60 ; VIII, 41 et à Épictète et traduit ainsi
> Mc IV, 33 : « parce qu'ils n'étaient pas capables d'en entendre
> davantage ». Ce sens cadrerait d'ailleurs avec IV, 10-12 et IV, 34
> et ne présenterait donc aucune difficulté pour nous ; mais il nous
> semble peu probable.

c) Mais il nous faut encore répondre à une objection de J. Gnilka
contre l'attribution à Marc du v. 34 [3]. Il estime que ce verset
ne peut provenir de Marc, parce qu'il contient trois *hapax
legomena*, à savoir χωρίς, ἴδιοι μαθηταί et ἐπιλύειν.

Mais χωρίς est un mot relativement rare, qui ne se trouve
qu'une seule fois chez l'helléniste Luc et pas une seule fois
dans les Actes. Marc n'a guère eu l'occasion de l'employer ailleurs. Pourtant il connaît χωρεῖν (II, 2 : rédactionnel) et
χωρίζεσθαι (X, 9 : traditionnel).

Le second mot incriminé est ἴδιοι μαθηταί, ses *propres* disciples. Marc emploie 46 fois le mot « disciples » dans son évangile.
Il est normal qu'ici, en opposition avec « ceux du dehors » (v.

---

1. De même : Ch. MASSON : *Les paraboles de Mc IV*, 1945, p. 47.
2. Cf F. HAUCK : *Theol. Wört.* V, p. 753, note 91 et J. GNILKA : *Die Verstockung Israels*, 1961, p. 50sv.
3. *Die Verstockung Israels*, 1961, p. 60.

11), il ait insisté sur « ses *propres* disciples ». Le mot ἴδιοι a pu être matériellement entraîné par le κατ'ἰδίαν. Cette insistance un peu lourde se comprend très bien dans le contexte de IV, 10-12, et correspond d'ailleurs au style de Marc. Au contraire, s'il s'agissait d'une simple conclusion traditionnelle, on voit difficilement quel eût pu être le sens de cette insistance pléonastique.

Quant à ἐπιλύειν qui signifie « résoudre » (un problème, une énigme), ce mot rare n'est employé que deux fois en ce sens dans tout le Nouveau Testament. Il a pu être motivé ici par le contenu spécifique. La remarque statistique de Gnilka n'aurait de valeur que si le mot était familier au recueil traditionnel de paraboles mais exceptionnel dans le vocabulaire de Marc. Or il est aussi inconnu d'un côté que de l'autre. Il n'y a donc aucune raison positive de l'attribuer au recueil plutôt qu'à Marc, et cela d'autant moins que ce mot même contredit très précisément le v. 33 qui, lui, est vraisemblablement traditionnel.

J. Gnilka lui-même remarque, en effet [1], que le mot a un sens technique précis. Il se trouve toujours dans le contexte de songes, d'énigmes ou de visions apocalyptiques. C'est le cas en particulier des fameuses « paraboles » d'Hermas. Dans tous ces cas, les visions, énigmes, paraboles, etc. sont strictement incompréhensibles tant qu'elles n'ont pas été interprétées. J. Gnilka s'engage donc dans une impasse lorsqu'il essaye de concilier cette expression avec l'affirmation contraire du v. 33, disant que Jésus parlait en paraboles « à la mesure de leur entendement ». Le v. 33 affirme que le genre parabolique est une figure oratoire à la portée des foules. Le v. 34 affirme exactement le contraire : les paraboles sont des énigmes qui ne peuvent être comprises sans que quelqu'un ne les « résolve ». Il est donc impossible que le même auteur ait écrit le v. 33 et le v. 34. Le v. 34 est une correction du v. 33.

d) Nous estimons donc que les indices *négatifs* donnés par J. Gnilka ne sont pas concluants. Au contraire, il existe plusieurs indices *positifs* en faveur de l'attribution à Marc de ce v. 34.

Tout d'abord le κατ'ἰδίαν. Nous nous étonnons que J. Gnilka se soit contenté de relever quelques mots assez peu représentés

---

1. *Die Verstockung Israels*, 1961, p. 62-64.

chez Marc et qu'il n'ait pas remarqué cette expression si caractéristique de son style et de ses préoccupations. L'expression
κατ᾽ἰδίαν (à part) ne se rencontre pas moins de sept fois chez
Marc et chaque fois en des passages rédactionnels [1]. Nous étudierons cette expression en détail dans notre deuxième partie [2].
On peut donc considérer cette expression, surtout dans le sens
spécifique qu'elle a ici, comme un indice positif important que
ce v. 34 est bien de la main de Marc.

En outre, le v. 34 n'aurait pas eu de sens dans le recueil des
paraboles, car toute la tradition primitive savait fort bien que
Jésus n'avait pas enseigné qu'en paraboles (cf les discours de
Matthieu !). Au contraire, *chez Marc*, toutes les grandes discussions adressées à la foule sont « en paraboles ». Marc le souligne
en certains passages où le lecteur aurait pu hésiter [3]. Le seul discours en termes clairs est réservé aux disciples (Mc XIII).

Tout cela confirme l'argument fondamental tiré de la contradiction entre le v. 33 et le v. 34, contradiction doublée d'une
étonnante conformité de forme et de fond entre ce v. 34 et le
v. 11. Nous pensons donc pouvoir affirmer que le v. 34 tout
comme le v. 11 provient de la main de Marc, qui a ainsi corrigé
la conclusion traditionnelle du recueil de paraboles représentée
par le v. 33.

6. Conclusions.

Au terme de cette analyse, nous nous sentons largement en
accord avec J. Jeremias [4]. Avec sa clarté habituelle, il distingue
trois stades dans la formation du ch. IV de Marc :

1) Fonds primitif : les trois paraboles introduites par « Et il
disait » : v. 3-9, 26-29, 30-32.

2) Relecture chrétienne : v. 10, 13-20 et également le v. 33 qui,
avec son emploi absolu de « la Parole » appartient au même
niveau traditionnel que l'interprétation de la parabole du semeur.

---

1. IV, 34 ; VI, 31, 32 ; VII, 33 ; IX, 2, 28 ; XIII, 3.
2. Voir ci-dessous, Deuxième partie, p. 237-242.
3. Mc III, 23 ; VII, 17 ; XII, 1.
4. *Die Gleichnisse Jesu*, [6]1962, p. 10sv, note 5 ; *Les paraboles de Jésus*, 1966, p. 18, note 4.

3) Rédaction de Marc : les trois logia (ou séries de logia) introduits par « Et il *leur* disait » v. 11-12, 21-23 et 24-25. En outre
il a retouché l'introduction, v. 1-2, la question des disciples,
v. 10 et la conclusion (v. 34).

Nous n'aurons que quelques précisions à ajouter. Nous avons
montré plus haut de quelle façon le v. 10 avait été retouché par
Marc dans la perspective de sa thèse : « lorsqu'il fut à l'écart »,
« ceux qui l'entouraient avec les Douze » [1] et « les paraboles »
(au pluriel). De plus, nous avions dit que le v. 13, à l'exception
de « et il leur dit », était de Marc également. Pour le reste nous
souscrivons entièrement à cette conclusion de J. Jeremias.

D'aucuns estimeront sans doute qu'il n'était pas nécessaire
d'entreprendre une analyse aussi longue et fastidieuse pour en
arriver à des conclusions si proches de celles de J. Jeremias. Il
eût suffi de se rallier à lui dès le début. La raison de notre analyse minutieuse est que notre étude veut s'attacher à la théologie
de Marc, c'est-à-dire *du dernier rédacteur* du second évangile.
Mais, pour pouvoir définir avec quelque rigueur ce que *ce rédacteur* a voulu dire, il faut que nous découvrions avec une grande
précision la façon dont il a retravaillé sa source, car c'est précisément dans les additions et les modifications qu'il apporte à
ses matériaux que se révélera son message propre.

B. THÉORIE DES PARABOLES.

1. « Lorsqu'il fut à part » (v. 10).

a) Nous avons vu plus haut que ces cinq mots sont en discor-
dance criante avec la présentation de la scène en IV, 1-2.
Matthieu et Luc en ont été choqués tous les deux et ont atténué
ou supprimé l'expression. Comme l'enseignement public de
Jésus reprend sans nouvel avertissement aux v. 26-36, et comme, d'autre part, cet enseignement particulier est impossible

---

1. Bien qu'il soit difficile de déterminer ce qu'il y avait dans la tradition antérieure à Marc.

dans le contexte, l'expression « Lorsqu'il fut à part » doit être considérée comme une formule littéraire indiquant que l'enseignement ainsi introduit est réservé aux lecteurs.

Ces cinq mots ne font que préparer ce qui sera dit au v. 11 :

> « A vous est donné le mystère du Royaume de Dieu ;
>   mais à ceux-là, ceux du dehors, tout arrive en paraboles... »

« Ceux du dehors », nous l'avons vu [1], est une expression technique désignant les non-chrétiens. Ceux-là n'ont pas connaissance du mystère. Par opposition, le « À vous » doit désigner les chrétiens, c'est-à-dire la communauté à laquelle s'adresse Marc.

Le v. 34 suggère aussi une interprétation identique. Nous avons vu qu'il était une addition de Marc confirmant le v. 11 [2]. Jésus ne parle aux foules qu'en paraboles, mais il explique tout « en particulier » pour ses disciples. Tout comme au v. 11, les gens du dehors sont censés ne pas connaître l'enseignement de l'évangéliste, réservé aux seuls lecteurs en vertu d'un privilège spécial. Comme E. Sjöberg l'a souligné [3], la littérature apocalyptique offre également de nombreuses allusions à la chance du lecteur initié à un enseignement ésotérique refusé au commun des mortels.

Le caractère artificiel de l'aparté suggère donc que les bénéficiaires véritables de l'explication supplémentaire sont les lecteurs. La section ainsi intercalée résume la théologie de Marc. Elle est un commentaire à l'usage de la communauté ecclésiale. On peut dès lors s'attendre à ce que ces destinataires soient rendus présents en quelque manière dans les auditeurs supposés de Jésus. En soulignant que Jésus les prend à part, on montre déjà leur privilège. Ils sont ensuite vraisemblablement représentés par « ceux qui l'entouraient avec les Douze », comme l'a dit W. Marxsen [4].

Concluons : dans l'évangile de Marc, le « secret messianique » est un procédé littéraire destiné à inculquer aux lecteurs un enseignement théologique particulier. Il est dès lors naturel qu'on

---

1. Ci-dessus, p. 176sv.
2. Ci-dessus, p. 181-185.
3. Voir ci-dessus, p. 29-32.
4. Ci-dessus, p. 177sv.

leur suggère qu'ils sont, eux, les spectateurs et les bénéficiaires d'une révélation à laquelle la foule n'a pas de part.

b) Au v. 11b, il est dit « tout arrive en paraboles ». Il semble bien qu'il faille laisser au verbe γίνεσθαι son sens premier de « arriver », « devenir », ici donc : « tout *se passe* en paraboles »[1]. Comme plusieurs auteurs l'ont souligné, « tout » doit se comprendre au sens très large, et pas seulement du discours en paraboles. « Tout » correspond au contenu du « mystère » révélé aux privilégiés de Jésus. Eux ont connaissance du secret du Royaume, mais les autres ne s'aperçoivent de rien.

C'est donc toute l'économie du Royaume qui demeure incompréhensible pour « ceux du dehors », tandis que, par privilège spécial, elle est révélée aux disciples. Nous avons eu l'occasion de constater que, pour Marc, cela valait autant des miracles et des exorcismes que des controverses. Toutes ces manifestations sont en réalité des « signes prophétiques » de la présence du Royaume. Mais seuls ceux à qui cela est donné comprennent ces signes du ciel ; pour les autres ils restent un rébus ou un scandale. Il ne faut pas restreindre au seul ch. IV « tout arrive en paraboles » ; ce verset rédactionnel explicite le sens de *toutes* les paraboles (pluriel du v. 10), ou plutôt il explique aux disciples - et aux destinataires - pourquoi Jésus se manifeste et manifeste le Royaume « en paraboles » et uniquement (v. 34) en paraboles[2].

Tout cela implique que le mot « parabole » est pris ici, *par Marc*, dans un sens différent du celui du v. 33, par exemple. Ce n'est pas simplement un genre littéraire ou oratoire visant à expliquèr sous forme imagée des vérités abstraites. Le mot paraît avoir pour Marc un sens voisin de « énigme » ; mais le mot est trop important pour que nous n'y revenions pas en détail ci-après.

---

1. Ainsi avec C. Masson : *Les paraboles de Mc IV*, 1945, p. 26-28 ; J. Gnilka : *Die Verstockung Israels*, 1961, p. 26-28 ; E. Sjöberg : *Der verborgene Menschensohn in den Evangelien*, 1955, p. 224-225. Contre J. Jeremias : *Gleichnisse Jesu*, [6]1962, p. 12sv ; *Les paraboles de Jésus*, 1966, p. 19-20.

2. Même interprétation du mot « tout » : C. Masson : *Les paraboles de Mc IV*, 1945, p. 27 ; J. Gnilka : *Die Verstockung Israels*, 1961, p. 26 et 45 ; etc.

2. Citation d'Isaïe (v. 12).

Ce verset a été étudié en détail dans le livre déjà souvent cité de J. Gnilka [1]. On ne pourrait guère ajouter à ce qu'il en a déjà dit. A la suite de T. W. Manson [2], il a clairement montré que la citation de Marc IV, 12 est faite d'après le Targum. Dans le texte hébreu, tout comme dans la traduction grecque (LXX) d'Is VI, 9-10, il s'agit en effet d'une interpellation du peuple à la deuxième personne du pluriel :

> « Vous aurez beau écouter, vous n'y comprendrez rien !
> Vous aurez beau regarder, vous n'y verrez rien ! »

En outre, la fin du verset chez Marc ne peut s'expliquer que par une dépendance du Targum également. L'hébreu, en effet, suivi par les LXX, a « il l'(aurait) *guéri* » (LXX : « Et je les guérirai »). Le Targum a mal lu l'hébreu. Au lieu de *Rapha'*, qui signifie guérir, il a lu *Raphah*, qui signifie laisser, lâcher, d'où « pardonner ».

a) Dans le contexte de la vision initiale d'Isaïe, ce texte est l'annonce faite par Dieu à son prophète de ce que le ministère qu'il va entreprendre sera vain. Il aura beau se dépenser et crier son message à tous vents, le peuple se bouchera les oreilles et se mettra les mains devant les yeux pour ne point entendre et ne point voir. En repoussant le prophète, c'est Dieu qu'ils refusent. Et cependant cet appel était l'unique voie possible vers le salut.

Cet accent douloureux du prophète luttant dans le désert de l'indifférence (cf Is XLIX, 4a), nous le retrouverons à la fin de son pèlerinage, dans un de ses derniers oracles, qui est aussi son chant du cygne (Is XXX, 15-18). La foi et la docilité à cet appel du Seigneur étaient seuls capables de sauver ce peuple (de le « guérir » Is VI, 10). Mais le peuple n'a pas voulu et Isaïe sait bien que désormais rien n'arrêtera plus la catastrophe qui va

---

1. *Die Verstockung Israels. Isaias VI, 9-10 in der Theologie der Synoptiker*, München, 1961 (Studien zum Alten & Neuen Testament).
2. *The Teaching of Jesus*, Cambridge, 1959 (= 1931), p. 77sv. Cf J. Jeremias : *Die Gleichnisse Jesu*, 6 1962, p. 11sv ; *Les paraboles de Jésus*, 1966, p. 18sv et J. Gnilka : *Die Verstockung Israels*, 1961, p. 13-17 (tableau p. 14-15).

ravager son pays bien-aimé. La vocation de Jérémie (Jér I, 19)
ou celle d'Osée (Os I-III) n'étaient d'ailleurs guère plus encou-
rageantes, et pourtant ces prophètes, avec la force de Dieu, comme autrefois Élie (I Rois XIX, 14), ont osé affronter seuls leur
surhumaine mission.

L'apostrophe d'Isaïe VI, 9-10 est donc une façon prophétique
et paradoxale d'annoncer ce qui va se passer. D'avance Yahweh
lui montre que son appel ne fera qu'endurcir le peuple et aggra-
ver son péché. L'apostrophe prophétique anticipe sur l'avenir
et le rend déjà présent. On peut comparer à cet égard les élégies
prononcées par les prophètes contre les capitales ennemies et qui
sont comme le « sacrement », c'est-à-dire le symbole infaillible
de leur sort futur (Jér LI, 41-43 ; 59-64).

b) Mais cet oracle qui prédisait l'endurcissement d'Israël à
l'appel de Dieu a été repris par le christianisme naissant. Il y a
vu l'explication apologétique et polémique de l'échec de la mission chrétienne auprès du peuple juif [1] : l'attitude actuelle des
Juifs face à Jésus et face aux messagers de l'évangile est dans
la continuité la plus rigoureuse de leur comportement à l'égard
des prophètes. Ils ont résisté à toutes les avances de Dieu. Ils
ne font que boucler le dernier anneau de leur chaîne de péchés
en méconnaissant la grâce suprême que Dieu leur offre [2]. Aussi
bien les prophètes - leurs prophètes - avaient déjà prévu cet ultime échec [3].

Dans ce contexte, Is VI, 9-10 témoigne que Dieu avait prédit
cet endurcissement depuis longtemps [4]. Le texte est donc réinterprété par les premiers chrétiens dans un sens fort proche de sa
signification originelle.

c) Mais en Marc IV, 12, quel en est le sens ? Une distinction
s'impose ici. La citation [5] faite d'après le Targum prouve l'ori-

---

1. Cf C. H. DODD : *According to the Scriptures. The Sub-structure of
New Testament Theology*, London, ⁴1957, p. 36-39 ; J. DUPONT : *Ephem.
Theol. Lovan.* 1953, p. 303.
2. Mt XXIII, 29-39// ; Act VII, 51-53 ; Mc XII, 1-12// ; I Thes II, 15, etc.
3. Jean XII, 37-43 ; Act XIII, 27-29 ; Rom IX, 25-33 ; X, 19-21 ; etc.
4. Act XXVIII, 26-28 ; Jean XII, 39-41 et de nombreuses allusions rele-
vées par C. H. DODD : *According to the Scriptures*, ⁴1957, p. 38.
5. Il s'agit bien d'une citation, encore que très ramassée (cf J. GNILKA :
Die Verstockung Israels, 1961, p. 14-16) et non d'une simple allusion
(contre J. DUPONT : *Ephem. Theol. Lovan.* 1953, p. 303).

gine palestinienne de ce Testimonium [1]. Cette constatation ne suffit pas pour exclure la composition marcienne de ce texte, car Marc cite généralement l'Ancien Testament d'après l'hébreu. Néanmoins, comme Is VI, 9-10 est cité en beaucoup d'autres endroits du Nouveau Testament, il est plus probable que Marc ne fait qu'utiliser un logion trouvé ailleurs. Il l'a lui-même intercalé entre l'interrogation du v. 10 et la réponse des v. 13-20 [2].

1) Dans ce cas, se pose immédiatement la question : Quelle était la signification prémarcienne de ce logion ? Cela dépend en grande partie du contexte dans lequel il se trouvait. Depuis A. Jülicher [3], les exégètes s'accordent à reconnaître que le mot « parabole » au v. 11 est pris en un sens inaccoutumé, différent de celui qu'il a dans les v. 10, 13 et surtout 33 [4]. Récemment, on en a conclu que les v. 11-12 devaient originairement provenir d'un contexte tout différent et n'avoir été appliqué aux paraboles que par Marc [5]. On suppose parfois que Marc n'a pas compris le sens vrai du logion et s'est laissé berner par l'identité du vocable « parabole » pour commettre ce contre-sens de rapprocher ce logion du discours en paraboles [6]. Mais peu nous importe l'explication qu'on en donne. Il nous semble vraisemblable que le logion avait originairement un sens plus large. Il devait envisager l'ensemble du ministère de Jésus [7].

La signification devait être assez voisine du sens voulu par Isaïe ou de celui qui avait cours dans l'Église ancienne. Jésus (ou la tradition primitive [8]) constatait que sa proclamation de

---

1. Voir T. W. Manson : *The Teaching of Jesus*, [8]1959, p. 77 ; V. Taylor : *Gospel Acc. to St Mk*, 1952, p. 256 ; J. Jeremias : *Die Gleichnisse Jesu*, [6]1962, p. 11 ; *Les paraboles de Jésus*, 1966, p. 18.

2. Contre R. Bultmann : *Gesch. syn. Trad.* [4]1958, p. 351, note 1.

3. *Die Gleichnisse Jesu*, I, Tübingen, [2]1899, p. 118-124, 134, 146sv.

4. C. Masson : *Les paraboles de Mc IV*, 1945, p. 26-28 ; J. Jeremias : *Die Gleichnisse Jesu*, [6]1962, p. 12-14 ; *Les paraboles de Jésus*, 1966, p. 19-21.

5. V. Taylor : *Gospel Acc. to St Mk*, 1952, p. 257sv ; J. Gnilka : *Die Verstockung Israels*, 1961, p. 83, etc.

6. Ainsi C. Masson : *Les paraboles de Mc IV*, 1945, p. 29-30. Mais W. Marxsen : *Zeitschrift f. Theol. & Kirche*, 1955, p. 257sv et J. Gnilka : *Die Verstockung Israels*, 1961, p. 82 montrent qu'il s'agit d'une intention théologique bien consciente de Marc.

7. Voir note 5, ci-dessus.

8. Nous nous tenons ici au niveau de la rédaction de Marc, rappelons-le. Il nous suffit donc de noter que le testimonium cité au v. 12 est antérieur à Marc, sans entrer dans la question de savoir s'il s'agit d'un « ipsissimum verbum » de Jésus.

l'Évangile avait avorté. On peut comparer à cet égard Luc XIX, 42 : « Ah ! si en ce jour tu avais compris, toi aussi, ce message de paix ! Mais, hélas ! il est demeuré caché à tes yeux. » Le peuple de Dieu n'a pas compris l'appel du salut. Ce drame douloureux ne fait qu'actualiser ce que Dieu avait prédit depuis longtemps par la bouche d'Isaïe : « Ils ont beau écarquiller les yeux, ils ne voient rien ; ils ont beau tendre l'oreille, ils n'entendent rien ! » Le peuple est aveugle devant l'Évangile, il n'a pas reconnu l'invitation de son Dieu [1].

Telle nous paraît être la signification primitive du logion. Dans cette interprétation, le « afin que » doit se comprendre au sens de « afin que soit accomplie l'Écriture » [2]. Il s'agit donc bien d'un « afin que » volontaire, mais dépendant directement, non d'une volonté *du Christ* de cacher son message « pour qu'ils ne voient pas », mais d'une intention de Dieu ou plutôt d'un plan de salut, d'une économie *divine* mystérieuse. Il ne faut pas perdre de vue que les Hébreux ne distinguaient pas les causes secondes de la cause première, et qu'ici, en particulier, il leur importait surtout de montrer que tout cela s'était réalisé « afin que fût accomplie la parole de l'Écriture ». Nous traduirions plus volontiers par « en sorte que », pour souligner que ce n'est pas Dieu qui a directement voulu et provoqué l'infidélité de son peuple, mais qu'il l'avait *prévue*. Question de culture.

2) Mais si ce texte d'Isaïe ne présente pas de difficulté particulière dans son sens original, il n'en va pas de même de sa réinterprétation par Marc. Marc a appliqué ce logion général au cas particulier des paraboles (sans d'ailleurs lui faire perdre sa valeur de programme pour tout le ministère de Jésus : cf IV, 34 !). Mais en appliquant ce texte aux paraboles, il lui conférait une signification nouvelle, une signification vraiment choquante, qui a été au point de départ d'innombrables discussions [3].

Dans le contexte où l'a situé Marc, le logion voudrait dire : A ceux du dehors je parle en paraboles, afin qu'ils aient beau

---

1. Ainsi W. Marxsen : *Zeitschr. Theol. Kirche*, LII, 1955, p. 269 ; L. Cerfaux : *New Testament Studies*, II (1955-1956) p. 246 (= *Recueil L. Cerfaux*, Gembloux, III (1962) p. 133sv).

2. J. Gnilka : *Die Verstockung Israels*, 1961, p. 47sv (et bibliographie).

3. Voir tableau de ces discussions dans J. Gnilka : *Die Verstockung Israels*, 1961, p. 45-57.

regarder et qu'ils ne voient rien, qu'ils aient beau écouter et qu'ils ne perçoivent rien. Cela signifierait donc que Jésus a délibérément provoqué l'endurcissement du peuple en leur parlant un langage incompréhensible. Ce qui est évidemment inacceptable.

Quelle est alors la signification voulue par Marc ? Il ne faut pas oublier que le v. 12 est une citation scripturaire. Elle ne fait qu'illustrer la propre théorie de Marc. Cette théorie est exprimée aux v. 11 et 34 : Jésus ne parle clairement qu'à ses intimes ; à ceux du dehors, il ne s'adresse qu'en paraboles pour qu'ils ne comprennent pas. C'est là le sens obvie de ces trois versets. Il s'agit en tout cela de la théorie du secret messianique de Marc. Le v. 12 ne fait qu'illustrer cette attitude de Jésus : cette attitude incompréhensible de Jésus réalise - à sa façon - la célèbre prophétie d'Isaïe.

Dans l'interprétation de Marc, il faut donc également sous-entendre un « afin que soit accomplie la prophétie d'Isaïe : 'Ils ont beau regarder...' ». Dans les évangiles synoptiques toutes les citations explicites de l'Ancien Testament ont cette valeur apologétique [1]. On veut prouver que l'attitude de Jésus accomplit les prophéties et *donc* qu'il est le Messie attendu. On ne trouve pas, à notre connaissance, dans les synoptiques, de texte vétérotestamentaire repris en compte par l'auteur inspiré au point de vouloir signifier, d'un trait : je leur parle en paraboles afin qu'ils aient beau regarder et qu'ils n'y distinguent rien... etc. Il faut de toute nécessité suppléer un : « afin que s'accomplisse la parole... ».

Il importe de souligner que le « afin que » ne donne pas la raison profonde du secret messianique - cette explication viendra plus loin. Marc n'explique pas ici le pourquoi de l'attitude de Jésus ; il se contente d'en donner une illustration scripturaire. Il ne faut pas faire dire à notre chapitre plus qu'il ne dit. Il explicite la théorie du secret : Jésus parle en termes clairs aux disciples et uniquement aux disciples. A l'égard de la foule, il utilise intentionnellement un genre oratoire obscur. La raison pour laquelle Jésus en agit ainsi n'est pas donnée. Notre chapitre en paraboles, et tout particulièrement les additions que Marc

---

1. Cf J. DUPONT : « L'utilisation apologétique de l'Ancien Testament dans les discours des Actes », dans *Ephem. Theol. Lovan.* 1953, p. 289-327.

y a faites (v. 10-13, 21-25 et 34) sont la formulation la plus claire du fait (littéraire) du secret messianique. Jésus y explique sans aucune ambiguïté possible *ce qu'*il fait, mais il ne dit pas encore *pourquoi* il le fait.

Ces affirmations confirment donc définitivement l'ensemble des remarques de détails des chapitres précédents. Toutes ces réticences, ces impositions de silence, ces attitudes incompréhensibles et inexpliquées de Jésus ne sont pas le résultat de rencontres fortuites, mais l'expression d'une théorie systématiquement élaborée et menée avec esprit de suite.

3. Mystère (v. 11).

« A vous le mystère du Royaume de Dieu est donné ; mais à ceux-là, ceux du dehors, tout arrive en paraboles, afin qu'ils aient beau voir et n'aperçoivent rien... etc ».

Pour la première fois, Marc exprime donc sa pensée sur le secret messianique. Une série de précisions à ce sujet sont apportées dans tous les versets ajoutés par lui, et uniquement là (v. 10-13, 21-25 et 34). Nous avons vu, dans notre analyse textuelle, que les affirmations de ces quelques versets contredisent ce qui est dit dans le reste du chapitre (l'aparté des v. 10-12 n'est pas conciliable avec le reste du chapitre, qui est un enseignement public. Le v. 34 contredit le v. 33).

Il s'agit donc d'une doctrine particulière de Marc, une théorie qui a beaucoup d'importance pour lui. Précisément, dans l'un des versets introduits par lui, il donne pour la première fois un titre officiel au « secret » : c'est un « mystère ». Il délimite deux groupes : celui des intimes à qui le mystère est « donné », et « ceux-là, ceux du dehors », pour qui, par contraste, tout se passe en paraboles, afin qu'ils n'y comprennent rien.

Le « mystère » est donc le contenu du secret, il correspond à ce dont il est parlé aux autres « en paraboles ». L'objet du mystère est « le Royaume de Dieu », soit qu'il s'agisse de la venue du Royaume, soit de certains de ses aspects.

Le mot même de « mystère » a d'ailleurs un sens technique caractérisé, qu'il convient d'étudier. Le mot ne se trouve que dans la partie la plus récente de l'Ancien Testament : Tobie, Judith, Sagesse de Salomon, Ecclésiastique, Daniel et 2 Maccabées.

a) Mis à part quelques emplois profanes, qui ne nous concernent pas [1], il ne reste en présence que deux significations principales : celle des religions à mystères, représentée surtout par la Sagesse de Salomon. Ces mystères sont vivement blâmés ; ils ne peuvent donc entrer en ligne de compte pour l'interprétation de Mc IV, 11 [2]. Cependant la même Bible grecque a repris les vocables proscrits à propos de la Sagesse et des secrets de Dieu. La Sagesse est « initiée » à la science de Dieu (Sag VIII, 4). La nature et la naissance de la Sagesse sont des « mystères » (Sag VI, 22), mais leur connaissance n'est pas réservée à un groupe de privilégiés [3]. Seuls les impies en sont exclus (Sag II, 22). En fait, il y a eu un glissement de sens. Dans les religions à mystères, le secret est un rite magique visant à introduire l'initié dans la participation de la destinée du dieu. Il s'agit presque toujours de dieux chtoniques, dieux souffrants, passant par une mort et une résurrection, comme la nature ou la végétation pendant l'hiver. Les adeptes entrent dans le destin de leur dieu par le culte mystérique [4]. C'est le sens propre des rites stigmatisés en Sag XIV, 15, 23. Mais en Sag VI, 22 ; VIII, 4, ce n'est déjà plus tout à fait de cela qu'il s'agit. Il n'est plus question de rites magiques, mais simplement d'une connaissance qui dépasse la science humaine et que Dieu seul possède. Tous les justes ont ce sens de Dieu et de sa volonté. Ce sens, qui leur est communiqué par la Sagesse, ne diffère pas essentiellement de l'intuition prophétique de Jér XXXI, 34, par exemple.

b) Et nous voici introduits à l'emploi le plus caractéristique du mot « mystère » dans l'Ancien Testament, la signification apocalyptique. L. Cerfaux a très probablement vu juste lorsqu'il fait dériver de Daniel l'emploi de ce mot technique en Mc IV, 11// [5].

---

1. Sir XXII, 22 ; XXVI, 16, 17, 21. Secrets du roi : Tob XII, 7, 11 ; Jud II, 2 ; 2 Mac XIII, 21. Il semble que ces emplois au sens profanes soient secondaires par rapport aux emplois religieux : G. Bornkamm : *Theol. Wört* IV, p. 817, lignes 9-11.

2. Sag XIV, 15, 23 ; cf XII, 5. D. Deden : « Le 'Mystère' paulinien », dans *Eph. Theol. Lovan.* 1936, p. 439 ; G. Bornkamm : *Theol. Wört.* IV, p. 820.

3. Sag VI, 22 ; cf G. Bornkamm : *Theol. Wört.* IV, p. 820.

4. G. Bornkamm : *Theol. Wört.* IV, p. 810-814 ; L. Cerfaux : *La théologie de l'Église suivant saint Paul*, Paris, (Unam Sanctam), ²1965, p. 267 ; D. Deden : *Eph. Theol. Lov.* 1936, p. 435-438.

5. *New Test. Studies*, II (1955-56), p. 244 (= *Recueil Lucien Cerfaux*, III Gembloux, 1962, p. 131sv.).

L'évangile de Marc montre en d'autres points également l'influence de Daniel, non seulement dans le discours eschatologique, mais aussi dans le thème central du Fils de l'Homme [1]. L. Cerfaux souligne encore la dépendance des paraboles par rapport à Daniel. Ainsi, la parabole du grain de sénevé se réfère explicitement à Dan IV, 9, 18. Peut-être y a-t-il également évocation de la petite pierre détachée du rocher et qui devient une montagne couvrant le monde (Dan II, 34, 44s) [2].

Sans doute le « mystère du Royaume de Dieu » n'est-il pas mentionné explicitement en Daniel, mais il y est question des empires terrestres qui feront place au Royaume des Saints du Très-Haut à la fin des temps [3]. Or c'est très précisément la venue de ce Royaume dont le « Mystère » est révélé dans un songe au roi Nabuchodonosor. Daniel emploie le mot *raz*, d'origine perse et introduit par lui dans la Bible. Il désigne ici tout le plan eschatologique de Dieu, en particulier la venue du Royaume éternel, qui mettra fin à toutes les hégémonies éphémères des hommes.

Ce jugement eschatologique est révélé au roi Nabuchodonosor dans un songe. Mais ni le roi, ni aucun de ses mages ne sont capables d'en saisir la signification. Il ne suffit pas d'avoir vu les symboles, il faut encore en avoir la clef, faute de quoi le songe n'est lui-même d'aucune utilité. La nécessité de l'interprétation est tellement vitale que le roi exige, sous peine de mort, que tous les mages de son royaume se mettent en quête du songe. C'est que l'auteur est persuadé que le songe contient des révélations essentielles sur l'avenir, mais que, sans interprétation authentique, ce langage symbolique demeure fermé (Dan II, 1-13).

On assiste alors à une compétition du même ordre que celle d'Élie au Carmel (I Rois XVIII, 20-40) : tous les devins du roi sont incapables de lui interpréter le songe. Daniel lui-même n'y arrive qu'à la suite d'instantes prières (et même de jeûnes : Dan II, 18 LXX). L'interprétation lui en est donnée dans un autre

---

1. Cf ci-dessus, p. 120-122, sur l'Exousia du Fils de l'Homme. En I Hén XLIX, 2, il est dit que l'Élu (= le Fils de l'Homme) est puissant dans tous les « mystères » de la justice.

2. Cf L. CERFAUX *New Test. Studies* II (1955-56), p. 245 (= *Recueil L. Cerfaux*, III, 1962, p. 132-133).

3. Dan II, 44 ; III, 33 (100) ; VII, 14, 18, 27 ; cf L. CERFAUX, ibid.

songe. Elle est une révélation divine (v. 19 et v. 29 : ὁ ἀνα-
καλύπτων μυστήρια), et Daniel en rend dignement grâce à celui
qui donne la sagesse et l'interprétation (v. 29). Lorsqu'il se rend
devant le roi, Daniel lui répète encore que l'interprétation du
« mystère » n'est pas au pouvoir des hommes. Mais il est un
Dieu au ciel qui révèle les mystères et fait connaître au roi « ce
qui doit arriver dans les derniers jours » [1].

Le mystère est donc une réalité céleste. Concrètement, il est le
plan divin concernant le jugement du monde et l'établissement
définitif du Royaume de Dieu. Ce plan reste inconnu des hommes, à moins d'une « révélation » (apocalypse) ou d'une « manifestation » [2] particulière de Dieu.

c) Comme il fallait s'y attendre, la veine apocalyptique du livre
de Daniel trouve son prolongement dans le livre d'Hénoch [3].
Le mystère est le dessein eschatologique de Dieu. Il préexiste
dans le ciel ; nul n'en connaît le secret. Mais Hénoch connaît
tous les secrets des saints (= des êtres célestes) (I Hén CVI, 19).
Le Seigneur les lui a montrés et il les a lus sur les tablettes du
ciel. En I Hén IX, 6 ; X, 7 ; XVI, 3, les anges déchus ont dévoilé
iniquement ce qu'ils en connaissaient.

C'est surtout dans le livre des « Paraboles d'Hénoch » [4] que
nous trouverons des textes éclairants. Le Fils de l'Homme (ou
l'Élu) est le révélateur patenté des secrets divins. Il a été introduit dans tous les secrets de la justice (= du jugement qui se
prépare : I Hén XLIX, 2) et il a reçu mission de les révéler aux
hommes (XLVI, 2-3). Mais le Fils de l'Homme est lui-même
objet du mystère (I Hén XLVI, 2), car il est partie intégrante
du plan divin de jugement. Il a été tenu caché depuis les origines du monde (XLVIII, 6). Seuls les élus ont connu le secret de
son existence (LXII, 7). Mais à la fin des temps, lors du juge-

---

1. Le « mystère » est mentionné en Dan II, 18, 19, 27, 28, 29, 30, 47 ;
IV, 6 (Théod).
2. Ἀνακαλύπτειν en LXX II, 28, 29 ; ἐκφαίνειν en LXX II, 19, 30 ;
ἀποκαλύπτειν chez Théodotion II, 19, 28, 29, 30, 47.
3. Cf D. Deden : *Ephem. Theol. Lovan.* 1936, p. 431-433 ; G. Bornkamm :
Theol. Wört. IV, 821sv : L. Cerfaux : *La théologie de l'Église suivant saint
Paul*, [2]1965, p. 265-267.
4. Bien qu'aucun fragment des « Paraboles d'Hénoch » n'ait été découvert à Qumrân, une date préchrétienne reste probable : *Theol. Wört.* V,
p. 686, note 245 (I Hén LVI, 5-7 : allusion aux Parthes, 40 av. J.-C.)

ment, il sera publiquement manifesté (LXII, 1-3 ; LV, 4 ; LXIX, 29).

d) A Qumrân également le mot perse *raz*, mystère, introduit par Daniel est fréquemment utilisé [1]. Sans doute, dans les Hymnes, ce mot est-il employé à propos des « secrets célestes », à savoir les mécanismes des cieux, les greniers à grèle, les réserves de neige, etc. [2].

Mais on le trouve aussi à propos du plan divin de salut ou de jugement qui décidera du sort de l'humanité [3]. Seuls les fils fidèles ont connaissance de ces secrets [4]. Dans le livre de la Guerre, les mystères prendront tout naturellement un aspect belliqueux. Ce sont les plans secrets de Dieu [5] opposés à ceux de Bélial [6]. Dans les Hymnes, c'est le Maître de Justice qui est député révélateur des mystères merveilleux tout comme le Fils de l'Homme en I Hénoch [7]. Lui-même est tenu caché par Dieu [8] et, finalement, la communauté, rejeton de sainteté, est cachée et son secret scellé jusqu'au jour choisi par Dieu, en un passage qui rappelle de très près I Hénoch X, 16 [9].

Un aspect important du « mystère » à Qumrân est qu'il est souvent identifié à l'interprétation eschatologique des anciens prophètes. Dieu avait révélé ses desseins de salut aux prophètes, et ceux qui ont l'intelligence peuvent retrouver dans leurs écrits l'annonce de ce qui va se passer [10]. Cela nous situe fort près de plusieurs textes de Marc ou, plus explicitement encore de Luc XXIV, 25-26.

---

1. Références dans K. G. Kuhn : *Konkordanz zu den Qumrantexten*, Göttingen, 1960. Voir B. Rigaux : *New Test. Studies*, IV, 1957-1958, p. 241-248 ; A. Jaubert : *La notion d'alliance dans le judaïsme aux abords de l'ère chrétienne*, Paris, 1963, p. 125sv.
2. Hymnes I, 11, 13, 21, 29, etc.
3. Règle Commun. III, 23 ; IV, 18-19 ; XI, 5-6, 19 ; Interpr. Hab. VII, 5, 8, 14.
4. Règle Commun. IV, 6 ; IX, 18.
5. Guerre III, 9, 15 ; XIV, 14 ; XVII, 9.
6. Guerre XIV, 9-10 ; XVI, 11, 16.
7. Hymnes II, 13 ; IV, 27-28.
8. Hymnes V, 25 (cf V, 11).
9. Hymnes VIII, 6, 11.
10. Voir B. Rigaux : *New Test. Studies*, vol. IV, 1957-1958, p. 245-248 ; A. Dupont-Sommer : *Le livre des Hymnes découvert près de la Mer Morte*, Paris, 1957 (Semitica VII), p. 13.

e) On perçoit bien dans ces quelques exemples la signification technique du « mystère » dans la littérature apocalyptique. Ces écrits paraissent être nés originairement aux temps des persécutions. C'est le cas pour Daniel et pour l'Apocalypse de Jean. Cela semble bien être le cas pour certains écrits de Qumrân également. Nous avons connu nous-mêmes, pendant les dernières guerres, de ces littératures clandestines circulant sous le manteau. En cryptographie ou en termes symboliques, compréhensibles seulement pour les initiés, on y exprime la certitude de la victoire finale et de l'écrasement de l'ennemi.

En Israël, une telle attente ne peut être fondée que sur Dieu. Israël persécuté achoppe contre l'éternelle pierre de scandale du juste souffrant. Comment est-il possible que l'impie prospère de la sorte et puisse indéfiniment écraser le peuple de Dieu ? Dieu est-il donc mort ? Ou bien Israël s'est-il trompé en mettant son espoir en lui ?

Sous l'influence iranienne, la réponse à cette angoissante question est donnée sous la forme d'une scène à deux étages - à la façon des théâtres du Moyen-Age. - Au rez de chaussée, on voit l'histoire telle qu'elle se déroule sur terre avec les persécutions et les orgueils triomphants des impies. Au-dessus, une ouverture est pratiquée dans le ciel, et l'on aperçoit le point de vue divin sur l'histoire, le « secret de Dieu », le dessein divin gardé en réserve pour entrer en action au moment opportun.

Dieu, le juste juge, tient ses assises (Dan VII, 9-14). Il sait parfaitement tout ce qui se passe sur terre et les souffrances de son peuple (Apoc VI, 10). Néanmoins il temporise encore un peu avant d'intervenir. Mais ensuite il se lèvera et alors aura lieu un retournement définitif de la situation.

Dans ce contexte, le « mystère » révélé au voyant et, par lui, à la communauté, est tout simplement le plan divin de salut. Comme Job, le peuple est porté à se scandaliser de la souffrance qui l'accable. Mais le voyant l'invite à prendre patience. Dieu a un plan secret qui dépasse de loin la compréhension des hommes. L'auteur se fait mystagogue. Il affirme avoir reçu de Dieu une révélation secrète pour faire connaître à la communauté persécutée les intentions divines pour l'avenir. Il a été introduit au ciel et a eu communication de ce qui s'est dit au Conseil secret du Très-Haut. C'est de cela qu'il fait part à la communauté.

Au point de vue du message profond, il n'y a guère de différence entre l'apocalyptique et les oracles des anciens prophètes qui promettaient eux aussi, de par Yahweh, une victoire définitive sur les ennemis (cf Is XXIX, 1-10, etc). Seule la forme diffère. - Bien sûr, ce genre littéraire nouveau ouvrait la porte à toutes les spéculations sur les secrets célestes et sur les rouages du monde, et les auteurs d'apocalypses ne résisteront pas à l'envie de ces descriptions à la Jules Verne. Mais ce n'est que la frange de leur message. Le but premier de ce genre littéraire reste de révéler le plan divin pour l'avenir et l'intervention du grand Jugement.

Il était bon d'éclairer rapidement ce côté de l'apocalyptique ; il nous aidera peut-être, par la suite, à mieux comprendre certains aspects du secret messianique ou de la mission du Fils de l'Homme en saint Marc [1].

f) Finalement, le « mystère » joue un rôle important dans la théologie paulinienne ; et l'on ne peut exclure a priori que Marc ait subi une certaine influence du « mystère » paulinien.

En saint Paul, le « mystère » a d'ailleurs une signification identique, ou peu s'en faut, à celle de l'apocalyptique juive. Il s'agit du dessein de salut eschatologique. Cette économie était restée cachée en Dieu depuis la création et personne n'en avait eu connaissance. Mais maintenant, dans le Christ, ce dessein bienveillant est révélé aux élus [2]. Ce mystère a été « révélé » (κατὰ ἀποκάλυψιν ἐγνωρίσθη Éph III, 3), et Paul a reçu mission de le faire connaître aux chrétiens :

> « A moi, le moindre de tous les saints, a été confiée cette grâce d'annoncer aux païens l'insondable richesse du Christ et de mettre en pleine lumière l'économie du mystère... » (Éph III, 8-9).

Paul lui-même a été mis au courant par une « apocalypse », c'est-à-dire une révélation céleste (Éph III, 3 ; Cf Gal I, 12). De façon plus prégnante encore, en I Tim III, 16, le mystère est une réalité divine qui s'est manifestée sur terre en Jésus-Christ.

Deux traits importants et complémentaires : d'une part le mystère s'identifie à la personne de Jésus-Christ [3]. Second trait : le mystère est identique à l'Évangile [4] : la proclamation de l'Évangile *est* révélation du mystère caché depuis des siècles en Dieu [5].

---

1. Les autres emplois du mot « mystère » dans la littérature apocryphe n'ajoutent rien de substantiellement nouveau. Ce sont surtout IV Esd X, 38 ; XII, 36, fort proches de I Hénoch. Cf D. DEDEN : *Ephem. Theol. Lovan.* 1936, p. 431sv. Pour le rabbinisme et Philon : DEDEN, ibid. p. 433-35 et *Theol. Wört.* IV, p. 823.
2. Rom XVI, 25 ; Éph I, 9 ; III, 9 ; VI, 19 ; Col I, 26-27 ; II, 2 ; IV, 3.
3. Éph III, 4 ; Col IV, 3 ; I Tim III, 16. - Identification qui avait amené W. WREDE (*Messiasgeheimnis*, [3]1963, p. 58) à faire un rapprochement un peu sommaire entre le « mystère » paulinien et le « secret » messianique en Marc. Le rapprochement est fondé, mais l'interprétation de WREDE est simpliste et tendancieuse.
4. D. DEDEN : *Ephem. Theol. Lovan.* 1936, p. 422sv.
5. Rom XVI, 25. Même identification entre l'annonce de l'Évangile et le mystère en Éph III, 1-9 et VI, 19.

g) Les deux traits se retrouvent chez Marc. Pour lui aussi, le contenu de l'Évangile, tout comme celui du mystère, c'est le Royaume de Dieu (Mc I, 14-15 et IV, 11). Le « mystère » qu'il annonce est « la Parole » [1], c'est-à-dire l'Évangile.

Dernier rapprochement décisif : chez Paul, le secret [2] est provisoire : le voile en est levé dans la proclamation de l'Évangile [3]. Sans doute, dans plusieurs de ces textes, la révélation du mystère est surtout destinée aux Églises ; mais certains d'entre eux (Rom XVI, 26) affirment clairement que le secret est « maintenant » levé. Marc, en deux logia introduits de sa main dans le chapitre en paraboles (IV, 21-22), affirme, lui aussi, le caractère provisoire du secret. D'ici peu de temps, il sera proclamé partout. En Marc comme en Paul, la raison de l'incompréhension de la foule est le caractère spirituel du mystère. Et l'affirmation de I Cor II, 14 peut nous aider à comprendre Mc IV, 11-12.

En conclusion, il nous suffit pour le moment de noter la signification apocalyptique probable du mot « mystère » en Mc IV, 11, ce qui semble donner des points à la thèse de E. Sjöberg. Pour la première fois dans l'évangile de Marc, le « secret » reçoit une étiquette et une définition. Le mot de « mystère », prononcé en IV, 11 est complété par deux autres synonymes dans ces autres logia insérés en Mc IV, 22 pour commenter les paraboles : « ce qui est caché » (κρυπτόν) ou « ce qui est secret » (ἀπόκρυφον). Les trois mots relèvent du vocabulaire apocalyptique. En raison même du secret, il est tout à fait normal que ces trois mots ne soient plus jamais prononcés dans la suite [4].

4. Paraboles.

La signification à donner au mot « parabole » est l'une des difficultés majeures de l'exégèse de Mc IV. J. Schniewind a exposé le problème en termes lapidaires : (De soi) « les paraboles

1. Mc IV, 33, cf II, 2.
2. Dans toute cette littérature, « secret » et « mystère » sont synonymes.
3. Rom XVI, 25-26 ; I Cor II, 7, 10-11 ; Éph I, 9-10 ; III, 3-5, 9-11 ; VI, 19 ; Col I, 26-27 ; II, 2.
4. Contre J. JEREMIAS : *Die Gleichnisse Jesu*, [6]1962, p. 11, note 1.

sont claires comme le jour ; un enfant les comprendrait » [1]. C'est bien ainsi que paraît l'entendre le v. 33. Les paraboles sont un genre populaire, destiné à faire comprendre des réalités spirituelles sous une forme imagée.

Malheureusement, les v. 11-12 et 34 supposent manifestement que les paraboles sont un genre oratoire obscur, exigeant pour être comprises, que l'auteur en donne l'interprétation (v. 34). Pis encore, il est clairement affirmé que Jésus parlait intentionnellement « en paraboles » à la foule *pour qu'elle ne comprenne pas* [2], réservant l'interprétation aux seuls disciples.

a) A. JÜLICHER.

La résolution de cette difficulté classique par A. Jülicher a exercé une grande influence en la matière [3]. En application de sa thèse fondamentale, il distingue nettement entre le sens primitif simple (purement parabolique) et l'application ecclésiale. Jésus employait ce langage imagé pour faire comprendre des vérités morales et spirituelles d'ordre général. Par la suite, l'Église primitive a « allégorisé » cet enseignement très simple de Jésus pour en faire l'application à sa propre situation. Tous les détails et tous les personnages des paraboles - qui originairement n'étaient que des motifs ornementaux - doivent désormais trouver une correspondance précise. On veut identifier le semeur et aussi chaque catégorie de résultats obtenus par les semences dans les divers terrains. De même, dans la parabole des vignerons homicides, il s'agit de savoir qui représente chacun des envoyés du maître de la vigne, etc.

Le résultat de ce processus d'après Jülicher est que les paraboles deviennent de plus en plus compliquées. Ces petits récits populaires réclament désormais une interprétation savante. Marc IV, 10-12 serait un des plus anciens témoins de cet état de chose. Avec l'interprétation de la parabole du semeur qui suit (v. 14-20), il représenterait une relecture ecclésiale des paraboles.

Plus personne ne défendrait aujourd'hui la thèse de Jülicher dans son simplisme génial. Jésus n'est pas un Grec et il n'est

---

1. J. Schniewind : *Das Evg nach Mk*, [9]1960, p. 41 « Die Gleichnisse sind sonnenklar, Kinder und einfache Leute verstehen sie ohne weiteres ». Cf *Theol. Wört.* V, p. 753 (F. Hauck).
2. Mais voir les nuances apportées plus haut, p. 193.
3. A. Jülicher : *Die Gleichnisse Jesu*, I, Tübingen, [2]1910, p. 47-61.

pas un pieux prédicateur de morale universaliste. Il annonce la venue du Royaume de Dieu. Chez lui, tout comme chez les Rabbins, certains traits allégoriques devaient déjà, tout naturellement, se mêler à la parabole [1].

b) Signification grecque.

Peut-être une grosse partie de la difficulté provient-elle de la rencontre entre la parabole grecque et du *mashal* hébraïque.

Pour les Grecs, la *para-bole* est une comparaison plus ou moins développée qui aide à faire comprendre une idée, comme la comparaison de la lune entourée d'étoiles pour les feux allumés par les Troyens dans l'Iliade (VIII, 555-565). La parabole est faite pour éclairer une vérité par un exemple concret et aisément compréhensible. Elle se doit d'être claire et bien adaptée à l'idée qu'elle veut illustrer. Elle est elle-même une explication et n'exige pas d'explication supplémentaire pour être comprise [2]. La parabole *grecque* est la source de la conception de A. Jülicher et, après lui, de beaucoup d'exégètes contemporains, à savoir que la parabole est, de soi, « claire comme le jour, un enfant la comprendrait ».

c) Signification hébraïque.

Mais si l'on envisage la parabole hébraïque, la question est beaucoup plus complexe [3]. Sans doute faut-il convenir que le radical *mashal*, qui correspond le plus souvent au mot « parabole » de la LXX, semble bien avoir la signification première de « être semblable » [4], qu'il possède également en d'autres langues sémitiques [5]. Néanmoins, à étudier tous les cas de *meshalîm*

---

1. Voir la critique détaillée de J. GNILKA : *Die Verstockung Israels*, 1961, p. 64-71. Sur l'histoire de la discussion actuelle, voir M. HERMANIUK : *La parabole évangélique*, Bruges-Louvain, 1947, p. 7-18.

2. Cf M. HERMANIUK : *La parabole évangélique*, 1947, p. 35-61, spécialement p. 37 ; F. HAUCK : *Theol. Wört.* V, p. 741-743.

3. Cf F. HAUCK : *Theol. Wört.* V, p. 744-748.

4. Cela se constate surtout aux formes dérivées du verbe *mashal* : *Nifal* : Ps XXVIII, 1 ; XLIX, 12, 20 ; CXLIII, 7 ; Is XIV, 10 ; *Hifil* : Is XLVI, 5 ; *Hitpaël* : Job XXX, 19.

5. W. GESENIUS - F. BUHL : *Hebräisches und aramäisches Handwörterbuch*, ¹⁶1915 ; M. HERMANIUK : *La parabole évangélique*, 1947, p. 64sv ; etc. Le mot ne se rencontre probablement pas à Ugarit jusqu'à présent (sauf peut-être dans le texte lacuneux 56, 26 de la numérotation de C. H. GORDON et

cités dans l'Ancien Testament, on n'a guère l'impression que l'idée de comparaison soit prévalente partout [1].

M. Hermaniuk est l'un de ceux qui ont étudié la question en détail [2]. On peut se féliciter de la clarté de son exposé. Il classe tous les emplois vétérotestamentaire suivant le sens, et ce classement est en lui-même un commentaire. Il divise avec raison son enquête en deux grandes sections ; d'une part les livres historiques et prophétiques, dont l'emploi est assez homogène ; et d'autre part les livres sapientiaux.

1) LIVRES HISTORIQUES ET PROPHÉTIQUES.

α) Dans la première série, on relève immédiatement un grand nombre d'exemples dans lesquels *mashal* signifie « leçon » au sens péjoratif du mot. Nous ne trouvons aucun terme français pour exprimer exactement l'idée du *mashal* hébraïque. Le sens en est que le cas typique envisagé servira d'exemple (en mauvaise part) pour faire peur aux enfants : Voilà ce qui est arrivé à celui qui... Et l'on racontait alors l'histoire déjà dix fois entendue. Pourtant le *mashal* ne paraît pas désigner la narration de l'histoire elle-même, mais la leçon sous forme de sentence rythmée, condensé de l'expérience qu'on en retirait et que l'on voulait inculquer.

Comme nous le disions à l'instant, la leçon ainsi donnée est souvent une mise en garde. Ainsi Yahweh annonce-t-il à plusieurs reprises à son peuple : s'il ne se convertit pas, de tels malheurs fondront sur lui que son destin sera cité en *mashal* chez tous les peuples voisins [3]. Évidemment le fait d'être ainsi épinglé est le pire opprobre que puisse subir un peuple. On promet le même sort aux arrogants [4]. Parfois le « juste » lui-même, persécuté, se plaint d'être devenu le proverbe de tous les bien-nour-

---

O. Eissfeldt. Par contre le difficile *mzl ymzl* de I Krt 99-100 (G. R. Driver 46-47) semble provenir d'un autre radical. C. Virolleaud le traduit « prédire l'avenir » : comp. Nb XXIII-XXIV, Balaam.)

1. Nous nous écartons en cela des conclusions de M. Hermaniuk, op. cit
2. *La parabole évangélique*, Bruges-Louvain, 1947, p. 62-126.
3. Deut XXVIII, 37 ; I Rois IX, 7 ; 2 Chr VII, 20 ; Jér XXV, 8-9 ; Tob III, 4 ; Mich II, 4.
4. Is XIV, 4 ; Hab II, 6.

ris [1]. Au point de vue de la forme littéraire, ces *meshalîm* seraient chez nous des pamphlets.

En Is XIV et en Hab II, nous avons plusieurs beaux exemples de ce que pouvaient être ces « paraboles » (*meshalîm*) pour les anciens hébreux ; ce sont des satires mordantes et cyniques, célébrant la ruine de l'ennemi ou du superbe, suite logique de tous leurs méfaits. Ces refrains de vengeance gardent quelque chose de la rudesse des anciens chants guerriers (Jug V ; Ex XV).

Certaines mésaventures ou certains revers de fortune plus particuliers pouvaient également devenir le sujet de ces *meshalîm* [2].

Tous ces exemples paraissent à première vue assez différents des « paraboles » auxquelles nous ont accoutumé les évangiles. Il ne s'agit jamais d'une situation fictive imaginée pour les besoins de la cause, mais au contraire d'une situation réelle, historique, tournée en épigramme. L'idée de comparaison, si elle s'y trouve, s'atténue en celle d'exemple typique : une situation particulière devient, grâce au *mashal*, un cas-type universel, souvent objet de dérision.

β) A côté de cette signification courante dans les livres historiques et prophétiques, s'en rencontre une autre, isolée, mais très caractéristique. Il s'agit des oracles de Balaam en Nomb XXIII-XXIV. Les commentateurs éprouvent la plus grosse difficulté à comprendre en quoi ces oracles peuvent être appelés « paraboles » (*meshalîm*).

La situation n'est peut-être pas tellement différente de celle que nous venons d'étudier. Sans doute ne s'agit-il plus d'un cas particulier érigé en leçon universelle. A vrai dire, même dans les cas cités plus haut, la sentence n'était pas non plus aussi universelle qu'il en paraissait à première vue. Elle restait accrochée à l'expérience historique qui lui servait de point d'appui, avant de devenir une satire contre un individu ou un peuple (Is XIV).

Les oracles de Balaam n'ont plus ce caractère négatif de critique cinglante rencontrée jusqu'à présent. Au contraire, on y parle d'Israël avec grand éloge. Mais, tout comme dans les cas précédents, il s'agit d'une réflexion sur l'histoire d'un peuple.

---

1. Ps LXIX, 12.
2. I Sam X, 11-12 ; Éz XVIII, 2 ; XVI, 44.

A la façon des bénédictions de Moïse [1], les oracles de Balaam
caractérisent en quelques sentences rythmées toute la destinée
d'Israël. Il s'agit encore de *meshalîm*, mais qui, cette fois, chantent le bonheur du peuple béni par Dieu. De part et d'autre il
s'agit d'une leçon de choses, concrétisée dans une expérience
vitale. Peut-être pourrait-on faire remarquer, à ce point de vue,
la correspondance de procédé entre Gen XII, 2 ; Ruth IV, 12 où
l'on voit le bonheur de l'élu servir de signe de ralliement pour
les peuples et les générations, et les cas étudiés plus haut, où
nous voyions le malheur d'un peuple ou d'un individu devenu
référence infamante pour tous les voisins [2].

Nous serions peut-être plus sensibles que les Hébreux au fait
que les *meshalîm* de Balaam sont inspirés, tandis qu'il n'est rien
affirmé de tel à propos des autres *meshalîm* satiriques étudiés
plus haut. La raison en est que nous matérialisons trop l'« inspiration ». Nous considérons comme étant d'une autre nature ce
qui est « inspiré » et ce qui ne l'est pas. Les Hébreux auraient
été incapables de faire une distinction aussi tranchée ; pour eux,
tous ces *meshalîm*, comme tous les dits de sagesse, sont « inspirés » d'une certaine manière. De ce point de vue ils n'auraient
pas pu établir une différentiation. Ils seraient plus sensibles au
genre oratoire employé par le prophète. Ici Balaam énonce ses
oracles *en meshalîm*, c'est-à-dire sous forme de sentences
rythmées et lapidaires, exprimant en deux phrases toute la
destinée typique d'un homme ou d'un peuple.

γ) De façon analogue, les *meshalîm* d'Ézéchiel exposent, sous
forme imagée cette fois, le sort des derniers rois d'Israël et de
la cité sainte elle-même (Éz XVII, 2-24 ; XXIV, 3-14). Les
autres *meshalîm* étudiés ci-dessus nous avertissent de ce que le
caractère spécifique du *mashal* (même chez Ézéchiel, cf XVI, 44)
ne consiste pas dans la forme allégorique qu'il peut revêtir, mais
dans le fait qu'il burine en quelques sentences rythmées le sort
d'un homme ou d'un peuple.

_____

1. Il existe un lien très étroit entre les oracles de Balaam et Dtn XXXIII :
cf R. TOURNAY : *Rev. Bibl.* 1964, p. 284 (recension de S. GEVIRTZ : *Patterns
in the Early Poetry of Israel*, Chicago, 1963).
2. Malgré ces explications, il ne nous paraît pas impossible que le
mashal, dans le cas de Balaam, provienne en réalité d'un autre radical : cf
ci-dessus, p. 203, note 5.

Sans être essentielle au genre oratoire du *mashal*, l'image naissait spontanément sur les lèvres du poète. En dehors d'Ézéchiel cependant, la plupart, sinon tous les exemples rencontrés jusqu'à présent parlaient en termes obvies de l'expérience dont ils voulaient montrer le sens. Lorsque l'image y apparaissait (p. ex. Nomb XXIV, 8-9), c'était toujours à titre subsidiaire, en guise d'illustration et d'ornementation. L'idée de comparaison, incluse dans le radical *mashal*, ne se situe pas au niveau de la figure de style (comme pour les Grecs), mais de l'idée : c'est la leçon même du *mashal* qui est un point de référence, un modèle à imiter ou à ne pas imiter, un type ou un repoussoir, donc un objet de comparaison implicite pour tous ceux qui chantent ou récitent le *mashal* [1].

Néanmoins, à ce point de vue, il paraît bien y avoir un certain glissement de sens chez Ézéchiel [2]. Ce qui était accessoire tend à passer au premier plan. A telle enseigne qu'en Éz XXI, 5, par exemple, la forme allégorique elle-même paraît être désignée par l'épithète *mashal*, puisqu'aussitôt après, en réponse au reproche qu'on lui en fait, Ézéchiel interprète en termes clairs sa sentence (Éz XXI, 8-10). Cela marque une évolution du *mashal*, à partir d'un genre populaire très simple, vers une formulation de plus en plus savante et difficile à comprendre, évolution qui s'accentuera encore dans la littérature sapientielle.

En résumé donc, dans les livres historiques et prophétiques, le *mashal* est une sentence souvent satirique, presque toujours rythmée, épiloguant sur le sort d'un individu notoire ou d'un peuple. Simples et brefs au début, les *meshalîm* tendent à se développer et à devenir un genre savant.

2) LIVRES SAPIENTIAUX.

Très vite, les sages ont estimé que c'était à eux surtout qu'il revenait de tirer les leçons de l'expérience des hommes et des peuples. L'aspect éducatif du *mashal* y gagnera. Sans doute

---

1. Ainsi M. HERMANIUK : *La parabole évangélique*, 1947, p. 105-112.
2. De même M. HERMANIUK, o.c. p. 92-96.

vaut-il mieux - à l'encontre de M. Hermaniuk [1] - ranger ici certains psaumes sapientiaux et également le livre de Job.

Dans le Psaume LXXVIII, 2, l'auteur inspiré entreprend une longue méditation - sans aucune allégorisation particulière - sur la destinée historique d'Israël depuis l'Exode jusqu'à David, et s'efforce d'en tirer les leçons. Le Ps. XLIX, 5 est une réflexion plus générale sur le bonheur des impies. Job XXVII, 1 ; XXIX, 1 considère surtout son propre destin ; mais, comme le livre de Job est un essai poétique sur le malheur du juste, la signification du *mashal* y devient identique à celle du Ps XLIX, 5.

Le livre des Proverbes, par son titre même (*Meshaley de Salomon*), fait de tous les aphorismes qui y sont contenus des *meshalîm*. Indubitablement, il s'agit ici de sentences de sagesse pour l'instruction des jeunes. Seuls les sages sont capables de les forger et même de les comprendre, car ils deviennent de plus en plus subtils (Prv I, 6). Nous retrouvons la même évolution que dans les livres historiques : les *meshalîm* les plus anciens (Prv X, 1-XXII, 16) sont simples et clairs ; mais, plus on avance, plus le genre se fait difficile. Les sages redoublent de finesse ; leurs *meshalîm* tendent à devenir des jeux d'esprit (I, 6 ; XXX, 15-31).

Finalement, dans l'Ecclésiastique [2], le *mashal* devient synonyme d'énigme [3]. Voici la définition symptomatique du sage :

> Il pénètre les astuces des paraboles,
> Il cherche le sens caché des proverbes,
> Les énigmes des paraboles sont toute sa vie (Sir XXXIX, 2-3).

La sagesse se manifeste dans une virtuosité de plus en plus grande que seule peut percer une perspicacité bien exercée (cf I Rois X, 1-4 !).

Pour conclure la partie biblique de notre enquête, nous aimerions souligner la remarque faite par M. Hermaniuk à la fin de son exposé [4] : on ne peut décréter a priori que c'est un pur

---

1. Qui les classe parmi les livres historiques et prophétiques.
2. Il est possible que le titre même de l'Ecclésiastique en hébreu était *Séfer Meshalîm*, « Livre des *meshalîm* », cf C. Spicq : *L'Ecclésiastique*, (La Sainte Bible, par Pirot-Clamer), Paris, 1943, p. 531-533.
3. Comparer III, 29 ; VI, 35 ; XLVII, 17 et VIII, 8. Cf M. Hermaniuk : *La parabole évangélique*, 1947, p. 103.
4. *La parabole évangélique*, 1947, p. 118-120. Nous n'admettons donc pas l'affirmation facile de F. Hauck dans *Theol. Wört.* V, p. 745 : « Wohl zufällig ».

hasard si aucun des récits vétérotestamentaires, qui *à nos yeux* sont les plus semblables aux paraboles évangéliques [1], ne porte dans la Bible le titre de *mashal*. C'est en tout cas une très mauvaise méthode de partir de là pour définir ce qu'est le *mashal* hébraïque. Dans les exemples que nous avons étudiés et qui portent sur tous les *meshalîm* cités explicitement par la Bible, le langage imagé n'est jamais élément constitutif du *mashal* comme tel, sauf chez Ézéchiel et peut-être dans quelques exemples de la littérature sapientielle postérieure. Primitivement le sens était fort différent. Si nous tenons tant à étiqueter « parabole » le langage figuré de certains apologues ou allégories, c'est parce que nous projetons involontairement la signification *grecque* de la parabole sur l'Ancien Testament.

d) Littérature apocryphe.

Dans la littérature apocryphe, certains emplois seront véritablement éclairants pour nous ; tout particulièrement dans le livre des paraboles d'Hénoch (I Hén XXXVII-LXXI). Les visions concernant les « mystères » célestes sont révélés par Hénoch en trois grandes paraboles. Ce mot revient en tête des trois sections du livre : « Première parabole » (I Hén XXXVIII, 1), « Deuxième parabole » (XLV, 1), « Troisième parabole » (LVIII, 1). Dans la conclusion, l'expression est reprise mais, cette fois, avec une identification formelle entre les « mystères » et les « paraboles » :

> « Après cela, mon grand-père Hénoch me donna l'enseignement concernant tous les mystères dans le livre des paraboles. Les mystères lui avaient été donnés et il les avait rassemblés pour moi dans le livre des paraboles » (LXVIII, 1).

Ce verset rédactionnel caractérise tout le « Livre des Paraboles d'Hénoch ». Tous les « mystères » qui y sont révélés sont exposés en trois paraboles. Malgré les différences, le sens n'est pas éloigné de celui des visions de Balaam. En I Hénoch non plus les visions ne sont pas spécifiquement symboliques - comme le sont, par exemple, les ch. LXXXV-XCI du même livre

---

1. Jug IX, 7-21 ; 2 Sm XII, 1-15 ; XIV, 4-21 ; I Rois XX, 35-42 ; 2 Rois IV, 9-10 ; Is V, 1-17 ; XXVIII, 23-29.

I Hénoch [1]. Ils décrivent en termes aussi directs que possible les réalités célestes, les anges, les demeures des élus et des réprouvés, etc. La figure du Fils de l'Homme elle-même représente la seule manière possible de décrire l'« Homme » envoyé par Dieu pour accomplir le salut définitif [2].

L'élément constitutif de ces *meshalîm* est que, tout comme les prophéties de Balaam [3], ils expriment la signification divine du destin d'Israël, de l'humanité et de toute la création. Le sens du mot « paraboles » reste donc dans la ligne des livres historiques et prophétiques. On peut comparer encore Is XIV, par exemple, qui nous donne une vision tout à fait semblable, mais plus brève.

A notre point de vue, il importait de souligner le rapprochement entre les « mystères » et les « paraboles », rapprochement tout semblable à celui qui nous préoccupait en Mc IV, 11. En Marc aussi, le « mystère du Royaume » est manifesté « en paraboles ». Toutefois, il y a une différence essentielle entre Marc et I Hénoch LXVIII, 1. En Marc, le mystère est exposé en paraboles *pour qu'ils ne comprennent pas* ; à l'inverse, en I Hén LXVIII, 1, les mystères (célestes) sont exposés par Hénoch en paraboles pour que son petit-fils comprenne. Néanmoins, même chez Hénoch, les paraboles concernent des réalités célestes qu'il n'est pas donné à l'homme de percevoir sans une grâce et un commentaire tout spéciaux. Plusieurs fois, le voyant demandera des explications à son mystagogue (I Hén XLVI, 2, etc).

Les paraboles proposées par l'ange en IV Esd IV, 3 sont beaucoup plus proches de celles des livres de la Sagesse. Ce sont de vraies énigmes. Mais il s'agit encore, comme en Job XXXVIII-XLI, de questions posées pour prouver que l'homme est incapable de scruter les desseins de Dieu. En I Hénoch, ces mêmes mystères sont révélés au voyant en paraboles. Malgré ces quelques glissements, dus au genre apocalyptique et au secret dont il s'entoure, la signification du mot « parabole » reste dans la

---

1. Qui ne sont précisément *pas* intitulés « paraboles » !
2. Cf E. Sjöberg : *Der Menschensohn im äthiopischen Henochbuch*, 1946, p. 58-60.
3. Cela reste vrai, même si les *meshalîm* de Balaam provenaient d'un autre radical (ci-dessus, p. 203, note 5), car nous parlons de ces *meshalîm* tels qu'ils ont été *relus* par toute la tradition postérieure.

ligne des livres historiques et prophétiques de l'Ancien Testament [1].

Jusqu'à présent, nous avions constaté que le mot *mashal* garde une signification assez homogène dans tout l'Ancien Testament - spécialement dans les livres historiques et prophétiques, prolongés par la littérature apocryphe (apocalyptique) de l'Ancien Testament.

> On peut ajouter encore que, dans le *Pasteur* d'Hermas [2], les « paraboles » restent incompréhensibles tant que le mystagogue ne les a pas interprétées. Nous sommes fort proches de la perspective apocalyptique : l'avenir est révélé au voyant en une série de visions symboliques, mais, tout comme en Daniel II et IV, ces visions restent impénétrables tant que le Pasteur n'en a pas révélé le sens [3]. Les mots employés correspondent exactement à Mc IV, 34 : « Seigneur, je ne comprends pas ces paraboles et je ne puis en avoir une idée, si vous ne me les expliquez pas (ἐπιλύσῃς) » (Pasteur 56, 1).

e) Littérature rabbinique.

Dans la littérature rabbinique, un tournant se dessine. Bien sûr, les paraboles signifient encore réflexion sur l'histoire, sur le plan salvifique de Dieu. Mais, selon la tendance des rabbins (cf Mc I, 22), il ne s'agit plus de proposer des réflexions entièrement nouvelles à la façon de Balaam ou même de I Hénoch, mais de commenter les explications anciennes qui en ont été données dans la Bible. Les *meshalîm* rabbiniques sont des exégèses un peu développées du texte même de la Loi. Dès lors, les comparaisons et les exemples aideront à comprendre le sens du texte inspiré, et les *meshalîm* tendront à revêtir une signification plus proche de la signification grecque de la parabole [4] : ce seront des comparaisons, des images, des allégories, des exemples, aidant à comprendre le sens du texte.

---

1. De même HERMANIUK : *La parabole évangélique*, 1947, p. 140sv et 151. - Il cite encore la finale de l'Ascension d'Isaïe, d'origine chrétienne (IIè-IIIè s.) qui qualifie de *meshalîm* les grands psaumes messianiques et les prophéties du serviteur de Yahweh. Tout comme chez Balaam ou I Hénoch, il s'agit, là aussi, d'une vision prophétique de la fin des temps.
2. HERMAS : *Le Pasteur*, édition par R. JOLY, dans « Sources chrétiennes », n° 53, Paris, 1958, ou *Der Hirt des Hermas*, hrsg von M. WITTAKER, dans « Die Griechischen christliche Schriftsteller der I. Jht », Berlin, 1956.
3. *Pasteur*, n° 56, 1, 2 ; 57, 1-3 ; 58, 1-2.
4. Cf M. HERMANIUK : *La parabole évangélique*, 1947, p. 153-189, avec de nombreux exemples.

f) Nouveau Testament.

Si nous passons maintenant au Nouveau Testament, il faut dire que - du point de vue de la seule apparence extérieure - les « paraboles » de Jésus paraissent être les plus proches des paraboles rabbiniques, mais avec une différence notable toutefois, c'est que les rabbins se contentaient d'expliquer ainsi la Loi, tandis que Jésus propose sous cette forme un enseignement radicalement nouveau concernant la venue du Royaume, c'est-à-dire l'événement eschatologique.

Il faut donc reconnaître une originalité sans précédent dans les évangiles. Extérieurement, on dirait que Jésus s'exprime comme les rabbins. Mais le *contenu* de ses paraboles les assimile bien davantage aux paraboles apocalyptiques. Ici comme là, sont révélés les événements du Jugement et de l'établissement du Royaume de Dieu. Ce ne sont pas de simples réflexions d'exégètes, comme chez les rabbins, mais la révélation de réalités divines et célestes, dépassant et accomplissant tout ce qui a été dit dans l'Ancien Testament ; réalités qu'aucun homme n'aurait pu connaître sans une révélation spontanée et gratuite de Dieu. Cette signification nouvelle nous conduit très près du « mystère » tel que nous l'avons vu chez Daniel, dans la littérature apocalyptique et chez Paul.

Conclusions.

A présent, nous pouvons prendre position sur ce qui a été dit - un peu trop rapidement peut-être - par J. Jeremias [1]. Il estime avec raison que, en Mc IV, 11, les mots « paraboles » et « mystère » se répondent. Il y a opposition adéquate : « A vous le *mystère* est révélé - mais ceux du dehors se trouvent devant des *paraboles* ». Il en déduit que le mot « paraboles » doit avoir ici le sens d'« énigmes », comme dans une série de textes vétérotestamentaires qu'il cite à l'appui de son affirmation.

---

1. *Die Gleichnisse Jesu*, [6]1962, p. 12 ; *Les paraboles de Jésus*, 1966, p. 19sv.

Nous voyons que, dans leur signification primitive, les
« paraboles » de Jésus ne sont pas si éloignées des *meshalîm* de
l'Ancien Testament. Elles sont un oracle prophétique sur le
dessein eschatologique de Dieu, tout comme les *meshalîm* de
Balaam ou d'Ézéchiel. Mais, comme les *meshalîm* rabbiniques
ou déjà ceux d'Ézéchiel, les paraboles de Jésus s'expriment le
plus souvent en termes imagés. Il est possible que l'emploi
du mot *grec* « parabole » ait exercé une certaine influence dans
les évangiles écrits en grec, en sorte d'accentuer encore l'idée
de langage imagé, qui n'est pas nécessairement incluse dans le
mashal hébraïque (cf Luc XIV, 7).

Sur ce sens primitif de la « parabole » évangélique, Marc
paraît avoir greffé sa propre réinterprétation : en Mc IV, 11, il
rapproche les paraboles de Jésus des paraboles apocalyptiques.
Pour Marc aussi, les « paraboles » de Jésus révèlent aux privilégiés le « mystère du Royaume de Dieu », mystère caché à
tous jusqu'à présent, mais révélé maintenant par Jésus aux élus.
Lorsqu'on ne dispose pas des explications du mystagogue, ces
paraboles restent fermées, incompréhensibles.

En d'autres termes, Marc s'est servi - consciemment[1] - du recueil de paraboles dont il disposait pour illustrer et confirmer sa
propre théorie du « secret messianique ». Les paraboles de Jésus
sont rapprochées des paraboles apocalyptiques et, par là, du
« mystère » apocalyptique. Elles contiennent la révélation du
secret divin, secret dont la véritable portée ne sera compréhensible qu'après sa manifestation définitive. Car il faut immédiatement ajouter - on l'oublie presque toujours - : si Marc affirme, d'une façon aussi choquante, que Jésus parle en paraboles
pour que la foule ne comprenne pas, il ajoute aussitôt que ce
secret est provisoire[2].

Si Marc a, en effet, inséré un certain nombre d'additions dans
le chapitre en paraboles pour réinterpréter celles-ci dans son
optique propre, il est tout à fait illégitime de s'arrêter à l'une
de ces insertions indépendamment des autres. Mc IV, 21-22
doit absolument être rapproché de Mc IV, 11-12. Celui-là com-

---

1. Contre C. Masson : *Les paraboles de Mc IV*, 1945, p. 30 et J. Jeremias : *Die Gleichnisse Jesu*, ⁶1962, p. 14 ; *Les paraboles de Jésus*, 1966,
p. 21. Avec W. Marxsen : *Zeitschrift f. Theol. & Kirche*, LII, 1955, p. 263sv.
2. Mc IV, 21-22. Nous avons montré plus haut que ces logia avaient été
insérés là par Marc également.

plète celui-ci. En prenant ensemble toutes les additions rédactionnelles de Marc dans le chapitre en paraboles, nous en arrivons donc à ceci : Jésus parle volontairement à la foule « en paraboles » pour leur voiler le mystère du Royaume. Toutefois cette économie n'est que provisoire. Dans très peu de temps, le mystère sera annoncé partout (IV, 21-22). Entre-temps, Jésus se contente d'expliquer à ses seuls intimes la portée véritable de ses paroles. Pourquoi Jésus agit-il ainsi ? Cela n'est pas encore dit.

Au moins est-il possible, dès à présent, de mieux cerner le contenu du « mystère ». Nous nous trouvons au fond devant un cas assez semblable à celui des controverses : si l'on prend les paraboles pour des exposés ou des discussions d'écoles concernant certaines normes universelles de morale[1], leur signification apparaît limpide. En réalité, derrière ce sens obvie se cache une signification kérygmatique, dont la vraie portée n'est pas aussi immédiatement évidente.

Ainsi la parabole du semeur aurait pu être une simple affirmation générale sur le jugement de Dieu : la même parole divine produit des fruits différents selon les dispositions de chacun, fruits qui se manifesteront au jour du jugement[2]. Mais derrière ce sens moralisant se cache le sens kérygmatique : le Royaume de Dieu est inauguré dès maintenant (« le semeur est sorti »). Mais les débuts (*actuels*) de ce Royaume sont très décevants et la plupart n'y prennent pas garde (IV, 27 !). Pourtant le Royaume croît irrésistiblement et, dans peu de temps, la moisson sera manifeste à tous.

Dans les controverses, derrière l'attitude choquante de Jésus, se dissimulait la Nouveauté absolue qui conditionnait ce comportement nouveau ; de même ici, dans les paraboles, ce n'est pas non plus d'une vérité morale universellement valable qu'il s'agit, mais du « mystère du Royaume », c'est-à-dire d'un Événement qui s'accomplit sous les yeux des auditeurs, mais dont seule une toute petite minorité perçoit la véritable signification.

---

1. Comme le faisait A. Jülicher !
2. A vrai dire, c'est en ce sens moralisant que s'oriente la réinterprétation catéchétique Mc IV, 14-20. Le souci est pastoral.

Dans une très belle conférence prononcée à l'Université Grégorienne [1], Dom Jacques Dupont a magistralement mis en lumière cette orientation avant tout kérygmatique des paraboles. Ainsi, par exemple, dans les paraboles de miséricorde (Luc XV et Mt XX, 1-16), Jésus ne profère pas de simples vérités générales sur l'amour de Dieu pour les pécheurs. En effet, la parabole est la *réponse à une accusation* [2]. Jésus mange avec les pécheurs [3]. Les Pharisiens en sont scandalisés, et Jésus répond par une parabole sur la miséricorde *de Dieu*. Il est clair que la réponse de Jésus ne vaut vraiment que s'il existe un lien intime entre la conduite présente *de Jésus* et la volonté salvifique de Dieu. En d'autres mots, si la conduite présente de Jésus *manifeste* une volonté salvifique de Dieu, cela implique que, en vertu d'une mission tout à fait particulière, la volonté de salut de Dieu envers les pécheurs s'accomplit sous les yeux des spectateurs *dans l'action même de Jésus*.

Cela revient à ce que nous avions déjà dit à propos des controverses : l'activité de Jésus est « prophétique », son action même manifeste et réalise la Nouveauté qu'il annonce - elle en est le « signe efficace », dirions-nous. Dans cette perspective, nous pourrons mieux apprécier la remarque d'E. Lohmeyer [4], d'après qui les « paraboles » en Mc IV, 11 (« tout se passe en paraboles ») ne désignent pas seulement un genre oratoire particulier, mais également les *actions* symboliques de Jésus.

Ce qui est caché dans les paraboles est identique à ce qui est caché dans les controverses. Les unes comme les autres sont la manifestation, pour qui peut le comprendre, d'un ordre entièrement nouveau faisant irruption *hic et nunc* dans le ministère même de Jésus et motivant sa conduite et son enseignement nouveau (Mc I, 22, 27).

Du coup on perçoit aussi toute l'ambiguïté des paraboles : si l'on en reste au niveau extérieur, on n'y voit qu'un bel enseignement sur la bonté de Dieu, etc. Enseignement général universellement valable. C'est à ce niveau que restait la foule. Mê-

---

1. « La christologie des paraboles », 17 novembre 1965.
2. Relevons ce nouveau rapprochement entre paraboles et controverses.
3. Situation identique à celle de la controverse de Mc II, 15-17 !
4. *Evg des Mk*, [15]1959, p. 83sv. Il est suivi par C. MASSON : *Les paraboles de Mc IV*, 1945, p. 26-28 ; cf aussi J. GNILKA : *Die Verstockung Israels*, 1961, p. 24sv.

me le grand Jülicher s'y est laissé prendre [1]. Mais, au-delà de cet enseignement général se dissimule la Nouveauté absolue : si Jésus mange avec les pécheurs, c'est pour révéler au monde que Dieu - *aujourd'hui* - pardonne à tous les hommes leurs péchés, s'ils croient à l'Évangile. Mais la parabole n'explicite précisément pas ce lien intime existant entre la conduite présente de Jésus et l'intervention de Dieu à l'égard des pécheurs ; *elle le suppose.* En d'autres mots, dans la parabole, ce qui importe vraiment, ce n'est pas ce qui est dit, mais ce qui est présupposé.

Nous nous trouvons à nouveau en plein cœur du secret messianique : il s'agit précisément de lien existant entre l'action présente de Jésus et l'établissement du Royaume de Dieu. Apparemment Jésus ne parle ni de lui-même, ni de sa mission ; en réalité, il n'est question que de cela. Mais seuls les intimes peuvent le comprendre. Comme dans les controverses donc, Jésus agit et parle « comme si » quelque chose d'entièrement neuf venait de faire irruption dans le monde. Mais nulle part il n'annonce explicitement cet Événement qui justifie ses gestes et ses paroles. C'est bien pour cela que « tout se passe en paraboles » pour ceux du dehors, tandis que le « mystère » n'est révélé - provisoirement - qu'à ceux du dedans. Du moment qu'on n'en perçoit pas la raison profonde, - l'Événement nouveau qui motive la conduite et les paroles de Jésus - tout reste incompréhensible. Or cette ambiguïté - qui se trouve d'ailleurs aussi en saint Jean [2] - a été *voulue par Dieu* pour une raison particulière qui n'est pas encore indiquée ici. On nous dit seulement que cette économie du secret sera de très courte durée (IV, 21-22).

C. PARABOLES CHOISIES PAR MARC.

Après cette longue discussion sur la théorie des paraboles, il ne nous est plus loisible d'analyser en détail toutes les paraboles citées par Marc. Le choix qu'il en a opéré est cependant révélateur de son intention ; c'est pourquoi nous en donnerons ici un très rapide aperçu [3].

---

1. Remarque analogue : E. KAESEMANN : *Exegetische Versuche und Besinnungen* I, [3]1964, p. 212.
2. Jean II, 19-23 ; XII, 16, etc.
3. Comparer l'analyse de G. H. BOOBYER dans *New Testament Studies*, VIII, 1961-1962, p. 61-64.

III, 22-30.

Cette « parabole » a déjà été discutée dans le chapitre consacré aux exorcismes. Sa véritable portée est d'ordre kérygmatique : les expulsions de démons opérées par Jésus manifestent, à qui peut le comprendre, que le Royaume de Satan est à son terme, et donc que le Royaume de Dieu est déjà présent et actif. Au v. 23, le mot « paraboles » ne s'applique pas particulièrement à un langage imagé, à une « parabole » au sens grec, mais à un *mashal* au sens hébraïque, une parole prophétique concernant le plan eschatologique de Dieu [1].

IV, 1-10, 26-29, 30-32.

Nous avons tout intérêt à rapprocher les trois paraboles choisies par Marc pour son chapitre en paraboles : elles constituent son programme. Toutes trois sont des paraboles de contraste : on oppose un commencement de peu d'apparence à un résultat inespéré. Dans les deux premières paraboles (IV, 3-8 et IV, 26-29), toute l'insistance se trouve sur les décevants débuts. Dans la parabole du semeur, sur six versets, quatre sont consacrés à relater longuement tous les apparents échecs, un seul au succès final. Ce choix convenait à merveille, aux yeux de Marc, pour exposer le secret messianique. Jusqu'à présent, - c'est-à-dire au cours du ministère de Jésus - le Royaume de Dieu reste caché, inconnu, apparemment stérile ; et cependant, dans très peu de temps, il se manifestera d'une façon éclatante et tout le monde le verra [2].

Cette interprétation kérygmatique, qui paraît imposée tant par la structure interne de chacune des paraboles que par leur rassemblement dans ce chapitre est encore confirmée par l'insertion rédactionnelle des logia Mc IV, 21-23. Il faut avouer par contre que l'interprétation de la parabole du semeur (IV, 14-20), à l'exception du tout premier verset (v. 14), ne va pas dans ce sens. La raison en est double. D'abord Marc a pris occasion d'une parabole qui lui était donnée avec interprétation

---

1. D'après E. Schweizer : *Zeitschrift f. Neutest. Wiss.* 1965, p. 4, Mc III, 23 est rédactionnel.
2. Même interprétation : J. Jeremias : *Die Gleichnisse Jesu*, [6]1962, p. 149sv ; J. Dupont : Conférence (citée plus haut) donnée à l'Université Grégorienne le 17 novembre 1965.

(prémarcienne) pour présenter sa théorie propre. L'exégèse de Marc se trouvera donc dans les pièces intercalées par lui (IV, 10-13, 21-25, 34) plus que dans l'explication reprise telle quelle de la tradition. Deuxième raison : cette explication traditionnelle - peut-être légèrement retouchée par lui - entrait très bien dans la préoccupation *pastorale* de Marc et rejoignait profondément la situation de l'Église visée par son message [1], mais peut-être un peu moins bien sa théorie particulière du secret parabolique.

VII, 14-17.

Il ne s'agit pas davantage ici d'une parabole au sens grec, mais d'un *mashal* assez semblable à celui de Luc XIV, 7-11. Jésus ne parle pas en langage figuré : là n'est pas l'essentiel du *mashal* hébraïque, comme nous l'avons dit. L'enseignement de cette « parabole » est kérygmatique [2] : si rien d'extérieur à l'homme ne peut plus le souiller, c'est qu'une purification intérieure d'une efficacité toute nouvelle vient d'être instaurée par Jésus lui-même. Mais seuls ceux qui connaissent le « mystère du Royaume » peuvent le comprendre. Les autres sont scandalisés. Une fois de plus, l'Événement essentiel, qui est à la base de toute la discussion, est présupposé mais non explicité. Là réside toute l'ambiguïté de la situation, à la façon des quiproquos johanniques.

XII, 1-12.

Du point de vue de la forme littéraire, cette pièce est beaucoup plus proche de la « parabole » classique, telle que nous la concevons (au sens grec), bien qu'il y ait un certain mélange de parabole et d'allégorie, au moins dans la forme actuelle. Cette parabole dit en termes couverts ce que Mt XXIII, 29-36 dit sans aucune circonlocution.

En ce qui concerne la théorie du secret messianique, il se produit néanmoins un fait nouveau : les adversaires de Jésus *ont compris* la parabole. Cette affirmation semble curieusement contredire la laborieuse théorie du secret exposée au ch. IV, et

---

1. Voir Deuxième partie, p. 415-418.
2. Voir plus haut, p. 143-148.

plusieurs y ont vu un manque de suite [1]. En réalité - nous le verrons à loisir dans la seconde partie - il est impossible de dire que Marc a été obligé - comme malgré lui - à se contre-dire en raison de la source traditionnelle qu'il utilisait, puisque le v. 12 est manifestement un verset *de sa main* [2]. Si donc Marc a inséré cette notice, *c'est qu'il l'a voulu*. Ce ne peut être que pour une seule raison : le secret est désormais sur le point d'être publiquement révélé, et il n'y a plus d'inconvénient à ce que les autorités en soient informées.

XIII, 28-31.

Cette dernière « parabole » est un simple *mashal* eschatolo-gique, expliquant en termes imagés l'intention de Dieu concer-nant la fin des temps. Il n'y a plus aucun secret, puisque l'expli-cation accompagne immédiatement la parabole.

Ce trop bref exposé du contenu des paraboles confirme ce que nous avait déjà appris l'analyse de la « théorie parabolique » de Marc en IV, 10-13, 21-25, 34 : la vraie portée de chacune des paraboles est d'ordre kérygmatique. Toutefois cette proclama-tion de l'Événement est voilée ; elle n'est perceptible que par ceux qui, en vertu d'un don particulier de Dieu, ont connais-sance du « mystère » du Royaume. À la fin de l'évangile, le voile commence à se soulever, comme Marc l'avait promis en IV, 21-22. Cela signifie que le choix des paraboles et le com-mentaire inséré par Marc dans son ch. IV se répondent mutuel-lement. L'un et l'autre traduisent une même intention théologi-que et doivent réciproquement s'éclairer.

Conclusions.

Il ne suffit pas de retrouver le secret messianique dans chaque cas isolé, il faut encore lier la gerbe. L'argument le plus décisif pour montrer le caractère rédactionnel de cette théologie du

---

1. W. WREDE : *Messiasgeheimnis*, [3]1963, p. 124 ; T. A. BURKILL : *Mys-terious Revelation*, 1963, p. 202.

2. Cf V. TAYLOR : *Gospel acc. to St Mk*, 1952, p. 473 et 477. Comparer les notices rédactionnelles III, 6 ; XI, 18 (XIV, 1-2). Le vocabulaire est celui de Marc : cf V. TAYLOR.

« secret » est qu'elle se retrouve à tous les niveaux de la tradition, mêlée aux genres traditionnels les plus divers.

Les récits de *miracles* sont de soi une manifestation éclatante de la gloire messianique. Nous voyons Marc y superposer artificiellement un impossible ordre de silence, d'ailleurs aussitôt violé. C'est peut-être l'un des cas où l'on constate le mieux le caractère surajouté du secret. L'injonction au silence surprend le lecteur et crée une tension intolérable entre la rébarbative rudesse et le geste de miséricorde.

Les *exorcismes* sont eux aussi des actes publics par nature. Marc y greffe une violente imposition de silence. Ici, la violence étonne moins le lecteur et l'on s'est efforcé d'expliquer cette injonction comme une des techniques de l'exorcisme. Mais la parenté des expressions avec celles insérées dans les récits de miracles indique leur caractère rédactionnel. Dans une controverse doctrinale et dans le récit du baptême rapproché de celui de la tentation, Marc pourra faire deviner la portée réelle des exorcismes. Mais cette signification échappe totalement aux témoins, même aux plus qualifiés (I, 27 ; III, 22). L'imposition de silence montre que Jésus cache sa puissance en vertu d'un choix délibéré. Marc laisse entrevoir la raison de ce secret : le combat n'est pas achevé.

J. M. Robinson a perçu une parenté secrète entre les exorcismes et les *controverses*. Il la situe au niveau du « combat cosmique ». Il nous a semblé, quant à nous, que les controverses sont avant tout une proclamation du kérygme. Mais une proclamation paradoxale en ce qu'elle tait précisément ce qu'elle veut annoncer ; elle suppose connue avant de commencer la grande Nouveauté qu'elle a mission de promulguer. Plus exactement, ce genre oratoire requiert que les auditeurs devinent, face à l'attitude apparemment scandaleuse de Jésus et de ses disciples, qu'un Événement eschatologique décisif commande cette attitude nouvelle. En d'autres mots, ici comme dans les exorcismes, le Royaume de Dieu se manifeste par ses conséquences (III, 24-26 ; II, 10, 19). La réalité du Royaume demeure imperceptible en elle-même. Cette ambiguïté n'est pas un élément surimposé par Marc aux controverses traditionnelles ; mais le genre traditionnel des controverses a été délibérément choisi par Marc de préférence aux discours et aux logia, parce qu'il convenait mieux à son propos. Il évite les discours qui diraient trop clairement ce qu'il veut suggérer.

C'est pourquoi, le seul discours public de Marc est justement celui en *paraboles* [1]. Marc prend bien soin d'expliquer la raison théologique de ce choix : les paraboles exposent le mystère du Royaume en des termes tels que seuls les privilégiés de Jésus peuvent en saisir la signification ; encore faut-il qu'il les leur explique patiemment. Chez les autres, ceux du dehors, la barrière des mots ferme l'accès du mystère.

On voit la diversité des moyens mis en œuvre par Marc. Peut-être n'est-il pas aussi « rustaud » que certains ont voulu le croire. On saisit aussi l'unité profonde de son œuvre au niveau théologique du secret et uniquement à ce niveau. Que l'on supprime le secret messianique et aussitôt son évangile devient un ramassis de traditions disparates. Mais, dès qu'on se laisse conduire par ce fil d'Ariane, toute l'œuvre s'harmonise et s'unifie dans un irrésistible mouvement en avant.

---

1. Marc répète à plusieurs reprises que Jésus « enseigne », mais il se garde bien de nous rapporter la teneur de cet enseignement ! Cf Mc I, 21sv ; I, 13 ; VI, 34 ; etc. M. DIBELIUS : *Die Formgeschichte des Evg*, ⁴1961, p. 238.

THÉOLOGIE DU SECRET

Après avoir constaté la présence déterminante du secret messianique dans les principaux matériaux de l'évangile de Marc, nous sommes fondés et même sollicités d'en rechercher la signification théologique. La première partie nous a montré l'état de fait ; reste à en analyser l'interprétation au niveau rédactionnel. Nous en arrivons, bien sûr, à la phase la plus constructive de notre étude ; pourtant les fondements creusés auparavant étaient indispensables pour la solidité de l'édifice.

Nous commencerons donc par étudier l'attitude des foules et des disciples en face de la révélation messianique ; attitude qui, comme celle des chœurs dans le théâtre grec, doit progressivement révéler au lecteur le véritable enjeu de l'évangile. Tantôt ce seront les reproches, tantôt les confidences qui nous serviront de guides sur la route tracée par l'auteur.

Nous arriverons ainsi au manoir du secret messianique lui-même. Ce sera naturellement l'aboutissement de toutes les avenues tracées jusqu'à présent. Nous le verrons : le secret n'a rien d'une mystification du lecteur ou d'un simple procédé de style. Il possède une signification théologique pleine et profonde. Nous pourrons alors dresser un bref tableau des incidences du secret messianique sur la christologie de l'auteur. Après un très simple bilan de ses emplois des principaux titres messianiques, nous constaterons sans peine dans quels contextes littéraires et théologiques il les situe.

Notre dernière étape consistera dans l'analyse du milieu ecclésial qui se profile derrière tout l'évangile. Ce filigrane apparaîtra de plus en plus transparent, au fur et à mesure que se dessinera plus clairement le message théologique de Marc. Il s'adresse à une communauté précise et répond à des problèmes non moins circonscrits. Une datation deviendra même possible. Seul, ce contexte vital pourra nous révéler la finalité ultime du secret messianique.

Il ne nous restera plus alors, en conclusion, qu'à nous demander si le secret messianique est un simple artifice littéraire, ou s'il correspond à une réalité historique. Nous serons confrontés, du coup, à tout le difficile problème du Christ et de l'histoire.

I. LES DISCIPLES.

Les disciples représentent, dans l'évangile de Marc, le groupe privilégié à qui Jésus explique en détail, avec patience et parfois avec impatience, la signification de sa destinée et de sa mission. En réalité, plusieurs de ces explications visent le lecteur. Elles doivent lui donner la clef de l'attitude paradoxale de Jésus et donc le conduire à l'intelligence du secret.

Au-delà d'un certain nombre d'artifices littéraires ou de formules caractéristiques, cailloux blancs déposés par Marc pour nous avertir et nous orienter, nous serons amenés à interroger les attitudes paradoxales de Jésus et, plus encore, son exigence à l'égard de ses disciples. Il y a une correspondance intime entre le mystère de Jésus et le destin des disciples. Ce que Jésus exige de ses disciples est le reflet de ce que le Père lui demande. Lorsque les disciples méconnaissent la mission de Jésus, il leur répond en parlant de ce que Dieu attend d'eux (VIII, 32-38), et la raison ultime des exigences formulées dans la section ecclésiastique (VIII, 27-X, 52) réside dans la mission divine de Jésus (X, 45).

C'est pourquoi, en étudiant attentivement la condition faite aux disciples de Jésus, nous saisirons mieux aussi, du même coup, la raison profonde de son silence obstiné au sujet de sa propre dignité messianique. Le dénouement du secret sera tout proche.

A. ARTIFICES LITTÉRAIRES.

1. Appendices rédactionnels.

Quelques cas particulièrement frappants doivent être examinés en premier lieu. Il s'agit d'appendices introduits de façon identique, dans le but de fournir aux disciples (ou aux lecteurs !) un supplément d'information auquel la foule n'a pas droit. Nous avons déjà étudié deux de ces cas dans le chapitre sur les paraboles, mais nous aurons avantage à aligner ici côte à côte les quatre principaux exemples :

IV, 10-13	VII, 17-18	IX, 28-29	X, 10-12
Et lorsqu'il fut	Et lorsqu'il entra dans la maison	Et lui étant entré dans la maison	Et dans la maison de nouveau
		ses disciples	les disciples
à l'écart	loin de la foule	à part	à ce sujet
l'interrogeaient [1]	l'interrogeaient	l'interrogeaient	l'interrogeaient
ceux qui l'entouraient avec les Douze			
	ses disciples		
(au sujet)	(au sujet)		
des paraboles	de la parabole		
		Pourquoi nous-mêmes n'avons-nous pu l'expulser ?	
(v. 13)			
Et il leur dit [2] :	Et il leur dit [2] :	Et il leur dit [2] :	Et il leur dit [2] :
Vous ne savez pas cette parabole ?	Ainsi donc, vous aussi êtes inintelligents !		
Et comment donc connaîtrez-vous toutes les paraboles ?	Ne comprenez-vous pas que		
Le semeur...	Tout ce qui...	Ce genre...	Celui qui renvoie...

a) Le texte.

Commençons par étudier le texte même de ces apartés, avant d'en venir au contexte dans lequel ils se situent. Nous constatons que le schéma est étroitement parallèle dans les quatre cas. Il n'est pas exagéré de dire qu'il est stéréotypé.

Chaque fois, on commence par créer le cadre de l'explication : Jésus se trouve « à part », ou « à l'écart », ou bien « à la mai-

---

1. En IV, 10 : ἠρώτων ; les trois autres textes ont : ἐπηρώτων.
2. En IV, 13 ; VII, 18 ; X, 11 au présent. En IX, 29, au parfait. Cf. ci-dessus, p. 170sv.

son ». En VII, 17sv et IX, 28-29, deux de ces expressions sont conjuguées : « dans la maison loin de la foule » (VII, 17) ; « dans la maison... à part » (IX, 28). Cette insistance montre l'importance attachée par Marc au fait que ses explications sont réservées aux disciples ou, comme on l'a bien dit [1], au lecteur.

Ensuite vient, en des termes presque identiques, l'interrogation des disciples [2]. Dans les deux premiers exemples, les disciples l'interrogeaient [3] « au sujet de la/des parabole(s) ». Cette qualification signifie que, aux yeux de Marc, le discours antérieur de Jésus, c'est-à-dire le discours public, est « en paraboles ». Il est nécessaire que Jésus interprète cette parabole pour que les disciples (les lecteurs) puissent comprendre.

Avant la réponse proprement dite à la question posée, intervient une remontrance assez vive de Jésus. Dans les deux premiers cas (IV, 13 et VII, 18), le fait est patent. Jésus reproche à ses auditeurs de manquer d'intelligence. C'est un procédé classique pour éveiller l'intelligence du lecteur ! En IX, 28, le reproche est formulé équivalemment dans la confession que font les disciples de leur échec [4]. Mais il est néanmoins atténué du fait que la chose n'est pas relevée par Jésus (opposer Mt XVII, 20 !). Dans le quatrième cas (X, 10), le reproche manque complètement. Nous reviendrons un peu plus loin sur ce thème de l'incompréhension des disciples.

Finalement arrive l'explication donnée par Jésus. Elle est introduite par une formule quasi-identique dans les quatre cas : « Et il leur dit ». De plus, chaque fois, la question posée provoque le déclenchement de tout un petit scénario aisément reconnaissable. Deux fois sur quatre, la réponse de Jésus est encore retardée par une remontrance intermédiaire. L'interrogation des disciples elle-même et le reproche de Jésus indiquent clairement que l'explication ainsi introduite sera un *commentaire* de la

---

1. É. Trocmé : *Formation de l'évg selon Mc*, 1963, p. 127, 133, note 89 ; également G. H. Boobyer : *New Test. Studies*, VI, 1959-1960, p. 233 (à propos de IV, 11sv).
2. En IV, 10 : « ceux qui l'entouraient avec les Douze ». Voir ci-dessus, p. 175-178.
3. L'imparfait *de conatu* est normal dans une interrogation : F. Blass & A. Debrunner : *Grammatik des neutest. Griechisch*, [11]1961, § 328 ; M. Zerwick : *Untersuchungen zum Mk-Stil*, 1937, p. 70-72.
4. L'impuissance des disciples est une variante du thème de l'incompréhension : voir ci-dessus, p. 91sv.

section précédente. Mais alors le caractère secondaire de l'explication et du petit scénario qui sert à l'amener est déjà presque démontré.

b) Fonction littéraire.

Effectivement, au point de vue formel, chacune de ces petites scènes sert de transition entre la péricope antécédente et l'explication qui suit. Dans les quatre cas, la parabole ou la scène précédente est *achevée* au moment où les disciples posent leur question.

En IV, 3-8(9), la parabole forme une unité traditionnelle indéniable. Elle est achevée au v. 8. De soi, elle devait être compréhensible sous cette forme et l'interprétation qui suit est une relecture ecclésiale [1].

De même, Mc VII, 15 est un logion bien frappé et complet [2]. En IX, 14-27, nous avons un récit de miracle *achevé*. IX, 28-29 est un élément surajouté pour commenter et interpréter le miracle ; il n'apporte aucun élément nouveau à la narration proprement dite. De même encore, X, 1-9 est une controverse parfaite sur le mariage. Avec le v. 9, la réponse décisive est donnée et le cas tranché. Les v. 10-12 sont donc une addition [3].

c) Le fond.

Il nous faut maintenant étudier le caractère secondaire de l'explication donnée par Jésus dans les quatre cas envisagés.

En ce qui concerne IV, 14-20, nous avons dit plus haut [4] qu'il s'agissait d'une interprétation allégorique d'origine ecclésiastique. De même, nous pensons avoir démontré le caractère rédactionnel du commentaire donné en IX, 28-29 à l'exorcisme du lunatique [5]. Nous n'avons donc plus à y revenir ici.

Restent les deux autres cas. En VII, 17-23, l'explication donnée « en particulier » ne fait pas progresser le discours au-delà

---

1. Voir Première partie, chapitre IV.
2. Cf V. TAYLOR : *Gosp. Acc. to St Mk*, 1952, p. 342sv.
3. Ainsi la grande majorité des commentateurs récents : V. TAYLOR *Gosp. Acc. to St Mk*, 1952, p. 419 ; J. SCHMID : *L'Evangelo secondo Marco* (tr. ital.) Brescia, 1956, p. 242 ; J. DUPONT : *Mariage et divorce dans l'Évangile*, Bruges, 1959, p. 37sv: « transition manifestement rédactionnelle »; etc
4. Cf ci-dessus, p. 167sv.
5. Ci-dessus, p. 89-99.

du logion VII, 15. Au contraire, VII, 17-23 se présente nommément comme un commentaire de ce logion ; ce qui, a priori, fait soupçonner qu'il est un élément postérieur au logion lui-même [1]. D'ailleurs le style et les expressions sont bien marciennes [2].

Quant à la valeur de ce qui y est dit, E. Lohmeyer, avec une pointe de mauvaise humeur, estime que « c'est une explication qui n'explique rien » [3]. V. Taylor suggère avec plus de perspicacité : il est vraisemblable que cette discussion reflète les problèmes de l'Église primitive. On ne comprendrait guère, ajoute-t-il, les difficultés qu'a dû solutionner le premier Concile de Jérusalem, si Jésus avait parlé aussi clairement [4]. É Trocmé est encore plus affirmatif et montre très bien que Marc veut de cette façon donner l'application ecclésiale de son message [5] tout comme il le fait en IV, 14-20.

En X, 1-12, le cas est encore plus net. Remarquons d'abord le changement de ton aux v. 10-12 : c'est un canon ecclésial, une règle pratique et claire pour la communauté primitive. Le souci n'est plus scripturaire et messianique, mais pastoral [6]. Ce changement de ton est comparable à celui de IV, 14-20 ; VII, 17-23 et également - bien qu'avec nuance - de IX, 28-29.

Mais notre argumentation est renforcée dans le cas présent par le fait que X, 11-12 reflète un usage matrimonial *non-juif*. A la fin du v. 11 la chose est certaine. Il y est dit que le divorcé remarié commet un adultère « contre elle », c'est-à-dire contre sa première femme. Pour les Juifs une telle tournure n'eût guère été compréhensible. Chez eux, en effet, c'était le mari qui avait l'initiative du mariage et donc aussi du divorce. C'était lui qui « prenait femme », tandis que la jeune fille « était épousée » (tournure passive). De même, en cas de divorce, c'était au mari qu'en revenait l'initiative, c'était lui qui « répudiait sa femme » et lui donnait un certificat de répudiation, pour qu'elle pût

---

1. E. Lohmeyer : *Evg des Mk*, [15]1959, p. 142 ; W. Grundmann : *Evg nach Mk*, [2]1962, p. 151 ; V. Taylor : *Gosp. Acc. to St Mk*, 1952, p. 344.

2. Voir V. Taylor, ibid.

3. E. Lohmeyer : *Evg des Mk*, [15]1959, p. 142.

4. V. Taylor : *Gosp. Acc. to St Mk*, 1952, p. 342.

5. *Formation de l'évg selon Mc*, 1963, p. 88, note 63, et p. 127sv.

6. Ce changement de ton est remarqué par E. Lohmeyer : *Evg des Mk*, [15]1959, p. 201 ; É. Trocmé : *Formation de l'évg selon Mc*, 1963, p. 88, note 63.

se remarier[1]. Il n'eût guère été intelligible donc, dans la langue et la mentalité juive contemporaine, de dire que le mari répudiant sa femme pour en épouser une autre commettait un adultère *contre sa première femme*. Tout au plus aurait-on compris qu'il commettait (le cas échéant) un adultère *contre un autre homme* dont il aurait séduit la femme (cf Deut XXII, 13-29).

Au v. 12, selon le texte de loin le plus attesté, l'expression employée est typiquement gréco-romaine et contraire à la législation juive. Parallèlement au v. 11, qui posait le cas du mari répudiant sa femme, il y est dit : « Et si elle-même (à savoir : *une* femme) après avoir répudié son mari, en épouse un autre, elle commet un adultère ». D'après ce texte, l'initiative du divorce revient clairement à la femme. Il ne s'agit donc vraisemblablement pas d'un logion prononcé par Jésus en Palestine, mais d'une interprétation pastorale de l'apophtegme X, 1-9 à l'usage d'une communauté de type gallo-romain[2]. Par analogie avec les trois autres cas étudiés ci-dessus, il est probable que Marc a fait cette application[3].

Le v. 12 présente une tradition textuelle assez embrouillée. Trois leçons principales entrent en compétition :

a) Si elle-même, après avoir renvoyé son mari,		épouse un autre
b) Si une femme	renvoie son mari et est	épousée par un autre
	(W) et	épouse un autre
c) Si une femme	quitte son mari et	épouse un autre

Le texte a) est attesté par d'excellents manuscrits : S B C L Ψ Δ 892, 579, 1342, 517, ainsi que par les versions coptes et la version éthiopienne. Il est adopté par la plupart des éditeurs modernes[4]. Il présente la particularité de commencer par un « elle-même » indéterminé. On se demande s'il ne s'agirait pas de la femme renvoyée du v. 11. Mais la suite du ver-

---

1. Sur la législation juive au sujet du divorce, voir : H. J. STRACK & P. BILLERBECK : *Komm. z. NT*, I, [2]1956, p. 303-321 ; J. BONSIRVEN : *La divorce dans le Nouveau Testament*, Tournai, 1948, p. 7-24 ; T. W. MANSON : *The Sayings of Jesus*, London, [5]1957 (= [2]1949), p. 136-138. - Sur l'esprit de cette législation : J. PEDERSEN : *Israel. Its Life & Culture*, London, [3]1954, p. 60-81.
2. En s'inspirant peut-être d'un logion du type Mt V, 32//Luc XVI, 18.
3. Dans le même sens (sous forme de question) : J. DUPONT : *Mariage et divorce dans l'Évangile*, 1959, p. 61sv, note 6.
4. C. TISCHENDORF ; B. F. WESTCOTT & F. J. A. HORT ; H. VON SODEN ; E. NESTLE ; A. MERK ; G. D. KILPATRICK ; A. SOUTER ; J. M. BOVER.

set ne laisse pas de place au doute : par opposition au v. 11, Marc envisage le cas d'*une femme* qui prendrait l'initiative de renvoyer son mari pour se remarier. Le αὐτὴ est donc incorrect. Il peut être considéré comme la « lectio difficilior » dont les deux autres leçons seraient des corrections. En outre, les deux membres de cette première leçon sont clairement à l'actif : c'est la femme qui a l'initiative de renvoyer son mari, et c'est elle qui se remarie. V. Taylor [1] reproche à ce texte d'être trop exclusivement alexandrin, mais il y a également les manuscrits césaréens 1342 et 517.

Le texte b) est surtout représenté à Antioche. C'est le texte « commun », appuyé par les manuscrits A K E F G H et un très grand nombre de minuscules, en outre par la Vulgate, les versions syriaques, la version géorgienne, etc. Au point de vue du sens, il rejoint le texte a). C'est aussi la femme qui a l'initiative du divorce. Il s'agit donc encore d'une législation non-palestinienne. Une inconséquence cependant : le premier membre de la phrase est à l'actif « Si une femme répudie son mari » ; mais le second est au passif « et est épousée par un autre ». Le second membre correspond mieux à la mentalité palestinienne. Bien sûr, la différence entre γαμήσῃ et γαμηθῇ est minime. Néanmoins, si la plupart des manuscrits de ce groupe offrent la leçon au passif, c'est qu'elle devait être bien attestée. - Cette inconséquence est-elle le fait de Marc (lectio difficilior), ou bien est-elle au contraire une timide tentative de corriger la leçon a) trop exclusivement non-palestinienne ? - Remarquons qu'il était beaucoup plus difficile de corriger le premier membre de phrase que le second. - Vu que le début de la phrase : « Si une femme », au lieu de « Si elle-même » représente déjà une première correction [2], on peut estimer probable que la fin de la phrase au passif en représente une seconde pour harmoniser avec l'usage palestinien [3], tandis que la leçon a) représentait une formulation intégralement *romaine* du cas.

J. M. Lagrange [4], suivi par J. Dupont [5], choisit la leçon W attestée par quelques autres rares témoins. Cette option nous paraît arbitraire. Elle revient à se construire à soi-même un texte cohérent, sans trop tenir compte de l'évidence textuelle.

Le texte c) n'est représenté que par D O 700, 565, 28, certains manuscrits de la *Vetus Latina* et la version arménienne. D. Daube, qui croit devoir l'adopter [6], reconnaît lui-même que les leçons a) et b) s'appuient sur une écrasante majorité de témoins. Il suppose que la leçon qu'il préconise a été « presque complètement supplantée... à une époque très ancienne » [7] par les deux autres. D'ailleurs, *la seule raison* pour laquelle Daube défend

---

1. *Gosp. Acc. to St Mk*, 1952, p. 420.
2. En sens contraire V. TAYLOR : *Gosp. Acc. to St Mk*, 1952, p. 420.
3. Même alors la tournure serait loin d'être vraiment palestinienne. On peut trouver une tournure intégralement palestinienne en Mt V, 32//Lc XVI, 18.
4. *Évangile selon saint Marc*, Paris, 4e1929, p. 260sv.
5. *Mariage et divorce dans l'Évangile*, 1959, p. 62.
6. *The New Testament and Rabbinic Judaism*, London, 1956, p. 366-368.
7. « almost completely ousted... and at an early date too », o.c. p. 367.

cette leçon « occidentale » [1] est qu'il ne voit pas comment un logion aussi gréco-romain que la leçon a) ou b) aurait pu être prononcé par Jésus en Palestine. Mais dès que l'on admet - comme nous l'avons fait - que Marc fait ici l'application à une communauté chrétienne gréco-romaine d'un enseignement de Jésus (représenté par X, 1-9), toute difficulté disparaît [2] en même temps que toute raison d'adopter le texte c) si peu attesté, et si évidemment correction d'un texte de type a) ou b) [3].

Confirmation de notre choix : le fait que Matthieu ait omis Mc X, 12. C'est donc qu'il en a été choqué. - Pour les auteurs qui tiennent à la priorité de la tradition de Matthieu sur celle de Marc, il faudrait dire que Marc a *ajouté* Mc X, 12, ce qui revient au même à notre point de vue.

En somme, on peut dire qu'*aucune* des variantes de Mc X, 12 ne représente une leçon vraiment palestinienne. Toutes trois, malgré des corrections évidentes, présentent, au moins en grande partie, une conception gréco-romaine des choses, dans laquelle on suppose que c'est la femme qui aurait pu avoir l'initiative du divorce. - Le cas ne se posait même pas en Palestine, c'est pourquoi Matthieu n'a rien de semblable. Cette alternative est une application à une communauté de type non-palestinien de l'enseignement de Jésus. Elle doit donc être considérée comme secondaire par rapport à Mc I, 1-9 [4].

d) Secret messianique.

Après avoir établi le caractère secondaire ou rédactionnel des quatre appendices étudiés, il nous reste à établir leur signification au point de vue du secret messianique.

Une certaine difficulté pourrait naître du fait que, dans les quatre apartés ici analysés, Jésus n'entraîne pas ses disciples « à l'écart » pour leur révéler le secret. Le procédé serait vraiment trop grossier. Mais nous venons d'insister sur la portée *ecclésiale* des explications fournies en particulier. Cette constatation doit nous donner à penser. Nous y entrevoyons une

---

1. En réalité, il faudrait dire plutôt césaréenne, d'après J. DUPONT : *Mariage et divorce dans l'Évg*, 1959, p. 62.
2. Dans le même sens J. DUPONT : o.c. p. 61sv, note 6.
3. V. TAYLOR : *Gosp. Acc. to St Mk*, 1952, p. 420 et déjà J. WELLHAUSEN : *Das Evangelium Marci*, Berlin, 1909, se basent sur les mêmes présupposés pour choisir la leçon c), malgré l'évidence textuelle contraire.
4. Ainsi W. GRUNDMANN : *Das Evg nach Mk*, [2]1962, p. 205 ; E. LOHMEYER : *Das Evg des Mk*, [15]1959, p. 202 ; E. HAENCHEN : *Der Weg Jesu*, 1966, p. 337.

dimension ecclésiale du secret messianique qui n'apparaissait pas tout d'abord, mais qui deviendra de plus en plus irrécusable au fur et à mesure que nous analyserons les diverses incidences du secret.

En ce qui concerne le contenu proprement dit du secret, nos quatre appendices ne sont d'ailleurs pas muets. Mc IV, 10-13, 21-25 découpe le patron qui servira de modèle pour les trois autres cas. Marc y expose le privilège des disciples de connaître « le mystère du Royaume des cieux », lequel n'arrive aux autres - à « ceux du dehors » - qu'en paraboles. Mc IV, 34 généralise la théorie qu'il vient de formuler, suggérant ainsi qu'il y aura encore d'autres applications au cours de son évangile.

Effectivement, en VII, 17, les disciples interrogent Jésus « sur la parabole » en des termes presque identiques à IV, 10. C'est une façon d'attirer l'attention du lecteur sur le parallélisme, dont IV, 10-13, 34 doit donner la clef. Le retour stéréotypé du même stratagème à trois reprises différentes, après l'avertissement rédactionnel de IV, 34, dit assez clairement que les quatre scènes doivent être interprétées d'après le modèle de la première [1].

En VII, 17-23, il s'agit, bien sûr, d'une application pastorale, mais la pointe messianique de cet enseignement est donnée par l'incise rédactionnelle « ainsi il déclarait purs tous les aliments » [2]. En IX, 29, il leur révèle la mystérieuse nécessité de « la prière et du jeûne » avant que ne soit définitivement chassé le démon. Tandis qu'en X, 10-12, il s'agit surtout d'une exigence nouvelle et inattendue à l'égard des disciples du Christ. Le privilège des disciples se mue ici en exigence, et au fond c'était déjà implicitement le cas en IX, 29. Nous y reviendrons [3].

e) Cas analogues.

Aux quatre textes étudiés ici, on pourrait encore ajouter Mc IX, 9-13 et XIII, 3-4, qui utilisent un procédé analogue. En IX, 9-13, il s'agit d'un commentaire sur la scène de la transfigura-

---

1. De même déjà M. J. LAGRANGE : *Évg selon St Mc*, 1929, p. 260.
2. Cf supra, p. 145-147.
3. Voir plus loin, p. 258-264.

tion. Le récit de la transfiguration est achevé au v. 8 et forme
une unité clairement structurée. Les v. 9-13 servent de transition entre la transfiguration et le miracle de l'épileptique. Ils
sont présentés comme une explication supplémentaire, à l'usage
des disciples (et du lecteur) de la scène de la transfiguration [1].

En ce qui concerne Mc XIII, 3, l'analogie entre ce verset et
les quatre apartés étudiés ci-dessus a déjà été remarquée [2]. Là
aussi il s'agit de l'introduction *rédactionnelle* au discours
eschatologique [3]. Dans la pensée de Marc, tout cet entretien,
qui révèle les mystères de la fin des temps, est réservé à un
tout petit groupe de privilégiés, les quatre premiers appelés de
son évangile (I, 16-20).

f) Objection.

Mais il faut encore faire face à une grave objection, avant de
pouvoir conclure définitivement à la composition marcienne
de ces appendices. D. Daube a soutenu, en effet, que les appendices analysés ci-dessus correspondaient exactement à certains
procédés rabbiniques attestés par la tradition et qu'ils doivent
donc relever de la réalité historique et non de le composition
littéraire de Marc [4].

Il donne plusieurs exemples rabbiniques pour étayer sa
démonstration. Il s'agit chaque fois de discussions entre un
rabbin et un païen. Ce dernier pose une objection à propos des
usages juifs. Le rabbin donne une réponse qui ferme la bouche
au païen ou qui lui suffit. Mais les disciples du rabbin ne sont
pas satisfaits. Dès que le païen est parti, ils interrogent le Maître en particulier, et celui-ci leur donne alors la vraie solution
du problème.

Malgré une certaine ressemblance extérieure, il y a cependant
une différence dirimante entre les cas amenés par Daube et les
apartés marciens étudiés ci-dessus. En effet, chez les Rabbins,

---

1. Sur le caractère rédactionnel de Mc IX, 9-13, voir spécialement
J. SCHREIBER : *Zeitschr. für Theol. & Kirche*, 1961, p. 173-175 ; ci-dessus
p. 92sv.
2. Par exemple, V. TAYLOR : *Gospel Acc. to St Mk*, 1952, p. 501 ;
É. TROCMÉ : *Formation de l'évg selon Mc*, 1963, p. 127 ; etc.
3. Cf V. TAYLOR : *Gospel Acc. to St Mk*, 1952, p. 501sv.
4. *Expository Times*, LVII, 1946, p. 175-177, repris dans *The New
Testament and Rabbinic Judaism*, London, 1956, p. 141-150.

la pointe de tout l'épisode se trouve dans l'explication donnée aux disciples. La réponse donnée au païen est toujours une fausse réponse et le cas n'est vraiment résolu qu'en particulier. Chacun des apophtegmes rapportés par Daube resterait essentiellement inachevé sans l'interprétation vraie donnée aux disciples et en laquelle réside la pointe véritable de la discussion.

Chez Marc au contraire - nous pensons l'avoir démontré - la controverse (ou l'épisode) est complètement achevée avant l'intervention des disciples. La péricope forme toujours une unité traditionnelle homogène et complète avant la question des disciples. Cette dernière ne devient pas l'occasion d'amener la véritable conclusion de l'épisode, ni même un élément qui serait indispensable au récit. Elle se fonde, au contraire, sur la réponse donnée auparavant - et qui est considérée comme la seule réellement valable - et l'explication supplémentaire est une application ecclésiale plus particulière. L'exemple-type reste Mc IV, 1-20 : la question des disciples est un procédé rédactionnel pour introduire l'homélie des v. 14-20 [1]. Les appendices sont donc une relecture de la tradition évangélique.

En un mot, dans les cas proposés par Daube, la question des étudiants fait partie intégrante de l'apophtegme ; elle est le rebondissement qui provoque la vraie solution. Tandis que, chez Marc, la solution donnée n'est jamais remise en question ; on cherche seulement à la comprendre ou à en approfondir le sens. Ces appendices sont donc un commentaire (rédactionnel) de la pièce traditionnelle précédente [2].

2. « En particulier ».

Mais ces quatre ou six apartés ne sont pas les seuls exemples de l'évangile où Jésus réserve à ses disciples un enseignement qu'il refuse à la foule. Il y a encore un certain nombre d'expressions remarquables qu'il nous appartient d'analyser à présent.

---

1. Cf. ci-dessus, p. 167sv. Autre cas comparable : Mc, X, 17-22, 23-27.
2. J. GNILKA : *Die Verstockung Israels,* 1961, p. 43, note 76, réfute également DAUBE en se basant sur d'autres arguments.

a) Marc comparé à Matthieu et Luc.

Et tout d'abord, le mot κατ'ἰδίαν « en particulier ». Ce mot se rencontre sept fois chez Marc [1]. Il faut y ajouter κατὰ μόνας, qui est synonyme, en IV, 10 [2].

Ce mot, si cher à Marc, ne se trouve que six fois chez Matthieu ; ce qui est proportionnellement beaucoup moins. Or, de ces six cas, quatre dérivent de Marc : Mt XIV, 13 ; XVII, 1, 19 et XXIV, 3. Et, dans chacun de ces cas, l'emploi est atténué chez Matthieu.

Dans le premier, Mt XIV, 13, il s'agit de l'introduction à la première multiplication des pains. Dans le passage parallèle, Marc répète *deux fois de suite* (Mc VI, 31 et 32) que Jésus entraîne ses disciples « à l'écart dans un lieu désert ». Matthieu, lui, supprime cette redondance. Quelle que soit la relation entre Matthieu et Marc, le résultat est le même : si Matthieu dépend de Marc, cela montre qu'il a simplifié le texte de Marc ; si l'un et l'autre dépendent d'un prototype commun, cela montre que Marc a introduit ou conservé une insistance particulière sur le fait que les disciples se trouvaient « à l'écart, dans un lieu désert ».

Mt XVII, 1 se situe dans le récit de la transfiguration. Marc a « et il les entraîna à part *eux seuls* ». Matthieu supprime l'insistance « eux seuls » et garde simplement « il les entraîna à part ».

En Mc IX, 28, dans l'appendice qui suit la guérison de l'épileptique, il était dit que les disciples interrogèrent Jésus « lorsqu'il fut rentré à la maison, à part ». Matthieu supprime la maison, qui était vraiment trop inattendue en ce lieu, et ne garde que le « à part ».

Finalement, en Mt XXIV, 3, *tous* les disciples reçoivent la révélation apocalyptique qui était jalousement réservée aux quatre privilégiés en Mc XIII, 3.

Quant aux deux emplois propres à Matthieu, l'un d'eux peut être considéré comme une simple extension de l'emploi marcien : en Mc X, 32, qui correspond à Mt XX, 17, la troisième prédiction de la passion était déjà introduite par un παραλαβών qui

---

1. Mc IV, 34 ; VI, 31, 32 ; VII, 33 ; IX, 2, 28 ; XIII, 3.
2. Voir ci-dessus, p. 175 et 184sv.

connote lui aussi « prendre à l'écart », « emmener à part »[1]. Matthieu ne fait donc qu'expliciter l'idée qui se trouvait déjà chez Marc.

Le second emploi indépendant de Matthieu est, lui, opposé à l'usage de Marc. Chez Marc, en effet, ce mot a, *chaque fois*, un sens tout à fait technique. Il signifie toujours que Jésus se trouve à l'écart *avec ses disciples* et leur communique un enseignement messianique auquel la foule n'a pas droit. Au contraire, en Mt XIV, 23, Jésus se trouve seul, *séparé* de ses disciples. Le mot n'est jamais employé en ce sens chez Marc.

Chez Luc, le mot n'est employé que deux fois, dont une dépend de Marc (Luc IX, 10). Luc X, 23 est indépendant, bien que l'usage se rapproche de Mc VI, 31-32 (retour de la mission). L'expression ne se rencontre jamais chez saint Jean et une seule fois dans les Actes (XXIII, 19). Dans tout le reste de la littérature néotestamentaire, elle n'est représentée que par Galates II, 2.

Le mot - tout spécialement dans le sens spécifique qu'il a chaque fois en Marc d'une révélation ou d'un enseignement particulier réservés aux seuls disciples - peut donc être considéré comme caractéristique de Marc.

b) Caractère rédactionnel.

Mais il est trop peu de dire que ce mot se rencontre plus fréquemment chez Marc que partout ailleurs, il faut ajouter que *tous* les emplois de ce mot chez Marc trahissent une intervention rédactionnelle.

Notons d'abord qu'il se trouve dans les contextes les plus divers : deux fois dans le discours en paraboles (IV, 10, 34), deux fois dans l'introduction à la multiplication des pains (VI, 31, 32), deux fois dans un récit de miracle (VII, 33 ; IX, 28), une fois dans l'introduction au récit de la transfiguration et une autre fois au début du discours eschatologique. Cette expression n'est donc pas liée à une matière traditionnelle particulière. Si elle se trouve avec une telle fréquence et avec une signification aussi technique mêlée à des traditions très différentes les unes des autres, elle doit être le fait de celui qui a rassemblé ces diverses traditions, Marc.

---

1. Comparer Mc IV, 36 ; V, 40 ; XIV, 33 et surtout IX, 2.

Effectivement, nous avons vu plus haut que Mc IV, 10 était
la clef de l'interprétation *rédactionnelle* du discours en paraboles [1]. En ce qui concerne IV, 34, nous devons être plus réservés, vu que nous avions tiré argument du mot κατ'ἰδίαν pour
confirmer son caractère rédactionnel [2]. Il faut éviter de faire
une pétition de principe. Néanmoins ce verset fait de toute
façon partie du cadre (marcien ou pré-marcien) du discours en
paraboles. Et cela peut suffire pour le moment.

Mc VI, 30-33 est une transition rédactionnelle entre le discours de mission et la première multiplication des pains [3]. Nous
avons étudié plus haut Mc VII, 33, et nous avons cru pouvoir
conclure au caractère largement rédactionnel de ce récit de
miracle [4].

La précaution prise en IX, 2 : « Jésus emmena avec lui, Pierre,
Jacques et Jean et les entraîna sur une montagne élevée, *à part*,
eux seuls » ne peut être séparée de la pressante recommandation
faite lors du retour : « Comme ils redescendaient de la montagne, il leur défendit sévèrement de raconter à personne ce
qu'ils avaient vu, si ce n'est lorsque le Fils de l'Homme serait
ressuscité d'entre les morts ». La formule d'introduction (IX, 2)
est ainsi complétée par la formule rédactionnelle de transition
(IX, 9). Les deux sont étroitement solidaires, autant que IV, 10
et IV, 34 dans le chapitre en paraboles. L'identité du message
et du procédé doit nous faire comprendre qu'ici, comme au ch.
IV, le mystère est donné aux disciples (IV, 10, comparer IX, 1),
tandis qu'aux autres, tout arrive en paraboles, en sorte qu'ils
aient beau regarder, ils n'aperçoivent rien, etc.

Autre constatation, Mc IX, 2 est apparenté à V, 37, 40 et à
XIV, 33. Ces trois endroits sont les seuls où Jésus soit accompagné uniquement de ses trois disciples privilégiés, Pierre,
Jacques et Jean. Dans les trois cas le mot παραλαμβάνω, « emmener avec lui », est employé [5]. Dans le premier et le second, la
manifestation messianique est suivie d'une sévère admonesta-

---

1. Ci-dessus, p. 173-179.
2. Ci-dessus, p. 184-185.
3. Ainsi J. WELLHAUSEN : *Das Evangelium Marci*, Berlin, 1909, **p. 47sv** ;
R. BULTMANN : *Gesch. syn. Trad.* ⁴1958, p. 259 et 365. V. TAYLOR : *Gospel
Acc. to St Mk*, 1952, p. 318 accepte ces conclusions, bien qu'il estime que
Marc compose en se basant sur une tradition.
4. Ci-dessus, p. 57-62.
5. Mc V, 40 ; IX, 2 et XIV, 33.

tion au silence (V, 43 ; IX, 9). Les deux premières épiphanies
sont glorieuses, la troisième douloureuse. Il y a une autre affinité spéciale entre les deux premières, celle de Jaïre et la transfiguration : dans le miracle de Jaïre, il s'agit d'une résurrection
des morts caractérisée [1] ; après la transfiguration, Jésus recommande vivement à ses disciples de ne rien révéler de ce qu'ils
ont vu, jusqu'à ce que le Fils de l'Homme soit *ressuscité* des
morts (IX, 9). Cette recommandation établit un lien étroit entre
la transfiguration et la résurrection du Fils de l'Homme. Tous
ces rapprochements laissent supposer que Marc a dû retoucher
IX, 2 dans le sens de sa théorie du secret.

Nous avons étudié IX, 28 et n'avons donc plus à y revenir.
Il nous semble que le caractère rédactionnel de ce verset est suffisamment démontré [2]. Finalement, XIII, 3 se trouve dans le
cadre du discours eschatologique. Il y sert d'introduction.
V. Taylor, qui remarque le caractère marcien de ce verset l'attribue à la rédaction de Marc [3].

c) Signification messianique.

Non seulement l'expression « en particulier » se rencontre
chez Marc plus que partout ailleurs dans le Nouveau Testament ;
non seulement les emplois si fréquents de ce vocable se situent
tous dans des versets probablement rédactionnels, mais le contenu même de la scène chaque fois abritée derrière ce mot a une
signification messianique très spécifique.

Les deux premiers emplois encadrent et interprètent le discours en paraboles et donnent le programme pour le reste de
l'évangile (IV, 10 et 34). Nous en avons suffisamment parlé
dans notre chapitre consacré aux paraboles de Marc.

Les deux emplois suivants (VI, 31 et 32) préparent immédiatement la première multiplication des pains qui est chez Marc la
plus éclatante manifestation publique de Jésus. Toute une
section de son évangile est consacrée à développer ce thème des
pains et conduit finalement les apôtres à confesser le Christ [4].

---

1. Cf ci-dessus, p. 55sv.
2. Cf ci-dessus, p. 89-99 et 227-235.
3. *Gospel Acc. to St Mk*, 1952, p. 502.
4. Mc VI, 30 à VIII, 30. Cf E. LOHMEYER : *Evg des Mk*, [15]1959, p. 121sv ;
Recueil Lucien Cerfaux, I, Gembloux, 1954, p. 471-485.

VII, 33 se trouve dans un récit de miracle dont nous avons déjà étudié la portée messianique [1]. Mc IX, 28 a été étudié également. Nous n'y reviendrons donc pas [2].

Restent IX, 2 et XIII, 3. Le premier se trouve dans l'introduction à la transfiguration. Il est inutile d'insister sur la portée messianique de cette théophanie. Elle est un sommet de l'évangile de Marc. Quant à XIII, 3, il introduit le discours eschatologique, révélation strictement réservée aux quatre privilégiés des événements de la fin, conduisant jusqu'à la glorieuse manifestation du Fils de l'Homme (XIII, 26).

En résumé, on peut affirmer que l'expression κατ'ἰδίαν est employée chaque fois dans un contexte paraissant avoir été composé ou retouché par Marc, et qu'elle se trouve toujours en corrélation avec une manifestation toute spéciale du Messie. On peut donc la considérer comme l'un des mots techniques du secret messianique en saint Marc.

3. « A la maison » [3]

Mais une autre expression attire notre attention, c'est le mot « à la maison ». « La maison » est souvent le lieu de retraite de Jésus loin des foules et, plus spécifiquement encore, le lieu de révélations réservées uniquement à un très petit groupe de disciples, puisqu'elles sont ainsi commodément soustraites à la connaissance des foules.

En grec, il existe deux mots du même radical pour exprimer notre « maison » : οἶκος et οἰκία. Le second évoque davantage l'idée du bâtiment en pierre, tandis que οἶκος celle du « foyer ». Mais la nuance est assez ténue et les deux mots sont souvent employés indifféremment. Un détail cependant permet de mesurer la différence de sens : οἰκία déterminé ne sera jamais employé sans un article ou un complément ; au contraire, οἶκος est souvent employé sans article à la façon du locatif latin « domi ». Même en français, d'ailleurs, « à la maison » signifie

---

1. Ci-dessus, p. 57-62.
2. Ci-dessus, p. 89-99.
3. Cf A. W. Mosley : « Jesus' Audiences in the Gospels of St Mark and St Luke », dans *New Test. Studies*, X, 1963-1964, p. 139-149.

toujours « à notre maison », sans qu'il soit nécessaire de répéter chaque fois le possessif ou le démonstratif.

a) Οἶκος

Le mot οἶκος est employé 13 fois en saint Marc ; mais 4 fois seulement à propos de la maison où se trouve Jésus. Seuls ces derniers cas requerront notre examen. Les quatre fois, οἶκος est employé sans article ἐν οἴκῳ ou εἰς οἶκον, nous dirions « dans la maison » ou « à la maison ». La plupart des commentateurs admettent que ἐν οἴκῳ ne signifie pas « dans *une* maison » (indéterminée), mais bien « à *la* maison ». Il s'agit donc d'une maison bien connue, qu'elle soit celle de Pierre (I, 29) ou bien une autre où Jésus aimait à se retrouver avec ses disciples [1].

En Mc II, 1, en tout cas, la locution a un sens adverbial : la foule apprend que Jésus est « à la maison », et c'est la raison pour laquelle elle se rassemble tout autour. Il s'agissait donc d'une maison bien connue et déterminée. Si le mot voulait simplement dire « dans *une* maison », la foule aurait d'abord dû se mettre en quête pour savoir de quelle maison il s'agissait. La plupart des commentateurs supposent d'ailleurs qu'il y est question de la maison de Pierre.

Il n'est pas dit explicitement que Jésus se trouvait « à la maison » *pour se cacher*. On insiste seulement sur l'aspect opposé : immédiatement, la chose se sait, et un attroupement se produit (comparer I, 45). La « porte » jouait déjà un rôle en I, 33, et l'on peut supposer que la scène est une répétition de celle-là.

---

1. J. M. Lagrange : *Évg selon Mc*, 1929, p. 32, cite I Cor XI, 34 ; XIV, 35. J. H. Moulton & W. F. Howard : *A Grammar of New Testament Greek*, I. *Prolegomena*, Edinburgh, [3]1908, p. 82 vont dans le même sens. Par contre V. Taylor : *Gospel Acc. to St Mk*, 1952, p. 193 est plus hésitant. F. Blass & A. Debrunner : *Grammatik des neutestamentlichen Griechisch*, Göttingen, [11]1961, § 259, notent que, dans le grec du Nouveau Testament, le cas construit hébreu a influé sur l'emploi ou plutôt sur l'absence de l'article. Cela se rencontre dans les locutions adverbiales : « au champ », « au marché », « aux portes ». De même F. M. Abel : *Grammaire du Grec Biblique*, Paris, 1927 (Études Bibliques), p. 124sv. On peut citer encore J. Wellhausen : *Das Evangelium Marci*, 1909, p. 14. K. L. Schmidt : *Der Rahmen der Geschichte Jesu*, Darmstadt, [2]1964, p. 79, note 1, estime que, à cette époque, le mot était employé indifféremment avec ou sans article. - Comme exemples analogues, on peut citer encore Rom XVI, 5 ; I Cor XVI, 19 ; Col IV, 15.

Mc II, 1sv est un « sommaire » de Marc [1] ; mais il est bien difficile de séparer exactement ce qui provient de Marc de ce que la tradition lui fournissait [2]. La mention de la « maison » semble indispensable au niveau de la tradition pour la compréhension de ce qui va suivre (v. 4). Néanmoins, à comparer ces deux versets avec Mc I, 33, 45 ; II, 13 ; III, 20, on peut affirmer que Marc a dû avoir une part assez large dans leur composition.

En III, 20, la situation est assez semblable à celle de II, 1. A nouveau nous sommes en présence d'un verset largement - ou même intégralement - rédactionnel [3]. La foule est tellement considérable qu'on ne peut plus bouger.

Il est fort probable que III, 31 sous-entend une situation identique à II, 1 : si les proches n'entrent pas, c'est que les abords de la maison étaient encombrés au point qu'il était impossible d'arriver jusqu'à la porte (II, 2) ! Néanmoins, il y a quelque chose de plus qu'en II, 1. Car désormais une ségrégation théologique est établie entre « ceux du dehors » - que Jésus ne connaît déjà plus (III, 33 ; VI, 4-5 ; X, 29) - et ceux qui entourent Jésus, et qui constituent sa nouvelle et authentique famille spirituelle (III, 34-35 ; X, 30). Cette séparation des brebis et des boucs prépare ce qui sera dit en IV, 10-12 [4]. La « maison » est le lieu privilégié où se trouvent rassemblés, en fait et en droit, les disciples de Jésus, et où n'ont pas accès « ceux du dehors ».

Nous avons déjà étudié VII, 17 et IX, 29 ci-dessus et nous avons conclu qu'il s'agissait d'appendices rédactionnels. Soulignons encore ici le caractère artificiel de l'évocation de la « maison » en ces deux endroits.

Comme le dit très bien V. Taylor [5] : à en juger par le vocabulaire, VII, 17 a été composé par Marc pour créer le cadre de l'explication particulière qui devait suivre. En VII, 1, Jésus doit se trouver dans une maison, puisqu'on est à table ; au v. 14, Jésus appelle « les foules » (lesquelles ?), censément hors de la maison ; puis au v. 17, ils rentrent « à la maison », vraisembla-

---

1. V. Taylor : *Gospel Acc. to St Mk*, 1952, p. 85.
2. R. Bultmann : *Gesch. syn. Trad.* [4]1958, p. 365 ; K. L. Schmidt : *Der Rahmen der Geschichte Jesu*, [2]1964, p. 78sv. ; V. Taylor : *Gospel Acc. to St Mk*, 1952, p. 193.
3. V. Taylor : *Gospel Acc. to St Mk*, 1952, p. 235sv.
4. Ci-dessus, p. 175-177 et *Recueil Lucien Cerfaux*, III, Gembloux, 1962 p. 124-127 = *New Testament Studies*, II, 1955-1956, p. 239-241.
5. *Gospel Acc. to St Mk*, 1952, p. 344.

blement une autre que celle de VII, 1 où se trouvaient les scribes de Jérusalem. Il ne semble pas - en tous les cas Marc ne le
dit pas - que Jésus était invité par les scribes et les Pharisiens
(comme en Luc VII, 36 ; XI, 37), puisqu'il est dit que les scribes et les Pharisiens « se rassemblent autour de lui » (VII, 1)
et qu'ils « venaient de Jérusalem » [1]. Marc ne parle pas de « la
maison » en VII, 1, parce que cela ne l'intéresse pas. Son souci
n'est pas de donner des détails « historiques », précis, visuels,
comme on l'a trop souvent répété. La « maison » a pour lui une
signification théologique : c'est le lieu où Jésus se retrouve avec
ses disciples et où peuvent avoir lieu des manifestations ou des
confidences messianiques « à l'écart » de la foule. Ce n'était pas
le cas en VII, 1, mais bien en VII, 17, c'est pourquoi en VII, 17
il est question d'une « maison » dont on ne parlait pas en VII, 1.

En IX, 29, le caractère littéraire de la « maison » est encore
plus évident. D'après VIII, 27, Jésus et ses disciples se trouvent
aux environs de Césarée de Philippe, à quelque 50 km au Nord
de Capharnaüm. C'est dans cet endroit, apparemment assez
isolé, qu'il appelle brusquement « les foules » (VIII, 34), avant
de s'en aller de nouveau « à l'écart » sur une « haute montagne »
- on a parfois voulu y voir l'Hermon, au pied duquel se trouve
Césarée de Philippe - et c'est à la descente de cette haute montagne qu'a censément lieu la guérison de l'épileptique. Après
quoi, Jésus se retrouve subitement « à la maison » pour que
les disciples puissent lui poser une question en particulier. Ensuite il traverse la Galilée en grand secret (IX, 30) pour se retrouver de nouveau « à la maison » en IX, 33, car les disciples
doivent à nouveau l'interroger à l'écart des foules.

Il paraît donc assez clair que Marc a réuni ici un certain
nombre de traditions variées et qu'il les a combinées entre elles
pour constituer un tissu narratif à peu près continu, mais il ne
se soucie nullement d'écrire une biographie de Jésus, relatant
au jour le jour la suite des événements. Les transitions sont aussi
lâches et artificielles que possible et se situent au niveau théologique, bien plus qu'au niveau géographique ou historique. En
IX, 28, tout comme en IX, 33 ou en VII, 17, les disciples ne
rentrent « à la maison » que pour interroger Jésus « en parti-

---

1. Au moins les scribes, d'après V. Taylor : *Gospel Acc. to St Mk*, 1952,
p. 334 ; W. Grundmann : *Das Evg nach Mk*, [2]1962, p. 146.

culier ». La « maison » a ici même valeur théologique que le
κατ'ἰδίαν.

b) Οἰκία

Quant au mot οἰκία, il se trouve 18 fois en Marc, mais six
fois seulement au sens d'une maison où Jésus entre avec ses
disciples.

En I, 29, il s'agit de la maison de Simon à Capharnaüm. C'est
une donnée traditionnelle. Elle a peut-être communiqué sa coloration propre aux autres emplois, à telle enseigne que beaucoup
de commentateurs ont voulu voir la maison de Simon également
en II, 1 ; III, 20 ; IX, 33. Il nous suffit de constater que dans
la maison de Simon a lieu la première guérison opérée par Jésus.
Seuls les quatre disciples en sont témoins.

En II, 15, il est plus difficile de savoir à qui se rapporte le
possessif « dans *sa* maison ». La plupart des exégètes pensent
qu'il s'agit de la maison de Lévi [1], et c'est ainsi que l'a compris
Luc V, 29. Matthieu IX, 10 est plus indéterminé : « dans la maison ». En tout cas, « la maison » est ici simplement le lieu où
Jésus mange avec les pêcheurs et où a lieu la controverse messianique à ce sujet. Il semble d'ailleurs que « la maison » devait
faire partie du fond traditionnel de cette controverse.

Au contraire, VII, 24 a un sens beaucoup plus théologique.
La maison est la retraite de Jésus avec ses disciples. Nous retrouvons ici le double mouvement caractéristique du secret messianique : la vive volonté de Jésus de rester caché : « Étant entré dans une maison, il ne voulait pas que personne le sache »
et, d'autre part, l'échec inévitable de cette tentative. Ce verset
rejoint I, 45 et VII, 36. Jésus s'efforce de tendre un voile sur
sa personne et son activité, mais sa gloire éclate avec une telle
force de toutes parts, qu'il ne peut y parvenir.

Comme E. Percy l'a bien mis en vedette après H. J. Ebeling,
l'inefficacité de l'injonction au secret est l'une des preuves de
son caractère artificiel, littéraire [2]. En outre VII, 24 est un sommaire rédactionnel [3] : il ménage simplement la transition entre

---

1. V. TAYLOR : *Gospel Acc. to St Mk*, 1952, p. 204.
2. Ci-dessus, p. 21sv et 26sv.
3. V. TAYLOR : *Gospel Acc. to St Mk*, 1952, p. 85.

la discussion précédente et le miracle de la syrophénicienne, dont le récit débute avec le v. 25 [1]. Le vocabulaire est bien marcien [2]. Toute mention de la « maison » et de la volonté de Jésus de rester caché est complètement omise par Matthieu XV, 21, ce qui est encore un indice de son caractère non traditionnel. D'ailleurs ni la maison, ni le désir de se cacher de Jésus n'ont de relation interne avec le récit qui suit.

En IX, 33, « la maison » est à nouveau le lieu des confidences. Mais cette fois, Jésus prend les devants. La maison sert de théâtre au « discours ecclésiastique », comme on le nomme parfois, discours réservé aux seuls disciples. Les v. 33-34 sont rédactionnels, et servent de lien entre la deuxième prédiction de la passion et le discours communautaire IX, 35-50 [3]. Le v. 33 manque d'ailleurs dans Matthieu et Luc, indice de son caractère non traditionnel. Ensuite, de l'aveu de tous les commentateurs, Mc IX, 35-50 est un ensemble de logia reliés par de simples mots-crochets [4]. L'introduction à cette série de logia est donc purement rédactionnelle.

En X, 10, nous trouvons un troisième cas d'appendice rédactionnel, comme VII, 17 et IX, 29. Le caractère littéraire de la « maison » apparaît tout aussi nettement qu'en VII, 17 et IX, 29. En effet, Jésus voyage à présent en Transjordanie ou en Judée (X, 1). Il n'y a donc aucune possibilité de rentrer brusquement « à la maison », à moins que la « maison » ne les eût suivis, comme le rocher du désert (I Cor X, 4) [5] ! Si encore Marc avait employé l'expression indéfinie « dans *une* maison », mais il emploie l'article défini qui connote une maison bien connue. Ce n'est donc qu'un procédé littéraire ou plutôt théologique.

---

1. E. Lohmeyer : *Das Evg des Mk,* [15]1959, p. 145 ; R. Bultmann : *Gesch. syn. Trad.* [4]1958, p. 68.
2. Comparer X, 1 et IX, 30, également I, 35. Voir encore les remarques de V. Taylor : *Gospel Acc. to St Mk,* 1952, p. 183, 299 et 348.
3. V. Taylor : *Gospel Acc. to St Mk,* 1952, p. 403 ; R. Bultmann : *Gesch. syn. Trad.* [4]1958, p. 160.
4. R. Schnackenburg, dans *Synoptische Studien* (Festschrift Wikenhauser), München, 1953, p. 184-206 ; L. Vaganay : *Revue Bibl.* 1953, p. 203-244, et *Le problème synoptique,* Tournai, 1954, p. 361-404 ; A. Descamps : dans *La formation des évangiles,* Bruges, 1957 (Recherches bibliques II), p. 152-177.
5. Comme le dit très bien J. Wellhausen : « Wie die Einöde oder den Berg steht auch das Haus überall zur Verfügung », *Evangelium Marci,* 1909, p. 14.

Concluons : « la maison » où Jésus retrouve l'intimité de ses disciples et leur communique des enseignements privilégiés est presque toujours une localisation rédactionnelle de Marc. Mc I, 29 ; II, 1, 20 et XIV, 3 représentent les emplois probablement traditionnels du mot ; tous les autres sont rédactionnels. La signification est apparentée à celle de « en particulier ». Les deux expressions sont parfois conjuguées, ainsi en IX, 28 :

> « Lorsqu'ils furent rentrés *à la maison*, les disciples l'interrogèrent *en particulier* ».

L'entretien « à la maison », tout comme celui qui a lieu « en particulier » est destiné à des communications réservées aux seuls apôtres (et aux lecteurs). Marc applique ainsi la théorie exposée une fois pour toutes en IV, 10-12 :

> « A vous le mystère du Royaume de Dieu a été donné ;
> mais à ceux-là, ceux du dehors, tout arrive en paraboles... »

L'enseignement très dense de Mc III, 31-35 ajoute que ceux qui sont « dans la maison » constituent la nouvelle famille de Jésus ; tandis qu'il refuse de reconnaître « ceux du dehors ». Toutes ces résonances sont les harmoniques du thème de « la maison » en Marc.

On ne saurait accorder trop d'attention à une remarque d'É. Trocmé [1]. Il se demande si « la maison » ne serait pas une allusion aux domiciles particuliers où s'assemblaient les chrétiens du premier siècle pour célébrer l'Eucharistie. Nous espérons revenir ailleurs sur cette importante question. La dimension ecclésiale de notre thème est déjà un indice en ce sens.

4. « Il ne voulait pas qu'on le sût ».

Le caractère théologique de la « maison » est encore accentué en VII, 24b par l'affirmation, propre à Marc, que Jésus voulait rester caché. L'imparfait « il ne voulait pas que personne le sût » est bien caractéristique du style de Marc. En outre, la tournure évoque toute une série de résonnances au long de l'évangile. Il sera utile d'en dresser ici le tableau :

---

1. *Formation de l'évangile selon Mc*, 1963, p. 128.

« Et, entrant dans une maison, il ne voulait pas que personne le sût ;
mais il ne lui fut pas possible de rester caché » (VII, 24b).

« Il ne voulait pas que personne le sût » (IX, 30).

« Attention ! Ne dis rien à qui que ce soit ! » (I, 44).

« Et il leur enjoignit avec beaucoup d'insistance que personne ne sût
le fait » (V, 43).

« Et il leur enjoignit de ne rien dire à personne ; mais, plus il leur
enjoignait, d'autant plus fort ils proclamaient... » (VII, 36).

« Et il leur ordonna sévèrement de ne parler de lui à personne »
(VIII, 30).

« Il leur ordonna sévèrement de ne raconter à personne ce qu'ils
avaient vu » (IX, 9).

« Et il leur ordonna avec beaucoup de sévérité de ne pas le faire connaître » (III, 12).

« Et il lui ordonna avec sévérité : Tais-toi ! » (I, 25, cf I, 24 : « Je
sais qui tu es ! »).

« Et il ne laissait pas parler les démons, parce qu'ils le connaissaient »
(I, 34).

Notons tout d'abord que VII, 24 est un sommaire rédactionnel [1]. On peut en dire autant de IX, 30 [2]. Nous avons montré
suffisamment le caractère rédactionnel de I, 44 ; V, 43 ; VII, 36
et I, 25 pour ne plus devoir y revenir ici [3]. Quant à III, 12 et
I, 34, il s'agit encore de sommaires rédactionnels facilement
reconnaissables et reconnus comme tels [4]. Il ne reste plus que
VIII, 30 et IX, 9. IX, 9, est un commentaire rédactionnel servant de transition entre le miracle de la montagne et la guérison
de l'épileptique [5]. Nous étudierons VIII, 30 plus loin [6].

Nous constatons donc que chacune de ces injonctions se
trouve en un endroit dont le caractère rédactionnel est soit certain, soit probable. Or toutes ces recommandations ont un
caractère et un style très particuliers et aisément reconnaissables.
Elles ne sont pas liées à un genre traditionnel spécifique (par
exemple exorcismes), mais se retrouvent identiques à elles-mê-

1. Voir ci-dessus, p. 246sv.
2. V. Taylor : *Gospel Acc. to St Mk*, 1952, p. 85 et 402 ; É. Trocmé :
Formation de l'évg selon Mc, 1963, p. 24 : « de toute évidence ».
3. Voir ci-dessus p. 41 à 51 ; pour I, 25, voir, p. 77-83.
4. V. Taylor : *Gospel Acc. to St Mk*, 1952, p. 225 ; É Trocmé : *Formation de l'évg selon Mc*, 1963, p. 121, note 56.
5. La démonstration du caractère rédactionnel de ce passage a été faite
par J. Schreiber dans *Zeitsch. für Theologie und Kirche*, 1961, p. 174sv.
6. Cf infra p. 303-317.

mes dans les contextes les plus divers. De plus, nous venons de le dire, dans aucune des traditions, elles ne se présentent comme une partie intégrante, indissociable du récit traditionnel. Au contraire, elles viennent chaque fois en surcharge et en porte-à-faux [1].

Il faut encore souligner que la *raison* de cette injonction au silence n'est jamais donnée au niveau des traditions particulières. S'il s'agissait de notations traditionnelles, il faudrait que l'*explication* soit donnée, elle aussi, au niveau traditionnel, c'est-à-dire, concrètement, dans le récit même qui rapporte cet ordre de silence. Or cela n'est jamais le cas [2].

Mais si la raison de cette imposition de silence n'est pas donnée, l'*objet* du secret, lui, est clairement formulé. Or, à ce point de vue, il y a uniformité remarquable entre toutes ces recommandations. En VIII, 30 ; III, 12 ; I, 24-25 et I, 34, l'objet de l'injonction au silence est explicité : ne pas faire connaître la personnalité messianique de Jésus. En IX, 9, la transfiguration vient de manifester le « Fils de Dieu » (IX, 7), mais les témoins privilégiés ont interdiction de le divulguer. Le contenu du secret est donc identique à celui des quatre cas cités à l'instant. En I, 44 ; V, 43 et VII, 36, il s'agit d'un miracle que Jésus voudrait ne pas ébruiter. Mais en I, 45 comme en VII, 36, la violation de l'ordre de silence est exprimée par le même mot : « proclamer », qui est le mot technique pour l'annonce de l'Évangile [3].

On éprouve donc le sentiment très net que la raison de cette imposition de silence est partout la même. Il y a homogénéité de vocabulaire et de style ; l'objet du secret est uniforme. Or, si la raison de cette imposition de silence n'est jamais donnée au niveau *traditionnel*, elle est clairement explicitée au niveau *rédactionnel*, comme nous le verrons dans le chapitre suivant. Marc pose tout au long de son évangile une série d'interdictions qui sont comme des jalons attirant l'attention du lecteur et le préparant à comprendre la portée de l'explication lorsqu'elle sera donnée.

---

1. Au sujet de I, 24-25, voir ci-dessus, p. 77-83.
2. « Parce qu'ils le connaissaient » en I, 34, ne donne pas la raison, mais l'objet de l'imposition de silence.
3. Mc I, 4, 7, 14, 38, 39 ; III, 14 ; VI, 12 ; XIII, 10 ; XIV, 9. Pour I, 45, voir ci-dessus, p. 64-69.

Plus positivement encore, et dans la ligne d'Ebeling [1], on peut dire que chacune de ces injonctions attire l'attention du lecteur sur le contenu messianique de l'épisode, car, lorsqu'on enjoint : « surtout ne dites rien ! », cela signifie que ce qui vient d'être dit est important. Ainsi la répétition constante, dans certains contextes choisis, de cette vive recommandation de silence incite le lecteur à remarquer ce qui est impliqué chaque fois. En mettant côte à côte le contenu de chacun de ces cas, il se ferait une idée assez complète du secret messianique, au moins quant à son objet matériel. Il lui resterait encore à découvrir - et Marc ne peut manquer de le lui dire en temps opportun - la raison formelle de ce silence.

En d'autres mots, toutes ces injonctions apparaissent surtout comme un procédé littéraire utilisé par l'auteur de l'évangile pour souligner certains aspects essentiels de son message. Le caractère négatif de l'injonction montre le caractère positif de la révélation qui a précédé, et ainsi Marc achemine son lecteur vers la révélation plénière du mystère.

B. SIGNIFICATION THÉOLOGIQUE.

1. Les « sorties » de Jésus.

a) Chapitres I à VIII.

1) Dans une série de textes parsemés au long de l'évangile, nous voyons *Jésus « sortir »* de lieux fréquentés par les hommes et s'efforcer de gagner la solitude. Ainsi « sort-il » de la synagogue immédiatement après son premier exorcisme, pour aller dans la maison de Pierre (I, 29). Il « sort » de Capharnaüm après y avoir guéri une foule de malades, au lieu d'exploiter ses succès (I, 35-38). Lorsque l'ex-lépreux, trop enthousiaste, s'en va clamer partout sa guérison, Jésus ne veut plus rentrer en ville, mais il se tient « dehors » (I, 45). Un peu plus loin, on dit qu'il « sort » à nouveau le long de la mer (II, 13), et, après la décision des Pharisiens et Hérodiens de le mettre à mort (III, 6), « il se retire » le long de la mer (III, 7).

---

1. Voir ci-dessus, p. 25-28.

Comme le font remarquer H. J. Ebeling [1] et U. W. Mauser [2], chacune de ces « sorties » s'insère dans un contexte précis. Elles succèdent chaque fois à une manifestation messianique caractérisée. En I, 29, Jésus vient d'accomplir son premier exorcisme et de donner un enseignement d'autorité dans la synagogue. C'est la première manifestation messianique. Les gens sont « stupéfaits », ils se rendent compte que s'est réalisé devant eux un événement sans précédent ; et la renommée s'en répand dans la région. Mais aussitôt Jésus « sort » et se retire [3].

De même, la « sortie » de Jésus hors de la ville (I, 35), le dimanche matin avant le jour (comme en XVI, 2), fait suite à une triomphale série de guérisons, qui avait rassemblé « toute la ville » près de la porte (I, 33). Jésus échappe à l'étreinte de la foule et se retire en un lieu désert. Lorsqu'on lui fait remarquer le caractère paradoxal de son attitude, il répond en invoquant une mystérieuse nécessité : « C'est pour cela que je suis *sorti* » (I, 38). On ne rencontre pas encore ici le mot « il faut », δεῖ, que l'on trouvera dans la deuxième partie de l'évangile ; mais on sent déjà que Jésus est conduit par un destin surhumain. L'explication en sera donnée plus tard.

> Notre étude de la théologie *rédactionnelle* de Marc nous oblige à abandonner ici les anciennes interprétations trinitaires de ces passages [4]. On éprouve ici à quel point cette nouvelle méthode d'analyse rétablit nécessairement une étape intermédiaire entre la révélation divine et l'Église, à savoir la « relecture » ou réinterprétation de l'évangéliste. Elle évacue aussi bon nombre d'explications psychologiques [5].

Mc I, 45 succède à la guérison du lépreux si prompt à la proclamer sur tous les toits. Le fait que Jésus évite autant qu'il le peut ces succès populaires et qu'il se tient « dehors » ne peut être expliqué par une simple raison psychologique. Il était dans

---

1. *Das Messiasgeheimnis*, Berlin, 1939, p. 116sv.
2. *Christ in the Wilderness*, 1963, p. 105-108. Voir aussi, plus loin, p. 410-420.
3. Voir l'interprétation suggestive de P. LAMARCHE, dans *Nouv. Rev. Théol.* LXXXVII, 1965, p. 515-526.
4. Voir, par exemple : J. LEBRETON : *Histoire du dogme de la Trinité*, I. *Les origines, Paris*, [8]1927, p. 277 et la note 1. Par contre Luc IV, 43 a réinterprété Mc I, 38 au sens de sa mission messianique, comme déjà Mc II, 17 (« je suis venu »).
5. Par exemple M. J. LAGRANGE : *Évangile selon saint Marc*, 1929, p. 27 ; et surtout É. TROCMÉ : *Formation de l'évg selon Mc*, 1963, p. 145.

l'ordre des choses que la manifestation du Messie provoquât un enthousiasme et un mouvement de foules extraordinaires (cf Mc I, 5). Jésus n'aurait pas pu s'en offusquer, mais au contraire s'en réjouir. S'il s'y soustrait chaque fois, c'est qu'il a une intention *messianique* différente. C'est là-dessus que Marc veut attirer l'attention.

En d'autres mots, les sorties de Jésus, tout comme les injonctions au silence manifestent un aspect négatif du secret messianique. Cet aspect négatif pourrait vouloir dire polémique ou apologétique. Mais il peut être aussi, par contraste, révélation cachée de la vérité opposée. Par le fait même que Marc répète tout le temps « Ce n'est pas cela », il attire l'attention du lecteur sur la vérité opposée, complémentaire. Peut-être aussi veut-il extirper de la tête de son lecteur certaines conceptions inadéquates de la mission de Jésus.

En II, 13, la « sortie » de Jésus le long de la mer suit, elle aussi, une guérison spectaculaire et manifeste ainsi une volonté d'échapper à l'enthousiasme de la foule (II, 12).

En III, 7, le mot employé est plus définitif. Il ne s'agit plus simplement d'une « sortie », suivie bientôt par une « rentrée » (II, 1), mais d'un vrai départ. Le mot ἀνεχώρησεν exprime une sorte d'émigration. Effectivement, Jésus s'établit désormais au désert et autour du lac et ne fera plus qu'une très brève - et décevante - apparition dans les synagogues (VI, 1-6). Ce sommaire, III, 7-12, marque donc un tournant et une attitude nouvelle préparée par toutes les « sorties » successives du début.

2) Mais il y a encore une seconde caractéristique de ce thème de la « sortie » de Jésus, c'est l'*accompagnement des foules*. Jésus « sort » au désert, il quitte les lieux habités, et toute la foule s'en vient à sa suite [1]. On a tout d'abord l'impression qu'il s'agit d'un procédé artificiel analogue à l'injonction au silence immanquablement violée.

Le phénomène se produit déjà pour Jean-Baptiste. Il se tient au désert, et « tout le monde » « sort » pour venir à lui (I, 5). E. Lohmeyer [2] et U. W. Mauser [3] ont été frappés de cette exagération manifeste de Marc. D'autres attestations néotestamen-

---

1. U. W. Mauser : *Christ in the Wilderness*, 1963, p. 105-108.
2. *Evg des Mk*, [15]1959, p. 15.
3. *Christ in the Wilderness*, 1963, p. 92.

taires [1] prouvent que Marc force la note lorsqu'il dit que « toute la Judée et tout Jérusalem » sont sortis vers Jean. Les deux auteurs cités voient dans cette exagération - voulue selon eux - une allusion au Nouvel Exode, Leit-Motiv du prologue.

Un détail analogue est répété en I, 32 : Jésus est « sorti » de la synagogue et s'est retiré dans la maison de Pierre. Le « aussitôt » de I, 29 suggère que Jésus a voulu se soustraire à la foule. Mais à peine le sabbat est-il achevé que « toute la ville » est rassemblée à la porte de la maison où il s'est réfugié (I, 33).

Plus nettement encore en I, 35-36, la « sortie » de Jésus est immédiatement accompagnée d'une « poursuite » de Pierre et de ceux qui étaient avec lui. Ils lui apprennent que « tout le monde le cherche » (I, 37). Le même thème est généralisé dans le sommaire I, 45 : Jésus se tenait [2] « dehors » dans les lieux déserts, et l'on venait à lui de toutes parts.

De même en II, 13, Jésus « sort » le long de la mer, et « tout le peuple » venait à lui. Ce verset est, lui aussi, rédactionnel [3]. Et lorsque Jésus se retire définitivement le long de la mer en III, 7, Marc ajoute :

> « Une grande foule venue de Galilée le suivit, et de Judée, de Jérusalem, d'Idumée, de Transjordanie, des environs de Tyr et de Sidon, une grande foule, ayant appris ce qu'il faisait, vint à lui » (III, 8).

Comme par hasard, il s'agit à nouveau d'une péricope rédactionnelle [4]. La solennité de l'énumération rappelle I, 5.

Un cas plus notable encore est VI, 32-33 - un autre passage rédactionnel [5]. Jésus s'en est allé avec ses disciples dans un lieu désert ; mais, à peine les foules se sont-elles rendu compte de son intention qu'elles ont contourné le lac et sont arrivées le cueillir à son débarquement. Il est vrai que, cette fois, le mot « sortir » n'est pas employé ; mais on emploie deux fois de suite le mot « en particulier » étudié plus haut [6]. Ce sont deux expressions analogues d'une même théologie.

---

1. Mt XXI, 32 ; XI, 18 ; Luc VII, 29-30 ; Mc XI, 31.
2. Imparfait fréquentatif, indique une habitude.
3. V. TAYLOR : *Gospel Acc. to St Mk*, 1952, p. 201.
4. V. TAYLOR : *Gospel Acc. to St Mk*, 1952, p. 225.
5. J. WELLHAUSEN : *Das Evangelium Marci*, 1909, p. 47sv ; R. BULTMANN : *Gesch. syn. Trad.* [4]1958, p. 259 et 365. V. TAYLOR : *Gospel Acc. to St Mk*, 1952, p. 318-22 est plus hésitant.
6. Ci-dessus, 237-242.

b) Chapitres XI-XII.

1) Ce qui est ainsi dit au début de l'évangile paraît être repris avec une insistance voulue à la fin du ministère de Jésus. *L'arrivée de Jésus à Jérusalem* ressemble à sa première manifestation en Galilée. Elle débute par une solennelle entrée messianique qui provoque l'enthousiasme populaire (XI, 1-10). Au milieu d'un tel cortège, Jésus arrive jusqu'au temple, tout comme il s'était d'abord manifesté officiellement dans la synagoque de Capharnaüm (I, 21-28). Mais, exactement comme en Galilée, à peine est-il entré dans le temple, qu'il en « sort » (XI, 11, comparer I, 29) et s'en va à Béthanie avec les Douze. En I, 29, il avait quitté la synagogue pour aller dans la maison de Pierre [1].

En XI, 19, Marc répète une fois encore et presque pléonastiquement qu'« il sortait dehors », indiquant ici une habitude, comme en I, 45. De même que là Jésus ne voulait pas demeurer dans les synagogues ni dans les villes, il se refuse ici à rester dans le temple et dans la ville - encore que, de part et d'autre, la synagogue et le temple soient le lieu (passager) de sa manifestation (I, 21, 39 ; XI, 15, 27). Le « secret messianique » en saint Marc ne consiste pas en un refus total de se manifester ; mais dans une volonté de ne se manifester que dans certaines circonstances, et cela pour une raison particulière qui se précisera.

Si l'on veut bien remarquer que, ici encore, tous ces passages sont rédactionnels ou propres à Marc, on sera peut-être moins tenté de nous accuser de forcer l'interprétation. Tous les commentateurs ont achoppé sur le texte de Marc XI, 11. Ce verset est aussi peu « psychologique » que possible. Luc et Matthieu rattachent sans interruption l'expulsion des vendeurs à l'entrée messianique. C'est beaucoup plus compréhensible : Jésus, emporté par l'irrésistible courant messianique et soutenu par l'enthousiasme d'une foule nombreuse, accomplit une action de force à laquelle les Grands prêtres et les scribes n'osent riposter sur le champ par crainte de la foule qui accompagne et appuie Jésus. Ils se vengeront plus tard.

A côté de cette présentation si logique et si cohérente, Marc, qui est censé être le naïf témoin des faits, racontant sans rien y comprendre ce qu'il a entendu dire, fait piètre figure.

Mais, si l'on examine le texte de plus près, on constate que

---

1. Comparer P. Lamarche, art. cité ci-dessus, p. 252, note 3.

Matthieu paraît bien être secondaire par rapport à Marc. Il a conservé Mc XI, 11, mais il l'a combiné avec Mc XI, 15 et a transposé le tout en Mt XXI, 17. Par ce moyen, il a évité le chevauchement de l'histoire du figuier sur celle de l'expulsion des vendeurs. Il a accolé l'expulsion des vendeurs à l'entrée messianique, tandis qu'il a daté toute l'histoire du figuier au lendemain *matin*. Le figuier sèche donc sur le champ pour que Matthieu n'ait plus à y revenir ensuite (Mt XXI, 19). Par le fait même, Matthieu supprime aussi le lien intime établi par Marc entre l'histoire symbolique du figuier et la purification du temple.

Cette simplification de Matthieu montre, par contraste, la complication du texte de Marc. Sur les 27 premiers versets de Mc XI, Jésus fait trois fois le voyage du mont des Oliviers à Jérusalem, et deux fois le voyage en sens inverse. Trois jours se sont écoulés, clairement délimités. Jésus a eu ainsi l'occasion de « sortir » deux fois de la ville (XI, 11 et 19) et de passer deux fois, le matin, à côté du figuier (XI, 12 et 20). Tout cela nous semble voulu par Marc. Une dernière fois encore, Jésus « sortira » du temple en XIII, 1. Ce sera pour proférer contre lui et contre la ville la solennelle annonce de la destruction. Le rapprochement avec Mc XI, 11-19 est particulièrement frappant, car, là aussi, l'histoire symbolique du figuier et l'expulsion des vendeurs du temple ne peuvent avoir d'autre signification. Or tout cela est encadré entre les deux « sorties » de Jésus (XI, 11, 19 ; XIII, 1).

2) Après avoir décrit l'assassinat du « Fils bien-aimé », dans *la parabole des vignerons homicides*, Marc ajoute « ils le jetèrent hors de la vigne » (XII, 8). Cette phrase est généralement considérée comme non encore allégorisante en Marc par opposition à Matthieu (XXI, 39) et Luc (XX, 15) qui ont inversé les termes : ils le jetèrent hors de la ville et le lapidèrent, faisant ainsi allusion à la crucifixion de Jésus hors de la ville (Héb XIII, 12) [1].

Néanmoins on admet que la mention du « Fils bien-aimé » est déjà une application de la parabole à Jésus [2]. Mais si Marc applique cette parabole à Jésus, cela signifie qu'il allégorise lui

---

1. C. H. Dodd : *The Parables of the Kingdom*, London, [14]1956, p. 130 ; J. Jeremias : *Die Gleichnisse Jesu*, [6]1962, p. 71 ; J. Gnilka : *Die Verstockung Israels*, München, 1961, p. 70.
2. Comparer Mc I, 11 et IX, 7 ! Ainsi J. Jeremias et J. Gnilka, ibid.

aussi. Cela est encore plus indéniable en raison de la citation du Psaume messianique CXVIII, 22-23 : « La pierre rejetée par les bâtisseurs », Psaume appliqué depuis les origines à la résurrection de Jésus [1].

Nous ajouterions à cela que l'intention allégorisante de Marc est confirmée de façon *certaine* par la conclusion rédactionnelle « Ils avaient bien compris que c'était pour eux qu'il avait dit cette parabole » (XII, 12). Cela signifie que les Grands Prêtres se sont reconnus dans les vignerons infidèles, à qui la vigne sera enlevée pour être confiée à d'autres. Si Jésus est le Fils bien-aimé, et si les dirigeants du peuple juifs sont les vignerons homicides, l'interprétation allégorique de la parabole est affirmée en toutes lettres [2].

Dans ce cas, Mc XII, 8 : « ils le jetèrent hors de la vigne » pourrait bien être en Marc aussi une allusion à la mort de Jésus. Matthieu et Luc n'auraient fait qu'accentuer l'allégorisation déjà transparente en Marc. Soulignons encore l'analogie des situations : en XI, 11-19, Jésus sort deux fois de la ville pour maudire le figuier et chasser les vendeurs du temple. En XIII, 1, il sort pour annoncer la fin de la ville et du temple. En XII, 8, l'expulsion du Fils bien-aimé « hors » de la vigne scelle l'acte par lequel la vigne sera enlevée aux grands-prêtres et aux Juifs et donnée à d'autres (les Gentils évidemment). C'est déjà ce qui était dit dans le récit de l'expulsion des vendeurs, commentée par la prophétie universaliste de Is LVI, 7 : Jésus expulse les vendeurs, parce que le temple doit devenir un maison de prière « pour toutes les nations ». Cette action symbolique rejoint exactement la morale de la parabole : « Il fera périr ces vignerons et donnera la vigne à d'autres » (XII, 9).

Il nous semble donc qu'il existe une série d'expressions employées avec insistance, et presque toujours en des passages rédactionnels, par l'auteur de notre évangile. Jésus prend ses disciples « à part », ou il leur fait des confidences « à la maison », ou encore « il ne veut pas qu'on sache » où il se trouve avec ses disciples, ou bien, finalement, « il sort » brusquement les lieux fréquentés. Dans tous ces cas, - comme nous l'avons déjà souligné à propos de « en particulier » - ces expressions

---

1. J. Jeremias, ibid.
2. Nous reviendrons, de façon plus approfondie, sur cette parabole ci-essous p. 287-290.

impliquent *toujours* que les disciples sont avec Jésus et l'on dit
ou sous-entend qu'ils sont les témoins ou les auditeurs de révélations messianiques. Tout cet ensemble de détails convergents
peut d'autant moins être la simple rencontre (le « hasard » !)
de différentes traditions particulières et indépendantes les unes
des autres, que presque toutes ces notations, nous le disions à
l'instant, se trouvent en des endroits rédactionnels. Il faut dès
lors affirmer que cela correspond à une intention systématiquement poursuivie par l'auteur.

> En cet endroit pourrait intervenir un étude sur le « désert » qui est,
> avec la montagne et la mer, un lieu fréquent des retraites de Jésus
> avec ses disciples. Néanmoins, comme ce thème est étonnamment
> riche et reprend en la réinterprétant une grande attente messianique
> vétérotestamentaire, il nous est apparu impossible de l'insérer ici.
> Nous nous proposons d'en faire une monographie indépendante,
> complémentaire de notre théologie du secret messianique. On peut
> se référer à U. W. Mauser : *Christ in the Wilderness*, London, 1963.

2. La Condition de disciple. [1]

a) Vocations.

Le ministère terrestre de Jésus en Marc, immédiatement après
le sommaire I, 14-15, commence par deux récits de vocation
jumelés (I, 16-20). Un troisième récit, tout aussi schématisé, se
trouve en II, 13. Il sera utile de les mettre en colonnes, pour
faire ressortir la méthode rédactionnelle de Marc :

I, 16-18	I, 19-20	II, 13
Et, passant le long de la mer de Galilée, il vit Simon et André le frère de Simon jetant les filets dans la mer, car ils étaient pêcheurs.	Et continuant un peu il vit Jacques (fils) de Zébédée et Jean son frère, eux aussi dans la barque réparant leurs filets.	Et passant (de nouveau le long de la mer : v. 12) il vit Lévi (fils) d'Alphée assis au bureau de péage.
Et Jésus leur dit : Venez après moi, et je vous ferai devenir pêcheurs d'hommes.	Et aussitôt il les appela.	Et il lui dit : Suis-moi.
Et aussitôt, laissant là leurs filets, Ils le suivirent.	Et, laissant là leur père Zébédée dans la barque avec les ouvriers, ils s'en vinrent après lui.	Et, se levant, il le suivit.

1. Voir C. H. Turner : *Journal of Theological Studies*, XXVIII, 1926-27

Ces trois récits construits sur le même modèle rapportent la vocation-type des cinq premiers disciples. Ils se déroulent tous trois le long de la mer. C'est l'un des lieux privilégiés de la retraite de Jésus [1]. Les trois récits ont un mouvement identique. Ils débutent par la description de la marche de Jésus le long de la mer. En second lieu vient la présentation des nouveaux élus. On indique leurs relations familiales : cela jouera un rôle dans la suite. On décrit ensuite leur occupation présente : ils jettent ou réparent des filets, ou bien - pour Lévi - il est à son bureau. Suit l'appel. Dans le premier et le dernier cas, il est formulé sous la forme « venir après lui » (venir à sa suite) ou « le suivre ». Les deux expressions sont équivalentes et expriment la condition du disciple pour Marc. Elles seront répétées lors de la réponse à l'appel : « ils le suivirent ». Entre deux, on note qu'ils abandonnent tout : leurs parents, leurs occupations et leurs biens. Il y a là toute une théologie de la condition du disciple.

L'expression est d'ailleurs assez curieuse. S'il faut « le suivre » ou « venir à sa suite », c'est que lui-même s'en va ailleurs, et qu'ils doivent quitter le monde où ils ont toujours vécu pour « le suivre ». L'idée est aussitôt soulignée : et laissant tout, ils le suivirent. L'expression dépasse la réalité historique immédiate, car on retrouvera plusieurs fois les disciples dans leurs barques. Elle indique la condition du disciple dans l'Église. Il faut tout quitter pour « suivre » Jésus. Et cependant, nulle part il n'est dit *où* il va [2].

Il faut rapprocher ces trois scènes de celles que nous avons étudiées au paragraphe précédent. Nous y avons vu Jésus « sortir » des lieux habités et se retirer dans la solitude. Chaque fois, les disciples ou la foule l'y « suivaient ». Pas plus que pour ces mystérieuses « sorties », n'est expliquée ici la raison de cette exigence : Pourquoi faut-il tout quitter et le suivre ? Où va-t-il ? On n'explique pas non plus cette attirance irrésistible, qui fait qu'à son appel, lancé d'autorité, tous se lèvent, abandonnent tout sur le champ et s'en viennent à sa suite. Il s'agit là encore,

p. 22-30 ; W. Trilling : *Christusgeheimnis Glaubensgeheimnis. Eine Einführung in das Markus-Evangelium*, Mainz, 1957, p. 40-45 et 50-53 ; J. M. Robinson : *The Problem of History in Mk*, London, 1957, p. 78-85 ; E. Trocmé : *Formation de l'évg selon Mc*, 1963, p. 125-144 ; K. H. Rengstorf : *Theol. Wört.* IV, p. 392-465.

1. 19 fois en Marc, dont 17 avant la confession de Pierre.
2. Comparer Jean XIII, 36 ; XIV, 5.

à n'en pas douter, du rayonnement puissant et caché de la personnalité du Fils de Dieu. Elle subjugue, sans que l'on puisse formuler exactement la raison de cette attraction.

Néanmoins la vocation des disciples n'est authentique que lorsque Jésus lui-même en prend l'initiative : « Il appela ceux qu'il voulait et ils vinrent à lui. Et il en institua douze pour être avec lui » (III, 13). Le disciple est constitué par l'appel de Jésus et par sa propre réponse. Marc distinguera toujours entre les foules qui suivent simplement Jésus, et ceux qui ont été créés disciples en vertu d'une élection particulière et en ont reçu les pouvoirs spécifiques : proclamer l'Évangile (III, 14 ; VI, 12), chasser les démons (III, 15 ; VI, 7, 13 ; IX, 14-29) ; guérir les malades (VI, 13). Ces pouvoirs, tout comme la mission d'annoncer l'Évangile, sont en réalité les tâches de l'Église après la Pentecôte, et, en parlant du choix des disciples, Marc a surtout en vue la condition missionnaire chrétienne.

Il ne va pas de soi que la vocation du disciple consiste avant tout à « être avec » Jésus (III, 14) et à le suivre ou à venir derrière lui. Le mot « disciple », presque inconnu dans l'Ancien Testament [1], est fréquemment usité chez les Rabbins. Mais il a chez eux un sens avant tout scolaire. Les Rabbins sont les spécialistes de la Loi, et leur enseignement se transmet aux générations de disciples qu'ils forment à cette discipline (Talmîd et Talmud) [2].

Pour Jésus, au contraire, la principale exigence est de le suivre. En outre, ce ne sont pas les disciples qui viennent à lui, comme ceux qui s'attachaient à tel ou tel Rabbin dans le désir d'être formé par lui. Jésus a l'initiative absolue et appelle ceux qu'il veut. Il a donc une autorité sans précédent (I, 22) [3]. Bien que Marc insiste beaucoup sur l'enseignement de Jésus [4], qu'il lui donne fréquemment le nom de « Maître » [5] ou de Rabbi [6], et qu'il parle souvent des « disciples », précisément dans un contexte d'enseignement [7], la connotation principale de ce mot est

---

1. K. H. Rengstorf : *Theol. Wört.*, IV, p. 428-434.
2. *Theol. Wört.* IV, p. 434-443.
3. *Theol. Wört.* IV, p. 450sv.
4. Le mot « enseigner » est employé 15 fois avec Jésus comme sujet.
5. « Maître » : 12 fois.
6. « Rabbi » ou « Rabbouni » : 4 fois.
7. Dans le contexte des controverses : II, 15, 16, 18, 23 ; VII, 2, 5, 17 ; X, 10. Enseignement général : III, 7, 9 ; IV, 34 ; VI, 1. Enseignement particulier : VIII, 27 (bis), 33, 34 ; IX, 31 ; X, 13, 23, 24 ; XIII, 1 ; etc.

mystérieuse, parce que, en fait, l'enseignement de Jésus s'identifie à sa destinée, et Jésus est manifesté comme « Rabbi » dans
sa transfiguration, où Dieu lui-même ordonne aux disciples de
l'« écouter » (IX, 5, 7).

b) X, 17-31.

Dans les trois vocations analysées jusqu'à présent, Marc se
contentait de décrire le fait aussi succinctement que possible,
mais il n'en donnait aucune explication. Au ch. X, il décompose
le mouvement et en fait la théologie.

Le jeune homme riche a accompli toute la justice de l'Ancien
Testament ; il ne lui manque que celle du Nouveau : tout abondonner et suivre le Christ. L'exigence est identique à celle des
trois récits de vocation étudiés à l'instant, et Pierre s'empresse
de faire le rapprochement. C'est une façon d'attirer l'attention
du lecteur.

Apparemment, l'épisode ne dit rien de plus que les trois
scènes de vocation au début de l'évangile, et pourtant le nouveau contexte dans lequel il est situé précise singulièrement cette
exigence ; tandis que le refus de l'homme riche souligne la grandeur du renoncement exigé. En I, 16-20, l'acquiescement était
tellement spontané qu'il semblait presque bénin de tout quitter
pour suivre Jésus. Et ce l'était en effet, pour les apôtres à ce
moment, car ils ignoraient encore ce que signifiait « suivre le
Christ ».

C'est ici seulement que Pierre prend brusquement conscience
de la grandeur de l'acte accompli jadis : « Eh bien, nous, alors :
nous avons tout quitté et nous t'avons suivi ! » (X, 28). Il y a,
bien entendu, une certaine candeur dans l'affirmation de Pierre
et l'évangéliste le laisse finement deviner. La péricope entière
apparaît comme une seconde réflexion visant à préciser le contenu théologique des récits tellement sobres du début. Si Marc
insiste à quatre reprises sur le fait qu'il faut tout quitter et suivre Jésus, c'est qu'il s'agit d'une réalité importante. C'est même
ce qui distingue à ses yeux l'Évangile de l'Ancien Testament
(X, 21) [1].

---

1. Voir le travail important d'A. Schulz : *Nachfolgen und Nachahmen*,
München, 1962, résumé et vulgarisé dans id. : *Jünger des Herrn*, München,
1964.

Nous sommes trop habitués à comprendre cet épisode comme un des « conseils » donnés par Jésus. Cette interprétation moralisante et minimaliste provient de la relecture de Matthieu : « Si tu veux être parfait ». Il n'est d'ailleurs pas certain que, même en Matthieu, la « perfection » soit considérée comme une qualité *morale* facultative. Il s'agit plus probablement de l'« achèvement » chrétien de la Loi. Mais peu importe ici. Chez Marc, en tout cas, l'homme demande ce qu'il doit faire « pour avoir en partage la vie éternelle » (X, 17). Et, lorsqu'il s'en est allé, Jésus commente : « Comme il sera difficile à ceux qui ont des richesses d'entrer dans le Royaume de Dieu » (X, 23). Il s'agit donc de la condition chrétienne comme telle. Encore faut-il préciser, pour nos contemporains, que Marc parle de la théologie du christianisme ; l'application pratique dépendra des conditions concrètes de chacun (cf I Cor VII, 29-31).

Jésus dit ensuite que ceux qui auront tout quitté pour le suivre retrouveront auprès de lui une nouvelle famille dès cette terre et tous les biens nécessaires à leur subsistance (v. 29sv). Cette affirmation rejoint III, 31-35.

Aucune explication n'est donnée, mais l'épisode de l'homme riche se trouve dans la section dominée par les trois prédictions de la passion et ne peut être isolé de celles-ci.

Il ne nous est pas possible d'entrer ici dans le détail de la composition rédactionnelle de X, 17-31. La structure de ces trois pièces est comparable à celle à celle de VII, 1-23 ou VIII, 27-IX, 1. Un apophtegme traditionnel (X, 17-22) est commenté par un passage adressé aux seuls disciples (comparer ci-dessus, p. 227-237, les appendices rédactionnels). Si l'on remarque que X, 23-27 est un commentaire de l'apophtegme à l'usage des disciples, on soupçonnera son caractère secondaire par rapport à celui-ci.

Néanmoins, il y a une difficulté particulière. Dans la forme donnée par Marc, l'apophtegme se termine avec le v. 22 [1]. Or un apophtegme, normalement, devrait se terminer par un logion de Jésus donnant la solution définitive [2]. S'il fallait s'arrêter au v. 22 la scène resterait donc sans conclusion. On attendrait un logion de Jésus pour formuler le jugement définitif [3].

Nous serions donc portés à souscrire à l'analyse de R. Bultmann [4] qui voit dans les v. 23 et 25 deux logia primitifs. Nous ajouterions que ces deux logia ont pu constituer la conclusion première, ou au

_____

1. Ainsi R. Bultmann : *Gesch. syn. Trad.* ⁴1958, p. 20 ; et V. Taylor *Gospel Acc. to St Mk*, 1952, p. 424sv.

2. Cf. R. Bultmann : *Gesch. syn. Trad.* ⁴1958, p. 48-56.

3. Dans le même sens E. Lohmeyer : *Evg des Mk*, ¹⁵1959, p. 213.

4. *Gesch. syn. Trad.* ⁴1958, p. 20-21.

moins très ancienne, de l'apophtegme. Au contraire, au v. 24b, le
logion est une simple répétition du logion du v. 23, tandis que la
« stupéfaction » des disciples est un motif bien marcien. De même
au v. 26, l'étonnement et les questions supplémentaires des disciples
font déborder le cas particulier de l'homme riche pour en faire une
application générale à tous les chrétiens. C'est donc une relecture
ecclésiale et pastorale.

Si notre analyse est exacte, il est possible que X, 28-31 formait
originairement une section indépendante et qu'elle a été groupée
par Marc, au moyen de la péricope semi-rédactionnelle X, 23-27,
avec l'histoire de l'homme riche.

c) X, 35-45.

Autre enseignement sur le vrai sens de la vocation de disciple.
Jésus commence par réfuter une conception fausse de l'apostolat
- qui pouvait être celle des lecteurs de Marc. - Il ne s'agit pas
d'abord d'être associé à sa gloire ; mais de partager sa passion.
Les v. 41-45 développent la vraie situation du disciple. Elle est
conditionnée par celle du Fils de l'Homme, et ici nous rejoignons
le secret messianique : le Fils de l'Homme n'est pas « venu
pour » régner et se faire servir, mais pour donner sa vie.

Il y a donc un parallélisme très important tracé entre la condition du disciple et celle de Jésus. L'une et l'autre devraient
être une épiphanie, la manifestation du Fils de Dieu et l'association des siens à sa gloire (X, 37, 42). Mais Jésus, volontairement, voile la gloire de ses disciples comme la sienne propre,
et la raison de cette conduite est affirmée en toutes lettres : la
mission des disciples, comme celle du Maître, ne consiste pas à
écraser le monde par la manifestation de leur puissance, mais à
donner leur vie, comme le Fils de l'Homme, pour sauver le
monde (X, 38, 45) [1].

d) VIII, 34-38.

Pierre aurait voulu que Jésus manifeste tout de suite sa gloire.
Mais il se fait vertement rabrouer par Jésus : tel n'est pas le
plan de Dieu ! C'est par sa mort que Jésus doit sauver le monde,
et ceux qui veulent venir « à la suite » de Jésus - c'est la définition même de l'apôtre et du chrétien en Marc - doivent prendre

---

1. C'est aussi le sens de X, 52, d'après E. BEST : *The Temptation and the
Passion : The Markan Soteriology*, Cambridge, 1965, p. 108. Nous y souscrivons.

leur croix derrière lui. C'est par la croix qu'ils auront part à la gloire du Fils de Dieu.

Au point de vue du secret messianique, il y a une induction fort importante. Car si la destinée du disciple reflète celle du Christ, le secret messianique les enveloppera également de son ombre. Et l'explication qui leur sera fournie fera comprendre au lecteur la vraie raison - marcienne - de ce « secret ».

Si les disciples doivent tout quitter pour suivre Jésus au désert et dans la solitude, c'est, finalement, parce qu'ils doivent partager la destinée souffrante de celui-ci. De même que la gloire du Christ - tout en étant très réelle, comme le manifestent son pouvoir prodigieux sur les démons et les guérisons inespérées qu'il opère - reste voilée jusqu'au temps marqué - de même les disciples n'auront part à la gloire du Christ (VIII, 38 ; X, 37) que s'ils participent d'abord à sa passion. Il apparaît donc ainsi de plus en plus nettement que la raison profonde du secret messianique en Marc, c'est la nécessité de la passion. La gloire du Messie - qui enveloppe aussi ses disciples - ne peut se manifester que d'une façon voilée maintenant, parce qu'elle ne sera révélée qu'après la passion du Christ et de ses disciples.

3. Étonnement et incompréhension.

C'est surtout H. J. Ebeling [1] qui a montré que l'insistance de Marc sur l'étonnement et l'incompréhension des témoins est une façon de souligner la transcendance cachée de l'événement. A ce point de vue, ce motif rappelle celui des démons. Les démons, parce qu'ils étaient censés voir l'invisible, révélaient au lecteur, comme une ombre, la gloire cachée du Fils de Dieu. L'étonnement et l'incompréhension accomplissent exactement la même fonction. L'identité du procédé dans des contextes si différents nous fait déjà soupçonner la main du rédacteur.

a) Les foules.

Marc aime à relever que les auditeurs sont « vivement frappés » par l'autorité de l'enseignement de Jésus (I, 22 ; XI, 18 ;

---

1. *Das Messiasgeheimnis*, 1939, p. 92-93 et 146-177.

cf VI, 2). Le même mot est employé avec un luxe de superlatifs après un miracle (VII, 37).

Marc possède un vocabulaire très riche pour exprimer l'étonnement, la stupéfaction, la crainte sacrée [1]. Comme le note G. Bertram [2], ces mots ne décrivent pas une simple réaction psychique devant un événement inouï, mais un sentiment sacré qui caractérise spécifiquement les épiphanies [3].

Les gens éprouvent cette sorte de terreur après l'expulsion du démon dans la synagogue de Capharnaüm (I, 27), ou lorsque Jésus redescend du mont de la transfiguration (IX, 15). Dans ce dernier cas, l'étonnement de la foule paraît n'avoir aucune cause physique immédiate. Elle éprouve seulement le sentiment indéfinissable d'une manifestation surnaturelle. Peut-être Marc songeait-il à l'effroi des chefs de la communauté israélite lors de la descente de Moïse après son séjour sur le Sinaï (Ex XXXIV, 30).

Le miracle du paralytique jette les témoins « hors d'eux-mêmes » (II, 12). Après le miracle des porcs, les gens « sont saisis de frayeur » (V, 15), au point qu'ils prient Jésus de s'éloigner d'eux (V, 17 ; comparer Luc V, 8). A la suite de la proclamation de l'ex-possédé, tout le monde est dans l'étonnement (V, 20).

L'expression est encore amplifiée lors du miracle de la fille de Jaïre : « Et ils furent aussitôt saisis d'une grande stupeur » (V, 42). Par contre, les gens de Nazareth sont franchement « scandalisés » à son sujet (VI, 2-3).

A part l'étonnement de la foule au sujet de la doctrine de Jésus - évoqué à deux reprises lors de son enseignement dans le temple (XI, 18 ; XII, 17) - les mentions de l'étonnement et de la terreur sacrée de la foule se font plus rares dans la seconde partie de l'évangile (encore IX, 15). Par contre, elles s'y multiplient à propos des disciples. C'est normal, puisque l'enseignement de Jésus s'y consacre bien davantage à leur formation.

---

1. θαμβέομαι : Mc I, 27 ; X, 24, 32 ; ἐκθαμβέομαι : Mc IX, 15 ; XIV, 33 ; ἐκθαυμάζω : Mc XII, 17 ; θαυμάζω : Mc V, 20 ; VI, 6 ; XV, 5, 44 ; φοβέομαι : IV, 41 ; V, 15, 33, 36 ; VI, (20), 50 ; IX, 32 ; X, 32 ; (XI, 18, 32 ; XII, 12) ; XVI, 8 ; ἔκφοβος : IX, 6 ; ἐκπλήσσομαι : I, 22 ; VI, 2 ; VII, 32 ; X, 26 ; XI, 18 ; ἐξίστημι : II, 12 ; III, 21 ; V, 42 ; VI, 51.

2. *Theol. Wört.* III, p. 3-7 et 27-42. Voir aussi R. OTTO : *Le sacré*, Paris, 1949, p. 46 et la note.

3. « Vielmehr gehört das Erschrecken des Menschen zum Typischen einer Offenbarungsszene oder einer Epiphanieszene », *Theol. Wört.* III, p. 6.

Toutes ces expressions ne sont pas seulement le témoin d'un genre littéraire - celui des miracles, par exemple - dont elles seraient la conclusion obligatoire : les dix récits de Mt VIII-IX sont généralement conclus de façon beaucoup plus simple. Chez Luc, le motif est hiératisé et discipliné ; il exprime la crainte sacrée en face d'une manifestation divine. Chez Marc, l'étonnement ne se trouve pas seulement en conclusion chorale des récits de miracles, mais également après l'enseignement de Jésus, ou même parfois à sa seule apparition, sans aucune raison particulière apparente (IX, 15).

Le motif revient trop fréquemment chez Marc et est trop souligné pour ne pas avoir de valeur théologique. Il signifie que les foules ont bien conscience de vivre une expérience transcendante, bien qu'elles soient incapables d'en discerner exactement le contenu. Elles ne comprennent pas d'où Jésus tient ce pouvoir stupéfiant dont tous subissent l'irrésistible rayonnement. Pour Marc, c'est une façon d'attirer l'attention du lecteur sur la manifestation divine. Cet étonnement et cette crainte indéfinissables sont fort apparentés à l'incompréhension. La foule ne comprend pas ce qui se passe, c'est pourquoi elle est étonnée [1].

Nous avons parlé plus haut des démons qui perçoivent, eux, du premier coup à qui ils ont affaire : au Fils de Dieu. Les foules n'en sont pas là. Elles éprouvent obscurément l'action d'une puissance spirituelle extraordinaire [2], mais sans pouvoir préciser autrement leur expérience. Pour le lecteur, c'est un avertissement de la grandeur de ce qui s'accomplit et surtout un rappel constant de cette étonnante volonté de Jésus de cacher sa gloire toujours et presque partout, quelques très rares manifestations privilégiées mises à part. Pourquoi ?

b) Les disciples.

1) *État de la question.* Tandis que J. Weiss [3] s'efforce de minimiser l'incompréhension attribuée par Marc aux disciples, L. Cerfaux [4] montre dans ce thème l'accomplissement théologi-

---

1. Cf H. J. EBELING : *Messiasgeheimnis*, 1939, p. 150-156.
2. Comparer encore Mc III, 10 ; V, 29sv ; VI, 56.
3. *Das älteste Evangelium*, Göttingen, 1903, p. 50-65.
4. « L'aveuglement d'esprit », dans *Recueil Lucien Cerfaux*, II, 1954, p. 3-15.

que de la prophétie d'Is VI, 9sv. Néanmoins il ne se situe pas assez franchement au niveau rédactionnel. C'est pourquoi son interprétation reste trop historisante et donc moralisante. Elle tend à minimiser aussi l'incompréhension des disciples : ils ne comprennent pas encore ; après la venue du Saint-Esprit cela ira mieux ! Bien sûr. Mais entre l'expérience des apôtres et la prédication de Marc à son Église, s'insère une réflexion théologique, une réinterprétation de l'histoire ; c'est elle que nous voudrions capter. L. Cerfaux donne le point de départ d'une telle recherche en attirant l'attention sur l'accomplissement d'Is VI, 9sv et il ajoute également cette remarque importante : ces notations répétées de Marc sont « une invitation évidente à réfléchir au sens secret des miracles » [1].

A l'autre extrémité du champ des interprétations, J. B. Tyson [2] estime que l'aveuglement des disciples n'est pas un des éléments propres du secret messianique. « Marc n'affirme pas : les disciples ont saisi que Jésus était le Messie et on leur interdit de divulguer cette découverte. Il dit qu'ils se sont totalement trompés sur la nature de la messianité de Jésus » [3]. Nous souscrivons totalement à ces remarques ; mais ce n'est pas une raison suffisante pour que cet aveuglement ne soit pas un des éléments du secret messianique. Le jugement de J. B. Tyson sur ce point est fondé sur une idée simpliste et préconçue du secret messianique. Le thème de l'incompréhension prouve précisément que le secret messianique ne porte pas uniquement sur le *fait* que Jésus est le Messie, mais autant et peut-être plus encore sur la *manière* dont doit se réaliser sa mission.

Dès lors que J. B. Tyson n'interprétait pas l'incompréhension des disciples dans le cadre de la théorie du secret, il en a fait une polémique de Marc contre l'Église de Jérusalem [4]. Cette hypothèse, qu'il exprime avec beaucoup de réserves et de nuances, est reprise d'enthousiasme par É. Trocmé qui lui consacre tout un chapitre [5]. Nous espérons montrer que ces reproches ne

---

1. *Recueil Lucien Cerfaux*, II, 1954, p. 14.
2. « The Blindness of the Disciple in Mark », dans *Journal of Biblical Literature*, LXXX, 1961, p. 261-268.
3. a.c. p. 261-262.
4. a.c. p. 264-267 (surtout p. 265).
5. *Formation de l'évg selon Mc*, 1963, p. 70-109. « Les antipathies manifestées par l'évangéliste ».

s'adressent pas à la communauté de Jérusalem, mais aux chrétiens dont Marc était le pasteur [1].

2) Mieux vaut passer à l'*analyse des textes* [2]. Lorsqu'il s'agissait des foules, Marc semblait trouver normal qu'elles ne comprennent pas. Mais le fait que les disciples ne comprennent pas et s'étonnent lui paraît intolérable [3]. Eux du moins, vivant sans cesse dans l'intimité du Maître et témoins de ses manifestations privilégiées, auraient dû comprendre.

Ainsi, lorsque Jésus raconte ses premières paraboles, il le fait de telle sorte que la foule ne comprenne pas ; mais il s'offusque de ce que les disciples ne saisissent pas non plus (IV, 13). Ils auraient dû comprendre. Marc *généralise* d'ailleurs et en fait l'application à tout le reste de l'évangile : « Et comment comprendrez-vous toutes les paraboles ? » [4]. Dans la conclusion rédactionnelle de ces paraboles, Marc fait une autre généralisation : « Il ne leur (à la foule) parlait pas sans paraboles ; mais en particulier il expliquait tout à ses disciples » (IV, 34) [5]. Cela suppose que les Douze ne comprenaient jamais, ou presque jamais du premier coup.

Au ch. VII, Jésus reproche plus vivement encore à ses disciples de ne pas entendre les paraboles : « Vous aussi, êtes-vous à ce point sans intelligence ? » (VII, 18). Les disciples devraient, eux du moins, avoir la science des choses cachées. Mais ils s'en montrent encore incapables [6].

Il n'y a pas d'ailleurs que la doctrine de Jésus à rester fermée pour les disciples ; ses manifestations de gloire et ses miracles leur demeurent également incompréhensibles. Marc se montre très sévère : cet étonnement provient de ce qu'ils n'ont pas encore perçu que Jésus est le Fils de Dieu. Ils n'ont pas découvert la nature céleste de Jésus. Théologiquement parlant,

---

1. Voir plus loin : « Le secret dans l'Église ».
2. Voir encore : J. M. ROBINSON : *The Problem of History in Mk*, 1957, p. 52sv ; J. GNILKA : *Die Verstockung Israels*, München, 1961, p. 30-34 ; W. TRILLING : *Christusgeheimnis Glaubensgeheimnis*, Mainz, 1957, p. 40-45 et p. 48-50 ; T. A. BURKILL : *Mysterious Revelation* : p. 168-187.
3. H. RIESENFELD : *Jésus transfiguré*, 1947, p. 284sv montre que la crainte des disciples est un motif théologique équivalent à l'incompréhension.
4. Cf J. GNILKA : *Die Verstockung Israels*, 1961, p. 31.
5. Même généralisation en IV, 11b : « Tout leur arrive en paraboles ».
6. Cf T. A. BURKILL : *Mysterious Revelation*, 1963, p. 106sv.

ces invectives sont capitales : elles prouvent que, aux yeux de Marc, les miracles avaient une portée théologique et que le lecteur est vivement invité - pour ne pas dire plus - à la rechercher [1].

Lorsque Jésus dort dans la barque tandis que fait rage la tempête (IV, 35-41), les disciples le réveillent pour qu'il les sauve. Jésus alors, d'un geste magnifique apaise les flots furieux, puis il se retourne vers ses disciples médusés et se met à les tancer d'importance. Leur frayeur est à ses yeux un manque de foi. Le texte le mieux attesté [2] porte ici : « N'avez-vous pas *encore* de foi ? » « Encore », petit mot très important dans l'économie du secret. Il reviendra à deux reprises en Mc VIII, 17 et 21, immédiatement avant la confession de Pierre. Il indique un acheminement vers une connaissance. De toute façon, aux yeux de Marc, les Douze auraient dû connaître la puissance irrésistible du Fils de Dieu [3] : c'est une invitation au lecteur [4] ! C'est la communauté à laquelle parle Marc qui aurait dû comprendre !

Une remarque identique est faite à l'issue du deuxième miracle sur le lac : « Ils étaient intérieurement au comble de la stupeur, car ils n'avaient pas compris le miracle des pains, mais leur cœur était endurci » (VI, 51). Les Douze sont aveuglés tout comme les disciples d'Emmaüs (Luc XXIV, 16) ou comme les Juifs en présence de l'Évangile (2 Cor III, 14) : ils ne reconnaissent pas la gloire messianique de Jésus. Le reproche est quasi-johannique : la multiplication des pains avait une portée théologique que les apôtres auraient dû percevoir [5]. Elle manifestait que Jésus était vraiment le Messie attendu, le Fils de Dieu. Après cela, les apôtres n'auraient plus dû s'étonner de le voir marcher sur les flots ! S'ils s'étonnent, c'est parce qu'ils n'ont encore rien compris. Par ce moyen littéraire, Marc incite son lecteur à une salutaire réflexion sur le sens messianique de la multiplication des pains.

---

1. De même J. GNILKA : *Die Verstockung Israels*, 1961, p. 31 et L. CERFAUX : *Mélanges Lucien Cerfaux*, II, p. 14.
2. Voir V. TAYLOR : *Gospel Acc. to St Mk*, 1952, p. 276 ; J. GNILKA : *Die Verstockung Israels*, 1961, p. 31, note 3.
3. Voir l'analyse de H. J. EBELING : *Messiasgeheimnis*, 1939, p. 152-154.
4. T. A. BURKILL : *Mysterious Revelation*, 1963, p. 105.
5. De même : J. GNILKA : *Die Verstockung Israels*, 1961, p. 35.

Nous trouvons un autre « quiproquo johannique »[1] dans la discussion au sujet du levain des Pharisiens (VIII, 14-21). Les disciples ne comprennent pas le sens spirituel de la monition de Jésus. Ils restent sur le plan terrestre et Marc leur reproche de façon plus violente encore[2] leur cœur endurci[3]. Les versets qui suivent reprennent tout le détail des deux multiplications des pains qui viennent de s'achever, en sorte que l'on peut attribuer à l'activité rédactionnelle de Marc la composition de VIII, 17-21[4].

3) Notes.

α) *Quiproquos johanniques.* — W. Wrede[5] et H. J. Ebeling[6] ont fortement souligné la parenté profonde entre l'incompréhension des disciples en saint Marc et les quiproquos johanniques. H. J. Ebeling cite particulièrement Jean IV, 32-34 ; XI, 13sv, 24sv, 39sv ; XIII, 37sv ; XIV, 5, 8 ; XVI, 17-19 ; XX, 15sv, 26sv ; XXI, 4sv. On peut comparer également : Jean VI, 41-42 ; 52sv ; VII, 15sv ; VIII, 13-15, 33-36, 48-50 ; IX, 26-28 où il est question des Juifs. Cette incompréhension n'est levée que par l'explication de Jésus : Jean XIV, 4-7[7]. Néanmoins, après la résurrection et la venue de l'Esprit, les apôtres comprendront tout, sans qu'il leur soit encore nécessaire d'interroger : Jean XVI, 23 ; XVI, 13 ; XIII, 7 ; XIV, 20 ; cf II, 22 ; XII, 16. Chez Jean aussi, ces quiproquos ont une signification hautement théologique. Ils veulent rendre perceptible la transcendance de Jésus : Jean III, 11-15 ; VIII, 21-24, 43. C'est un témoignage de plus de la parenté entre la théologie de Marc et celle de Jean[8].

β) *« Endurcissement du cœur ».* — Dans son étude sur « L'aveuglement d'esprit » paru dans *Le Muséon* en 1946[9], il était obvie que L. Cerfaux ne parlât pas des documents de Qumrân[10]. Par contre,

---

1. De même : J. Gnilka : *Die Verstockung Israels*, 1961, p. 36.

2. Bien que la tournure soit interrogative ; ce qui atténue légèrement le reproche : J. Gnilka : *Die Verstockung Israels*, 1961, p. 33.

3. L'expression est identique à celle de VI, 52.

4. Ainsi M. Dibelius : *Formgeschichte*, ⁴1961, p. 230 ; V. Taylor : *Gospel Acc. to St Mk*, 1952, p. 363-364.

5. *Messiasgeheimnis*, ³1963, p. 179-206.

6. *Messiasgeheimnis*, 1939, p. 158-162.

7. « Erst mit der Belehrung Jesu wird das innerste Geheimnis der Offenbarung, der Sinn der Kreuz enthüllt ». Le rapprochement entre le secret et la nécessité de la passion est remarquable.

8. Dans le même sens voir surtout : J. Coutts : « The Messianic Secret in St John's Gospel », dans *Studia Evangelica*, III, Berlin, 1964, p. 45-57 également J. Schreiber : *Der Kreuzigungsbericht des Markusevangeliums*, Bonn, 1959 (Dissertation dactylographiée) p. 45sv et 193, note 2.

9. *Le Muséon*, LIX, 1946, (Mélanges L. Th. Lefort) p. 267-279.

10. La réédition de cet article dans *Recueil Lucien Cerfaux*, II, 1954 p. 3-15 n'ajoute aucune note à ce sujet.

il est plus étonnant que K. L. & M. A. Schmidt, dans leur article du *Theologisches Wörterbuch* [1] paru en 1954, se contentent de noter que « l'endurcissement du cœur » est souvent mentionné à Qumrân, sans rien en tirer pour leur interprétation du Nouveau Testament.

Néanmoins il faut reconnaître - encore aurait-il fallu le dire - que les textes de Qumrân ne paraissent pas relever de la même inspiration théologique que ceux du Nouveau Testament. Le mot se trouve 8 fois dans La Règle de la communauté et 8 fois aussi dans le Document de Damas, en outre, une fois dans les Hymnes. Mais le sens paraît notablement différent de celui qu'il a dans le Nouveau Testament. En effet, il y est presque chaque fois question de « *marcher dans* l'endurcissement de son cœur ». La source d'inspiration de ces textes est sans doute Jérémie [2], mais plus précisément encore Deut XXIX, 18 [3] et aussi Nb XV, 39, où « marcher derrière son cœur » conduit à « s'égarer » [4].

Au contraire, il paraît y avoir une remarquable homogénéité dans les emplois néotestamentaires de ce mot. En Jean XII, 40, il se trouve dans la citation scripturaire d'Is VI, 10 :

> « Il (Dieu) a aveuglé leurs yeux,
>   et *endurci leur cœur*,
> pour qu'ils ne voient pas de leurs yeux
>   et ne comprennent pas de leur cœur
> et qu'ils ne se convertissent
>   et que je ne les guérisse ».

C. K. Barrett [5] a sans doute montré de la façon la plus simple et la plus convaincante que Jean dépend de l'hébreu et non du grec. Il a interverti la mention du cœur épaissi avec celle des yeux aveuglés, peut-être parce qu'il venait de parler de tous les signes que les Juifs avaient vu sans en comprendre la portée (Jean XII, 37). Il simplifie également la citation en supprimant la référence aux « oreilles ». Il subsiste un changement de temps entre l'hébreu et Jean. Jean a traduit au *parfait* (il a aveuglé... il a endurci) l'impératif hébreu (aveugle les yeux de ce peuple, endurcis son cœur). Ce changement peut être accidentel (les deux formes pourraient être écrites avec les mêmes consonnes hébraïques) ou volontaire (Jean aurait voulu souligner que cet endurcissement était un jugement de Dieu).

En Rom XI, 7, on lit : « Les autres ont été endurcis, selon le mot de l'Écriture : Dieu leur a donné un esprit de torpeur, des yeux pour ne pas voir et des oreilles pour ne point entendre, jusqu'à ce jour ». Matériellement, la citation se réfère à Is XXIX, 10 et Deut XXIX, 3, mais l'allusion à Is VI, 9-10 ne saurait être loin.

---

1. *Theol. Wört.* V, p. 1027-1030.
2. Jér III, 17 ; VII, 24 ; IX, 13 ; XI, 8 ; etc.
3. Ainsi Règle de la Communauté II, 14.
4. Règle de la Comm. III, 3 ; V, 4 ; Hymnes IV, 15 ; Document de Damas I, 16-18 ; III, 5, 11.
5. *The Gospel According to St John*, London, 1962, p. 359sv.

En 2 Cor III, 14, Paul parle des Juifs dont les pensées sont endurcies (ou aveuglées) [1] : un voile est posé sur leur cœur tandis qu'ils lisent la Bible, en sorte qu'ils n'y reconnaissent pas le Seigneur de gloire. Isaïe VI, 9-10 est sous-jacent.

En Marc VIII, 17, le même texte affleure : « Vous ne comprenez pas encore et vous ne saisissez pas ? Avez-vous donc le cœur endurci (aveuglé) ? des yeux pour ne point voir et des oreilles pour ne point entendre ? ». Bien sûr, la citation est fort proche de Jér V, 21 et d'Éz XII, 2. Mais cette connotation n'a pu oblitérer la référence de base à Is VI, 9-10. En Mc VI, 52, l'endurcissement du cœur signifie que les disciples n'ont pas « compris » le miracle des pains. Le lien entre l'endurcissement (l'aveuglement) du cœur et la « compréhension » nous renvoie une fois encore à Is VI, 10 (« que leur cœur ne comprenne »).

Ce qui nous importe donc ici, est que dans chacun de ces cas, surtout en Marc, puisque c'est lui qui nous occupe, l'endurcissement/aveuglement du cœur connote une dimension messianique non perçue par les disciples. Le lecteur est invité à la découvrir, en référence à l'Écriture.

4) *Après la confession de Pierre.* C'est sans doute A. Kuby [2] qui a marqué avec le plus de force et de bonheur la coupure nette provoquée par la confession de Pierre. Avec elle s'achève l'aveuglement des disciples concernant la dignité messianique de Jésus ; avec elle commence leur incompréhension de la souffrance messianique [3].

α) Le point terminal de l'aveuglement devant la *dignité messianique* de Jésus se trouve dans la discussion VIII, 14-21, dans laquelle Jésus amène progressivement ses disciples à reconnaître l'évidence. Mais cela ne suffit pas. La guérison de la cécité des disciples sera un vrai miracle de Jésus. C'est le sens attribué par A. Kuby à la guérison de l'aveugle de Bethsaïde [4]. Nous

---

1. La tradition hésite entre πωρόω et πηρόω. Les deux mots paraissent avoir été compris comme des synonymes. Cf *Mélanges L. Cerfaux*, II 1954, p. 3sv ; *Theol. Wört.* V, 1027 et la note, etc.

2. « Zur Konzeption des Markus-Evangeliums », dans *Zeitschr. Neutestamentl. Wiss.* XLIX, 1958, p. 52-64.

3. « Das *Nicht*begreifen der Jünger (wer Jesus ist) ist zu Ende, ihr Missverständnis (d.h. das Nichtbegreifen dass der Messias Leiden muss) beginnt », *Zeitschr. Neutestamentl. Wiss.* XLIX, 1958, p. 58.

4. Ibid. p. 52-53 et 58.

avions déjà formulé un jugement identique lorsque nous avons étudié ce récit de miracle [1]. A. Kuby voit un parallélisme entre la question posée par Jésus à l'aveugle (v. 23b) et qui subdivise la guérison en deux stades, et la double question posée par Jésus aux disciples en VIII, 27 et 29, avec une réponse imparfaite et, finalement, une réponse tout à fait nette [2].

Cette remarque de A. Kuby nous paraît extrêmement importante. Elle signifie, en effet, que, au moment même où l'aveuglement des disciples paraît avoir trouvé sa solution définitive dans la confession de Pierre, le thème rebondit aussitôt. Ce point nous paraît décisif : Marc nous indique par là, de façon indiscutable, que l'objet du secret messianique n'est pas le fait même de la messianité de Jésus - sans quoi la confession de Pierre y aurait mis un point final - mais beaucoup plus précisément le *comment* de l'accomplissement messianique. La preuve de notre affirmation réside dans le fait que la vitupération la plus violente de tout l'évangile contre l'incompréhension des disciples se situe très exactement dans le contexte immédiat de la confession de Pierre, et que ce reproche s'adresse justement à Pierre, qui vient d'achever sa confession messianique.

Cela signifie donc que, au moment même où Pierre - et le lecteur ! - s'imaginent avoir tout compris, Marc leur lance à la figure qu'ils n'ont encore rien compris du tout. En d'autres termes, le message propre de Marc trouve dans la confession de Pierre, non son point d'aboutissement, mais son point de départ. C'est donc dans la section *qui suit* la confession de Pierre que nous devons nous attendre à trouver les affirmations les plus fortes et les plus claires sur le contenu et les motivations réelles du secret messianique.

3) Cette section ne comporte pas moins de neuf ou dix cas d'incompréhension des disciples. Ils se cristallisent tous autour des *trois prédictions de la passion* [3]. Le fait même que Jésus est obligé de répéter trois fois, en détail, que le Fils de l'Homme doit souffrir, être livré aux mains des païens, être mis à mort et ressusciter, souligne déjà l'incompréhension des disciples [4].

---

1. Ci-dessus, p. 57-62.
2. Cf ci-dessous, p. 312sv.
3. VIII, 31-33 ; IX, 30-32 ; X, 32-34.
4. Cf A. KUBY : *Zeitschr. Neutestamentl. Wiss.* XLIX, 1958, p. 60.

En outre, chacune des prédictions est accompagnée de remarques et d'anecdotes montrant que les disciples n'y ont rien compris. La première fois, à Césarée (VIII, 27-30), Jésus a amené à très grand-peine ses disciples à reconnaître en lui le Messie (cf VIII, 14-21 et 22-26 !). Mais il ne leur a pas plus tôt montré en quoi consiste sa vocation messianique que Pierre se récrie énergiquement et repousse catégoriquement cette forme de messianisme. Pour la première fois, c'est Pierre qui « prend Jésus à part » (προσλαβόμενος) et se met en devoir de le tancer [1]. Mais Jésus le rabroue vertement : « Passe derrière moi, Satan ! parce que tes pensées ne sont pas celles de Dieu, mais celles des hommes ». La réaction de Jésus est extrêmement vive. Elle indique que là se trouve la pointe de l'antinomie entre Jésus et ses disciples, et donc la racine de leur incompréhension [2]. Les disciples n'ont pas reconnu en lui le Messie avant Césarée. Cet aveuglement provient de ce qu'ils ne comprennent pas le vrai sens de la mission messianique [3]. Ils ne comprennent pas que le Messie doit accomplir sa destinée par la souffrance et par la mort, et c'est *pour cela* qu'ils ont mis tant de temps à reconnaître qu'il était le Messie. Pour bien indiquer l'importance fondamentale de la souffrance messianique, Marc y consacre encore cinq versets supplémentaires (VIII, 34-38), qu'il adresse cette fois à la « foule » entière, suggérant ainsi que cette condition souffrante concerne tous les chrétiens.

Marc commente la seconde prédiction de la passion en ajoutant : « Mais ils ne comprenaient pas cette parole, et ils craignaient de l'interroger » (IX, 32). Après la première réprimande de Pierre (VIII, 33), les disciples ne s'aventurent plus à demander trop d'explications à Jésus. Mais saint Marc indique clairement que la nécessité de la passion reste totalement impénétrable aux disciples.

Immédiatement après cette seconde prédiction intervient un épisode remarquable. Jésus prend ses disciples « à la maison » et leur demande : « De quoi discutiez-vous en chemin ? » En chemin, c'est-à-dire précisément pendant que Jésus leur annonçait la nécessité de la souffrance messianique (IX, 30). Mar-

---

1. Ἐπιτιμᾶν : cf III, 12 ; IV, 39 ; VIII, 30 !
2. Contre J. GNILKA : *Die Verstockung Israels*, 1961, p. 39, qui minimise sans preuves cette remarquable altercation.
3. Comparer Mat XI, 3-6.

trace ici un cinglant contraste entre les apôtres qui discutaient pour savoir lequel d'entre eux serait le plus grand dans le royaume messianique, au moment même où Jésus s'efforçait de leur expliquer que ce Royaume ne viendrait que par sa mort.

La scène se répète lors de la troisième prédiction :

> « Ils étaient en route, montant à Jérusalem. Jésus marchait devant eux. Ils étaient dans la stupeur, et ceux qui suivaient étaient effrayés » (X, 32).

La stupeur et l'étonnement des disciples procèdent de leur incompréhension [1]. Le paradoxe est encore souligné par Marc, puisqu'il accole à cette troisième prédiction, détaillée et précise, la requête des fils de Zébédée demandant les deux premières places, à sa droite et à sa gauche, dans la gloire messianique. Jésus leur répond : « Vous ne savez pas ce que vous demandez », marquant ainsi leur incompréhension. La question impertinente des deux disciples privilégiés montrent qu'ils n'ont absolument rien compris à la nécessité de la souffrance messianique. Et l'indignation des dix autres disciples, qui se sentent frustrés par la demande des deux frères, indique qu'ils en sont exactement au même point.

γ) C'est toujours la même incompréhension qui provoque l'exclamation de Pierre, lorsqu'il voit le Seigneur en gloire (IX, 5) [2]. Il s'imagine que le Royaume est arrivé et propose à Jésus de s'installer tout de suite dans cette gloire. Marc commente : « Il ne savait pas ce qu'il disait » (IX, 6). Nous venons de rencontrer cette même petite phrase en X, 38, adressée aux fils de Zébédée, et elle se retrouvera une fois encore dans le récit de l'agonie (XIV, 40), exprimant toujours le même aveuglement devant la passion.

Parce que les disciples n'ont pas compris la nécessité de la mort du Messie, il leur est impossible de percevoir la signification messianique de la résurrection des morts (IX, 10). Jésus se verra donc obligé de répéter une fois encore que le Fils de

---

1. Cf H. J. Ebeling : *Messiasgeheimnis*, 1939, p. 152-156 ; M. Sabbe dans *La venue du Messie*, 1962, p. 90sv.
2. Cf. U. W. Mauser : *Christ in the Wilderness*, 1963, p. 117sv ; . Schreiber : *Zeitschr. f. Theol. & Kirche*, LVIII, 1961, p. 174, note 5 ; R. Bultmann : *Gesch. syn. Trad.* ⁴1958, *Ergänzungsheft*, p. 37.

l'Homme doit d'abord « beaucoup souffrir et être méprisé »
(IX, 12), et il leur suggère de méditer le destin du précurseur
(IX, 13).

L'ahurissement des disciples devant l'exigence de dépouille-
ment total formulée par Jésus (X, 24, 26) provient de la même
incompréhension foncière de la passion. Et, de même que les
disciples ne pouvaient pas comprendre pourquoi le plus grand
dans le Royaume devait se faire le dernier et le serviteur de
tous (IX, 33-35 ; X, 43), de même ils restent interloqués devant
le privilège des enfants (IX, 36 ; X, 13-16). Ils ne saisissent pas
bien non plus l'exigence nouvelle de Jésus au sujet de l'inviola-
bilité du lien conjugal (X, 10-11), qui n'a tout son sens qu'à la
lumière de la résurrection.

Finalement, la trahison de Judas, le reniement de Pierre et la
fuite de tous les disciples seront le terme inévitable de leur incompréhension totale, qu'exprime aussi, à sa façon, leur inconscient sommeil à Gethsémani (XIV, 37-41) [1].

Dans la théologie de Marc, ce thème de l'incompréhension
possède une double orientation. Tout d'abord il souligne, par
contraste, la caractère transcendant du plan divin de salut par
la croix. En second lieu, il a fort probablement une intention
parénétique, comme le souligne avec raison H. J. Ebeling [2]. Au
point de vue du secret messianique, il nous importe de reconnaître que l'incompréhension des disciples se cristallise autour
des trois prédictions de la passion, et qu'elle trouve son explication dernière dans la nécessité de la passion du Fils de l'Homme (X, 45). Ce motif de l'incompréhension, sans cesse orchestré
par Marc, nous dit aussi que nous sommes tout près du but.
Nous « brûlons », comme le dirait l'expression enfantine.
Méthodologiquement, cela signifie que nous pouvons d'ores et
déjà avoir la certitude que l'explication du secret doit se trouver
également au niveau rédactionnel. Notre recherche ne sera donc
pas vaine.

---

1. Cf E. Schweizer dans *Zeitschrift f. Neutest. Wiss.*, 1965, p. 3.
2. *Messiasgeheimnis*, 1939, p. 158-171 ; mais il comprend la « parénèse »
au sens bultmannien (ibid. p. 166). Nous en donnerons une interprétation
différente dans notre dernier chapitre : Le secret dans l'Église.

Conclusions.

La condition des disciples reflète celle de Jésus. C'est presque toujours par les yeux des disciples que le lecteur sera admis à contempler le mystère messianique. Ce qui est caché à la foule est expliqué « en particulier » aux disciples et aux lecteurs. Des appendices rédactionnels aisément reconnaissables lui donneront la théologie et l'interprétation marcienne de certains épisodes choisis. Ce sont des poteaux indicateurs destinés à guider le lecteur sur la voie du secret.

Plusieurs fois Jésus entraîne ses disciples - et Marc ses lecteurs - à l'écart, souvent dans une « maison », qui surgira de terre chaque fois qu'ils en auront besoin, pour leur faire ses confidences. Le caractère rédactionnel de la plupart de ces notations montre qu'il s'agit en réalité beaucoup plus d'une relecture de Marc que d'un désir psychologique de Jésus de se retrouver enfin dans le calme et la tranquillité. Un certain nombre de « sorties » mystérieuses de Jésus - qui jadis avaient provoqué l'étonnement des commentateurs [1] - doivent probablement se rattacher à ce même souci rédactionnel.

Ensuite les récits de vocations, les péricopes et logia consacrés à la condition de disciples révèlent que le sort à eux promis est le reflet de celui du Fils de l'Homme (VIII, 34 ; X, 43-45). On peut donc dire de ce chapitre ce que nous disions des exorcismes : les démons voient l'invisible et font voir par là au lecteur ce que la foule ne peut percevoir. Ici, la condition paradoxale des disciples est pour le lecteur le miroir du secret messianique.

L'étonnement et l'incompréhension ont exactement la même fonction littéraire et théologique : ils doivent attirer l'attention du lecteur et l'instruire. Ils disent au lecteur qu'il y a là une vérité messianique importante et difficile, une vérité qui peut-être lui avait échappé et sur laquelle Marc veut insister.

Finalement, on peut se demander si Marc a axé son message sur le thème du secret messianique par spéculation théologique,

1. Aperçu des différentes interprétations : M. J. LAGRANGE : *Évangile selon saint Marc*, [4]1929, p. 28 ; V. TAYLOR : *Gospel Acc. to St Mk*, 1952, p. 184.

par volonté apologétique ou bien par souci pastoral ? On ne
peut écarter complètement les deux premières raisons, mais il
semble dès à présent que son but principal était d'ordre pastoral. Dans ce cas, la condition des disciples, telle qu'elle nous
est dépeinte ici, n'était pas seulement la révélation indirecte du
secret messianique, mais précisément le but premier et ultime
de l'évangéliste, but auquel le secret lui-même était ordonné.

II. RÉVÉLATION DU SECRET.

Après avoir étudié en détail tous les tenants et aboutissants du secret, après avoir, en quelque sorte, tourné tout autour pour asseoir et étayer le fait même du secret messianique au niveau rédactionnel, il est temps de pénétrer au cœur de notre problème et d'analyser la signification théologique que Marc lui-même - toujours au niveau rédactionnel - donne de ce thème qu'il a soigneusement élaboré et développé.

Nous commencerons par déterminer les limites du secret. Elles nous permettront de reconnaître sans hésitation possible que le sens et la raison du secret *doivent* être révélés par Marc au niveau rédactionnel de son évangile. En même temps, nous pourrons circonscrire le secret, mais peut-être pas exactement de la même façon que Wrede.

Et, enfin, nous analyserons la péricope-clef, celle dans laquelle Marc explique pourquoi Jésus a voulu imposer un tel silence aux démons, à ses miraculés et même à ses disciples. Nous en verrons la raison théologique qui éclairera le sens profond de tous les cas de secrets et même de violations de secrets à travers tout l'évangile de Marc. C'était sans doute la solution unique, qui ferait justice de tous les cas, désirée par Wrede. Mais sans doute valait-il mieux demander à Marc, au lieu de la deviner. C'est pourquoi nous avons préféré prendre notre temps pour arriver à ce terme, plutôt que de vouloir aller trop vite, projetant immanquablement notre propre solution du problème dans l'œuvre de Marc. C'est dire que notre étude, ici encore, sera avant tout analytique. Nous en tirerons ensuite la conséquence dogmatique et apologétique.

A. LIMITES DU SECRET.

Si nous ne nous sommes pas trompés de route, il faut donc que nous trouvions la solution du secret au niveau même de la rédaction de Marc. Avant-dernière étape : l'encerclement. Marc indique-t-il lui-même un terme à son secret, un moment ultime à partir duquel le secret pourra être proclamé partout sans inconvénient ?

Comme l'a montré E. Sjöberg, l'apocalyptique est tout orientée vers la manifestation du mystère. Le moment où la vision sera enfin universellement révélée donne son sens à la période douloureuse qui a précédé. Mais, dans les apocalypses, la révélation est généralement repoussée jusqu'au moment de l'intervention de Dieu dans l'histoire et l'établissement définitif du règne de Dieu [1]. A notre point de vue, la définition d'une limite imposée au secret est très importante, parce que cette limite nous aidera à comprendre rétrospectivement la raison du secret. Ceci toujours au niveau rédactionnel.

IV, 21-22.

Effectivement nous rencontrons deux textes, rédactionnels tous les deux, affirmant l'un et l'autre que le secret ne saurait être que provisoire :

> « Est-ce que la lampe paraît pour qu'on la mette sous le boisseau ou sous le lit ? N'est-ce pas pour qu'on la mette sur le lampadaire ? Car il n'y a rien de caché qui ne doive être manifesté, et rien n'est demeuré secret que pour venir au grand jour ! » (IV, 21-22).

Déjà W. Wrede avait souligné l'importance de ce logion [2]. Nous avons dit plus haut [3] que ces logia, d'ailleurs traditionnels, avaient été introduits par Marc précisément en cet endroit du discours en paraboles, où ils brisent un peu la suite entre la

---

1. E. Sjöberg : *Der verborgene Menschensohn*, 1955, p. 125sv, 130sv.
2. *Messiasgeheimnis*, [3]1963, p. 69sv. Voir également G. Strecker : « Zur Messiasgeheimnistheorie im Markusevangelium », dans *Studia Evangelica*, III, Berlin, 1964, p. 98-100 ; G. H. Boobyer : *New Test. Studies*, VI, 1959-1960, p. 233.
3. Ci-dessus, p. 167 et 171sv.

première parabole (le semeur) et les deux suivantes. Quelle était l'intention de Marc ?

Marc venait d'expliciter sa théorie du secret messianique (IV, 10-13). Aux privilégiés de Jésus est donné le mystère du Royaume ; mais pour les autres, « ceux du dehors », tout arrive en paraboles, pour qu'ils aient beau regarder et n'y voient goutte, etc.

Les v. 21-23 assignent un terme à ce mystère. Ils reprennent deux fois de suite les mots « caché » ou « secret » qui renvoient au mot « mystère » employé en IV, 11 [1]. Ce qui est caché maintenant devra plus tard être révélé à tous. Cette lumière est faite pour être manifestée dans le monde entier. Ce n'est donc pas le message chrétien comme tel qui est ésotérique (cf XIII, 10 ; XIV, 9). Au contraire, de soi, il faut qu'il soit proclamé partout. Mais pour le moment, pour un temps qui n'est pas précisé ici, il doit être gardé secret. Mc IV, 23, qui reprend dans ce contexte particulier IV, 9, peut être compris comme un avertissement rédactionnel au lecteur. Ce qui est dit ici en secret sera révélé plus tard.

IX, 9.

Mais c'est naturellement Mc IX, 9 qui se trouve au cœur de l'explication de W. Wrede [2] :

> « Comme ils descendaient de la montagne, il leur défendit de raconter à personne ce qu'ils avaient vu, si ce n'est quand le Fils de l'Homme serait ressuscité d'entre les morts ».

Marc note ensuite que les disciples ne comprirent point le sens de l'expression « ressusciter » des morts. Cette incompréhension et le silence imposé par Jésus sont deux indices simultanés et certains du secret messianique [3]. Le terme indiqué est précis : la résurrection pascale. W. Wrede l'a bien mis en valeur et aucune hésitation n'est possible sur ce point.

---

1. Voir ci-dessus p. 201.
2. *Messiasgeheimnis*, [3]1963, p. 66-69 ; G. H. Boobyer : *New Testament Studies*, VI, 1959-1960, p. 233.
3. É. Trocmé, qui veut à tout prix évacuer le « secret » attribue ce verset à la « naïveté » de Marc (*Formation de l'évg de Mc*, 1963, p. 130, note 82). L'explication est par trop candide.

Au point de vue de la thèse apocalyptique de E. Sjöberg, il faut remarquer que les apocalypses sont de soi un genre littéraire parénétique. On veut encourager une communauté en lui disant que les épreuves qu'elle subit sont provisoires. Le jugement ou la gloire suivront sous peu. Par hypothèse donc, les lecteurs d'une apocalypse vivent au cœur de la période de « secret ». On leur révèle, comme un privilège extraordinaire que, dans très peu de temps, va intervenir le jugement de Dieu (par exemple Daniel VII, 9-14). Si le jugement était déjà intervenu entretemps, l'apocalypse perdrait toute raison d'être, puisqu'elle n'est écrite que dans le but de faire prendre patience à la communauté.

Dans le cas de Marc, au contraire, la communauté à laquelle s'adresse son évangile se trouve par hypothèse au-delà de la ligne du secret [1]. L'évangile de Marc ne peut donc pas être identifié purement et simplement à une apocalypse.

En outre, on peut remarquer que le secret se lève progressivement au fil de l'évangile. Dès IV, 10-13, nous avons une indication importante, annonçant que le secret n'est pas absolu : aux privilégiés - et donc *aux lecteurs* - le « mystère » est donné, tandis qu'il est encore caché à ceux du dehors. Au niveau littéraire, c'est un avertissement au lecteur qu'il trouvera la clef du secret messianique dans la texture même de l'évangile, s'il a des oreilles pour écouter [2] !

Ensuite le thème des explications particulières, conjugué avec celui de l'incompréhension, a permis au lecteur de cerner de plus près le secret. Finalement la profession messianique de Pierre - avec sa distinction caractéristique, comme en IV, 10-13, entre « les gens » et les disciples - l'a assuré qu'il touchait au cœur du secret. Non seulement Jésus n'a pas empêché ses disciples de découvrir son secret, mais il les y a poussés, il leur a même reproché d'être aussi balourds (VIII, 17-21). Tout cela doit encourager le lecteur à suivre tous ces repères posés par Marc [3].

Il y a un lien profond entre la confession de foi de Pierre et la transfiguration : c'est comme si cette reconnaissance avait

---

1. Voir G. STRECKER : *Studia Evangelica*, III, 1964, p. 98.
2. Mc IV, 9 et 23 ; comparer XIII, 14 et Apoc XIII, 18.
3. Comme nous l'avons souligné, la plupart des indices se trouvent au niveau rédactionnel, ou bien ont été réinterprétés par Marc au sens de sa théorie.

libéré la gloire messianique que le secret tenait étouffée. Cette manifestation en gloire atteste que le secret messianique est à son terme. Pas totalement cependant, puisque cette vision n'a lieu que devant les trois privilégiés et non devant le peuple entier. En outre, cette gloire n'est encore qu'éphémère. Pierre (IX, 5-6), puis Jacques et Jean (X, 37-38), les trois privilégiés de la vision, voudraient s'installer tout de suite dans cette gloire. Mais Marc souligne les deux fois qu'ils n'ont encore rien compris (IX, 6 = X, 38). Leurs pensées ne sont encore qu'humaines (VIII, 33), car la gloire entrevue s'évanouit aussitôt, et Jésus, resté seul avec eux, leur enjoint de ne parler à personne de cette vision, jusqu'à ce que le Fils de l'Homme soit ressuscité d'entre les morts.

Bien sûr, les disciples ne comprennent pas sur le champ ce que signifie « ressusciter des morts ». Mais cette incompréhension même indique la voie au lecteur. Elle rejoint celle de IX, 5-6 et X, 37-38, et lui montre l'endroit précis où réside le secret. Wrede n'a pas eu la patience de suivre Marc jusqu'au bout. Il l'a suivi jusque IX, 9, et puis il a tout de suite construit sa théorie basée sur les préjugés rationalistes de son temps. En d'autres mots, il est sorti trop tôt de l'analyse rédactionnelle de Marc pour faire une inférence hâtive sur le terrain de l'« histoire », telle que lui-même la concevait. Nous essaierons d'avoir un tout petit peu plus de patience que lui et de poursuivre notre analyse jusqu'au terme.

X, 47-48.

Au fur et à mesure que nous avançons dans l'évangile, la rigueur du secret se détend. Lorsque Jésus, montant vers Jérusalem, arrive aux portes de Jéricho, un aveugle se met à crier à tue-tête : « Fils de David, Jésus, aie pitié de moi ! » (X, 47sv). Le texte de Marc répète deux fois l'épithète messianique, et pourtant Jésus ne le reprend pas et ne lui impose pas silence.

W. Wrede s'est contenté d'attribuer à « une autre tradition » ce texte qui contredisait sa thèse préfabriquée [1]. Mais il tombe alors dans l'arbitraire. De même T. A. Burkill [2] estime que c'est

---

1. *Messiasgeheimnis*, [3]1963, p. 142, note 278-279.
2. *Mysterious Revelation*, 1963, p. 196.

un des textes qui font violence au secret [1] et qui montrent que Marc n'a pas été capable de rester jusqu'au bout logique avec lui-même. O bienheureuse stupidité de Marc, qui permet aux exégètes de s'en tirer à si bon compte !

E. Percy, lui, prend acte du fait et lui rend davantage justice [2]. Si nous voulons être logique et essayer de déceler l'explication que *Marc* lui-même donne de son secret, il nous faudra bien accepter l'évidence telle qu'elle se présente à nous. Si le secret messianique se relâche en X, 47-48, c'est qu'il n'est plus aussi urgent qu'auparavant. Pourquoi ?

XI, 9.

a) Plusieurs auteurs ont souligné l'atmosphère de secret messianique savamment étudiée dont est imprégné ce récit [3]. Pour les lecteurs de Marc, cette scène devait avoir une *signification messianique évidente*. Mais, pour les contemporains de Jésus, elle restait ambiguë. Jean XII, 16 dit que les disciples eux-même ne comprirent pas la portée messianique du geste au moment même.

La préparation du cortège par l'envoi des deux disciples montre le caractère prémédité, presque calculé de cette démonstration. Les recommandations précises de Jésus, avec leur tournure prophétique suggéré par Marc, insinuent une signification symbolique, qui ne peut être que messianique. Cela ressort aussi de la remarque concernant l'ânon que « personne au monde n'avait encore monté » [4], ainsi que des vêtements étendus sur l'animal et à terre, évoquant l'intronisation de Jéhu (2 Rois IX, 12sv).

Les Mont des Oliviers lui-même semble avoir eu résonance messianique à l'époque. Plusieurs textes mentionnent la croyance d'une apparition du Messie sur cette montagne [5]. En outre, il n'était pas banal pour un pèlerin d'entrer à Jérusalem monté sur

---

1. « Strain on the Secret », ibid. titre du chapitre IX.
2. *Die Botschaft Jesu*, 1953, p. 287 ; de même J. Schniewind : *Evg nach Mk*, [9]1960, p. 111.
3. E. Lohmeyer : *Evg des Mk*, [15]1959, p. 232-233 ; J. Schniewind : *Evg nach Mk*, [9]1960, p. 112-114 ; V. Taylor : *Gospel Acc. to St Mk*, 1952, p. 452.
4. Cf. P. Vanbergen dans *Questions Liturgiques et Paroissiales*, 1957, p. 16.
5. Flavius Josèphe : *Antiquités juives*, XX, 8, 6 ; *Guerre des Juifs*, II, 13, 5. Comparer Luc XXIV, 50 ; Act I, 12 ; XXI, 38 ; Zach XIV, 4.

un ânon. Généralement les pèlerins tenaient à accomplir à pied cette dernière étape de leur montée à la ville sainte [1]. Il ne s'agit donc pas d'un geste anodin, mais d'une attitude réfléchie.

Par-dessus tout, l'acclamation de la foule est quasi-messianique. L'attente annoncée au début de l'évangile est enfin réalisée. Le Royaume vient. Les grands psaumes chrétiens résonnent déjà dans la foule jubilante. Et tout cela aboutit à l'épiphanie du Messie dans le temple annoncé par Malachie (Mc XI, 15-19). On se croirait presque dans une communauté chrétienne.

b) Nous disons bien presque. Car, en même temps que Marc met en évidence un certain nombre de traits évoquant clairement un geste messianique capital aux yeux de ses lecteurs, en même temps il manifeste tout aussi nettement un *certain nombre de réticences* qui ne peuvent être qu'intentionnelles.

Ainsi l'épisode dans son ensemble évoque spontanément le grand oracle messianique de Zach IX, 9 :

> « Exulte de toutes tes forces, fille de Sion !
> Pousse des cris de joie, fille de Jérusalem !
> Voici que ton Roi vient à toi :
> il est juste et victorieux,
> Humble et monté sur un âne,
> sur un ânon, petit d'une ânesse ».

Et pourtant Marc ne cite pas cet oracle qui devait brûler les lèvres de tous ses lecteurs. De même le titre de « Seigneur » apparaît incidemment dans cet épisode (XI, 3), mais ni les disciples, ni les propriétaires de l'âne ne semblent en saisir la portée. Nous avons déjà souligné également la déconcertante « sortie » de Jésus [2] par laquelle toute cette triomphale montée tourne court.

Par-dessus tout, l'acclamation presque messianique de la foule reste étonnamment ambiguë. Matthieu l'a explicitée, tout comme il a explicité la prophétie de Zacharie : « Hosanna au Fils de David ». Marc avait laissé fuser deux fois de suite ce cri dans l'épisode immédiatement précédent. Mais il n'était encore que l'appel de l'aveugle de Jéricho. Pourtant il affleure et devait nécessairement jaillir du cœur de tout lecteur chrétien, bien que Marc se soit encore refusé à le mettre sur les lèvres de la foule entière. Une réticence subsiste.

---

1. E. Lohmeyer : *Evg des Mk,* [15]1959, p. 232.
2. XI, 11, cf ci-dessus, p. 255sv.

La citation du Ps CXVIII, 25-26 : « Hosanna ! Béni soit celui qui vient au nom du Seigneur ! » avait inévitablement une tonalité messianique pour les lecteurs de Marc. Ce Psaume CXVIII était en effet un des grands Psaumes messianiques sans cesse utilisés par les premiers chrétiens [1]. Marc lui-même en citera deux autres versets un peu plus loin (Mc XII, 10-11). Mieux encore, ici comme là, la foule et *Jésus lui-même* (en XII, 10-11) font une citation publique de ce Psaume. Cela nous indique une évolution décisive dans l'économie du secret. Non seulement il est très loin d'être aussi strict qu'au début, mais il est tout près d'être officiellement révélé. Les allusions deviennent de plus en plus transparentes, bien que l'on évite encore de prononcer le mot de Messie.

c) Outre ce voile de plus en plus ténu et cette décevante « sortie » de Jésus dès son arrivée à Jérusalem et au temple, il est une autre caractéristique de toute la scène. Il semble bien, en effet, que la tradition rabbinique attendait elle aussi la venue du Messie en conformité avec la tradition de Zacharie IX, 9. Mais cela n'allait pas sans poser un sérieux problème, parce que cette apparition d'un Messie humble leur paraissait difficilement conciliable avec l'apparition en gloire annoncée par Dan VII, 13-14. Le Talmud de Babylone, bien que plus tardif, peut fort bien représenter la croyance juive aux temps du Christ ou de Marc :

> « Rabbi Josué ben Lévi (vers 250 ap. J.-C.) avait harmonisé comme ceci les deux prophéties, celle de Dan. VII, 13 : 'Voici que le Fils de l'Homme vient sur les nuées du ciel', avec celle de Zach IX, 9 : 'Humble et monté sur un âne'. Si Israël en est digne, il viendra sur les nuées du ciel ; s'il n'en est pas digne, il viendra pauvre et monté sur un âne » (Sanhédrin 98a) [2].

La venue du Messie sur un âne connotait donc pour Israël la venu d'un *Messie pauvre*. Ce n'est pas une venue en gloire, mais une venue dans l'humilité. Le cortège décrit par Marc, et la « sortie » de Jésus dès son arrivée au temple semblent être intentionnellement dans la même ligne.

---

1. Voir C. H. Dodd : *According to the Scriptures*, London, [4]1957, p. 35sv, 99sv, 104 ; J. Dupont : *Ephemerides Theol. Lovan.* 1953, p. 312sv.
2. Voir S. Mowinckel : *He That Cometh*, Oxford, 1956 (tr. angl.) p. 336.

Même la citation du Ps CXVIII allait dans le même sens, car la reprise chrétienne du Ps CXVIII était fondée principalement sur les v. 15-17 : la droite du Seigneur m'a exalté, réinterprétés dans le contexte de la résurrection des morts, et sur les v. 22-24, la pierre rejetée par les bâtisseurs. C'est pourquoi C. H. Dodd range avec raison ce Psaume dans les testimonia concernant le serviteur souffrant [1]. En d'autres mots, Jésus lui-même, pour la première fois en saint Marc, fait un geste messianique, geste qui aurait pu soulever un délire populaire, mais il le fait dans un style très particulier. Ce qui est secret pour Marc, ce n'est donc pas le fait mais le *mode* du messianisme de Jésus. Du moment qu'est assuré le messianisme par la croix - objet de tout l'enseignement de Jésus depuis la reconnaissance de Pierre - il n'y a plus d'inconvénient à ce que l'on sache qu'il est le Messie, au contraire, Jésus est prêt à le dire lui-même.

XII, 1-12.

Cette parabole est fort différente de celles du ch. IV, puisque ici Marc note explicitement que les adversaires de Jésus « avaient bien compris que c'était pour eux qu'il avait dit cette parabole » (XII, 12). Marc aurait-il oublié ce qu'il avait dit en IV, 11-12 ?

W. Wrede se contente de ranger cet épisode parmi les « contradictions » de Marc [2]. Marc a bon dos. Tout le monde sait bien qu'il est incapable de conduire son idée jusqu'au bout. Dès lors, ce qui ne s'accorde pas avec la thèse de l'exégète est attribué à une autre tradition ou au manque de cohérence interne de Marc.

Mais la difficulté se corse, lorsque l'on remarque que XII, 12 est un verset *rédactionnel* de Marc [3]. Impossible donc de soutenir qu'il a été forcé par des traditions contraires. Marc lui-même souligne le fait que les adversaires de Jésus se sont sentis concernés par sa parabole. Mais si les grands prêtres et les scribes se sont reconnus dans les vignerons homicides - au dire de Marc lui-même ! - cela signifie que le « Fils bien-aimé » de la parabole (XII, 6) ne peut représenter que Jésus en personne.

1. *According to the Scriptures*, London, [4]1957, p. 99sv.
2. *Messiasgeheimnis*, [3]1963, p. 124sv. : « Widersprüche ».
3. Cf V. Taylor : *Gospel Acc. to St Mk*, 1952, p. 477 ; M. Zerwick : *Untersuchungen zum Mk-Stil*, 1937, p. 135sv.

Dans la pensée chrétienne primitive - au temps de Marc, par conséquent - ce titre ne pouvait prêter à aucune équivoque. C'est celui que Jésus, au début de son ministère, étouffe précipitamment sur les lèvres des démons (III, 11-12 : rédactionnel !). Or ici Jésus lui-même l'utilise et Marc prend soin de souligner le fait que ses adversaires ont compris son allégorie transparente.

L'intervention rédactionnelle de Marc serait encore plus sensible, si l'on acceptait la suggestion d'É. Trocmé : Marc serait l'auteur de la première allégorisation de cette parabole [1]. La question a connu un regain d'actualité du fait de la découverte de l'évangile de Thomas, dans lequel on trouve une forme non allégorisée de cette même parabole [2].

L'insertion de la dernière phrase « Car ils avaient bien compris », vient trop tard après le « mais ils eurent peur de la foule ». Le mode d'insertion rappelle III, 30 et aussi VII, 19b. Ce sont de petites gloses explicatives importantes pour comprendre la pensée de Marc.

Dans le cas de notre parabole, on le voit, c'est très précisément l'allégorisation accomplie en Mc XII qui donne au récit son caractère transparent. D'ailleurs Marc se charge lui-même de nous en avertir : « Ils avaient bien compris que c'était *pour eux* qu'il avait dit cette parabole », commente-t-il au v. 12. Ce que les auditeurs ont donc compris, c'est *l'application* de la parabole à leur propre cas. Or cette application ne s'impose qu'en raison de l'allégorisation.

En effet, la citation du chant de la vigne (Is V) par Marc (v. 1) oblige d'emblée à faire d'Israël la vigne (Is V, 7 !) et, dans ce cas, les vignerons ne peuvent être que les chefs du peuple. En outre, au lieu des deux serviteurs envoyés dans la parabole originale, Marc en fait intervenir trois, puis « beaucoup d'autres ». Nous sortons du cadre de la parabole pour entrer dans celui de l'histoire d'Israël. Ces « beaucoup d'autres », dont

---

1. *Formation de l'évg de Mc*, 1963, p. 163, note 162 (bibliographie).

2. *Évangile selon Thomas*, texte copte établi et traduit par A. GUILLAUMONT, H. C. PUECH, etc. Paris, 1959, n° 65 ; J. DORESSE : *L'évangile selon Thomas ou les Paroles de Jésus*, Paris, 1959, p. 104. Cf O. CULLMANN dans *Theologische Literaturzeitung*, LXXXV, 1960, col. 321-334 ; B.M.F. VAN IERSEL : *Der Sohn in der synoptischen Jesusworten*, Leiden, ²1964, p. 129-141.

Évangile selon Thomas, n° 65	Marc XII, 1-12
Un homme avait une vigne qu'il loua à des vignerons pour qu'ils la travaillent et qu'il en reçoive d'eux le fruit.	Un homme planta une vigne l'entoura d'une clôture, y creusa un pressoir et y bâtit une tour. Puis il la loua à des vignerons et partit pour l'étranger.
Il envoya son serviteur pour que les vignerons lui donnent le fruit de la vigne. Mais ils se saisirent de son serviteur, le battirent et il ne s'en fallut de peu qu'ils ne le tuent. Le serviteur revint et le dit à son maître. Son maître se dit : « Peut-être ne l'ont-ils pas reconnu ? »	Le moment venu, il envoya un serviteur vers ces vignerons pour percevoir d'eux sa part des fruits de la vigne. Mais ils se saisirent de lui, le battirent et le renvoyèrent les mains vides.
Il envoya un autre serviteur. Celui-là aussi les vignerons le frappèrent.	De nouveau, il leur envoya un autre serviteur. Celui-là aussi ils le frappèrent à la tête et le couvrirent d'outrages. Et il en envoya un autre : celui-là ils le tuèrent. Puis beaucoup d'autres : ils battirent les uns, tuèrent les autres.
Alors le maître envoya son fils. Il se dit : « Ils auront égard pour mon enfant ». Mais, quand ils surent que celui-ci était l'héritier de la vigne, ces vignerons le saisirent et le tuèrent.	Il ne lui en restait plus qu'un, son Fils bien-aimé. Il le leur envoya le dernier, en se disant : « Ils auront égard pour mon Fils ». Mais ces vignerons se dirent entre eux : « Voici l'héritier ; allons-y et tuons-le, et l'héritage sera à nous ! » Et, le saisissant, ils le tuèrent et le jetèrent hors de la vigne.
Que celui qui a des oreilles entende !	Que fera le Maître de la vigne ? Il viendra, fera périr les vignerons et donnera la vigne à d'autres.
	Et n'avez-vous pas lu ce passage de l'Écriture : « La pierre « qu'avaient rejetée les bâtis-« seurs, c'est elle qui est deve-« nue la pierre de faîte ; c'est là « l'œuvre du Seigneur et elle « est admirable à nos yeux » ?
	Ils cherchèrent à l'arrêter, mais ils eurent peur de la foule. - Car ils avaient bien compris que c'était pour eux qu'il avait dit cette parabole.

certains ont été battus, les autres tués, ne peuvent être que les prophètes envoyés successivement par Dieu à Israël (Mt XXIII, 34 ; Act VII, 52 ; Héb XI, 37). Nous ne sommes plus dans la parabole, mais dans l'allégorisation. Dès lors l'application est de plus en plus contraignante, *puisqu'elle est déjà faite*. Au contraire, dans la forme qu'elle revêt dans l'évangile de Thomas - et qui est sûrement primitive - cette application n'est pas faite[1].

Finalement, l'évocation du Fils bien-aimé, ainsi que le fait - inutile dans la trame de la parabole, mais très évocateur pour des chrétiens - que le Fils bien-aimé a été jeté hors de la vigne par les vignerons, rappellent de façon transparente la mort du Christ sur le Golgotha. L'inversion de Matthieu et de Luc : « ils le jetèrent hors de la vigne et le tuèrent » ne fera que préciser une allégorisation déjà consommée. Le grand texte messianique du Ps CXVIII, 22sv, - si souvent utilisé dans l'Église primitive pour justifier la mort ignominieuse du Messie - vient achever l'interprétation de la parabole en Marc. Il s'agit naturellement d'une relecture chrétienne.

La remarque finale : « ils avaient compris que c'était pour eux » montre bien dans quel sens va la relecture chrétienne des paraboles de Jésus, dans celui d'une allégorisation. Le Maître de la vigne est identifié à Dieu, la vigne, c'est Israël, les vignerons sont les chefs du peuple, le Fils bien-aimé, c'est le Christ et les serviteurs sont les prophètes. Cette interprétation est dans la ligne de Mc IV, 14-20. Là également, la parabole du semeur est sensée incompréhensible tant que l'application allégorique n'en a pas été faite. On peut en dire à peu près autant de VII 17-23 et de VIII, 14-21 (cf VIII, 29 !)

Conclusions.

Nous pensons avoir démontré que ni X, 47-48, ni XII, 1 n'étaient indispensables dans la trame du récit. Si Marc

---

1. Dans le même sens : J. JEREMIAS : *Die Gleichnisse Jesu*, [6]1962, p. 67 75 ; C. H. DODD : *The Parables of the Kingdom*, London, [14]1956, p. 124 132 ; B.M.F. VAN IERSEL : « *Der Sohn* » in den synoptischen Jesusworten Leiden, [2]1964, p. 124-145. - C. H. DODD (o.c. p. 124sv) et J. JEREMIA (o.c. p. 72sv) affirment que l'attitude des différents personnages de l parabole est très vraisemblable dans le cadre du nationalisme exacerbé d l'époque.

vait senti la moindre contradiction avec sa théorie du secret,
l aurait pu facilement atténuer ces traits, comme il semble, par
xemple, l'avoir fait en XI, 1-11. Il aurait même pu supprimer
omplètement ces deux péricopes (X, 46-52 et XII, 1-12). Il ne
'a pas fait. Il a gardé ou même amplifié les deux acclamations
ubliques « Fils de David » (X, 47-48) et il a ajouté de sa pro-
re main XII, 12. Il est assez probable aussi que c'est lui qui a
llégorisé la parabole de XII, 1-11 et l'a rendue aussi trans-
arente ; en tous les cas, il l'a reprise telle quelle et a expressé-
nent souligné son caractère diaphane. C'est la preuve que, dans
a pensée, tout cela ne contredisait pas - au contraire ! - sa thèse
rincipale.

Mais alors c'est que le secret a pour lui une signification dif-
érente de celle que pensait Wrede. Remarquons que le voile
'amenuise *progressivement et régulièrement* à partir de la con-
ession messianique de Pierre. Cette confession, rappelons-le,
vait été provoquée par Jésus lui-même. Très peu de temps après
vait eu lieu la transfiguration, qui révélait aux privilégiés la
ature cachée de Jésus. Par la suite, Jésus parlait de plus en plus
lairement de sa mission au groupe de ses disciples. Tout cela
estait confiné dans leur intimité, il est vrai.

Néanmoins, à partir de X, 47-48, coup sur coup, le secret
ommence à fuser de partout. Le cri de l'aveugle de Jéricho se
épercute triomphalement, encore qu'avec retenue et une sorte
'ambiguïté, lors de l'entrée à Jérusalem (XI, 9-10). Les deux
cènes se succèdent immédiatement dans l'évangile de Marc. Or
Jérusalem, c'est à l'initiative de Jésus, une fois encore, qu'est
ue cette acclamation quasi-messianique. Toutefois un caractère
articulier se révèle : il s'agit d'un Messie pauvre.

Les cinq controverses du temple n'ont plus qu'un très léger
oile de secret. Jésus y parle avec quelque réserve de son auto-
ité céleste (XI, 27-33). Puis aussitôt, sans même y avoir été
rovoqué, il raconte devant les chefs du peuple assemblés une
arabole transparente, en conclusion de laquelle il prend soin
e noter que ses adversaires ont tout compris. Tout cela est ap-
uyé par une des prophéties messianiques les plus notoires au
emps de Marc (XII, 10-11). Ensuite, il parle ouvertement de la
ésurrection des morts (XII, 18-27) et même du Fils de David
XII, 35-37). Le Ps CX cité à cette occasion était, plus encore
ue le Ps CXVIII utilisé précédemment, *la* prophétie messiani-

que par excellence du christianisme primitif [1], et cela parce - tout
comme le Ps CXVIII, 22-23 - il annonçait un Messie ressuscité [2].
Cette prophétie solennelle est ici le terme de la longue discussion de Jésus avec les officiels du peuple. Plus personne n'ose
l'interroger (XII, 32) : c'est le moment que Jésus choisit pour,
de son propre mouvement, leur laisser entrevoir quelque chose
du mystère de sa personne.

Tous ces textes ont naturellement été remarqués par ceux qui
ont étudié le secret messianique en Marc [3]. Ils se sont généralement contentés de les expliquer comme une inconséquence de
Marc. Mais nous demandons : est-il possible d'admettre une
inconséquence qui couvre la moitié de l'évangile ? On note en
effet une manifestation continue et progressive à partir de la
confession de Pierre jusqu'à la confession publique devant le
grand prêtre et à la reconnaissance du centurion devant la croix.

S'il ne s'agissait que d'un cas particulier, on pourrait encore
parler d'une tension entre la tradition et la théologie de Marc [4]
Mais les cas se font de plus en plus rapprochés et, qui plus est
c'est à l'initiative de Jésus que sont dues les diverses manifestations successives du Messie : c'est lui qui provoque la réponse
décisive des disciples sur un sujet resté jusque là tabou (VIII,
27) ; c'est lui qui appelle l'aveugle près de lui, alors que la
foule voulait justement le faire taire (X, 47-49) ; c'est lui encore
qui prépare l'ovation quasi-messianique de Jérusalem (XI, 1-11)
c'est lui toujours qui raconte devant les chefs du peuple une
parabole qu'ils ne pouvaient manquer de comprendre (XII
1-12) ; c'est lui enfin qui aborde ouvertement la question brû-
lante du Messie au milieu du temple (XII, 35-37).

Parler d'une inconséquence en pareil cas dénote un manque
de sérieux. Cela signifie tout simplement que l'on n'a pas saisi
l'intention véritable de Marc. Cette révélation progressive et
étudiée nous dit ceci : nous pouvons d'ores et déjà être *certains*
que le secret messianique - qui est un procédé rédactionnel
comme nous l'avons déjà suffisamment constaté - doit trouve

---

1. Cf C. H. DODD : *According to the Scriptures*, London, [4]1957, p. 34sv
2. Cf Act II, 33-36.
3. Voir, par exemple, W. WREDE : *Messiasgeheimnis*, [3]1963, p. 124sv
278sv ; T. A. BURKILL : *Mysterious Revelation, 1963*, p. 188-217, 242sv, etc
4. Cf T. A. BURKILL : *Mysterious Revelation*, 1963, p. 188-209 : « Strain
on the secret », et déjà W. WREDE : *Messiasgeheimnis*, [3]1963, p. 124-129 e
235-239 : « Widersprüche ».

et trouvera son explication au niveau rédactionnel également. Sans quoi il ne serait qu'une mystification. Cette certitude a priori est une confirmation puissante de l'analyse que nous allons entreprendre à présent.

B. RAISONS DU SECRET : VIII, 27-33.

1. État de la question.

a) W. WREDE a voulu nier l'importance primordiale de la confession de Pierre dans l'économie du secret. Il y a dépensé pas mal d'efforts [1]. Il allait en effet contre l'évidence : si le secret messianique est au centre de toute la théologie de Marc - comme Wrede l'a magnifiquement démontré, - alors la découverte de ce secret par les apôtres est nécessairement un événement décisif dans son évangile.

Si Wrede a repoussé de toutes ses forces cette évidence, c'est qu'il était obnubilé par ses préjugés. Pour lui, en effet, il était a priori *impossible* que Jésus ait jamais eu conscience d'être le Messie ; sans quoi on retombait dans le surnaturalisme et le catholicisme [2]. Or le déisme philosophique avait décrété qu'il était impossible à Dieu d'intervenir dans le cours de l'histoire humaine. Il était donc - pour la même raison - *impossible* que la dignité messianique de Jésus ait été découverte et proclamée au cours de l'existence terrestre de Jésus, *puisqu'*elle est une invention cultuelle de l'Église primitive. Dans ce cas, le secret messianique *ne peut être qu'*une supercherie de l'Église primitive pour établir un pont entre sa foi au Kyrios ressuscité et le Jésus « historique ».

Puisque la confession de Pierre *ne peut donc pas* être une véritable reconnaissance messianique, il faut donc qu'elle soit, ou

---

1. *Messiasgeheimnis*, [3]1963, p. 115-124, 237-239, 252sv.
2. Comme le dit très bien E. DINKLER : « Natürlich musste Wrede die historische Authentie des Messiasbekenntnis anfechten », dans *Zeit und Geschichte* (*Dankesgabe R. Bultmann*), Tübingen, 1964, p. 128.

bien insignifiante, ou bien la rétro-projection d'une confession
de foi post-pascale [1]. W. Wrede a choisi la première solution
pour éliminer ce témoin gênant. Il viole ainsi de façon criante
ses propres principes, selon lesquels il fallait trouver une solution qui rendrait justice à *tous* les cas [2] ! Ce défaut de méthode
est essentiel chez Wrede et c'est son talon d'Achille. Son présupposé philosophique l'a amené à faire violence à Marc : il ne
l'a pas interprété jusqu'au bout : il a introduit de force sa conception préfabriquée dans l'évangile de Marc [3].

b) R. BULTMANN, bien qu'il suive Wrede dans son explication
du secret [4] interprète différemment la confession de Pierre. Il a
voulu la réduire à une « forme » traditionnelle connue. Ce n'est
pas un « apophtegme » au sens strict. Il la classe parmi les
« légendes » au sens de la *Formgeschichte*, c'est-à-dire « péricopes liturgiques ». C'est dans cette catégorie de secours que les
critiques des formes rangent ce qu'ils ne peuvent mettre ailleurs
c'est la moins précise des structures traditionnelles.

Néanmoins R. Bultmann estime que la confession n'a pas pu
originairement se terminer de façon aussi abrupte. Dans le se
cond évangile, en effet, Jésus ne donne aucune réponse à Pierre
En général, les péricopes conservées par la tradition ecclésiale
avaient pour but l'instruction des fidèles. On n'y montrait pa
le Maître interrogeant ses disciples par curiosité. Jésus n'y pos
jamais de questions pour se renseigner, mais pour enseigner. La
péricope traditionnelle se termine donc obligatoirement par une
réponse de Jésus mettant le point final et donnant sa véritabl
portée à la question pédagogique posée par lui [5].

D'après Bultmann, la confession de Pierre (Mc VIII, 27-29
est une création de la communauté primitive [6] ; par contre le
v. 30 et 31-33 sont de la main de Marc. Les deux fragment

---

1. C'est la solution choisie par R. BULTMANN, Gesch. syn. Trad. [4]1958
p. 275-278.
2. *Messiasgeheimnis*, [3]1963, p. 35sv.
3. E. SJÖBERG : *Der verborgene Menschensohn*, 1955, p. 103-107, s'e
donné la peine de réfuter longuement W. WREDE sur ce point.
4. *Gesch. syn. Trad.* [4]1958, p. 371sv.
5. Cette objection est analysée et réfutée par A. VÖGTLE dans *Biblisch
Zeitschrift*, I, 1957, p. 266-269.
6. *Gesch. syn. Trad.* [4]1958, p. 276, il estime que la question est un pr
cédé littéraire pour amener la confession de foi.

n'appartiennent pas à la même couche traditionnelle et dès lors VIII, 31-33 ne peut pas avoir été la conclusion originelle (traditionnelle) de la confession de Pierre. Dans sa forme première (traditionnelle, c'est-à-dire prémarcienne), elle devait nécessairement se terminer par une parole de Jésus. La péricope est donc fragmentaire dans l'évangile de Marc : elle y reste sans conclusion.

R. Bultmann pense que la réponse originelle de Jésus à Pierre se trouve en Mt XVI, 17-19. À la confession de foi (ecclésiale) répond la béatitude : « Bienheureux es-tu, Simon, fils de Jean, parce que ce n'est pas la chair et le sang qui te l'ont révélé, mais mon Père qui est dans les cieux ». On a souvent remarqué le parallélisme entre la confession de Pierre : « Tu es le Christ, le Fils du Dieu vivant ! » (Mt XVI, 16) et la réponse de Jésus : « Et moi je te dis : Tu es Pierre, et sur cette Pierre je bâtirai mon Église ! » (Mt XVI, 18). Puisque tout se situe au niveau des confessions de foi de l'Église primitive, R. Bultmann estime que c'était la réponse traditionnelle à cette profession de foi [1].

Marc aurait consciemment brisé cette suite originale, amputé la finale, et mis à sa place VIII, 32-33, qui est une polémique « paulinienne » contre l'Église judaïsante de Jérusalem [2].

c) O. CULLMANN réfute longuement l'interprétation de R. Bultmann [3]. Il estime avec raison que la confession proprement dite de Pierre : « Tu es le Christ ! » se trouve chez Marc dans sa forme la plus simple, la plus directe et la plus émouvante. Les textes de Matthieu XVI, 16 : « Tu es le Christ, le Fils du Dieu vivant », ou de Luc : « Tu es le Christ de Dieu » (Luc IX, 20) apparaissent déjà comme des relectures d'une leçon primitive. Luc s'adressait à des non-Juifs et sentait le besoin de préciser le mot « Christ » souvent considéré comme un nom propre par les Grecs. Matthieu a voulu amplifier et rendre plus ecclésiale la confession de Pierre. Effectivement, si le texte authentique avait porté la leçon de Matthieu, il serait inexplicable que Marc et Luc aient estropié cette extraordinaire confession.

---

1. Comparer I Cor XII, 3 ; Jean VI, 36-37, 44 ; VIII, 47 ; Rom VIII, 15.
2. Dans le même sens, É. TROCMÉ : *Formation de l'évg selon Mc*, 1963, p. 46-47 et 97-98.
3. *Saint Pierre, Disciple - Apôtre - Martyr*, Neuchâtel, 1952, p. 154-166.

Cullmann insiste sur le fait que Jésus commence par ne faire aucune réponse - ni oui ni non - à la confession de Pierre, telle qu'elle est relatée en Mc VIII, 27-30. Il se contente d'ordonner aux disciples de n'en souffler mot à personne. L'explication de cet ordre de silence se trouve en VIII, 31-33. Ces versets forment *la suite toute naturelle du récit*, plus précisément encore, ils constituent *la pointe de tout l'épisode de Césarée de Philippe* [1].

Cette dernière affirmation d'O. Cullmann nous paraît de la plus haute importance. Nous aurons l'occasion d'y revenir à loisir par la suite. Elle est décisive. Cullmann estime que Jésus corrige ainsi la conception messianique imparfaite des disciples. D'après Marc, au moment même où Pierre prononçait sa confession de foi, il n'en avait pas saisi l'essentiel. Son incompréhension devant la souffrance de Jésus est du même ordre que la requête des fils de Zébédée (Mc X, 35-40) [2]. C'est donc la prophétie de la passion et la réprimande de Jésus qui expriment la véritable pensée de Marc, en opposition à la confession imparfaite.

De là, O. Cullmann passe au texte de Matthieu XVI, 13-20, au sujet duquel il lui est facile de montrer que le compliment dithyrambique de Jésus : « Tu es heureux, Simon fils de Jean, car ce n'est pas la chair et le sang qui te l'ont révélé, mais mon Père qui est dans les cieux ! » tombait vraiment mal à propos dans ce contexte, dont l'ensemble manifestait que Pierre n'avait précisément rien compris du tout et que ses pensées étaient « celles des hommes et non celles de Dieu » (Mc VIII, 33) !

L'argumentation d'O. Cullmann, bien qu'elle ne soit pas acceptée par tout le monde [3], est très intéressante et suggestive. Néanmoins elle nous paraît affaiblie par un vice de méthode : O. Cullmann ne distingue pas entre tradition et rédaction. Il estime que Mc VIII, 31-33 est la suite toute naturelle de Mc XIII, 27-30. Nous pensons exactement comme lui *pour ce qui concerne le niveau de la rédaction marcienne*. R. Bultmann, lui, se place au niveau de la tradition prémarcienne (*Formgeschichte*). A ce niveau, il estime qu'une « discussion d'école »

---

1. *Saint Pierre*, 1952, p. 156.
2. *Saint Pierre*, 1952, p. 157 ; voir ci-dessus, p. 275.
3. Voir, par exemple É. Trocmé : *Formation de l'évg selon Mc*, 1963, p. 47 n. 175.

ne peut se terminer par une réponse des disciples sans aucun commentaire de la part du Maître. Or, à ses yeux, Mc VIII, 31-33 ne peut pas constituer la suite *traditionnelle* du récit de la confession de Pierre, étant donné que Mc VIII, 31-33 est une composition *rédactionnelle* de Marc [1].

d) Le caractère abrupt de Mc VIII, 30 a amené plusieurs exégètes à se demander si Jésus avait approuvé ou rejeté la confession de Pierre. Un certain nombre estime que, dans *la tradition antérieure à Marc*, Jésus avait repoussé et déclaré détestable l'opinion qu'il était le Christ. Marc aurait alors superposé à ce refus qu'il n'aurait déjà plus compris - pas plus que Matthieu ni Luc - la thèse de son secret messianique (VIII, 30) [2]. Nous verrons ce qu'il faut en penser.

e) Il n'est plus nécessaire de nous étendre longuement sur l'article de B. WILLAERT [3], étant donné que A. Vögtle y a répondu en détail [4]. B. Willaert veut défendre la thèse de l'antériorité de la tradition matthéenne par rapport à Marc. Il postule une série d'inconnues pour asseoir son hypothèse. Originairement auraient existé deux grands complexes traditionnels, d'une part un récit suivi de la passion (dont faisaient partie les trois prédictions de la passion : Mc VIII, 31 ; IX, 31 ; X, 33-34//), et, d'autre part une série de logia cristallisés en cinq grand « discours ». A ce stade, Mt XVI, 17-19 servait d'introduction au « discours ecclésiastique » (comparer Mt XVIII). La confession de Pierre n'avait à ce moment aucune relation avec la prédiction de la passion. Elles appartenaient à deux groupes séparés de la tradition.

---

1. *Gesch. syn. Trad.* [4]1958, p. 276sv ; de même É. TROCMÉ : *Form. de l'évg selon Mc*, 1963, p. 46sv : « visiblement rédactionnel ».

2. J. HÉRING : *Le Royaume de Dieu et sa venue*, Neuchâtel, [2]1959, p. 122-127 ; E. STAUFFER : *Novum Testamentum* I, 1956, p. 89 ; H. LEHMANN : *Evangelische Theologie*, XIII, 1953, p. 46 et 50 ; G. BORNKAMM dans *The Background of the New Testament and its Eschatology (Studies in honour of C. H. Dodd)*, Cambridge, 1956, p. 256.

3. « La connexion littéraire entre la première prédiction de la passion et la confession de Pierre chez les Synoptiques », dans *Ephemerides Theologicae Lovanienses*, XXXII, 1956, p. 24-45.

4. « Messiasbekenntnis und Petrusverheissung. Zur Komposition Mt XVI, 13-23 Par. » dans *Biblische Zeitschrift*, N.F. I, 1957, p. 252-272 et II, 1958, p. 85-103.

Un rédacteur postérieur aurait rapproché la confession de Pierre de la première prédiction de la passion dans un but théologique. Marc alors aurait éprouvé la dureté abrupte d'une telle juxtaposition et, dans le but de rendre le récit plus coulant et plus vraisemblable, il aurait supprimé la réponse de Jésus à Pierre et l'aurait remplacé par un ordre de silence [1]. En outre, il aurait remplacé le solennel « Tu es le Fils du Dieu vivant » par le simple « Tu es le Christ », qui s'adaptait mieux à la réprimande qui allait suivre.

Matthieu, lui, aurait mieux respecté le (supposé) texte prémarcien en conservant la confession intégrale et la réponse de Jésus. Mais sous l'influence de Marc, il a peut-être ajouté le mot « Christ » à la confession de Pierre. Il a repris également l'injonction au silence de Marc et modifié Mc VIII, 31 en introduisant une coupure plus nette entre la prédiction de la passion et la confession que Marc avait unies.

Comme le dit très bien A. Vögtle, cet échafaudage d'hypothèses gratuites montre déjà la fragilité de l'édifice. On pourrait à la rigueur concéder que Marc ait supprimé la réponse de Jésus à Pierre ; mais qu'il ait transformé la solennelle confession « Tu es le Fils du Dieu vivant ! », avec la déclaration non moins solennelle du caractère inspiré et divin de cette confession de foi, pour la remplacer par une affirmation insuffisante et même douteuse « Tu es le Christ », et qu'il ait en outre substitué à la magnifique approbation de Jésus une simple injonction au silence, tout cela pour donner une connexion plus vraisemblable entre la confession de Pierre et la première prédiction de la passion, voilà qui est bien invraisemblable [2] !

B. Willaert affirme en outre que Matthieu et Marc ont éprouvé l'un et l'autre le caractère intolérable du rapprochement entre l'approbation chaleureuse de Jésus et la verte réprimande qui suit. Marc aurait résolu le problème en supprimant une partie essentielle de la confession de Pierre (Tu es le Fils du Dieu vivant) et en retranchant toute la réponse de Jésus ; Matthieu, lui, l'a solutionné en établissant une coupure plus nette entre la confession et la prédiction. B. Willaert reconnaît d'ailleurs que Marc a mieux conservé le lien primitif entre les deux péri-

---

1. B. Willaert, a.c. *Ephem. Theol. Lovan.* 1956, p. 43sv.
2. *Biblische Zeitschrift*, N.F. II, 1958, p. 88sv.

copes que Matthieu. Ce dernier est ici secondaire par rapport
à Marc. En outre, il admet que « du point de vue littéraire, la
confession de Pierre, dans sa forme matthéenne ne semble pas
être faite pour être suivie immédiatement par la prédiction de
la passion, la réprimande de Pierre, la transfiguration, etc... » [1].
Il est difficile de se représenter, continue-t-il, qu'un évangéliste,
rédigeant son texte de première main, se permette d'écrire à
quelques versets seulement de distance ces logia : « Tu es bienheureux, Simon fils de Jean, parce que ce n'est pas la chair et
le sang qui te l'ont révélé, mais mon Père qui est dans les
cieux ! » (Mt XVI, 17) et, d'autre part : « Retire toi, Satan, tu
m'es un scandale, Tes pensées ne sont pas celles de Dieu, mais
celles des hommes ! » (Mt XVI, 23) [2]. On ne pourrait mieux
dire.

A. Vögtle pose encore la question : si Matthieu *et* Marc ont
senti la nécessité (d'apres Willaert) de corriger tous deux, chacun à sa façon, le rapprochement impossible entre la confession
et la prédiction de la passion, comment expliquer alors que l'auteur anonyme gratuitement postulé par Willaert ait effectué ce
rapprochement [3] ?

A. Vögtle examine toutes les hypothèses et montre que, lorsque l'on suppose l'antériorité de la tradition de Mt XVI, 13-23
sur celle de Marc, il est impossible d'expliquer de façon satisfaisante l'omission de Marc. Au contraire, si l'on suppose l'antériorité de Marc, il est beaucoup plus simple d'expliquer l'addition de Matthieu.

f) L'article d'E. HAENCHEN nous place dans une perspective
assez neuve [4]. Il remarque que la question de Jésus est difficile
à comprendre, *à moins qu'elle n'ait été formulée par l'évangéliste lui-même* [5]. On ne peut parler d'une intention pédagogique, puisque les disciples n'y comprennent rien de plus après
qu'avant. En outre, il faudrait supposer que Jésus, n'a jamais
dit à ses disciples qui il était. Cela semble démenti par Mc II,

---

1. *Ephem. Theol. Lovan.* 1956, p. 33 ; voir aussi p. 43sv.
2. ibid. p. 33sv.
3. *Biblische Zeitschrift*, N.F. II, 1958, p. 89.
4. « Die Komposition von Mk VIII, 27 - IX, 1 und Par. » dans *Novum
Testamentum*, VI, 1963, p. 81-109, dont les conclusions sont reprises dans
Der Weg Jesu, 1966, p. 292-307.
5. *Novum Testamentum*, VI, 1963, p. 86.

10, 28, pour ne pas parler de Jean I, 29, 36, 41, 45, 49. C'est
en tout cas bien invraisemblable. Finalement, chez Marc - à la
différence de Matthieu - Pierre parle au nom de tous les disciples, et Jésus répond au groupe entier (Mc VIII, 30, 33a : « et
regardant ses disciples »). Cela aussi indique *le caractère ecclésial ou littéraire* de cette confession.

Sans doute, continue Haenchen, plusieurs, dont R. Bultmann,
ont pensé qu'une telle confession de foi aurait nécessairement
dû entraîner une réponse de la part du Maître ; d'autres, au
contraire, comme O. Cullmann, ont cru que Jésus ne répondait
pas parce qu'il n'approuvait pas (entièrement) la pensée de
Pierre. Mais toutes ces explications sont historisantes. En réalité,
pour les chrétiens qui lisaient Marc, la profession « Tu es le
Christ » était *leur* confession de foi. Précisément parce que
c'était *la* confession de foi chrétienne, il n'était pas nécessaire
que le Christ prît position à son égard. Tous les chrétiens lisant
Marc savaient bien qu'il en était ainsi.

Par contre, E. Haenchen ne voit pas le lien intime établi par
Marc entre la confession de Pierre et la prédiction de la passion.
D'après lui, Mc VIII, 31 est une pièce kérygmatique fournie à
Marc par la tradition, pièce que Marc n'est pas parvenu à unir
parfaitement avec la confession de foi. E. Haenchen exclut en
effet que Mc VIII, 31-33 soit l'explication pédagogique du véritable messianisme par opposition à une conception soi-disant
incomplète de Pierre. D'ailleurs en VIII, 33 ; IX, 10, Pierre et
les disciples n'ont encore rien compris. Il n'y a aucun progrès
et cette constatation exclut la thèse pédagogique.

Finalement E. Haenchen explique VIII, 31-38 comme le
milieu (« Sitz im Leben ») dans lequel doit être prononcée cette
confession de foi. Marc y réunit plusieurs logia primitivement
indépendants pour montrer que la vie chrétienne engage au
martyre. E. Haenchen ne pense d'ailleurs pas à une persécution
particulière, mais à la menace latente qui pesait sur tout le
christianisme primitif [1].

Nous reviendrons plus loin sur cette exhortation au martyre
contenue dans les v. 34-38, et qui nous paraît plus précise que
ne le veut Haenchen [2]. Notons seulement ici que le point de vue

---

1. *Novum Testamentum*, VI, 1963, p. 92-96.
2. Voir plus loin « Le secret dans l'Église ».

nouveau proposé par Haenchen est très éclairant. Il invite à comprendre le texte de Marc du point de vue du lecteur chrétien, bien plus qu'en fonction d'une psychologie de Jésus. Cependant, même dans ce cas, n'était-il pas logique d'attendre - avec R. Bultmann, qui, lui aussi, se plaçait à ce point de vue - une réponse de Jésus à cette confession de foi, pour l'authentiquer et béatifier la communauté qui la prononçait par la bouche de Pierre ?

g) Ce n'est pas l'avis de F. HAHN [1]. Selon lui non plus, la confession de Pierre n'exige pas de réponse. Ce n'est pas un apophtegme, mais une discussion d'école. Par une série de questions socratiques, Jésus amène ses disciples à la vraie réponse. Par ailleurs F. Hahn estime que l'antériorité de Mc VIII, 27-33 par rapport à Mt XVI, 13-23 devrait être aujourd'hui un fait acquis. Néanmoins Mc VIII, 27-33 est lui-même manifestement composite. Hahn y distingue, non pas deux, mais trois traditions prémarciennes :

— VIII, 27b-29, pièce assez tardive, puisque Jésus prend l'initiative.
— VIII, 30-32, prédiction de la passion.
— VIII, 27a, (29b), 33.

De cette troisième tradition, il ne reste que des bribes. Originairement ce devait être un apophtegme biographique. C'est lui qui a fourni le cadre du récit de Marc. On voit que cette analyse rédactionnelle ne tient qu'à force d'hypothèses indémontrables. En outre, F. Hahn est obligé de concéder que la main de Marc se reconnaît aux v. 30, 32a, 32b et les premiers mots du v. 31.

h) Pour U. LUZ [2], les v. 27a, 30, 31a (début) et 32a sont rédactionnels. Il découvre aussi trois restes traditionnels :

— confession de Pierre (primitivement *avec* réponse de Jésus)
— prédiction de la passion
— logion de Satan (v. 33).

Mais, à l'encontre d'E. Lohmeyer [3], il juge que le v. 30 ne peut pas se rapporter à la prédiction de la passion qui suit, car

---

1. *Christologische Hoheitstitel*, Göttingen, 1963, p. 226-230.
2. *Zeitschr. f. Neutest. Wiss.* 1965, p. 20-23.
3. *Evg des Mk*, [15]1959, p. 165 ; suivi tacitement par F. HAHN, ci-dessus.

les premiers mots du v. 31 : « Et il commença de... » connotent toujours chez Marc le début d'une nouvelle péricope. Le v. 30 se rapporte donc à ce qui *précède* (à savoir, la confession de Pierre, v. 29). Or le parallélisme avec I, 34 et III, 11sv prouve que cet ordre de silence équivaut à une *approbation*. Jésus accepte donc le titre de Christ, ici comme en XIV, 61sv.

i) E. DINKLER, lui, est un fidèle disciple de Bultmann [1]. Jésus ne s'est donc jamais présenté comme le Messie. La foi en Jésus comme Christ est une foi pascale ; elle est la réponse de la communauté chrétienne à l'intervention eschatologique accomplie par Dieu sur la croix et au cours de la nuit de Pâques.

Toute confession prépascale est donc une anticipation ou plutôt une rétroprojection, une relecture de l'Église. Par conséquent, le Jésus terrestre avait tout d'abord repoussé violemment le titre de Messie que voulait lui décerner Pierre. La réponse primitive de Jésus se trouve en VIII, 33. Après Pâques, la communauté ecclésiale a réinterprété cette dénégation - qu'elle ne comprenait plus - en intercalant la prédiction de la passion entre la confesde Pierre et la réponse de Jésus. La prédiction de la passion devient ainsi la clef du commentaire chrétien : Jésus est le Messie, mais pas à la façon dont les Juifs le comprennent, mais un Messie souffrant et ressuscité, c'est-à-dire un Messie réinterprété à la lumière de Pâques.

On voit que Dinkler est encore très proche de la thèse de W. Wrede, qu'il considère d'ailleurs comme « classique » [2]. A notre avis, cette étude se base encore beaucoup trop sur des présupposés philosophiques et « dogmatiques » pour pouvoir emporter l'assentiment.

---

1. E. DINKLER : « Petrusbekenntnis und Satanswort. Das Problem der Messianität Jesu », dans *Zeit und Geschichte. Dankesgabe an Rudolf Bultmann zum 80. Geburtsdag*, Tübingen, 1964, p. 127-153.
2. Art. cité, p. 128.

2. Analyse littéraire.

a) Importance structurale.

1) Venons-en plutôt à l'étude de cette péricope chez Marc lui-même. Ce qui frappe tout d'abord, c'est la place centrale occupée par la confession de Pierre dans l'évangile de Marc [1]. O. Cullmann [2] souligne avec raison que l'importance exceptionnelle attribuée par Marc à la confession de Pierre ressort du fait que c'est alors *la première fois* que les disciples découvrent qui est Jésus. Matthieu, lui, affaiblit ce trait en prévenant la confession de Césarée par une autre confession sur le lac (Mt XIV, 33). Celle de Césarée en perd sa signification décisive.

Marc, au contraire, a bien pris garde de ne faire précéder par aucune autre la reconnaissance de Pierre à Césarée. Bien mieux : chez lui, l'importance de la confession de Césarée est fondée sur toute une préparation psychologique du lecteur savamment étudiée. Depuis le début de son livre, Marc s'est attaché à montrer Jésus agissant de façon extraordinaire, d'une façon qui stupéfie les assistants et les amène à se poser une série de questions à son sujet : « Qu'est-ce que cela ? Voilà un enseignement nouveau, donné d'autorité ! » (I, 27). Ou bien il revendique un pouvoir inouï : « Il blasphème ! Qui peut remettre les péchés, sinon Dieu seul ? » (II, 7). Qui donc croit-il être pour assumer pareille autorité ? Il scandalise ceux qui l'écoutent : « D'où cela lui vient-il ? Et qu'est-ce que cette sagesse qui lui a été donnée et ces grands miracles qui se font par ses mains ? » (VI, 2).

Jésus lui-même justifie son attitude révolutionnaire par des recours plus ambigus encore : « Pour que vous sachiez que le Fils de l'Homme a le pouvoir sur terre de remettre les péchés » (II, 10) ; ou bien : « En sorte que le Fils de l'Homme est Seigneur même du Sabbat » (III, 28). Qui donc est ce Fils de l'Homme ? Où est-il ? Et en quoi le pouvoir qu'on lui prête autorise-t-il Jésus à remettre les péchés de ce paralytique et à violer le Sabbat ?

---

1. E. DINKLER dans *Zeit und Geschichte* (*Dankesgabe an R. Bultman*), Tübingen, 1964, p. 129 estime le fait démontré. Il renvoie à H. J. EBELING : *Messiasgeheimnis*, 1939, p. 205.
2. *Saint Pierre*, 1952, p. 158.

Ou encore, qu'est-ce que ce « Médecin » qui justifie Jésus de manger avec les pécheurs publics contre les prescriptions légales (II, 16-17) ? Et où est-il cet « Époux » qui dispense les disciples de Jésus des jeûnes traditionnels (II, 19) ? Toutes ces questions enregistrées et orchestrées par Marc créent le climat de la première partie et l'orientent tout entière vers la découverte de Pierre.

Les thèmes de l'étonnement des foules et de l'incompréhension des disciples sont un grand point d'interrogation inscrit par Marc sur les huit premiers chapitres de son évangile. Sur le lac, les apôtres eux-mêmes sont complètement médusés : « Qui est donc celui-là, que même le vent et la mer lui obéissent ? » (IV, 41). Marc affirme donc explicitement que les disciples ne savent pas encore qui il est. Plus qu'ailleurs, on sent ici que toutes ces questions sont, chez Marc, le prélude et les variations d'un thème obstiné, toujours le même, évoqué des dizaines de fois dans les huit premiers chapitres et finalement formulé nettement par Jésus lui-même dans la question qui amènera Pierre à reconnaître brusquement l'évidence.

Lors du second miracle sur le lac, Marc souligne, en un verset rédactionnel, que les disciples étaient au comble de la stupeur, car ils n'avaient pas compris le miracle des pains, mais leur esprit était bouché (VI, 51-52). C'est une façon « gentille » de suggérer au lecteur d'être plus intelligent qu'eux !

Marc a donc préparé son lecteur par une tension psychologique de plus en plus aiguë. La totalité du secret messianique - mentionnons encore le silence imposé aux démons qui savent - contribue à faire de la découverte de Pierre le paroxysme et en même temps l'éclatement d'une tension qui a monté depuis le début de l'évangile. Après cela, tout change.

2) Car l'importance centrale de la confession de Pierre dans la structure rédactionnelle de Marc est indiquée autant par le *brusque changement* de ton et d'orientation après la découverte de Pierre, que par la tension psychologique qui l'a précédée. De même que toute la période d'étonnement, de stupeur et d'interrogation orientait toute la première partie vers la reconnaissance de Pierre, de même la confession de Pierre donne un tour nouveau au reste de l'évangile, jusques et y compris la consommation finale. Or cette orientation nouvelle est indiquée immédiatement, en connexion directe avec la confession de Pierre, et cela

d'une façon définitive qui engage toute la deuxième partie de l'évangile. La prédiction de la passion (Mc VIII, 31), rattachée intimement à la confession de Pierre par l'injonction au silence rédactionnelle (VIII, 30) est en quelque sorte le titre de cette deuxième partie de l'évangile qui commence ici et ne s'achèvera qu'au calvaire (XV, 39).

A partir de la confession de Pierre, le ton change brusquement. Marc enchaîne : « Et il commença de leur enseigner que le Fils de l'Homme devait beaucoup souffrir... » (VIII, 31). Le P. Lagrange insiste à bon droit sur le fait que le verbe « il commença » doit être pris ici au sens fort [1], et non au sens périphrastique qu'il a souvent en saint Marc [2]. Ce mot connote ici une orientation entièrement nouvelle de l'enseignement de Jésus.

Ce changement se définit par deux caractéristiques. C'est d'abord l'enseignement de la passion. A peine Pierre a-t-il proféré sa confession que Jésus enchaîne en leur montrant la nécessité de la passion. Dans la structure actuelle de Marc - la seule qui nous importe ici - *la prédiction de la passion est la réponse de Jésus à la confession de Pierre*. Au niveau de Marc, il y a un lien intime entre cette prédiction et la confession de Pierre. Cette dernière est le signal qui met en branle tout le processus de la passion.

La section suivante est entièrement dominée et structurée par les trois prophéties de la passion (VIII, 31 ; IX, 31 ; X, 33-34). Elles forment le cadre et fournissent le sujet traité. La profession de foi de Pierre donne le branle : à peine l'a-t-il dit, tout change. Et la violente protestation de Pierre lui-même en VIII, 32 indique bien à quel point cet enseignement est nouveau et inattendu.

Après cette longue section destinée à expliquer le sens de la passion (VIII, 27 - X, 52), Jésus arrive à Jérusalem pour se livrer à son destin. L'entrée messianique, l'expulsion des vendeurs du temple, et la série de controverses avec les chefs du peuple ne sont que les prodromes de son arrestation. Marc nous en avertit dès le début (XI, 18 ; XII, 12).

Le caractère inévitable de la passion (VIII, 31 : « il faut ») est encore accentué par le grand voyage fatidique entrepris par Jésus vers Jérusalem. Au moment de la confession de Pierre,

---

1. *Evg selon saint Mc*, [4]1929, p. 216 ; de même P. GAECHTER : *Zeitschrift für katholische Theologie*, LXXV, 1953, p. 331.
2. Voir V. TAYLOR : *Gosp. Acc. to St Mk*, 1952, p. 48, 63sv et 377.

Jésus est « sorti » avec ses disciples vers les environs de Césarée de Philippe, c'est-à-dire tout au Nord du pays, au pied de l'Hermon. C'est « en chemin » qu'il interroge ses disciples. Aussitôt après la première prédiction de la passion, il invite ses disciples à « venir après lui » et à le « suivre » (VIII, 34), et le voyage commence.

On évite de prononcer encore le nom de Jérusalem [1], mais en IX, 30, il sont en route à nouveau lorsque Jésus leur annonce pour la seconde fois sa passion. En IX, 33, ils arrivent à Capharnaüm, mais ils ne font qu'y passer. En X, 1, ils s'en vont vers la région de la Judée et au-delà du Jourdain. Lorsque l'homme riche vient le trouver en X, 17, « il se mettait en route », et il invite l'homme à le « suivre » (X, 21). Lors de la troisième prédiction de la passion, ils sont en route de nouveau et, cette fois, Marc précise qu'ils « montent à Jérusalem » (X, 32). Le mot est prononcé à deux reprises. Jésus en avertit explicitement ses disciples qui jusqu'alors le « suivaient » (X, 28, 32) sans savoir où il allait : « Voici que nous montons à Jérusalem et le Fils de l'Homme va être livré » (X, 33). Le sens de ce voyage, mis ainsi intentionnellement en relation avec les trois prédictions de la passion ne laisse aucun doute : il monte à Jérusalem pour être livré. Le fait que le but de ce voyage n'ait pas été indiqué plus tôt vient probablement du secret messianique, comme IX, 30 le donne à entendre : « Partant de là, ils faisaient route à travers la Galilée et il ne voulait pas qu'on le sût ». Finalement, l'entrée messianique, humble et pauvre, à Jérusalem donne son sens et son aboutissement à cette grande randonnée (XI, 1-11).

3) On pourrait reprendre, à propos de cette entrée messianique, ce que Cullmann a si bien dit de la confession de Pierre : la signification exceptionnelle de la montée à Jérusalem provient de ce qu'elle est unique. Si Jésus était déjà monté à Jérusalem une ou plusieurs fois au cours de son ministère, la joyeuse entrée du ch. XI n'aurait plus eu la même importance. Actuellement, toute la carrière messianique de Jésus converge vers ce voyage. Il « faut » que Jésus monte à Jérusalem et qu'il soit livré aux mains des grands prêtres.

---

1. A l'encontre de Luc IX, 31, 51, 53, qui a systématisé davantage encore l'intention cachée dans l'évangile de Marc.

Historiquement parlant, il est à peu près certain que Jésus est allé plus d'une fois à Jérusalem, mais il n'y est monté qu'une fois « messianiquement ». Jean, qui a conservé plusieurs voyages à Jérusalem, le note à sa façon (Jean VII, 8). D'autres textes, comme Mt XXIII, 37//Luc XIII, 34 prouvent aussi que Jésus a dû monter plusieurs fois à la Ville Sainte. Chez Marc lui-même, une injonction comme I, 44 se comprendrait mieux si la scène se passait à Jérusalem et le logion de XIV, 49 n'aurait guère de sens, si Jésus s'était fait arrêter moins d'une semaine après son arrivée à Jérusalem. Ce logion suppose plusieurs venues ou au moins un séjour prolongé, dans la perspective de Jean VII, 30.

Il y a donc assez bien de chances pour que l'unicité de cette montée à Jérusalem soit due à la présentation intentionnelle de Marc. Un parallélisme voulu structure tout son évangile : la première partie du livre était tendue vers la confession de Pierre ; la seconde monte vers Jérusalem. L'importance centrale de la confession de Pierre lui venait de son unicité ; la valeur symbolique de la montée vers Jérusalem est exprimée par le fait qu'elle aussi est unique. Jésus n'est monté qu'une seule fois « messianiquement » vers Jérusalem, pour y accomplir son destin.

Et ces deux parties de l'évangile s'appuient comme deux arcs puissants sur la clef de voûte de la confession de Pierre : c'est elle qui est l'aboutissement et le couronnement de la première partie, et c'est elle qui est le point de départ de la seconde. Les deux mouvements forment la structure théologique et dynamique de tout l'évangile de Marc. Leur coïncidence dans le point central de la confession messianique de Pierre est aussi le nœud du secret messianique.

> Évidemment, certains préféreront faire remonter ce fait à un stade *prémarcien* de la tradition. Mais c'est là postuler une inconnue sur laquelle nous n'avons aucune indication positive. Car, si nous savons avec certitude qu'il existait une tradition évangélique antérieure à Marc, nous n'avons aucune indication sur la structure rédactionnelle de cette tradition. Nous avons, au contraire, d'innombrables indices du rôle prépondérant joué par Marc dans la structuration de cette tradition. Recourir sans cesse à une structuration prémarcienne reviendrait à attribuer arbitrairement à un auteur inconnu les particularités que l'on ne parvient pas à expliquer autrement (et qui pourtant s'expliquent parfaitement en Marc !). C'est une solution de facilité tout à fait illégitime.

b) Changement de ton.

Une seconde caractéristique de cette confession est le changement de ton qu'elle entraîne. Il suffit de comparer l'affirmation
générale de IV, 33-34 :

> « C'est par de nombreuses paraboles de ce genre qu'il leur annonçait
> la Parole. Il ne leur parlait pas sans paraboles »,

avec VIII, 32 :

> « Et c'est ouvertement qu'il leur annonçait la Parole »[1].

Le mot « ouvertement » correspond au grec παρρησία. Il
s'agit d'un terme technique de la démocratie grecque[2]. Il exprime le droit et le devoir possédés par tout citoyen libre de faire
publiquement entendre sa voix dans tous les secteurs de la vie
politique. Les premiers chrétiens reprendront ce mot pour exprimer la liberté intérieure et extérieure d'annoncer publiquement l'Évangile[3].

Jean l'emploiera plusieurs fois pour parler d'une manifestation officielle du Messie en tant que tel (VII, 4). Il y a opposition, en Jean comme en Marc, entre une manifestation publique (παρρησία) et une présence privée, incognito (ἐν κρυπτῷ)[4].
Jean XVI, 25, 29 est particulièrement instructif pour nous, car
nous y relevons la même opposition entre un discours « en
paraboles » et un entretien en termes clairs (παρρησία)[5].

Chez Marc, l'affirmation soulignée que Jésus parle « ouvertement » (παρρησία) de sa passion montre le caractère inusité
de la chose. D'ailleurs la réaction violente de Pierre avertit également le lecteur du caractère nouveau de la forme autant que
du contenu de l'enseignement[6]. Effectivement, même lorsqu'il
s'adressait « en privé » à ses disciples, jamais Jésus ne leur avait
parlé aussi clairement. Que l'on compare, par exemple, IV, 10-
20 ou VII, 17-23 : l'explication donnée à part aux privilégiés est
presque aussi difficile à comprendre que les discours exposés
« en paraboles » à la foule ! Ici, au contraire, il est impossible

---

1. Même rapprochement E. Schweizer : Zeitschr. f. Neutest. Wiss. 1965,
p. 6-7.
2. Voir H. Schlier : Theol. Wört. V, p. 869-884.
3. Act XXVIII, 31 ; Phil I, 20 ; Eph VI, 19.
4. Jean VII, 4, 10.
5. Voir plus loin dans la conclusion générale : « Le secret et l'histoire »
6. Comparer Jean XVI, 29 !

le s'y méprendre et l'incartade de Pierre montre qu'il a tout de suite compris ce que Jésus voulait dire, encore que la nécessité divine de cette souffrance lui échappe complètement.

Il ne faudrait donc pas arguer de IV, 34, où il est dit que Jésus parlait en paraboles « à la foule », mais qu'il interprétait tout en particulier pour ses disciples. Aucune des interprétations privilégiées de la première partie de l'évangile n'a jamais eu la clarté de la découverte de Pierre ou de la première prédiction de la passion. Et d'ailleurs VIII, 34 indique plus encore la nouveauté de l'événement. Jésus y appelle « la foule en même temps que ses disciples » pour leur faire part de cette nécessité de prendre sa croix et de le suivre. Bien sûr, la « foule » signifie ici que l'enseignement donné concerne tout le peuple *chrétien* ; néanmoins le mot « foule » est employé 40 fois par Marc et il signifie *toujours* que Jésus se trouve en public et que son enseignement ou ses miracles sont publics. Marc a constamment soin de marquer une nette différence entre l'enseignement réservé à « la foule » et celui dit en secret à ses disciples. Il suffit de comparer VII, 14, 17. Le fait donc que Jésus parle « ouvertement » aux disciples, et qu'il appelle « la foule » pour lui parler en termes presque transparents de sa passion prouve que quelque chose s'est passé [1]. Effectivement, nous avons vu déjà que, à partir de la confession de Pierre et jusqu'à la fin de l'évangile, le secret va s'amenuisant et finit par disparaître complètement dans la confession publique et officielle devant le grand prêtre (XIV, 61-62).

Tout l'évangile de Marc se structure donc en deux grandes parties complémentaires ; la première, de I, 14-15 à VIII, 26, expose sous de multiples formes le fait du secret, et la deuxième, de VIII, 27 à XV, 39, donne la révélation et l'explication du secret. C'est ainsi que T. A. Burkill divise sa propre étude du secret : « The secret fact of the Messiasship », et « The mysterious meaning of the secret fact », respectivement, le fait du secret messianique et la signification de ce fait. La première partie de l'étude de Burkill concerne Mc I, 14 à VIII, 26 ; la seconde Mc VIII, 27 à la fin [2]. C'est à bon droit aussi que B. Willaert

---

1. Dans le même sens, E. HAENCHEN dans *Novum Testamentum*, VI, 1963, p. 91sv ; E. SCHWEIZER : *Zeitschr. f. Neutest. Wiss.* LVI, 1965, p. 7.
2. *Mysterious Revelation*, 1963, Part one, p. 7 à 142 ; Part two, p. 143 à 318.

nomme la confession de Pierre « le pivot » de l'évangile de Marc [1]. Effectivement, c'est autour d'elle que s'articule tout l'évangile. Elle est à la fois le point d'aboutissement de toute la première partie et le point de départ de l'orientation toute différente qui commence avec VIII, 31. Il y a un lien intime entre la découverte de Pierre et la prédiction de la passion et, finalement, si Jésus a provoqué cette découverte, c'est parce qu'il voulait en venir à VIII, 31. Autrement dit, le nœud du secret messianique se trouve très précisément dans la relation intime existant entre la confession de Pierre et la première prédiction de la passion.

c) Parallélismes rédactionnels.

Après ces remarques concernant la place structurale de la confession de Pierre dans l'évangile de Marc, nous voudrions en ajouter deux autres qui, tout en éclairant sa situation privilégiée dans le plan de Marc, montreront l'intervention rédactionnelle de Marc dans la composition de cette péricope.

1) Deux chapitres avant la confession de Pierre, en effet, Hérode est l'acteur principal d'une confession avortée, dont le parallélisme avec celle de Pierre semble étudié :

VI, 14-16	VIII, 27-29
Cependant, le roi Hérode entendit (parler de lui) car son nom était devenu célèbre ; et l'on disait :	En chemin, il interrogea ses disciples et leur dit : « Qui suis-je, au dire des gens ?» Ils lui répondirent disant :
Jean le Baptiste est ressuscité des morts ; d'où les pouvoirs miraculeux qui se déploient en sa personne.	Jean le Baptiste.
D'autres disaient : C'est Élie !	D'autres, Élie.
D'autres encore : C'est un prophète comme un des prophètes.	D'autres encore : C'est un des prophètes.
Mais Hérode, en l'entendant dit : « C'est Jean que j'ai fait décapiter, qui est ressuscité ! »	Mais lui les interrogea : « Mais *vous*, qui dites-vous que je suis ? » Pierre répondit et lui dit : « Tu es le Christ ! »

1. *Ephem. Theol. Lovan.* XXXII, 1956, p. 24. Voir également M.

Le parallélisme entre ces deux « confessions » a déjà été remarqué depuis longtemps. Déjà J. Weiss [1], puis E. Wendling [2], R. Bultmann [3] et d'autres [4] en avaient été frappés ; ils l'ont estimé intentionnel. R. Bultmann juge que VIII, 27-29 est le texte traditionnel et que VI, 14-16 est en partie une construction de Marc forgée d'après ce modèle [5]. F. Gils [6] pense que Marc aurait introduit lui-même VI, 15-16 pour corser le parallélisme [7].

Néanmoins E. Percy [8] penche vers la solution inverse : VI, 14-16 serait antérieur à VIII, 27-29. Le récit de la confession de Pierre serait donc partiellement une construction de Marc. Nous sommes de l'avis de Percy. Dans ce sens, on pourrait faire remarquer que l'allusion à Jean-Baptiste est bien mieux en place dans la « confession » d'Hérode que dans celle de Pierre. On peut même affirmer que la réponse des disciples : « Jean le Baptiste », en VIII, 28 n'est compréhensible que par référence à VI, 14. Dans le contexte de l'exécution du Baptiste par Hérode, il est normal que l'on ait transmis le bruit des terreurs de l'ethnarque assassin. Les débuts du ministère de Jésus ont dû être, à peu de chose près, contemporains de l'assassinat du Baptiste (Mc VI, 14) [9]. Le rapprochement de la scène satyrique VI, 14-16 avec la tradition concernant l'exécution du Baptiste était donc tout naturel. En VI, 14, 16, l'allusion au Baptiste ressuscité est donc des plus précises ; en outre, il est dit explicitement pourquoi les gens et Hérode lui-même croyaient que Jésus était Jean-Baptiste. Au contraire, en VIII, 28, la réponse des disciples : « Jean-Baptiste », n'est accompagnée d'aucune explication ni d'aucun commentaire. Elle suppose donc VI, 14-16 et

---

LAGRANGE : *Évg selon s. Mc*, [4]1929, p. LXIV ; U. W. MAUSER : *Christ in the Wilderness*, 1963, p. 140 : « the turning-point » ; T. A. BURKILL : *Mysterious Revelation*, 1963, p. 145-153 ; E. SCHWEIZER : *New Testament Studies*, X, 1963-1964, p. 427sv.

1. *Das älteste Evangelium*, Göttingen, 1903, p. 200sv.
2. *Die Entstehung des Markusevangelium*, Tübingen, 1908, p. 61sv.
3. *Gesch. syn. Trad.* [4]1958, p. 329.
4. Par exemple F. HAUCK : *Das Evangelium des Markus*, Leipzig, 1931, p. 76sv.
5. De même É. TROCMÉ : *Formation de l'évg selon Mc*, 1963, p. 46 et 65.
6. *Jésus prophète d'après les évangiles synoptiques*, Leuven, 1957, p. 22.
7. Solution analogue chez F. HAHN : *Christologische Hoheitstitel*, 1963, p. 222, note.
8. *Die Botschaft Jesu*, Lund, 1953, p. 230.
9. Marc simplifie peut-être un peu, s'il faut en croire Jean III, 22-36.

le récit de la mort du Baptiste. Sans référence implicite à ce contexte, elle serait incompréhensible. Cela signifie donc qu'elle est secondaire par rapport à VI, 14.

De même la réponse concernant « un prophète comme l'un des prophètes » n'est donnée en entier qu'en Mc VI, 15 ; en VIII, 28, elle est abrégée. En d'autres mots, Mc VIII, 27-29 semble reprendre consciemment Mc VI, 14-16 et le mener jusqu'à son terme. L'intervention rédactionnelle de Marc a dû être assez nette pour accentuer ce parallélisme.

2) Mais ce parallélisme n'est pas le seul. Un autre indice de la structure rédactionnelle de la confession de Pierre en saint Marc est le parallélisme en cinq membres entre la guérison de l'aveugle de Bethsaïde et la confession des apôtres :

VIII, 22-26	VIII, 27-30
Ils arrivent à Bethsaïde et on lui amène un aveugle en le priant de le toucher. Prenant l'aveugle par la main, il le conduisit hors du bourg.	Jésus s'en alla avec ses disciples vers les bourgs dépendant de Césarée de Philippe. Et, en chemin,
Après lui avoir craché sur les yeux et lui avoir imposé les mains, il l'interrogeait : « Y vois-tu quelque chose ? »	il interrogea ses disciples disant : « Qui suis-je, au dire des gens ?»
Et l'autre, levant les yeux, dit : « J'aperçois des gens, mais c'est comme si c'étaient des arbres que je les vois marcher. »	Ils lui dirent : « Jean le Baptiste. D'autres, Elie. D'autres encore : C'est un des prophètes. »
Après cela, il lui imposa de nouveau les mains sur les yeux, et celui-ci vit clair et fut guéri et il voyait tout nettement, de loin.	Mais lui les interrogea : « Mais vous, qui dites-vous que je suis ? » Pierre répondit et lui dit : « Tu es le Christ ! »
Et Jésus le renvoya chez lui, disant : « N'en parle à personne dans le bourg ! »	Alors il leur enjoignit sévèrement de ne parler de lui à personne.

Le parallélisme des ces deux pièces avait déjà été remarqué par plusieurs auteurs. C'est d'abord R. H. Lightfoot qui avait

développé cette correspondance [1]. Récemment, I. de la Potterie y
est revenu en détail dans son cours donné à l'Institut Biblique
de Rome [2]. Plus haut, nous avions déjà cité l'argumentation analogue de A. Kuby [3]. La leçon choisie pour le dernier verset
« N'en parle à personne dans le bourg ! » est représentée par les
manuscrits D, c, q, k. Elle est préférée par V. Taylor [4] et
E. Lohmeyer [5] qui donnent l'un et l'autre de bonnes raisons
à l'appui.

La part de composition rédactionnelle doit donc être assez
large. Le premier parallélisme - celui entre la confession de Pierre
et celle d'Hérode - manifeste que la « confession » d'Hérode est
traditionnelle, tandis que celle de Pierre a été composée par Marc
suivant ce modèle. Le second parallélisme souligne davantage
encore la structuration voulue et étudiée de cette importante
péricope. Cela n'implique d'ailleurs pas que la confession de
Pierre ne soit pas « historique ». Au contraire, si Marc en tire
argument et la situe au centre géométrique de son évangile,
c'est qu'il la suppose connue. Mais il lui donne une forme étudiée et très particulière qui la met en relation structurelle avec
d'autres pièces de son livre. Ce rapport constitue un commentaire.

d) Conséquences.

A présent, il nous sera plus facile d'apprécier certaines difficultés soulevées par les exégètes. Bultmann affirme que Mc
VIII, 27-29 n'a jamais pu exister sous cette forme dans la tradition présynoptique [6]. Notre analyse montre justement que la
confession de Pierre n'est pas une *forme* traditionnelle, mais
rédactionnelle. La difficulté est donc résolue.

D'autre part, Bultmann estime que Mc VIII, 30-33 ne peut
pas constituer la suite originelle de Mc VIII, 27-29, parce que, -
d'après lui - VIII, 27-29 est une bribe de tradition, tandis que

---

1. *History and Interpretation in the Gospels*, London, 1935, p. 90-91.
2. *Sectio panum*, Roma, P.I.B. 1965-1966 (polycopié), p. 105-106.
3. Ci-dessus, p. 272sv. Cf aussi E. Best : *The Temptation and the Passion*,
Cambridge, 1965, p. 108.
4. *Gospel Acc. to St Mk*, 1952, p. 372sv, avec bibliographie.
5. *Evg des Mk*, [15]1959, p. 158, note 4.
6. Voir ci-dessus, p. 294sv.

VIII, 30, 32-33 est rédactionnel. Pour nous, la forme de VIII,
27-29 (confession de Pierre) est tout aussi rédactionnelle que
celle de VIII, 30, 32-33. Il n'y a donc aucune difficulté à ce que
VIII, 30-33 soit la suite de VIII, 27-29 dans la rédaction de
Marc.

Mais nous en arrivons ainsi à toutes les objections opposées
à l'analyse d'O. Cullmann. Si l'on accepte nos conclusions, Marc
n'aurait pas simplement rapproché deux pièces traditionnelles
indépendantes et plus ou moins contradictoires, mais il aurait
soigneusement composé lui-même (en se basant, bien entendu,
sur des *données* traditionnelles, mais non dans leur *forme* traditionnelle) cette partie centrale, ce « pivot » de tout son évangile. Il faut donc préciser l'affirmation de Cullmann : *au niveau
de la rédaction de Marc,* il est clair que Mc VIII, 30-33 constitue
la suite directe et immédiate de Mc VIII, 27-29.

La remarque d'E. Haenchen a également ici tout son poids.
Il note, en effet, que la question posée par Jésus à ses disciples
en VIII, 27-29 est difficile à comprendre, *à moins qu'elle n'ait
été formulée par l'évangéliste lui-même* [1].

Par contre, ceux qui estiment avoir compris mieux que Marc
et les deux autres synoptiques la pensée originelle de Jésus trouveront peut-être moins leur compte. D'après eux [2], Jésus aurait
repoussé totalement et déclaré détestable l'opinion qu'il était le
Christ. Marc n'aurait - naturellement (!) - plus compris la pensée
de Jésus et y aurait superposé sa thèse du secret messianique.
S'il est vrai que le récit de la confession de Pierre, *dans sa forme
actuelle,* provient largement de la main de Marc, cette hypothèse
est évidemment plus difficilement défendable, encore qu'on ne
puisse affirmer qu'elle soit totalement exclue pour autant. Elle
pourrait rester valable pour un état antérieur de la tradition. A
charge de démonstration, bien entendu.

e) Appendice : Matthieu.

Après cette analyse du texte de Marc, il nous reste celle de
Matthieu. Elle sera beaucoup plus brève, car sur ce point avaient
précisément porté la pluplart des travaux cités plus haut.

---

1. *Novum Testamentum,* VI, 1963, p. 86 ; ci-dessus, p. 299.
2. Voir ci-dessus, p. 297.

En Mt XVI, 20 : « Alors il enjoignit à ses disciples de ne dire à personne qu'il était le Christ », il y a reprise consciente du texte de Mc VIII, 30. Après l'insertion de XVI, 17-19, Matthieu est obligé de reprendre le fil de Marc. Marc, lui, avait tout simplement : « Et il leur enjoignit de ne parler de lui à personne ». Cette injonction au silence est la réponse directe de Jésus à la confession de Pierre et l'explication de cet ordre vient au verset suivant (Mc VIII, 31 : prédiction de la passion).

La reprise de Mt XVI, 20 « *Alors*, il enjoignit... » prouve le caractère secondaire des versets intercalés. En effet, chez Matthieu, l'injonction au silence ne pouvait plus suivre immédiatement la félicitation de Jésus à Pierre. On pourrait se demander si Matthieu n'aurait pas mieux fait de la laisser tomber. Dans ce cas, il lui aurait été plus difficile d'introduire la prédiction de la passion, qui coulait de source chez Marc. Il s'est donc senti contraint de reprendre aussi l'injonction au silence. Mais alors alors il fallait la rattacher à la confession de Pierre (Mt XVI, 16), en enjambant les trois versets intercalés (XVI, 17-19). C'est ce qu'indiquent deux retouches de Matthieu, le « alors », au début du v. 20 (au lieu du simple « et » de Marc), et « qu'il était le Christ » à la fin du même verset (au lieu du simple « de lui » chez Marc). Ces retouches - B. Willaert lui-même reconnaît le caractère secondaire de Matthieu en cet endroit [1] - prouvent que Matthieu avait sous les yeux le texte de Marc et qu'il a été obligé de le réadapter après l'insertion de la réponse solennelle de Pierre [2]. Ce raccordement forcé démontre donc le caractère secondaire des versets intermédiaires (Mt XVI, 17-19) [3].

En outre, l'injonction au silence, telle que Matthieu a été forcé de la préciser après l'interruption des v. 17-19, suppose la confession de Pierre dans la teneur qu'elle a chez Marc. En effet, si le texte primitif de la confession de Pierre avait été : « Tu es le Christ, le Fils du Dieu vivant ! » (Mt XVI, 16), l'injonction au silence aurait certainement porté sur la partie la plus solennelle de cette confession : « le Fils de Dieu » (comparer Mc III, 11-

---

1. *Ephem. Theol. Lovan.* XXXII, 1956, p. 32-33.
2. On peut comparer l'insertion semblable de la marche de Pierre sur les eaux en Mt XIV, 28-31.
3. Ce qui ne signifie pas qu'ils ne soient pas traditionnels. Ils peuvent avoir été empruntés par Matthieu à une autre tradition et insérés en cet endroit. Cette question ne nous concerne pas ici.

12 !). Puisque l'injonction au silence de Mt XVI, 20 porte : « Il leur interdit de dire à quiconque qu'il était *le Christ* », c'est donc que Matthieu avait sous les yeux la confession courte selon Marc : « Tu es le Christ ! » (Mc VIII, 29).

Finalement, Mt XVI, 21 : « à partir de ce moment » est une reprise du texte simple de Marc : « et il commença de leur enseigner ». Chez Marc, cette phrase suivait immédiatement l'injonction au silence et l'expliquait. Elle établissait, par le fait même, une connexion très étroite entre la prédiction de la passion et la profession de foi messianique. Matthieu, lui, est obligé d'établir une certaine distance entre les deux épisodes en raison de l'incompatibilité entre le macarisme nouvellement introduit par lui : « Tu es bienheureux, Simon fils de Jean, parce que ce n'est pas la chair et le sang qui te l'ont révélé, mais mon Père qui est dans les cieux ! » (Mt XVI, 17) et la vitupération : « Arrière, Satan ! Tes pensées ne sont pas celle de Dieu, mais celles des hommes ! » (Mt XVI, 23//Mc VIII, 33). Comme l'a très bien montré Cullmann, cette réprimande était la pointe du texte de Marc. Matthieu a rompu la cohérence de l'épisode en intercalant son macarisme (Mt XVI, 17-19). Désormais une tension intolérable existe entre les versets introduits par Matthieu et le texte primitif de Marc. C'est pourquoi, il se voit obligé - s'il ne veut pas sacrifier Mc VIII, 31-33 - d'introduire une certaine distance entre les deux épisodes. Le lien intime de cause à effet établi par Marc entre les deux épisodes - lien tellement intime que les deux épisodes n'en font qu'un chez lui - ce lien est tranché par la reprise de Matthieu : « A partir de ce moment » [1]. Néanmoins, Matthieu récupère l'intention profonde de Marc, car cette tournure adverbiale indique bien que la confession de Pierre a marqué une date dans la carrière de Jésus et qu'elle a engendré un changement de ton dans son enseignement.

Mais ce tournant décisif a tout son sens dans l'évangile de Marc, chez qui, dans la perspective du secret, la confession de Pierre provoque une coupure bipartite, comme nous venons de le voir. Au contraire, le changement d'attitude, pourtant souligné par le « A partir de ce moment » chez Matthieu (XVI, 21), n'a pas la même fonction chez lui, où il intervient au milieu d'une section narrative qui va de Mt XIII, 53 à XVII, 27. Chez

---

1. De même, F. HAHN : *Christologische Hoheitstitel*, 1963, p. 226.

Marc, la confession de Pierre est la structure essentielle de son évangile ; c'est autour d'elle que l'œuvre se divise en deux parties égales, et c'est en elle que les deux parties trouvent leur centre d'unité. Cela n'est pas vrai chez Matthieu où le « à partir de ce moment » n'introduit pas la deuxième partie de l'évangile : il n'est qu'une suture rédactionnelle, indiquant le caractère secondaire de la pièce intermédiaire.

> L. de Grandmaison [1] proposait une division bipartite de l'évangile de Matthieu autour de Mt IV, 17 et XVI, 21. Mais L. Vaganay a bien montré - malgré une application de détail que nous estimons erronée - que la structure littéraire de Matthieu est constituée par les cinq discours auxquels correspond chaque fois une section narrative. Voir un exposé commode dans P. Benoit : *La sainte Bible* (de Jérusalem, en fascicules), Paris, 1950, p. 7sv.

Il nous semble donc légitime de conclure que Marc et Matthieu ne dépendent pas d'une tradition commune, mais que Matthieu dépend directement de Marc. Dans ce cas, aucune objection ne vient infirmer notre conclusion précédente du caractère largement rédactionnel de cette péricope dans le texte de Marc. Avec plus de netteté peut-être encore que E. Haenchen [2], nous dirions que Mc VIII, 27-33 est une composition de Marc sur la base de traditions connues. Mais du coup se manifeste aussi l'unité essentielle de cette péricope au niveau de Marc.

3. Signification du secret.

A présent nous sommes à pied d'œuvre pour étudier la portée de la confession de Pierre et la prédiction de la passion qui y est si intimement annexée chez Marc.

a) Nous pensons comme E. Haenchen que la confession « Tu es le Christ ! » était, de fait, la confession de l'Église à laquelle s'adressait Marc [3]. Mais nous ne le suivons plus lorsqu'il affirme que, *pour cette raison*, il était inutile que Jésus donnât

---

1. *Jésus-Christ*, I, Paris, 1928, p. 66.
2. *Novum Testamentum*, VI, 1963, p. 96.
3. Voir ci-dessus, p. 300.

aucune réponse à la confession de Pierre. R. Bultmann [1] se place exactement dans la même perspective que Haenchen, puisqu'il croit que Marc VIII, 27-29 représente une confession de foi de l'Église primitive ; or *c'est précisément pour cela* qu'il postule une réponse traditionnelle à cette confession de foi. La réponse de Jésus à Pierre : « Bienheureux es-tu, Simon fils de Pierre... » béatifie en réalité le croyant, dans la perspective bultmannienne.

Si donc Jésus ne répond pas à la confession qu'il a lui-même provoquée, ce n'est pas là quelque chose de tout naturel, mais au contraire une attitude insolite, inattendue, et l'addition de Mt XVI, 17-19 semble être la preuve que Matthieu a déjà ressenti la chose ainsi. Le silence de Jésus donnerait effectivement l'impression qu'il n'approuve pas. Mais c'est trop dire, car alors il aurait dénié tout simplement. Et ici vaut la remarque de Haenchen que cette confession correspond évidemment à la profession de foi de l'Église primitive. Un évangile qui lui est destiné ne saurait présenter en son centre de convergence une tradition d'après laquelle le Christ repousserait cette confession comme erronée [2].

Dans ce cas, le silence de Jésus doit être interprété différemment. S'agit-il d'un silence ? En réalité, Jésus a préparé de longue date ses disciples à cette découverte, ou, ce qui est peut-être plus précis, Marc a, par des approches successives, amené son lecteur à ce point crucial. Mais l'accrochage subséquent entre Jésus et Pierre (VIII, 33) manifeste qu'il existe un désaccord entre eux sur la signification du titre de Messie. Au fond, il s'agit d'un quiproquo johannique. En employant les mêmes mots, Jésus et Pierre pensent à quelque chose de différent. Jésus, lui, explique immédiatement la façon dont il comprend son messianisme (VIII, 31). Tandis que l'incartade de Pierre montre que ce dernier avait des idées très différentes à ce sujet.

Ne pourrait-on pas dire alors que Pierre représente ici la communauté à laquelle s'adresse Marc, tandis que la conception de Marc lui-même est exprimée en VIII, 31-33 ? Par ailleurs, Mc VIII, 34, qui appelle toute la communauté à la rescousse, dit nettement au lecteur que ce qui vient d'être dit *le* concerne.

---

1. Ci-dessus, p. 294sv ; *Gesch. syn. Trad.* [4]1958, p. 276.
2. Comme le dit U. Luz : *Zeitschrift f. Neutest. Wiss.* 1965, p. 23, la comparaison de Mc VIII, 30 avec I, 34 ; III, 11sv présuppose que Pierre avait vu juste !

b) Mais peut-on dire vraiment, au niveau de Marc, que Jésus ne répond pas à la confession de Pierre ? Dans le contexte actuel et dans sa signification obvie, Jésus répond à Pierre (ou plutôt aux disciples, dont Pierre est le porte-parole) qu'il ne faut parler de cela à personne pour le moment, et il en donne immédiatement la raison : « Et il commença de leur enseigner que le Fils de l'Homme devait beaucoup souffrir » (VIII, 31). Pour la première, et au fond la seule fois de tout l'évangile, Jésus explique pourquoi on ne peut pas dire qu'il est le Messie. Jusqu'à présent, il s'était contenté d'imposer violemment silence aux démons, mais il n'avait jamais dit *pourquoi*, et Marc, qui a préparé cette tension psychologique, a attendu jusqu'à présent pour s'expliquer.

S'il en est ainsi, on voit immédiatement que l'explication donnée ici est la clef de tout le secret messianique, comme l'a admirablement vu O. Cullmann. On nous permettra de citer ici intégralement son texte :

> D'après Marc, Jésus commence par ne faire aucune réponse à cette confession : ce fait est très significatif. Les disciples ne savent pas encore quelle conception il a de sa vocation messianique. Jésus ne dit ni oui ni non. Il se contente d'ordonner aux disciples de n'en faire part à personne, c'est-à-dire de ne dire à personne qu'il est le Christ. Il ne faut pas que le peuple reconnaisse en lui le Messie avant qu'il ait souffert. Quant aux disciples, il faut d'abord que Jésus leur apprenne dans quel sens il est le Messie. Cet enseignement vient aussitôt après, aux versets 31 et 32 ; il s'y rattache à l'ordre de ne parler à personne de sa vocation messianique, en même temps qu'il explique cet ordre. Ceci constitue *la suite toute naturelle du récit*. Vu l'importance de l'heure, il fallait que Jésus annonçât ici ses souffrances, car il expliquait ainsi toutes ses consignes de silence. Cette prophétie et la protestation de Pierre ne constituent pas un nouveau récit et pas davantage une espèce d'épilogue ; elles forment *la pointe de tout l'épisode de Césarée de Philippe*. [1]

Il serait difficile de dire mieux. Le fait que Jésus ne répond pas est donc une des manifestations du secret messianique. Il ne répond pas parce qu'on ne peut pas encore en parler main-

---

1. *Saint Pierre*, 1952, p. 156. C'est O. CULLMANN qui souligne. Voir aussi plus haut, p. 295-297.

tenant, et on ne peut pas encore en parler, parce qu'il faut d'abord que le Fils de l'Homme ait souffert [1].

c) C'est donc la nécessité de la passion qui est la raison du secret messianique. La première prophétie de la souffrance messianique fait allusion à une nécessité divine « il faut » :

> Et il commença à leur enseigner que le Fils de l'Homme *devait* beaucoup souffrir, être rejeté par les anciens, les grands prêtres et les scribes, être mis à mort et, après trois jours, ressusciter. Et c'est ouvertement qu'il disait ces choses (VIII, 31-32).

Le mot « enseigner » connote une instruction *à partir de l'Écriture* [2]. On peut en dire autant du δεῖ « il faut » (devait) [3] : c'est une nécessité *théologique*, basée sur une interprétation de l'Écriture, comme le dit clairement Luc :

> Ne *fallait-il* pas que le Christ souffrît tout cela pour entrer dans sa gloire ? Et, commençant par Moïse et tous les prophètes, il leur expliquait dans toutes les Écritures ce qui le concernait (Luc XXIV, 26-27).

Il est remarquable qu'au verset précédent, Jésus reproche précisément aux disciples d'Emmaüs leur manque de foi et leur inintelligence des Écritures (Luc XXIV, 25) : on croirait entendre Marc ! Ce passage est très suggestif pour nous, car il nous aide à entrer dans le « secret ». Le secret est le plan divin et on ne peut y entrer que par l'intelligence profonde - c'est-à-dire divine - des Écritures. C'est pour cela qu'il était tout à fait logique pour Jésus de reprocher à ses disciples leur étonnement et leur incompréhension. S'ils avaient eu le sens profond - prophétique - de l'Ancien Testament, ils l'auraient reconnu et, comme jadis les frères prophètes de Béthel et de Jéricho (2 Rois

---

1. Cf C. MAURER : *Zeitschr. f.Theol. & Kirche*, L, 1953, p. 33. G. STRECKER dans *Studia Evangelica*, III, 1964, p. 100-102, souligne très bien le lien intime entre le secret et la prédiction de la passion, cf. ci-dessus p. 25.

2. K. H. RENGSTORF : *Theol. Wört.* II, p. 138-150 ; É. TROCMÉ : *Formation de l'évg selon Mc*, 1963, p. 33.

3. Voir H. E. TÖDT : *Der Menschensohn in der synoptischen Überlieferung*, Gütersloh, ²1963, p. 178 ; T. A. BURKILL : *Mysterious Revelation*, 1963, p. 152, note 8 ; C. MAURER, dans *Zeitschr. f. Theol. & Kirche*, L, 1953, p. 11, et déjà G. BERTRAM : *Jesu und der Christuskult*, Giessen, 1922, p. 42.

II, 3, 5), ils auraient su que leur Maître « devait » leur être enlevé.

Il n'est donc pas vrai que Mc VIII, 27-33 exprime l'opposition entre une conception inacceptable et qui, *pour ce motif*, ne doit pas être divulguée, et la conception messianique authentique exprimée par Jésus[1]. Dans ce cas, Jésus - comme Priscille et Aquila (Actes XVIII, 26) - se serait contenté de donner à ses disciples des notions plus exactes. Ce n'est pas de cela qu'il est question : Jésus leur interdit d'en parler *jusqu'à ce qu'il soit ressuscité* (IX, 9). Le secret messianique n'est pas le reflet du souci pédagogique de Jésus d'inculquer à ses disciples une notion plus spirituelle du Messie, par opposition au messianisme de type politique, comme on l'a souvent répété avec beaucoup de simplisme. Le terme même assigné à ce secret « jusqu'à ce qu'il soit ressuscité » le dément.

Le secret messianique exprime chez saint Marc l'irrévocable et libre décision de Jésus d'embrasser sa passion, parce que telle est la volonté divine. C'est ce qu'exprime le δεῖ « il faut que ». Si Jésus avait laissé sa gloire de Fils de Dieu éclater de partout, s'il avait laissé les foules à leur enthousiasme délirant, s'il avait laissé les démons hurler leur servile confession, s'il avait laissé les apôtres divulguer partout leur sensationnelle découverte, la passion eût été rendue impossible et la destinée de Jésus se fût muée en triomphe, mais un triomphe qui aurait été tout humain (VIII, 33) et qui n'aurait pas accompli le plan de salut divin.

Les injonctions répétées au silence sont une expression constante de la fidélité de Jésus au plan *divin* de salut. Le Fils de l'Homme n'est pas venu pour triompher et régner, mais pour donner sa vie (X, 45). En cette tournure absolue « il est venu pour » se marque également la mission divine, tout comme dans le « il faut ». Cela correspond exactement à la phrase de Jean :

> Si le Père m'aime,
>   c'est que je donne ma vie
>   pour la reprendre.
> On ne me l'ôte pas ;
>   je la donne de moi-même.
> J'ai le pouvoir de la donner
>   et le pouvoir de la reprendre.
> Tel est l'ordre que j'ai reçu de mon Père » (Jean X, 17-18).

---

1. Ainsi A. Vögtle : *Biblische Zeitschrift*, I, 1957, p. 255 ; J. Héring : *Le Royaume de Dieu et sa venue,* [2]1959, p. 125-127.

La seule différence entre Jean et Marc est que Jean présente
la passion comme un ordre révélé en secret par le Père au Fils,
tandis que Marc voit dans ce plan de salut l'accomplissement des
Écritures, que les disciples auraient dû connaître, s'ils avaient
eu le sens de Dieu.

d) Le secret messianique exprime donc la volonté délibérée
de Jésus d'embrasser sa passion. En retournant l'affirmation, on
peut dire tout aussi bien que le secret messianique est l'une des
plus anciennes formes par laquelle les premiers chrétiens ont
essayé d'exprimer le contenu positif, *le mystère théologique de
la passion* [1]. Elle est, d'une part, accomplissement d'un dessein
secret de Dieu : « Cet homme qui avait été livré selon le dessein
bien arrêté et la prescience de Dieu » (Actes II, 23) ; mais elle
est, d'autre part, obéissance de la part du Fils. La doctrine de
Marc est ici très voisine de celle exprimée en termes plus explicites par l'épître aux Philippiens :

> Lui, de condition divine,
> ne retint pas jalousement
> le rang qui l'égalait à Dieu.
>
> Mais il s'anéantit lui-même,
> prenant la condition d'esclave
> et devenant semblable aux hommes.
>
> S'étant comporté comme un homme,
> il s'humilia plus encore,
> obéissant jusqu'à la mort,
> et à la mort sur une croix !
>
> Aussi Dieu l'a-t-il exalté, etc. (Phil II, 6-9) [2].

L'enseignement de Marc est celui-ci : la gloire du Fils de
Dieu est une réalité puissante et éclatante qui tend à se manifester dès le début du ministère de Jésus d'une façon presque

---

1. E. SCHWEIZER : *Zeitschr. f. Neutestm. Wiss.* LVI, 1965, p. 2, a entrevu
l'importance centrale de la croix pour le secret messianique. E. BEST : *Th
Temptation and the Passion*, 1965, p. 112sv et passim montre bien l'importance déterminante de la passion dans tout l'évangile de Marc.
2. Traduction de la Bible de Jérusalem. Ce rapprochement entre le secret
messianique et Phil II, 5-11 avait déjà été fait par G. H. BOOBYER : *St Mar
and the Transfiguration Story*, Edinburgh, 1942, p. 50-55 ; E. PERCY : *Di
Botschaft Jesu*, Lund, 1953, p. 294sv ; T. A. BURKILL : *Mysterious Revelation*
1963, p. 174. Dans un sens très différent (gnostique), par J. SCHREIBER
Zeitschrift für Theologie und Kirche, LVIII, 1961, p. 156-159.

irrésistible. Les démons, la foule et même les disciples poussent aussi Jésus dans ce sens. Mais Jésus résiste violemment. Il étouffe sa gloire, il l'empêche à toute force de se manifester avant le temps, et la raison en est qu'il « doit » *d'abord* être méprisé et souffrir.

Il est clair que, dans la pensée de l'évangéliste, la gloire est naturelle à Jésus et qu'elle fait en quelque sorte pression sur lui. C'est pour cela qu'elle se manifeste, comme malgré lui - et ici nous rejoignons H. J. Ebeling au passage [1] - dans les cris des possédés et l'enthousiasme des miraculés et des foules (I, 45 ; VII, 37). Mais Jésus impose inflexiblement silence à sa gloire, il la voile volontairement du rideau du secret, *car* il est écrit que le Fils de l'Homme « doit » beaucoup souffrir et être mis à mort. Tel est la pensée de Dieu (VIII, 33) et Jésus l'accomplira jusqu'au bout (X, 45). C'est pour cela aussi qu'il « sortait » et se cachait et qu'il ne voulait pas qu'on sût où il se trouvait (VII, 24 ; IX, 30) [2].

e) Il ne s'agit pas là d'une tentative de camoufler l'absence de conscience messianique chez Jésus, mais d'un motif apologétique. Les Juifs considéraient en effet que la mort ignominieuse de Jésus était la preuve apodictique qu'il n'était *pas* le Messie. C'était la réprobation divine de sa prétention messianique. En réponse, les chrétiens invoquent :

1) les miracles de Jésus : ils prouvent que Dieu était avec lui et l'approuvait (Actes II, 22 ; X, 38 ; Jean V, 36 ; IX, 31-33).

2) L'Écriture : elle avait annoncé d'avance qu'il « devait » en être ainsi (Act II, 23 ; Mc VIII, 31).

3) La liberté avec laquelle Jésus a affronté sa passion.

Ces thèmes apologétiques sont fréquents dans l'Église primitive [3]. Le secret messianique de Marc en est une manifestation. Nous constatons donc que notre explication n'est pas si éloignée non plus de la thèse apologétique que nous avions discutée et

---

1. Voir plus haut, p. 25-27.
2. Cf. E. Best : *The Temptation and the Passion*, 1965, p. 113.
3. Voir J. Dupont : « L'utilisation apologétique de l'Ancien Testament dans les discours des Actes », dans *Ephem. Theol. Lovan.* 1953, p. 289-327. Voir aussi G. Bertram : *Die Leidensgeschichte Jesu und die Christuskult*, Göttingen, 1922 (FRLANT, NF 15), p. 42 : ce souci apologétique chez Marc.

estimée insuffisante dans notre introduction [1]. Cependant il ne s'agit pas d'une supercherie de l'Église qui aurait inventé ce motif pour essayer de camoufler l'échec historique du Christ. Il est question, au contraire, d'une réflexion de l'Église sur l'un des points essentiels du kérygme primitif : la *mort* et la résurrection du Christ.

Au début, les chrétiens ont mis l'accent sur la résurrection, le grand événement divin qui fonde le christianisme. Mais ensuite ils se sont de plus en plus penchés sur le mystère de la passion. Ils ont découvert qu'il ne s'agissait pas d'un échec, ni d'un hasard, ni d'un accident, ni même simplement de la méchanceté des hommes [2], mais d'un plan divin incompréhensible qui avait été prédit dès l'Ancien Testament [3]. L'argument scripturaire sera ici d'un très grand poids. Marc dira : « Il est écrit » (IX, 12b ; XIV, 21), « afin que les Écritures s'accomplissent » (XIV, 49), au bien simplement « il faut » (VIII, 31) ou encore « le Fils de l'Homme est venu pour » (X, 45) ; toutes ces expressions montrent que la passion messianique était annoncée par les Écritures. Ceux qui ne l'y voient pas manquent d'intelligence, c'est-à-dire qu'ils n'ont pas le sens de Dieu lorsqu'ils lisent l'Écriture [4].

f) L'autre thème est celui de la *liberté* avec laquelle le Christ embrasse sa passion. Il s'est livré parce qu'il l'a voulu. Dans ce contexte nous trouvons l'idée d'« obéissance » ; elle implique que l'argument fondamental de l'Église primitive était le plan secret de Dieu. Cela s'est réalisé en vertu d'une disposition divine, laquelle avait déjà été révélée depuis des siècles. Cela se trouvait clairement dans la Bible. Néanmoins personne n'a su lire la Bible de cette façon auparavant.

Le Christ, lui, comme le serviteur, « comprendra » (Is LII, 13) le plan mystérieux de Dieu et il donnera sa vie pour l'accomplir. Tout le secret messianique est l'expression de cette obéissance chez Marc. Dès le début, dans l'épiphanie du baptême, il sait

---

1. Ci-dessus, p. 16-18.
2. Dans les Actes on trouve fréquemment cette accusation contre les Juifs, Act II, 23 ; III, 14, 17-18 (cf J. Dupont, a.c.) ; mais ce n'est jamais l'explication dernière : cf Act III, 18 ; XIII, 27-28. Tout remonte au plan divin.
3. Nos conclusions rejoignent T. A. Burkill : *Mysterious Revelation* 1963, p. 152, 222sv et ailleurs.
4. Comparer 2 Cor III, 14 ; Jean IX, 41 ; Luc XXIV, 25 avec Mc VI 52 ; VIII, 17-21 et 22-26.

C'est l'Esprit lui-même qui le « jette », l'« expulse » au désert pour y *être tenté* par Satan (I, 13). Plus tard, avec fermeté et insistance, il affirmera sa volonté de passer par la souffrance, parce que tel est le plan divin [1]. Le secret messianique tout entier n'est qu'une merveilleuse expression de cette fidélité. C'est parce qu'il *sait*, lui, que le plan divin est tel, qu'il cache sa gloire de Fils de Dieu et qu'il oriente tout vers la passion. Le « secret » a pour Marc la même signification apologétique que la forme détaillée de la « tentation » en Matthieu ou Luc. Marc montre la tension entre la gloire naturelle du Fils de Dieu, et sa volonté d'obéissance s'efforçant sans cesse de cacher cette gloire qui fuse de partout.

g) Néanmoins, pour que l'œuvre de salut fût accomplie, il fallait que le Christ *fût reconnu comme tel* dans sa souffrance. Là était le point délicat. Si les hommes l'avaient reconnu, ils l'eussent immédiatement porté en triomphe et le plan de Dieu eût été annulé. D'autre part, il ne pouvait pas non plus passer complètement inconnu, en sorte que l'humanité ne se rendît même pas compte que le Messie était venu. Il fallait donc qu'il fût manifesté, mais que la passion ne fût pourtant pas rendue impossible.

Cela se fera de deux façons. D'abord par l'Église. Le Christ se manifestera « à part » à l'Église. Celle-ci sera chargée de proclamer sur tous les toits *après sa mort et sa résurrection* ce qui s'est passé (IV, 21-23 ; IX, 9 ; XIII, 9-10 ; XIV, 9). C'est pour cela que le destin du Christ ne peut s'accomplir avant que l'Église ne l'ait reconnu. Jésus hâtera donc ce moment (VIII, 14-26). Mais aussitôt que l'Église l'a reconnu, la passion peut commencer (VIII, 29-31). Il ne reste plus qu'à lui expliquer le sens de la passion, pour qu'elle soit capable, au moins après coup, de reconnaître la volonté de Dieu (VIII, 30 à X, 52).

L'incompréhension des disciples ne fait que mettre en un relief plus cruel la solitude du Christ en face de son destin et son inflexible détermination :

> « Ils étaient en route, montant à Jérusalem. Jésus marchait devant eux. Ils étaient dans la stupeur, et ceux qui suivaient étaient effrayés » (X, 32).

---

1. Mc II, 20 ; VIII, 31-33 ; IX, 12-13, 30-32 ; X, 32-34 ; X, 44-45 ; XIV, 7-8, 21, 22-25, 32-42, 49.

On comprend alors que la transfiguration soit comme l'éclatement naturel de la gloire du Fils de Dieu aussitôt que son secret a été percé. Néanmoins, ce ne peut être que provisoire, et les privilégiés ne peuvent encore en parler à personne, parce qu'il faut d'abord qu'il souffre (IX, 9-13).

Lorsqu'il n'y a plus aucun danger que la souffrance messianique soit remise en cause, le secret peut être levé. Aussi au fur et à mesure que la passion est plus irrévocablement décidée, le voile du secret se soulève. A Jéricho et aux abords de Jérusalem, la décision est presque prise. Devant les chefs du peuple, il sait que sa perte est décidée (XI, 18) et que la révélation de sa dignité ne fera que les durcir (XII, 12 et déjà III, 6). Plus le processus de la passion avance, plus aussi le Fils de Dieu se révéle, car c'est *en tant que Messie qu'il doit mourir*. Au moment même de sa condamnation, il proclamera ouvertement ses titres messianiques (XIV, 61-62). Cette révélation suprême n'empêchera plus sa passion ; bien plus, elle deviendra le motif même du verdict (XIV, 64). C'est en tant que Messie qu'il doit mourir (XV, 26 !) Et lorsque tout sera consommé sur la croix, le païen lui-même le reconnaîtra (XIV, 39).

III. TITRES MESSIANIQUES [1].

Il ne saurait être question d'étudier ici en détail les titres messianiques de Jésus dans l'évangile de Marc. Une monographie n'y suffirait pas. Nous voudrions simplement donner un aperçu de l'influence du secret messianique sur l'emploi de ces titres et, du même coup, laisser entrevoir la part rédactionnelle possible dans certains de ces emplois. Un simple schéma parlera peut-être plus qu'une longue discussion :

CHRIST		FILS DE DIEU		FILS DE L'HOMME	
	Titre	I, 1	Titre (?)		
		11	Baptême		
				II, 10	remettre péchés
				28	Sg du Sabbat
		III, 11	démons		
		V, 7	démons		
29	Conf. Pierre			VIII, 31	préd. passion
				38	dans la gloire
		IX, 7	transfiguration		
				IX, 9	ressuscité
				12	souffrir
				31	préd. passion
1	pcq vs êtes au Xt			X, 33	préd. passion
				45	donner sa vie
35	Fils de David				
21	Voici le Xt				
				XIII, 26	gloire
				XIV, 21	s'en va
				21	livré
				41	livré
61	Es-tu le Xt ?	XIV, 61	Fils du Béni ?	XIV, 62	droite Puis.
32	Que le Xt, roi	XV, 39	vraiment F. de D !		

1. Nous prenons ici le mot « messianique » au sens général, faute de terme plus adéquat.

Ce tableau est déjà fort instructif. Le titre de Christ est employé sept fois en saint Marc ; celui de Fils de Dieu sept fois également (du moins si la lecture la plus attestée est acceptée en I, 1). Finalement le titre de Fils de l'Homme est utilisé 14 fois. Simple constatation qui dit déjà où vont les préférences de Marc.

En outre, avant la confession de Pierre, le titre de Christ est complètement évité, sauf dans le titre, destiné au lecteur et qui donne le programme. Celui de Fils de Dieu est employé une fois lors du baptême, dans une vision réservée à Jésus seul, et deux fois par les démons. C'est le seul titre messianique dont les emplois avant et après la confession de Pierre soient à peu près équilibrés, encore que le secret soit vigoureusement souligné. Le titre de Fils de l'Homme n'est employé que deux fois avant la confession de Pierre. Dans l'ensemble donc, l'emploi de ces titres est soigneusement évité avant la confession de Pierre ou bien il est accompagné d'une violente injonction au silence, qui souligne davantage encore le secret dont ils sont l'objet. Les deux exceptions de Mc II, 10, 28 devront être expliquées.

Au total, pour les trois titres ensemble, il y a sept emplois dans la première partie de l'évangile, contre 21 emplois dans la seconde partie. Or des 7 emplois de la première moitié de l'évangile, deux se situent dans le titre, un au baptême ne concerne que Jésus seul, et deux sont placés dans la bouche des démons aussitôt muselée. Seuls les deux emplois météoriques du Fils de l'Homme en II, 10, 28 font exception.

Par ailleurs, dans toute la première partie, la question fuse de partout : « Qui est-il ? » « Quel est ce pouvoir extraordinaire émanant de lui ? »[1], inquiétude qui rend d'autant plus frappant le silence obstiné, parfois violemment maintenu, à ce sujet. Au contraire, dans la seconde partie, les trois titres sont employés avec une profusion qui nous étonne et le plus souvent sans la moindre injonction au silence. A la fin, ils sont proclamés officiellement et publiquement. C'est la confession de Pierre qui déclenche cette seconde phase de la révélation.

Voyons à présent chaque titre en particulier.

---

1. Voir ci-dessus, p. 303sv.

A. CHRIST.

1. Titre.

Le fait que Marc ait placé le titre de Christ en tête de son ou-vrage montre qu'il en fait grand cas. Il n'a pas trouvé meilleure façon de définir l'objet de tout son évangile. Ce fait contredit d'emblée ceux qui estiment que Marc institue une polémique contre ce titre messianique [1]. Néanmoins il est exact qu'il aura soin de préciser *en quel sens* ce titre est utilisé. Si l'on accepte la leçon la mieux attestée pour Mc I, 1, on peut estimer que la dé-nomination « Fils de Dieu » est déjà une manière de correction ou du moins une précision de celle de « Christ ».

2. Confession de Pierre.

Par la suite règne un silence complet jusqu'à la confession de Pierre (VIII, 29). Cette dernière est un moment décisif de l'évan-gile, tellement décisif qu'elle coupe véritablement le message de Marc en deux parties, comme nous l'avons vu précédemment. L'importance cardinale attribuée à cette découverte de Pierre montre, elle aussi, le prix attaché par Marc au titre de Messie. Néanmoins, en ce sommet, et là surtout, Marc sent le besoin d'ajouter un correctif, ou au moins d'expliciter la signification qu'il attache à ce mot. Son explication est précisément le con-tenu du secret, à savoir la nécessité de la souffrance messiani-que.

De ce point de vue, on ne saurait trop insister sur le contraste violent entre l'affirmation triomphante de Pierre : « Tu es le Messie ! » et la première prédiction de la passion qui suit immé-diatement :

---

1. Par exemple, O. CULLMANN : *Christologie du Nouveau Testament*, 1958, p. 102-108 ; id. *Saint Pierre*, Neuchâtel, 1952, p. 161 : « réserve frappante » ; J. HÉRING : *Le Royaume de Dieu et sa venue*, [2]1959, p. 122-127 ; etc.

> « Du point de vue de la pensée, le point sans doute le plus inattendu
> et le plus important est la coïncidence, dans une même péricope
> centrale, des récits de la confession messianique de Pierre et de
> l'annonce de la passion par Jésus » [1].

J. Héring estime que « cette transformation totale de la notion
messianique n'a pas l'ombre d'un précédent dans l'Ancien
Testament ni dans le reste de la littérature juive » [2]. Sans doute
est-ce pour cela que Marc n'a pas poursuivi en disant : « Et il
commença de leur enseigner qu'*il* - ou que *le Christ*, dont Pierre
venait de parler - devait beaucoup souffrir », mais bien « que *le
Fils de l'Homme* devait beaucoup souffrir » [3]. Nous avons vu,
en effet, que Mc VIII, 31, supposait un enseignement *basé sur*
l'Écriture [4]. Or, dans la pensée de Marc, la souffrance du Fils
de l'Homme était prédite par l'Écriture ; tandis que celle du
Messie ne l'était pas ou l'était beaucoup moins [5].

3. IX, 41.

Le troisième emploi du titre de Christ est moins marquant. Il
étonne même sur les lèvres de Jésus à ce moment, car il s'agit
manifestement d'un emploi de l'Église primitive. Comme le
note R. Bultmann [6], le texte parallèle de Mt X, 42 suggère que
Marc a inséré ici les mots « parce que vous êtes au Christ »,

Mc IX, 41	Mt X, 42
Quiconque *vous* donnera à boire	Quiconque donnera à boire
	à l'un de ces petits
un verre d'eau	un verre d'(eau) froide seulement
au Nom,	pour le nom de disciple,
(parce que vous êtes au Christ),	
en vérité, je vous le dis,	en vérité, je vous le dis,
il ne perdra pas sa récompense.	il ne perdra pas sa récompense.

1. P. BONNARD : *L'Évangile selon saint Matthieu*, Neuchâtel, 1963,
p. 241 : ce qui est dit de Matthieu vaut a fortiori pour Marc.
2. *Le Royaume de Dieu*, ²1959, p. 123.
3. Remarque analogue : A. VÖGTLE, dans *Biblische Zeitschrift*, N.F. I,
1957, p. 255.
4. Voir ci-dessus, p. 320-322.
5. Voir H. H. ROWLEY : « The Suffering Servant and the Davidic Messiah », dans *The Servant of the Lord* Oxford, ²1965, p. 63-93.
6. *Gesch. syn. Trad.* ⁴1958, p. 152.

glosant et interprétant ainsi un logion qui, primitivement, devait
se rapporter aux « enfants » [1].

La comparaison entre les deux textes montre que la phrase
originale devait porter simplement « au Nom ». Dans le christianisme primitif, ce « Nom » ne pouvait être autre que celui du
Seigneur Jésus (Phil II, 9-11). Néanmoins Marc et Matthieu ont
l'un et l'autre jugé nécessaire de préciser cette tournure absolue.
Marc en glosant « parce que vous êtes au Christ », Matthieu en
ajoutant « Pour le nom *de disciple* », explicitant ainsi ce mot
technique. Cela nous montre qu'ici pas plus qu'en I, 1, Marc ne
répugne à introduire le titre de Christ de sa propre main ; à tout
le moins le caractère rédactionnel du titre de Christ est-il probable dans le cas présent. Cela indiquerait qu'il ne considère
pas ce titre comme erroné, et qu'il ne le repousse pas purement et simplement.

4. XII, 35-37.

La quatrième emploi de Marc se situe dans la fameuse discussion :

> « Comment les scribes peuvent-ils dire que le Christ est Fils de David ?
> David en personne l'appelle Seigneur, comment donc peut-il être
> son Fils ? » (Mc XII, 35-37).

Il était inévitable que plusieurs exégètes aient estimé ici que
Jésus repoussait totalement le titre de Fils de David [2]. Puisque
Jésus argumente à partir de l'Écriture et qu'il existait beaucoup
trop de textes clairs affirmant que le Messie serait Fils de David,
il est beaucoup plus vraisemblable que l'apophtegme réfute une
conception simpliste du Messie. Le Messie n'est pas *seulement*
fils de David, il est aussi et surtout son Seigneur. Cela signifie
que son rôle n'est pas de venir restaurer sur terre l'empire de
David ou l'hégémonie d'Israël - en d'autres mots, de prolonger

---

1. Cf T. W. Manson : *The Sayings of Jesus*, London, [5]1957, p. 183sv ;
X. Léon-Dufour : *Les évangiles et l'histoire de Jésus*, Paris, 1963, p. 270sv.
2. Ainsi E. Meyer : *Ursprung und Anfänge des Christentums*, II, Stutt-
gart-Berlin, 1921, [2]1962, p. 446 ; É. Trocmé : *Formation de l'évg selon Mc*,
1963, p. 94sv; etc.

l'œuvre de David - ; mais de fonder un Royaume tout différent, un Royaume dont le trône est situé à la droite de Dieu [1].

Que Marc ait accepté la descendance davidique de Jésus, cela ressort assez clairement par ailleurs de Mc X, 47-48 et XI, 10, comme É. Trocmé le reconnaît lui-même [2], et cela était admis dans le christianisme primitif dès l'époque de Rom I, 3. Néanmoins, précisément là, on retrouve exactement la même réticence que dans notre apophtegme. Paul affirme que Jésus est Fils de David « selon la chair », mais qu'il a été établi Fils de Dieu « selon l'Esprit sanctificateur » en vertu de sa résurrection. Ailleurs il dira ne plus connaître le Christ « selon la chair » (2 Cor V, 16). En Rom I, 3, l'opposition entre « Fils de David selon la chair » et « Fils de Dieu selon l'Esprit » est certainement une polémique implicite contre les Judéo-chrétiens, qui se réclamaient de « la chair ». Bien sûr, Jésus est Fils de David ; tout le monde sait cela. Mais cette descendance davidique a été reprise et sublimée dans un ordre entièrement nouveau, la résurrection. Cet ordre nouveau, « selon l'Esprit », est transcendant et donc, de soi, universel. Il annule les privilèges de ceux qui s'imaginent encore être plus proches de lui « selon la chair » [3].

La signification de Mc XII, 35-37 ne doit pas être éloignée de celle-là. Il suffit de se rappeler une discussion analogue avec Pierre, en Mc VIII, 27-33. Là aussi Pierre avait découvert que Jésus était le Messie, c'est-à-dire dans sa pensée, le Fils de David qui viendrait rétablir le Royaume d'Israël. Mais Jésus lui rétorque durement que cette pensée est celle des hommes, non celle de Dieu. Ici, de même, Jésus enseigne publiquement que l'œuvre du Messie sera tout autre chose que la simple restauration de l'empire de David. Comme Paul, Marc fait appel à l'ordre de l'Esprit et de la résurrection. C'est « par l'Esprit Saint » que David a chanté ce psaume, dans lequel les chrétiens ont reconnu le plus clair témoignage à l'intronisation *céleste* du Messie (Act II, 34-35). Notre controverse va donc exactement

---

1. Dans le même sens O. CULLMANN : *Christologie du NT*, 1955, p. 113-115 ; V. TAYLOR : *Gosp. Acc. to St Mk*, 1952, p. 491-493 ; E. LOHMEYER : *Evg des Mk*, [15]1959, p. 262sv ; E. HAENCHEN : *Der Weg Jesu*, 1966, p. 415-417 ; etc.
2. *Form. évg selon Mc*, 1963, p. 95, note 85.
3. On peut comparer Mc III, 31-35 ; VI, 1-6a.

dans le même sens que Mc XII, 13-17 (tribut à César), qui réfute une conception politique du Royaume messianique, ou que Mc XII, 18-27 (résurrection) qui repousse un messianisme terrestre, selon la chair [1].

5. XIII, 21.

Cinquième emploi, dans le discours eschatologique. Mc XIII, 21 évoque l'attente de la parousie. La comparaison avec Luc XVII, 23 et Mc XIII, 5 suggère que c'est *Marc* qui a inséré ici aussi (comme en IX, 41) le titre de Christ. Or Marc suggère une correction : lors de la parousie, Jésus ne viendra pas comme un simple Messie juif dans un pays ou un territoire circonscrit, mais comme le Fils de l'Homme manifesté irrésistiblement et simultanément dans l'univers entier, parce qu'il vient du ciel (XIII, 26).

6. XIV, 61.

Au cours du procès de Jésus, le grand prêtre pose officiellement et publiquement à Jésus la question décisive, dénouement de tout l'Évangile de Marc :

> « Es-tu le Christ, le Fils du Béni ? » (XIV, 61).

Et Jésus répond nettement :

> « Je le suis. Et vous verrez le Fils de l'Homme assis à la droite de la Puissance et venant sur les nuées du ciel » (XIV, 62).

a) Paradoxalement, on en est venu à douter de la signification de cette réponse claire comme le jour, et on s'est demandé si Jésus avait bien répondu « Oui » à la question du grand prêtre. Pareil doute ne pouvait venir que d'un certain « dogmatisme » libéral, si l'on veut bien nous passer cette expression. C'est en effet un « dogme » de la critique que la foi au Christ

---

1. Nous ne suivons donc pas B. van Iersel : « Fils de David et Fils de Dieu » dans *La venue du Messie,* Bruges, 1962 (Recherches Bibliques, VI), p. 121-123, 130, qui estime que Jésus rejette le titre de Fils de David.

est née dans l'Église primitive ; elle est un mythe crée par le culte chrétien. Jésus, lui, n'était qu'un génie - comme Socrate, par exemple - mis à mort injustement. Autour de cette histoire, la piété populaire a brodé le motif folklorique du Messie, puis du Fils de Dieu. Pour prouver cette thèse rationaliste partout sous-jacente, il faut montrer que Jésus, au cours de son ministère « historique » n'a jamais affirmé être le Messie. C'est l'Église qui a inventé cela après sa mort. De là est née, entre autres, nous l'avons dit, l'interprétation triomphante que W. Wrede donnait - enfin ! - du secret messianique, mettant ainsi à nu la primordiale supercherie. De là est née aussi l'affirmation que Jésus avait repoussé la confession de Pierre et nié devant Pilate qu'il était le Christ. Il ne *peut* pas avoir dit « Oui », puisque, *par hypothèse*, il n'avait pas la conscience messianique.

Bien entendu, nous caricaturons. Nous sommes cependant persuadés que ce raisonnement implicite et parfois inconscient pèse sur bien des démonstrations critiques. Même lorsque les textes sont patents, il *faut* donc que l'on trouve une solution contraire. On peut toujours dire, évidemment, que « Je suis », qui signifie normalement « Je le suis », lorsqu'il s'agit d'une réponse à une adjuration aussi solennelle du Pontife suprême dans l'exercice de ses fonctions, aurait pu être une échappatoire de Jésus au sens de « Je suis ce que je suis », équivalent à un refus de répondre. Après quoi, en ajoutant « Et vous verrez le Fils de l'Homme », Jésus ne s'identifierait pas à ce Fils de l'Homme ; il dirait simplement sa foi en la venue d'un Fils d'Homme qui viendrait peut-être le délivrer [1].

Mais nous ne voulons pas minimiser la difficulté. Il faut reconnaître que les textes de Matthieu et de Luc sont beaucoup moins clairs que celui de Marc. Chez Luc, en particulier, Jésus refuse d'abord de répondre : « Si je vous le dis, vous ne croirez pas, et si je vous interroge, vous ne répondrez pas » (Luc XXII, 67-68). Chez Matthieu, le « Tu le dis » pourrait éventuellement être interprété comme « C'est toi qui le dis ! » Et cela d'autant plus que la particule πλήν qui suit immédiatement a parfois

---

1. Ainsi, par exemple J. Héring : *Le Royaume de Dieu*, ²1959, p. 110-120.

valeur adversative : « C'est toi qui dis cela ! [1] Moi, au contraire,
je vous dis que dorénavant vous verrez le Fils de l'Homme ».

> On a beaucoup exagéré la valeur adversative de cette préposition.
> Elle indique une reprise vigoureuse, mais ne connote pas nécessaire-
> ment que le premier membre soit rejeté. Le plus souvent, elle fait
> tout simplement abstraction du premier membre : « Quoiqu'il en
> soit », ou « En tout cas ». L'exemple le plus clair est sans doute
> Phil III, 16. Mais on a un sens analogue en Luc X, 11 et plus en-
> core en X, 20 : « en tout cas, ne vous réjouissez pas... » et IX, 41 :
> « quoiqu'il en en soit ». De même XII, 31 : « aussi bien ». En Luc
> XIII, 33, il n'y a pas l'ombre d'une exclusion du premier membre :
> « aussi bien », tout comme XVIII, 8. En Luc XIX, 27, il y a reprise
> d'un *autre* sujet, sans aucune négation de ce qui a précédé ; de
> même XXII, 21-22 [2].

C'est généralement à partir de ces textes moins clairs de
Matthieu et Luc que le doute a été rejeté sur celui de Marc.
Comment expliquer, en effet, dans le cadre de l'apologétique
chrétienne primitive - dont le mouvement est toujours crois-
sant - que Matthieu ou Luc aient affaibli la réponse si nette de
Mc XIV, 62 ? [3].

Malgré cette difficulté réelle, la plupart des auteurs reconnaissent que, dans notre texte actuel de Marc, la réponse ne
prête à aucune équivoque : « Sans aucun doute, cela signifie
'oui' » [4]. Même J. Héring est bien obligé d'avouer - bien qu'il
en ait ! - que « le dernier rédacteur de Marc » (sic !) ne s'est
pas gêné (sic !) de rendre le texte même plus conforme à ce qu'il
devait dire : ἐγώ εἰμί », « Je le suis » [5]. Sans doute pourrait-on
facilement retourner contre l'exégèse de Héring lui-même le
reproche qu'il adresse à Marc, puisqu'il se voit contraint d'écarter aussi sommairement le texte formel de Marc pour « démontrer » que Jésus n'a jamais eu de conscience messianique. Mais

---

1. Voir, entre autres, J. A. T. ROBINSON : *Jesus and His Coming*, London,
1957, p. 47sv.
2. Cf W. F. ARNDT & F. W. GINGRICH : *A Greek-English Lexicon of the
New Testament*, Chicago, [8]1964 (= [1]1957) p. 675. En sens contraire :
J. HÉRING : *Le Royaume de Dieu*, [2]1959, p. 113, note 1.
3. Cf J. HÉRING : *Le Royaume de Dieu*, [2]1959, p. 112.
4. O. CULLMANN : *Christologie du NT*, 1958, p. 102sv. De même :
É. TROCMÉ : *Formation de l'évg selon Mc*, 1963, p. 185 ; A. FEUILLET, dans
La venue du Messie, Bruges, 1962 (Recherches Bibliques VI), p. 155sv ;
B. M. F. VAN IERSEL : « *Der Sohn* », 1964, p. 177, note 4.
5. J. HÉRING : *Le Royaume de Dieu*, [2]1959, p. 119.

pour nous, c'est précisément « le dernier rédacteur de Marc »
qui nous intéresse. Cette concession nous suffit.

Il ne semble pas nécessaire de discuter ici la thèse originale de
E. Stauffer [1], d'après qui la réponse de Jésus « Je suis » serait la
traduction littérale de l'expression hébraïque '*anî hû*' équivalent
pratique dans le Judaïsme post-exilique du nom ineffable
Yahweh. Cette signification serait possible en saint Jean, mais
nous paraît improbable en Marc. Elle a été réfutée par O. Linton [2]
et nous n'y reviendrons pas [3].

b) Mais quelle est, pour Marc, la portée de la question du
grand prêtre et de la réponse de Jésus ? Est-elle tellement différente de celle de la controverse du tribut de César (XII, 13-17) ?
De part et d'autre, les adversaires veulent acculer Jésus dans
une impasse : ou bien il faut qu'il renonce une fois pour toute
à sa prétention messianique, et alors il aura cessé d'être dangereux, ou bien qu'il affiche publiquement sa messianité, et alors
on l'accusera de lèse-majesté.

Dans le cadre de l'évangile de Marc, cette question officielle
du grand prêtre fait pendant à la question posée jadis par Jésus
lui-même à ses disciples : « Qui dit-on que je suis ? ». La confession de Pierre était le point d'aboutissement de toute la première partie de l'évangile ; la question officielle du grand prêtre
est le dénouement de toute la deuxième partie.

Tout comme dans la pseudo-confession d'Hérode et la confession de Pierre, le jugement de Jésus devant le grand prêtre
comporte une double instance. Ce sont d'abord les faux témoins
dont la déposition est insuffisante. Il faut y comparer ce que
« les gens » disaient de Jésus en VI, 14-15 ; VIII, 28. Vient
ensuite la question définitive, qui avorte en VI, 16 ; qui aboutit
en VIII, 29 mais est immédiatement suivi d'un ordre de silence
et d'une mise au point. En XIV, 62, à la différence des cas précédents, ce ne sont plus les gens, ni Hérode, ni même Pierre qui
devinent *qui est Jésus* ; c'est Jésus lui-même qui fait sa propre
confession devant l'autorité suprême et officielle du peuple de
Dieu.

---

1. « Messias oder Menschensohn ? », dans *Novum Testamentum*, I,
1956, p. 88.
2. *New Testament Studies*, VII, 1960-1961, p. 258-262.
3. Elle a été rejetée également par A. FEUILLET : *La venue du Messie*,
1962, p. 155.

VIII, 29-31	XIV, 61-64
Mais lui les interrogea : « Mais vous, qui dites-vous que je suis ? » Pierre répondit et lui dit : « Tu es le Christ ! »... Et il commença de leur enseigner que le Fils de l'Homme devait	De nouveau, le grand prêtre l'interrogea et lui dit :
beaucoup souffrir, être rejeté par les anciens, les grands prêtres et les scribes, être mis à mort...	« Es-tu le Christ, le Fils du Béni ? » Jésus dit : « Je le suis et vous verrez le Fils de l'Homme à la droite... » Le grand prêtre déchira ses tuniques... Tous prononcèrent qu'il méritait la mort.

Le fait même que le grand prêtre pose officiellement la question à Jésus montre que, dans la perspective de Marc, la chose était censée inconnue jusqu'à présent. D'autre part, une fois que Jésus a clairement affirmé sa position, le secret est définitivement dénoué. La suite de la scène le dit assez.

Depuis le début, Marc nous montre Jésus tenant intentionnellement la foule et même ses disciples dans l'incertitude à son égard. Il agit de façon déconcertante et avec une autorité sans précédent, et cependant jamais il ne dit qui il est, ni en quel nom il prend de telles initiatives (XI, 27-33). La question solennelle du grand prêtre et la non moins solennelle réponse de Jésus indiquent que là se trouve, *pour Marc*, l'aboutissement et le terme de tout son évangile. Tout ce qui avait précédé tendait vers ce moment suprême.

La réaction du grand prêtre et de tout le Sanhédrin manifeste qu'ils ont compris sa réponse comme une affirmation. Le fait que le grand prêtre déchire ses vêtements le premier et crie au scandale donne à entendre qu'il s'agit d'une petite mise en scène. Le blasphème n'était pas si évident que cela ; sans quoi l'assemblée tout entière aurait déchiré ses vêtements et l'aurait peut-être tué sur le coup.

7. XV, 32.

Le dernier emploi du titre Christ se trouve en XV, 32 : c'est une raillerie de Jésus crucifié par les grands prêtres et les scribes. Mais ici se rattache un autre phénomène.

8. Marc XV : Le Roi des Juifs.

Nous avions vu, au chapitre précédent, que le secret se dé-
nouait progressivement à partir de la confession de Pierre - dans
la perspective de Marc, il vaudrait peut-être mieux parler de la
« découverte » de Pierre. Le tableau qui ouvre le présent chapitre
montre à loisir d'ailleurs à quel point la citation de plus en plus
patente des titres messianiques devient fréquente à partir de cet
instant.

Il reste cependant un léger voile de secret jusqu'au moment de
la proclamation officielle devant le sanhédrin rassemblé. A partir de ce moment précis, le secret passe au domaine public. Le
caractère décidé et officiel de cette divulgation totale est clairement indiqué par Marc. Immédiatement après le témoignage de
Jésus (Mc XIV, 61-62), Jésus est appelé « Roi des Juifs » sur
tous les tons et par tous. Ce titre est répété six fois de suite,
avec une insistance de plus en plus irrésistible.

Tout d'abord, c'est Pilate qui lui pose la question :

« Tu es le Roi des Juifs ? » - « Tu le dis » (Mc XIV, 2).

Ici aussi, bien sûr, dans le but de dénier à Jésus la conscience
messianique, on a affirmé que la réponse de Jésus signifiait :
« C'est toi qui le dis ! » [1]. Il faut avouer que l'on conçoit difficilement une telle impertinence en une circonstance aussi officielle et solennelle, en un moment où l'instance civile avait tout
de même le droit d'interroger. D'ailleurs, il n'est pas douteux
que Marc ait compris cette réponse comme une affirmation,
puisque, quelques minutes plus tard, il fait sortir Pilate sur la
terrasse et annoncer publiquement :

« Voulez-vous que je vous relâche le Roi des Juifs ? » (Mc XV, 9)

Le même titre est clamé cette fois devant le peuple entier ,
il ne provoque plus des cris de triomphe, mais de haine. Une
fois encore Pilate insiste :

« Que ferai-je donc de celui que vous appelez le Roi des Juifs ? »
(Mc XV, 12).

---

1. J. Héring : *Royaume de Dieu*, [2]1959, p. 121sv.

Ici la condamnation à mort est immédiatement accolée au titre messianique, indiquant bien de quelle façon « devait » s'accomplir sa royauté (Mc VIII, 31).

Après les Juifs, ce sont les Romains qui saluent le Roi des Juifs dans une parodie d'intronisation et d'allégeance (Mc XV, 18), ayant une valeur prophétique, une peu comme la visite des mages en Matthieu II. Même si c'est par dérision, c'est vraiment à ce moment-là, de façon aussi paradoxale que possible, qu'est manifesté aux yeux de tous, Juifs d'abord, païens ensuite, « le Roi d'Israël », envoyé par Dieu pour sauver le peuple d'Israël et toutes les nations païennes.

Dernière étape, le titre royal est maintenant publiquement affiché au pilori. Tous les passants peuvent le lire. Le secret n'a plus de raison d'être désormais, *puisqu'il est cloué à la croix*. Il n'y a plus de raison de craindre que les Écritures ne s'accomplissent pas (Mc VIII, 29-31). Le Christ est manifesté à Israël dans la forme et sous les apparences précises où il avait été prophétisé et annoncé par Dieu. Ainsi Jésus a accompli sa mission, non en suivant son propre choix (Mc XIV, 36 ; cf VIII, 33), mais selon le dessein du Père.

Une dernière fois, les plus acharnés parmi ses ennemis, ceux-mêmes qui l'ont crucifié, lui décernent, eux aussi, le titre de « Christ, le Roi d'Israël » (Mc XV, 32), indiquant d'ailleurs, par la conjonction des deux titres, qu'ils sont équivalents pour Marc. Et, enfin, lorsqu'il a poussé son dernier cri et achevé tout ce que le Père lui avait commandé - comme dirait Jean -, alors, c'est le païen lui-même, qui, cette fois en vérité et non plus par dérision, le reconnaît et le proclame « Fils de Dieu », titre qui, dans la pensée de Marc, précise et va plus loin que celui de Christ, Roi d'Israël.

Conclusions.

Dans une telle perspective, et en face d'une insistance aussi univoque et aussi réitérée, il serait illusoire de parler encore de « secret messianique » ou de dire que Marc a été tenu ici par la tradition qu'il suivait. Il est trop clair qu'il s'agit d'un développement théologique et christologique voulu et étudié et correspondant exactement au silence précédant cette révélation. Les deux éléments, le secret antérieur et la révélation actuelle se complètent et se commentent mutuellement.

Il est donc faux de dire - comme le faisait Wrede - que le secret messianique perdure jusqu'à la résurrection. C'est dans la passion qu'il est définitivement levé. Le motif en est très simple : le « secret messianique » a pour raison d'être, en saint Marc, de montrer la souveraine décision de Jésus d'embrasser sa passion, parce que telle était la volonté de Dieu exprimée dans les Écritures.

Est-ce à dire que nous ne trouvions plus aucune trace du secret messianique dans le récit de la passion ? Nous venons de voir que la confession de Jésus devant Caïphe avait proportionnellement le même effet que la reconnaissance de Pierre. De même que la confession de Pierre avait été le point de départ d'une phase entièrement nouvelle dans l'économie du secret, de même la confession de Jésus devant le grand prêtre donne ici le signal de la divulgation officielle du secret. Un voile demeure cependant sur le cœur de tous ceux qui à ce moment clament à tout vent ce que l'on avait chuchoté à l'oreille jusqu'à présent, et lors même qu'ils annoncent le titre du Roi des Juifs, ils ne reconnaissent pas son visage, jusqu'à son dernier soupir (XV,39).

Le silence de Jésus.

Mais il est une autre façon dont le secret messianique est présent dans la passion, à savoir le silence de Jésus devant ses juges. Marc dit deux fois que Jésus choisit de se taire devant ses juges. La première fois, devant Caïphe, Jésus refuse de répondre à toutes les accusations que l'on profère contre lui (Mc XIV, 60-61). La scène se répète presque mot pour mot devant Pilate :

XIV, 60-61	XV, 4-5
Le grand prêtre, se levant au milieu (de l'assemblée), interrogea Jésus :	A nouveau, Pilate l'interrogea :
« Tu ne réponds rien ? Qu'est-ce donc ce que ces gens témoignent contre toi ? »	« Tu ne réponds rien ? Vois tout ce dont ils t'accusent ! »
Mais lui se taisait et ne répondit rien.	Mais Jésus ne répondit plus rien ; si bien que Pilate en fut étonné.

La signification du silence de Jésus devant ses juges est donc parfaitement claire dans la pensée de Marc ; elle n'est ni mépris, ni découragement. Elle est simplement volonté nette de ne pas se défendre des accusations portées contre lui. Ce refus n'était point chose courante chez les accusés, comme l'étonnement de Pilate en fait foi. Il suffit d'ailleurs de se souvenir de la faconde de Paul en des circonstances analogues (Act XXII) ; on peut en dire autant d'Étienne (Act VII). C'était le droit le plus strict des accusés de parler pour leur défense. Pilate et même le grand prêtre donnent la parole à Jésus. Dans la pensée de Marc, il est évident que si Jésus avait voulu, à ce moment, prononcer un solennel plaidoyer, il n'aurait pas eu plus de peine à s'en tirer que dans toutes les autres controverses dont est émaillé son évangile. Mais, précisément, il refuse cette fois de répondre. Pourquoi ? La raison en est claire : comment se seraient alors accomplies les Écritures disant que le Fils de l'Homme devait souffrir ? Marc a probablement vu dans ce silence une allusion au serviteur de Yahweh :

> « Affreusement traité, il s'humiliait,
>   il n'ouvrait pas la bouche.
> Comme un agneau conduit à la boucherie,
>   comme devant les tondeurs une brebis muette
>   et n'ouvrant pas la bouche » (Is LIII, 7).

Mais plus précisément encore, nous y verrions une évocation voulue du Psaume :

> « Amis et compagnons s'écartent de ma plaie,
>   mes plus proches me tiennent à distance ;
> ils machinent ceux qui traquent mon âme (= ma vie),
>   ceux qui cherchent mon malheur déblatèrent,
>   tout le jour ils ruminent la trahison.
>
> Mais je suis comme un sourd, je n'entends pas,
>   comme un muet qui n'ouvre pas la bouche ;
> comme un homme qui, n'ayant rien entendu,
>   n'a pas de réplique dans la bouche.
>
> Car c'est en toi, Yahweh, que j'espère,
>   c'est toi qui répondra, Seigneur mon Dieu » (Ps XXXVIII, 12-16).

Le silence de Jésus n'est donc pas le mépris de celui qui estime que les accusations ne tiennent pas ou qu'une défense serait inutile en raison de la mauvaise volonté des accusateurs [1]. Ce

---

1. Contre J. BLINZLER : *Le procès de Jésus*, Tours, 1961, p. 144.

sont là des raisons psychologiques qui n'expliquent rien ; car, dans toutes les controverses de l'évangile, la mauvaise volonté des adversaires était évidente, et cependant Jésus les confondait chaque fois, parce qu'il possédait une force et une sagesse auxquelles aucun adversaire ne pouvait tenir tête (Mc XIII, 11 ; cf Act VI, 10, 15). Marc ne se situe pas ici au niveau psychologique, mais théologique. Si Jésus se tait, c'est par choix. C'est le silence de la faiblesse. Le silence de celui qui n'a rien à répondre, parce qu'il ne *veut* rien répondre, car « il faut » que le Fils de l'Homme souffre beaucoup, soit tourné en dérision et crucifié. Ce n'est pas là œuvre d'hommes, mais accomplissement du dessein mystérieux de Dieu. Le silence de Jésus devant ses juges est le prolongement logique du secret messianique. Il est volonté d'obéissance au plan de salut divin.

Résumons-nous. En ce qui concerne le titre de Christ, ou de Roi des Juifs, nous croyons donc pouvoir affirmer que son emploi par Marc n'est pas purement et simplement tributaire de la tradition, mais étudié et délibéré. Marc sait toujours pourquoi il utilise le titre de Messie. Ce n'est qu'à bon escient et chaque fois dans un contexte théologique précis. L'ensemble des emplois répond à une christologie élaborée, concrètement à celle qui s'exprime par le secret messianique. Il n'y a donc aucune inconséquence de Marc à ce point de vue, mais au contraire une conséquence portée jusqu'à son complet aboutissement.

B. FILS DE DIEU.

1. État de la question.

a) La recherche actuelle commence avec G. DALMAN [1]. Après un examen critique de tous les témoins généralement cités en ce sens, il conclut que le Psaume II n'a jamais eu de portée messianique notable et constante dans le Judaïsme préchrétien [2].

---

1. *Die Worte Jesu*, I, Leipzig, ²1930 (= ³1965), p. 150-159 et 219-237.
2. De même J. JEREMIAS : *Die Gleichnisse Jesu*, ⁶1962, p. 71, note 1.

En conséquence, le titre de Fils de Dieu ne peut être considéré comme un héritage juif christianisé [1].

b) Cette affirmation nette et documentée a exercé une grande influence. Entretemps, l'édition de l'Apocalypse d'Esdras par B. VIOLET [2] a démontré que les seuls textes que G. Dalman considérait encore comme douteux [3] devaient en réalité être lus « mon serviteur » et non « mon fils ». En conséquence, W. Bousset [4] peut être plus affirmatif encore que G. Dalman : tous les emplois évangéliques de ce titre sont secondaires. Baptême, transfiguration, Mt XI, 25ss, sont des créations de la communauté chrétienne [5]. Chez Marc aussi, le titre de Fils de Dieu ne se trouve que dans des péricopes tardives et sous l'influence de Paul [6]. Selon lui, le titre de Fils de Dieu, qui connote la gloire de la résurrection, est entièrement distinct de celui de serviteur qui évoque l'humble obéissance [7]. Le titre de Serviteur a dû être employé par la toute primitive communauté [8] et se trouvait peut-être originairement dans le récit du baptême [9].

c) Le rationalisme d'un R. BULTMANN ne pouvait qu'être séduit par une telle conclusion. Pour Bultmann, en effet, tout le « dogme » chrétien est un « mythe » né de la foi et du culte de l'Église primitive. Jésus n'a jamais eu de conscience messianique. Il s'est présenté comme prophète et serviteur. On en retrouve

---

1. En sens contraire : R. BULTMANN : *Theologie des Neuen Testaments*, Tübingen, 1953, p. 50sv : H. RIESENFELD : *Jésus transfiguré*, Kopenhavn-Lund, 1947, p. 69, note 18 ; C. H. DODD : *The Interpretation of the Fourth Gospel*, Cambridge, 1953, p. 253.
2. *Die Esra-Apokalypse*, Leipzig, 1910 (Griech. Christl. Schrift.) et *Die Apokalypsen des Ezra und des Baruch*, Leipzig, 1924.
3. A savoir : IV Esd. VII, 28sv ; XIII, 32, 37, 52 ; XIV, 9. Cf *Theol. Wört.* V, p. 680sv, note 196 ; J. JEREMIAS : *Die Gleichnisse Jesu*, [6]1962, p. 71, n. 1.
4. *Kyrios Christos*, Göttingen, 1913 (= [5]1965), p. 57ss.
5. *Kyrios Christos*, p. 58-63.
6. A savoir dans les récits du baptême, de la tentation, du procès devant le Sanhédrin, de la confession du centurion : *Kyrios Christos*, p. 68-69.
7. *Kyrios Christos*, p. 68-70.
8. Position généralement acceptée par les exégètes jusqu'à ces derniers temps ; cf. U. WILCKENS : *Die Missionsreden der Apostelgeschichte*, Neukirchen 1961, p. 163sv, qui défend, lui, une exégèse contraire. Au sens « classique », voir, par exemple, O. CULLMANN : *Christologie*, 1958, p. 48-73.
9. *Kyrios Christos*, p. 69, n. 2.

le témoignage dans les textes traditionnels les plus primitifs [1]. En un second stade, la communauté palestinienne a introduit un changement décisif en faisant de Jésus, non plus le sujet, mais l'objet de l'Évangile. Ce n'est plus Jésus qui annonce l'Évangile de Dieu ; c'est l'Église qui proclame l'Évangile de Jésus ressuscité. Néanmoins l'Église continue à envisager la *mission* eschatologique de Jésus, et non pas sa « nature ». A ses yeux, Jésus est « devenu » Messie en vertu de sa résurrection. Il n'est d'ailleurs pas absolument impossible que la communauté palestinienne ait déjà employé le titre de Fils de Dieu, mais, dans ce cas, ce ne pouvait être qu'un synonyme de Messie, au sens du Psaume II [2]. Dans un troisième stade seulement, la communauté hellénistique, avec Paul et Jean comme porte-parole, a compris le titre de Fils de Dieu au sens de « l'homme divin », θεῖος ἀνήρ, des Grecs. Il s'agit d'une déification. On insiste dès lors sur la « nature » transcendante de Jésus. On montre en lui un surhomme rempli de force divine, accomplissant des guérisons, des miracles, des exorcismes, etc., dès sa vie terrestre. C'est la ligne adoptée par les synoptiques qui projettent dans la vie terrestre du Christ la gloire de sa résurrection.

d) V. Taylor réagit vigoureusement en affirmant que le titre de Fils de Dieu avait déjà été employé du vivant de Jésus [3]. Il ne s'y réflète aucune influence hellénistique, et il n'est pas davantage question d'une « rétro-projection » de la foi pascale primitive dans l'histoire de Jésus. L'utilisation de ce titre par Jésus était « originale et créatrice ».

e) Plus précisément encore, un nombre de plus en plus grand d'auteurs tendent à abondonner la thèse généralement admise - laquelle cherchait dans la réutilisation chrétienne du Psaume II l'origine de ce titre [4] -. Les nouveaux auteurs rapprochent le

---

1. *Theologie des Neuen Testaments*, Tübingen, 1953, p. 27sv.
2. Bultmann n'est pas aussi négatif que Dalman concernant l'emploi messianique de ce Psaume dans le Judaïsme : *Theologie des NT*, 1953, p. 50sv.
3. *The Names of Jesus*, London, 1953, p. 52-65 ; *The Person of Christ*, London, 1958, p. 173.
4. Ainsi R. Bultmann : *Theologie des NT*, 1953, p. 51 ; W. G. Kümmel : dans *Aux sources de la tradition chrétienne*, (Mélanges M. Goguel), Neuchâtel, 1950, p. 131 ; C. H. Dodd : *According to the Scriptures*, London, [4]1957, p. 31sv, 104-106.

titre de Fils de Dieu de celui de Serviteur de Dieu, en se fon-
dant sur l'ambiguïté du mot grec παῖς qui peut signifier aussi
bien « enfant » que « serviteur ». J. JEREMIAS a le mieux souligné
cette ambivalence et la conséquence théologique qui en résultait[1].

f) Par la suite C. MAURER a repris la thèse de Jeremias et l'a
mise à l'épreuve dans le récit de la passion selon Marc[2]. Il
découvre que tout ce récit, tant par son contenu théologique que
par sa structure même est dominé par l'idée du serviteur souffrant. Il s'agit partout d'allusions tacites : on décrit les faits de
façon à suggérer des rapprochements avec les prophéties du serviteur, mais ces dernières ne sont généralement pas citées explicitement[3]. Ce sont des citations « de facto » et non « de verbo »,
c'est-à-dire allusions de fait plutôt que citations littérales entre
guillemets. Toutes les allusions sont faites d'après le texte
hébreu, et non d'après la traduction des LXX. Néanmoins le
titre de Serviteur n'est mentionné nulle part chez Marc. C. Maurer s'en demande la raison et conclut que le titre de Fils de Dieu
en Mc XIV, 61 doit cacher celui de Serviteur de Dieu. Le glissement de sens entre serviteur et fils est attesté ailleurs dans le
Nouveau Testament[4] ; mais Maurer renvoie plus volontiers encore au livre de la Sagesse II, 13-20. On y passe sans aucune
solution de continuité de serviteur du Seigneur, παῖς κυριοῦ, au
v. 13, à Fils de Dieu, υἱὸς θεοῦ au v. 18, les deux titres étant
manifestement compris comme des synonymes[5]. Or ce texte de
la Sagesse est précisément une relecture de la prophétie d'Is
LIII[6]. Cela montre qu'au premier siècle avant Jésus Christ on
comprenait les chants d'Isaïe comme se rapportant indifféremment au « Serviteur » ou au « Fils » de Dieu. Une autre remar-

---

1. *Theol. Wört.* V, p. 698-706 ; cf déjà W. BOUSSET : *Kyrios Christos*,
Göttingen, 1913, p. 69, note 1 ; dans un sens analogue J. SCHNIEWIND :
Evg nach Mk 9 1960, p. 13sv.
2. « Knecht Gottes und Sohn Gottes im Passionsbericht des Markus-
evangeliums » dans *Zeitschr. für Theol. & Kirche*, L, 1953, p. 1-38.
3. Ainsi Mc XIV, 21, 48sv, 61, 65 ; XV, 4, 5, 39, 42sv.
4. Par exemple Mt VIII, 6ss (παῖς) ; // Luc VII, 2ss (δοῦλος) ; Jean IV,
6ss (υἱός) !
5. Dans le même sens B. M. F. VAN IERSEL : « *Der Sohn* » *in den synoptischen Jesusworten*, Leiden, 2 1964, p. 76.
6. C. MAURER : *Zeitschr. Theol. Kirche*, L, 1953, p. 24-26. De même
M. J. SUGGS dans *Journal of Bibl. Liter.* LXXVI, 1957, p. 26-33 : « Wisdom
of Solomon II, 10-15 : A homily based on the fourth Servant song ».

que corrobore cette interprétation. Le plus souvent, en effet, l'apanage du « Fils de Dieu » dans les synoptiques n'est pas la gloire céleste, transparaissant à travers le corps du θεῖος ἀνήρ, mais l'*obéissance*. C'est évidemment la qualité principale du Serviteur de Dieu. C'est par elle que le Serviteur mérite son titre et accomplit le plan divin de salut [1].

g) L'étude de Maurer ne faisait que confirmer les conclusions obtenues déjà par J. BIENECK [2]. Ce dernier aussi avait estimé que le Fils de Dieu dans les synoptiques était aussi peu grec que possible [3]. L'idée d'obéissance lui paraissait indissociablement attachée au titre de Fils dans l'Ancien Testament et, plus encore dans la tradition néotestamentaire. Son chapitre consacré à l'obéissance du Fils montre en Jésus le Serviteur de Dieu. A ce niveau, en effet, Fils et Serviteur deviennent presque synonymes. Il n'est pas tant question de la gloire du Fils (au sens grec), que de l'obéissance filiale, celle qui l'assimile au Serviteur de Yahweh d'Isaïe LIII [4].

h) F. HAHN [5] suit à peu près l'itinéraire de J. Bieneck, mais il aboutit à une conclusion moins nette. Le titre de Fils de Dieu, dont il faut bien distinguer celui de « Fils » tout court, ne provient pas de l'idéologie du Serviteur, ni de celle du Fils de l'Homme, ni de celle du grand prêtre messianique [6]. Il ne reste donc qu'une seule possibilité : le messianisme royal. Le titre n'est pas originairement hellénistique, néanmoins on constate une certaine contamination hellénistique dans les synoptiques, par exemple dans la guérison de l'hémoroïsse (Mc V, 25-34) et plus encore dans les épiphanies sur le lac (Mc IV, 35-41 ; VI, 47-52).

---

1. MAURER, a.c. p. 12-13 ; O. CULLMANN : *Christologie*, 1958, p. 239-41.
2. *Sohn Gottes als Christusbezeichnung der Synoptiker*, Zürich, 1951 (Abhandl. Theol. A. & N.T.)
3. « Das gänzliche ungriechische Bild », o.c. p. 70-74. C'est sa conclusion.
4. « Der Gehorsam des Sohnes », o.c. p. 58-69.
5. *Christologische Hoheitstitel. Ihre Geschichte im frühen Christentum*, Göttingen, 1963, p. 280-333.
6. Contre W. GRUNDMANN : *Die Gotteskindschaft in der Geschichte Jesu und ihre religionsgeschichtliche Voraussetzungen*, Weimar, 1938 ; et, du même : « Sohn Gottes » dans *Zeitschr. für Neutest. Wissenschaft*, XLVII, 1965, p. 113-133. Voir aussi B. M. F. VAN IERSEL : « *Der Sohn* », Leiden, ²1964, p. 23-26.

i) Finalement, B. M. F. van Iersel [1] distingue lui aussi entre le titre de Fils de Dieu et celui de « Fils » tout court. Le premier se trouve toujours dans un contexte très caractérisé :

1° Le plus souvent dans des hymnes ou des professions de foi (baptismales).
2° Ce titre est confirmé par une citation de l'Ancien Testament (Ps II et 2 Sam VII, 14).
3° Il est mis en relation avec la résurrection.
4° Il est chaque fois cité en entier « Fils de Dieu » [2].

Par contre le titre de « Fils », et lui seul, se trouve uniquement dans des logia de Jésus - que rien n'autorise à considérer comme inauthentiques [3] - et n'a par contre aucune des notes énumérées ci-dessus [4]. Cela conduit à la conclusion que le titre de « Fils » a dû être employé par Jésus, et qu'il est devenu l'amorce du titre de Fils de Dieu créé par la communauté postpascale.

2. Pensée hébraïque.

a) Ce bref aperçu nous montre la complexité du problème et nous ouvre aussi quelques avenues. Qu'on nous permette une remarque préliminaire. L'une des difficultés majeures en ce domaine provient de notre conception occidentale et dogmatique. Pour nous, Fils de Dieu représente surtout une « dignité » divine de Jésus, affectant d'une façon ou d'une autre son être profond, sa « nature ». C'est là évidemment une conception grecque et nous avons quelque peine à nous en libérer. Pour des Hébreux, être Fils de Dieu n'est pas d'abord une dignité, mais *une mission*. Être Fils de Dieu, c'est accomplir l'œuvre de Dieu sur terre [5].

---

1. « *Der Sohn* » *in den synoptischen Jesusworten*, Leiden, ²1964 (Suppl. to N.T.).
2. o.c. p. 173-175. Ce dernier point est naturellement une pétition de principe.
3. o.c. p. 117-161.
4. o.c. p. 175-180.
5. Dans le même sens C. Maurer : *Zeitschr. Theol. Kirche*, L, 1953, p. 33 : « sein Auftrag macht seine Person ». Il réfute l'affirmation contraire de J. Bieneck : *Sohn Gottes*, 1951, p. 48.

Dans le ch. VIII de Jean - que l'on pourrait s'imaginer tellement hellénistique - existe une comparaison typique entre le Fils de Dieu et les fils du diable. Les Juifs ne sont pas fils de Dieu, ni fils d'Abraham, parce qu'ils n'accomplissent ni les œuvres de Dieu, ni celles d'Abraham. Ils sont fils du diable, parce qu'ils accomplissent les désirs du diable (Jean VIII, 39-44). Jésus, au contraire, est Fils de Dieu, parce qu'il accomplit l'œuvre que le Père lui a donné à faire (Jean VIII, 38, 40).

La même idée est exprimée en Matthieu :

> « Aimez vos ennemis, priez pour vos persécuteurs,
> ainsi serez-vous fils de votre Père qui est aux cieux,
> car il fait lever son soleil sur les méchants et sur les bons » (Mt V, 44sv).

J. Jeremias a sans doute raison, lorsqu'il affirme que Jésus est manifesté comme Fils de Dieu, au moment même où il reçoit du Père sa mission (Mc I, 11) [1]. Il est le Fils ou le Serviteur - ces deux termes étant ici synonymes - parce qu'il va accomplir l'œuvre (de salut) de Dieu. Ce titre évoque donc en tout premier lieu l'obéissance au plan de salut divin. Ce n'est pas son œuvre, une œuvre d'homme, que Jésus vient accomplir, mais celle de Dieu : c'est pour cela qu'il est son Fils. C'est sur cette signification du mot Fils de Dieu que jouent les trois tentations diaboliques [2]. C'est encore exactement le sens de Jean X, 36.

b) En nous maintenant toujours dans la ligne de la pensée sémitique, il existe un second sens du mot Fils de Dieu, sens très technique, et qui pourra peut-être éclairer notre recherche.

1) *Dans la Bible*, le titre Fils de Dieu est synonyme de celui de « Saint ». Il désigne un être céleste, un assistant de la Cour divine. Cela se trouve clairement exprimé dans le Prologue de Job :

> « Un jour, comme les Fils de Dieu venaient se présenter devant Dieu, Satan aussi s'avançait parmi eux... » (Job I, 6).

En Gen VI également, les Fils de Dieu sont des êtres célestes qui s'allient avec les filles des hommes. Ailleurs, ces êtres

---

1. *Le baptême des enfants et la doctrine biblique du baptême*, Neuchâtel, 1948, (Cahiers théologiques), p. 13ss.
2. De même O. CULLMANN : *Christologie*, 1958, p. 239-41 et 246.

élestes sont simplement appelés « dieux » (Ps LXXXII, 1). Les
leux mots sont pratiquement équivalents.

Or, dans tout le Proche-Orient, le roi terrestre était considéré
comme associé au pouvoir divin. C'est ainsi qu'il est dit :

> « Salomon s'assit sur le trône de Yahweh » (I Chron XXVIII, 5 ;
> XXIX, 23)

Le roi partage en effet le pouvoir royal qui n'appartient qu'à
Dieu [1]. C'est pourquoi il est considéré comme un être surhumain
accomplissant, par charisme spécial, une fonction céleste, divine.
Il fait désormais - *par sa fonction* - partie de la Cour céleste.
Cette fonction était, en tout premier lieu, celle du jugement,
pouvoir royal par excellence, et dans lequel le roi était, plus que
partout ailleurs, assisté par le charisme divin [2].

Le même privilège est accordé au roi de Sion. De par son intronisation, il participe au gouvernement divin ; il devient un
être céleste. Il entre au Conseil divin ; mieux : il est intronisé
sur le siège même de Dieu :

> « Oracle du Seigneur pour mon Maître :
>   Siège à ma droite ;
> Que je fasse de tes ennemis
>   un escabeau pour tes pieds ! » (Ps CX, 1).

La suite du Psaume indique clairement que le roi réside
désormais sur « les monts sacrés », c'est-à-dire dans la demeure
divine (Ps CX, 3). D'après le Ps II, cette prérogative équivaut à
une nouvelle naissance. Le roi était d'abord né sur terre en tant
que fils d'homme ; son intronisation est une naissance céleste
(Ps II, 6-7). L'établissement d'un trône élevé, entouré de lions et
de taureaux [3] symbolise aussi le caractère céleste du trône et de
son occupant. Plus significatif encore est le simple fait que
cette intronisation s'accomplissait à Sion, la montagne sainte de
Dieu [4].

La même expression est employée avec un sarcasme mordant
à propos des rois païens vaincus : ils siégeaient au sein de l'As-

---

1. Cf I Sam VIII, 7 ; 2 Chron XIX, 5-7.
2. Cf I Rois III, 28 ; Is XI, 2-5 ; XLII, 1-4.
3. Cf I Rois X, 18-20 // 2 Chron IX, 17-19.
4. Ps II, 6 ; cf Ps CX, 3 ; Ez XXVIII, 14.

semblée céleste, et les voilà précipités à terre ou au shéol [1]. L'orgueil de ces rois ne consiste pas en ce qu'ils se prennent pour des êtres célestes, mais en ce qu'ils ne reconnaissent pas en ce privilège le don de Dieu [2].

Le caractère céleste du roi est « démocratisé » après l'exil et appartient désormais à tous les justes. Le douloureux étonnement des impies en témoigne :

> « Comment donc a-t-il été compté parmi les Fils de Dieu,
> comment partage-t-il le sort des Saints ? » (Sag V, 5).

Le parallélisme montre que « Fils de Dieu » et « Saints » sont synonymes et désignent des êtres célestes [3].

2) Ce caractère céleste du Saint ou du Fils de Dieu nous paraît se situer au cœur même du *kérygme chrétien*. De par sa résurrection-ascension, Jésus a été constitué être céleste, digne non seulement de siéger dans l'Assemblée céleste, mais de recevoir le siège d'honneur au-dessus des Trônes, Principautés, Vertus, et de tous les autres membres de la Cour céleste [4], immédiatement après Dieu.

Ce privilège appartient désormais à tous les chrétiens dans le Christ :

> « Avec lui il nous a ressuscités et fait asseoir aux cieux dans le Christ
> Jésus » (Eph II, 6 ; cf Col III, 1-4).

Tous les chrétiens, en vertu de leur incorporation au Christ, sont eux aussi devenus des êtres célestes, ayant droit de siéger au milieu de l'Assemblée divine : « Vous êtes concitoyens des Saints, vous êtes de la Maison de Dieu ! » (Eph II, 19). Au sens fort, au sens premier, les chrétiens sont désormais des Saints, c'est-à-dire des êtres célestes, par vocation, en vertu de la résurrection et de l'ascension dans la gloire de Jésus prémices et gage

---

1. Ez XXVIII, 2, 13, 14, 16 ; Is XIV, 12-14.
2. Dan IV, 8, 14, 33-34.
3. Cf S. Mowinckel : *Religion und Kultus*, Göttingen, 1953, p. 142 ; L. Dequeker : « Les Saints du Très-Haut », dans *Analecta Bibl. et Orient.* III, 23, Louvain, 1961, p. 36-42.
4. Eph I, 19-24 ; Phil II, 9 ; Col I, 16-18.

de celle de tous les chrétiens [1]. C'est en tant qu'êtres célestes,
membres de l'Assemblée céleste qu'ils accomplissent le jugement
du monde [2].

Reproduire en eux les traits du Fils de Dieu, c'est être associés
à sa gloire céleste (Rom VIII, 29-30 ; Jean XVII, 24). L'Esprit
Saint est l'artisan de notre filiation divine, parce qu'il est l'artisan de notre résurrection et de notre entrée dans la sphère divine
(Rom VIII, 14, cf VIII, 11). L'Esprit nous fait renaître « d'en
haut », par opposition à la première naissance selon la chair
(Jean III, 5) [3]. En cela aussi, le chrétien est conformé au Christ,
né d'abord Fils de David, selon la chair, mais qui a dû renaître,
lors de sa résurrection, Fils de Dieu selon l'Esprit de Sainteté
(Rom I, 3-4 ; Ps II, 7). Ainsi le chrétien, comme le Christ, est
un homme nouveau, un homme céleste (I Cor XV, 47). Or c'est
précisément en tant que tel que Jésus est le Fils de Dieu [4]. Le
titre de Fils unique (Jean I, 18 ; III, 16) signifie simplement qu'il
est le premier de tous les êtres célestes, l'« aîné » de tous les
« Fils de Dieu » [5].

Nous croyons donc qu'au sens hébreu, le titre de Fils de Dieu
revêt une double résonance : d'une part, le Fils (ou le Serviteur)
de Dieu est celui qui accomplit l'œuvre de Dieu - ce sens côtoie
le thème du Serviteur de Yahweh d'Is LIII ; - et, d'autre part,
le Fils de Dieu désigne un être céleste, résidant au milieu de
l'Assemblée divine. Il nous semble que cette double résonance
rend compte de la plupart des textes de Marc, sans qu'il soit
nécessaire de faire appel à une conception hellénistique du
θεῖος ἀνήρ.

3. Saint Marc.

Il semble bien - sans qu'on puisse l'affirmer absolument - que
le titre de Fils de Dieu revienne lui aussi 7 fois dans l'évangile

---

1. Rom I, 7 ; I Cor I, 2 ; Éph I, 18.
2. Dan VII, 9-22 ; Ps LXXXII, 1-4 ; Mt XIX, 28.
3. Cf. Jean III, 13, 31 ; VI, 33, 38, 58 ; VIII, 23, etc.
4. Jean III, 16-17 ; I, 18 ; Rom I, 3-4.
5. Ps LXXXVIII, 28 ; Éph I, 21 ; Phil II, 9 ; Rom VIII, 29.

de Marc. D'après E. Lohmeyer [1] et O. Cullmann [2], ce serait pour Marc celui qui exprime le mieux la dignité de Jésus. Nous laisserions volontiers les superlatifs de côté, car il nous paraît que le titre de Fils de l'Homme est plus essentiel encore pour lui.

Les emplois du titre « Fils de Dieu » sont, chez Marc, entourés d'une solennité toute particulière soulignant bien l'importance qu'il revêt dans sa théologie. Deux fois, il s'agit d'un témoignage divin au cours d'une théophanie (I, 11 et IX, 7) ; deux fois, ce sont les démons qui perçoivent sa personnalité transcendante (III, 11 et V, 7) ; une fois - c'est le sommet du livre, - Jésus lui-même confesse publiquement sa dignité devant l'autorité religieuse officielle de son peuple (XIV, 61) [3]. Les deux autres emplois sont le titre (I, 1) et la conclusion croyante de tout l'ouvrage (XV, 39). Le premier et le dernier mot de Marc.

La plupart de ces emplois sont tels qu'ils ne peuvent pas ne pas représenter la pensée profonde de Marc. Il est clair que la voix divine révèle nécessairement la « nature », ou plutôt la *mission* vraie de Jésus, en des termes que Marc ne pourrait pas se permettre de corriger ou de compléter. De même, les démons sont des êtres surnaturels, censés avoir une connaissance plus profonde de la personnalité cachée de Jésus [4] et surtout de sa mission (I, 24a ; V, 7b).

Par contre, comme F. Hahn et B. M. F. van Iersel [5] l'ont bien montré, les deux emplois de « Fils » tout court (Mc XII, 6 ; XIII, 32) posent un problème différent. A l'inverse de tous les cas cités ci-dessus, ils ne se rencontrent que sur les lèvres de Jésus - sans d'ailleurs lui être explicitement rapportés, au moins en XII, 6 - et ne sont pas entourés de la même solennité. Toutefois l'adjectif « bien-aimé » en Mc XII, 6 est une allégorisation chrétienne et pourrait provenir de Marc, comme en témoigne la comparaison avec Mc I, 11 ; IX, 7, non moins que la remarquable absence dans le texte parallèle de Mt XXI, 37.

---

1. *Evg des Mk*, [15]1959, p. 4.
2. *Christologie*, 1958, p. 255 ; également E. BEST : *The Temptation and the Passion*, 1965, p. 167.
3. Cf E. LOHMEYER : *Evg des Mk*, [15]1959, p. 4 ; C. MAURER : *Zeitschr. f. Theol. & Kirche*, L, 1953, p. 30. Ils comptent tous deux sept emplois du titre.
4. Cf J. BIENECK : *Sohn Gottes*, 1951, p. 46.
5. Voir ci-dessus, p. 347sv.

a) I, 1.

Le premier emploi de « Fils de Dieu » se trouve dans le titre même de l'ouvrage. Toutefois le texte est douteux à cause de la divergence de quelques manuscrits, surtout le Sinaiticus première main. En ce qui concerne Irénée et Victorin de Pettau, leur témoignage n'est pas concluant, comme l'a montré C. H. Turner [1]. Il ne reste finalement que deux témoins importants, le Sinaiticus et Origène ; mais comme il existe une relation étroite entre eux deux, il n'est pas impossible que ces deux témoins n'en fassent qu'un [2].

Beaucoup de commentateurs acceptent donc comme authentique la leçon longue de Mc I, 1 [3]. On explique généralement l'omission de Fils de Dieu comme un homoioteleuton aggravé du fait des abréviations : IYXYYYΘY serait devenu simplement IYXY [4]. C'est possible. Il faut néanmoins avouer que l'on comprendrait beaucoup plus aisément l'addition que l'omission, et c'est pourquoi, malgré l'écrasante majorité des témoins en faveur de la leçon « Fils de Dieu », il reste possible, sinon probable, que le texte original ne le comportait pas (lectio difficilior). Toutefois on peut faire valoir que, en Mc VIII, 29, où l'addition aurait été attendue encore beaucoup plus vivement qu'ici, en raison du texte parallèle de Mt XVI, 16, elle ne se trouve que dans quelques très rares manuscrits. Ceci en ce qui concerne la critique externe.

Quant à son contenu, le titre « Évangile de Jésus Christ, Fils de Dieu » correspond totalement au message de Marc. L'épithète « Christ » semble, dans sa perspective, appeler un complément, une précision. Si le titre de l'ouvrage avait été « Évangile de Jésus Christ », il semble qu'il eût dû logiquement s'achever en VIII, 29. La réponse de Jésus en VIII, 31-33 laisse voir que

---

1. *The Journal of Theological Studies*, XXVIII, 1926-27, p. 150 ; pour Irénée, cf. en outre J. Huby : *Évangile selon saint Marc*, Paris, ²¹1929, p. 5, note 2.

2. C. H. Turner, o.c. ; T. A. Burkill : *Mysterious Revelation*, 1963, p. 10.

3. V. Taylor : *Gospel Acc. to St Mk*, 1952, p. 152 ; M.-J. Lagrange : *Évg selon S. Mc*, ⁴1929, p. 3 ; R. H. Lightfoot : *The Gospel Message of St Mark*, Oxford, 1950, p. 17n ; O. Cullmann : *Christologie*, 1958, p. 255, note 3 ; outre C. H. Turner et T. A. Burkill cités ci-dessus ; C. E. B. Cranfield : *St Mark*, Cambridge, 1959, ad loc.

4. Ainsi C. H. Turner, l.c. suivi par T. A. Burkill et V. Taylor.

Marc n'en a pas terminé lorsqu'il a montré en Jésus le Christ.
Effectivement son livre s'achève lorsque le païen reconnaît sur
la croix le Fils de Dieu. Ainsi donc les deux membres du titre,
Christ, Fils de Dieu, semblent correspondre à la division bipartite de l'ouvrage, dont la confession de Pierre forme le pivot et
la reconnaissance du païen l'aboutissement. Néanmoins, vu la
difficulté textuelle, la question reste ouverte.

b) I, 11 et IX, 7.

1) Voyons à présent les *deux théophanies*, Mc I, 11 et IX, 7.
Ces deux déclarations divines, d'abord à Jésus, puis aux trois
apôtres privilégiés, insinuent que la dignité de Fils de Dieu ne
peut être reconnue sans une révélation spéciale (comparer Mt
XVI, 17). Les deux scènes sont apocalyptiques. Dans la première, la déchirure du ciel indique suffisamment la transposition : Jésus est manifesté comme un être céleste, un être pour
qui le ciel est ouvert. Ce qui correspond au second sens du titre
Fils de Dieu indiqué ci-dessus (p. 348-351) : la vision manifeste
d'emblée Jésus comme être céleste, ce qui est une anticipation de
sa résurrection.

Il en va de même pour la transfiguration, plus nettement
encore, s'il est possible. Le commentaire rédactionnel qui suit,
Mc IX, 9-13, ne laisse d'ailleurs aucun doute à ce sujet : il s'agit
d'une préfiguration de la résurrection. On comprend très bien
que R. Bultmann en ait fait la rétro-projection d'une manifestation post-pascale [1] ! La montagne, la transfiguration, les vêtements blancs comme le soleil, les êtres célestes, Moïse et Elie,
la nuée, la voix, tout cela indique que l'être ainsi entouré est
un personnage céleste, incognito jusqu'à présent, mais dont la
véritable identité est enfin révélée [2].

On a peut-être tendance à mettre entre parenthèses cet aspect
des choses dans la crainte d'une interprétation hellénistique du
titre de Fils de Dieu. Mais il ne s'agit pas ici d'interprétation
hellénistique, ni de la rétro-projection de l'une des manifestations post-pascales, mais d'une apocalypse typiquement biblique
et juive, révélant au groupe de privilégiés le secret de la personnalité céleste de Jésus. Précisons, une fois encore, que nous

---

1. *Geschichte der synoptischen Tradition*, [4]1958, p. 278-281.
2. H. RIESENFELD : *Jésus transfiguré*, Kopenhavn-Lund, 1947, passim.

nous tenons rigoureusement - par méthode - au niveau de la
théologie rédactionnelle de Marc. Nous ne prétendons pas *ici*
faire aucune inférence sur le plan historique.

2) Et cependant, conjointement avec cette manifestation
céleste, il y a une incontestable et essentielle allusion au serviteur de Yahweh d'Isaïe. Cela est spécialement remarquable dans
le récit du *baptême*, au point que l'on peut tracer, à la suite de
J. Jeremias [1], un parallèle précis entre l'oracle du baptême de
Jésus et le texte d'Is XLII, tel qu'il est cité par Mt XII, 18 :

Mc I, 11, 10	Is XLII, 1 (Mt XII, 18)
Tu es mon fils bien-aimé ; tu es ma joie. ...L'Esprit descendit sur lui.	Voici mon 'enfant' que j'ai choisi, mon bien-aimé ; il est la joie de mon âme. J'ai posé sur lui mon Esprit.

Le mot παῖς que nous avons traduit par 'enfant' dans le texte
d'Is XLII, 1 (Mt XII, 18) est ambivalent en grec, comme nous
l'avons dit [2] ; il peut signifier aussi bien Enfant que Serviteur.
Dans le contexte d'Is XLII, 1 qui nous occupe, la traduction
grecque citée par Matthieu a manifestement compris le mot au
sens d'enfant, comme en témoigne le mot « bien-aimé » à l'hé-
mistiche suivant. « Bien-aimé » connote fils et même fils unique [3]. Il n'est pas exclu que le mot « que j'ai choisi », ἡρέτισα,
doive être en réalité traduit « que j'ai adopté » [4]. On comprend
dès lors que plusieurs auteurs [5] estiment que l'oracle baptismal
est un simple démarquage d'Is XLII, 1, sans aucune allusion au
Ps II, 7. Il est à tout le moins certain que la référence à Is XLII,
1 se trouve au premier plan ; l'allusion au Ps II, 7, si elle s'y
trouve, n'y est qu'à l'arrière-plan. Au point de vue théologique,
cela signifie, comme l'a bien explicité O. Cullmann [6] que Jésus,

---

1. *Theol. Wört.* V, p. 699.
2. Voir plus haut, p. 344sv.
3. Cf C. H. TURNER : *The Journal of Theol. Studies*, XXVII, 1925-26,
p. 113-129 ; O. CULLMANN : *Christologie*, 1958, p. 246.
4. Cf W. F. ARNDT et F. W. GINGRICH : *A Greek-English Lexicon of the
NT*, Chicago, 1957, p. 23, qui cite I Chr XXVIII, 6 et Mal III, 17.
5. J. JEREMIAS : Theol. Wört. V, p. 699 ; C. MAURER : *Zeitschr. f. Theol.
f Kirche*, L, 1953, p. 30-32.
6. *Le baptême des enfants*, 1948, p. 13ss.

à l'ouverture de son ministère, est désigné comme le Fils bien-aimé, qui doit accomplir la mission du Serviteur de Yahweh d'Isaïe. C'est un programme, et il ne peut manquer d'influer sur toute la théologie de Marc.

3) Dans le récit de la *transfiguration*, l'allusion au Serviteur paraît à première vue moins nette. En effet, les six jours de l'attente, la nuée qui couvre la montagne et la voix qui sort de la nuée (Ex XXIV, 16), non moins que le « Écoutez-le » (Deut XVIII, 15) rendent inévitable l'allusion à Moïse. L'effroi des foules à la vue de Jésus descendant de la montagne sainte évoque sans doute aussi la peur des Israélites lorsque Moïse descendit du Sinaï (Ex XXXIV, 29-30).

Mais la typologie de Moïse n'exclut pas l'évocation du Serviteur si clairement affirmée dans les prédictions de la passion qui encadrent et commentent la vision (Mc VIII, 31 ; IX, 12). D'ailleurs la typologie de Moïse n'était pas absente du récit du baptême non plus [1], dont nous avons pourtant admis la claire référence au Serviteur. Précisément, il n'était pas rare, dans la tradition juive, que le Serviteur de Yahweh fût identifié avec Moïse, si souvent qualifié lui-même de Serviteur [2]. Les témoignages en sont nombreux [3]. Finalement le parallélisme entre les deux scènes et entre les deux oracles invite à interpréter la transfiguration elle-même dans la perspective du Serviteur souffrant. De tout cela, la raison la plus décisive nous paraît être le commentaire de Marc indiqué par le contexte (VIII, 31-38 ; IX, 9-13). Nous avons ainsi une réelle certitude de la façon dont Marc comprenait la transfiguration et dont il voulait que ses lecteurs la comprennent.

---

1. Cf A. FEUILLET : « Le baptême de Jésus », dans *Revue Biblique*, 1964, p. 320-352, ainsi que deux autres articles d'A. FEUILLET, dans *Catholic Biblical Quarterly*, XXI, 1959, p. 468-490 ; et *Estudios Biblicos*, 1960, p. 49-73 ; J. DUPONT dans *New Testament Studies*, III, 1956-57, p. 287-304 et dans *Revue Biblique*, 1966, p. 30-76, etc.

2. 40 fois, selon W. ZIMMERLI : *Theol. Wört.* V, p. 662.

3. Cf H. L. STRACK et P. BILLERBECK : *Komm. z. NT*, I, p. 483sv ; S. R. DRIVER et A. NEUBAUER : *The Fifty-third Chapter of Isaiah According to the Jewish Interpreters*, Oxford, 1876-1877, passim ; A. BENTZEN : *Messias Moses redivivus, Menschensohn*, Zürich, 1948, p. 42ss. - E. BEST : *The Temptation and the Passion*, 1965, p. 169-173, y lisait plutôt la typologie d'Isaac. Sur l'association targumique du sacrifice d'Isaac avec la fête de Pâques, cf R. LE DÉAUT : *La nuit pascale*, Rome, 1963, p. 170-178.

c) Cris des démons (III, 11 ; V, 7).

Mais cette association avec le Serviteur en éveille immédiatement une autre. Nous verrons plus loin, en effet, que le titre de Fils de l'Homme est, lui aussi, et plus fortement encore si possible, associé aux prophéties du Serviteur de Yahweh. L'adoration des démons, chez Marc, se trouve en relation constante avec la manifestation du Fils de Dieu ou du Saint de Dieu (Mc I, 24 ; III, 11 ; V, 7). Dans ce contexte, le caractère céleste est évoqué au premier plan. Le démon, être céleste déchu, reconnaît immédiatement le « Saint de Dieu » et la mission de jugement intimement associée à son essence céleste. On songe à un texte comme Phil II, 10, rattaché lui-même au thème du Fils de l'Homme et du Serviteur souffrant [1]. Le Fils de l'Homme de I Hénoch a aussi mission de juger les anges rebelles et de les précipiter dans les tourments sans fin. Les démons sont bien conscients de cet aspect de la personnalité du Saint et du Fils de Dieu [2]. Spécialement le mot « légion » en Mc V, 9 rappelle I Hén LV, 4 :

> « L'Élu s'assiéra sur son trône de gloire et jugera Azazel et tous ses associés et toutes ses armées, au nom du Seigneur des Esprits ».

En I Hén LXIX, 1-3, les anges déchus sont présentés en formation quasi-militaire, ce qui correspond d'ailleurs à la mentalité juive : les anges (ou les astres, considérés comme des êtres vivants et spirituels) sont « les armées du ciel ». Les anges déchus ont gardé quelque chose de cette formation (Apoc XIX, 19-21).

On peut donc dire que les cris des démons en saint Marc connotent en premier lieu la puissance céleste du Fils ou du Saint de Dieu. Ils le désignent comme tel, à ceci près que, dans le récit de la tentation, qui est comme le programme de tout l'évangile, Jésus est jeté au désert par l'Esprit, non pas pour en exterminer le démon, mais pour y être tenté par lui (Mc I, 13) ; de même, à chaque fois que les démons reconnaissent sa gloire céleste, Jésus les fait taire. Cela signifie que, en Marc comme en Phil II, 5-11, l'exaltation du Fils de Dieu passe par l'humiliation

---

1. Cf E. Lohmeyer : *Kyrios Jesus. Eine Untersuchung zu Phil. II, 5-11*, Heidelberg, ²1961, p. 35sv et 39sv.
2. Mc I, 24 : « tu es venu pour nous perdre » ; V, 7 : « je t'adjure de r Dieu, ne me livre pas aux tourments » (Luc a accentué le trait en Lc II, 31).

du Serviteur souffrant. Nous nous tenons au cœur du secret
messianique.

d) XV, 39.

On peut en dire autant de Mc XV, 39 : le païen reconnaît le
Fils de Dieu au moment précis où il expire sur la croix, ache-
vant ainsi jusqu'à son dénouement le destin du Serviteur. Ce
n'est pas par hasard que cette reconnaissance est le point d'aboutissement de tout l'évangile. C'est le dernier titre messianique
utilisé par Marc. Avec cela, son livre est à son terme et le
secret messianique aussi. Il s'achève comme il avait sans doute
commencé (I, 1) bouclant ainsi le cycle. Car, en même temps
qu'est ainsi soulignée la condition de Serviteur du Fils de Dieu,
sa prérogative céleste est elle aussi manifestée dans un scénario
apocalyptique comparable à la vision du baptême ou de la transfiguration : la ciel s'obscurcit, le voile du temple se déchire du
haut en bas - ce voile qui interdisait aux hommes l'accès de la
réalité céleste représentée par le Saint des Saints (Héb IX, 8
X, 20), - et Jésus pousse un cri terrible au moment d'expirer.
On dirait que Marc joue sur les deux connotations du titre de
Fils de Dieu, celle d'être céleste et celle de serviteur souffrant.
La qualité céleste du Fils de Dieu se manifeste précisément au
cœur même de sa mission souffrante, et sans doute cette ambiguïté du titre est-elle l'un des traits marquants du secret messianique. Les démons eux-mêmes y ont été pris.

e) XIV, 61.

Finalement, on sera tenté de souscrire à la conclusion de
C. Maurer [1] en ce qui concerne XIV, 61. Selon lui, rappelons-le
le titre de Fils de Dieu y recouvre celui de Serviteur de Dieu, ce
qui implique naturellement une relecture chrétienne.

1) En se plaçant dans une perspective historique, voire historisante, beaucoup estiment que, *sur les lèvres du grand prêtre
juif*, la question « Es-tu le Messie, le Fils du Béni ? » ne peut
évoquer que deux titres équivalents. Il est impossible que le
grand prêtre ait pensé à une filiation divine métaphysique ou

---

1. Voir ci-dessus, p. 345sv.

même au Serviteur souffrant. Donc, en Mc XIV, 61, Fils de Dieu doit être synonyme de Christ [1].

Mais le problème est-il correctement posé ? Évidemment, en se plaçant au point de vue du grand prêtre, Fils de Dieu ne pouvait être qu'un synonyme de Christ. Mais la question change de sens, si l'on se demande pourquoi *Marc* présente ainsi les choses. En disant cela, nous ne mettons pas en doute la valeur historique de Marc, nous nous refusons simplement à brûler les étapes. Il nous faut d'abord analyser en rigueur le message et les méthodes de Marc, avant de pouvoir inférer de sa qualité documentaire ou historique. C'est le moment de nous rappeler les travaux de G. Dalman [2] démontrant que le titre de Fils de Dieu n'est pas attesté pour désigner le Messie dans la littérature juive. Cela rend a priori moins vraisemblable l'emploi de ce titre par le grand prêtre. E. Haenchen est formel : ce titre n'est pas juif, mais chrétien [3].

2) Remarquons que c'est le seul endroit de l'évangile de Marc où soient conjugués en une seule formule *les trois grands titres messianiques* [4]. S'il est vrai que tout le livre de Marc est conditionné par le secret messianique, la première proclamation, publique et solennelle, des trois titres messianiques conjoints, devant les représentants officiels du peuple juif, est nécessairement un moment décisif, celui où le secret est définitivement divulgué. Il fallait vraiment que Wrede soit obnubilé par une idée préconçue du secret pour ne pas voir cette évidence. Pour lui, *a priori*, le secret devait être une escroquerie de l'Église projetant sa foi pascale dans l'« histoire » de Jésus. La messianité de Jésus ne *pouvait* donc pas avoir été révélée avant sa résurrection (puisqu'elle est la foi pascale de l'Église). Si donc un texte dit clairement le contraire, il faut l'attribuer à une autre tradition contradictoire.

---

1. Ainsi J. Blinzler : *Le procès de Jésus*, Tours, 1961, p. 145 ; É. Trocmé : *Formation de l'évg selon Mc*, 1963, p. 118.
2. Ci-dessus, p. 342sv. - En sens contraire, voir F. Hahn : *Christologische Hoheitstitel*, Göttingen, 1963, p. 284-287, et contre lui : B. M. F. van Iersel : « *Der Sohn* », Leiden, ²1964, p. 185-191.
3. *Der Weg Jesu*, 1966, p. 133 et 511.
4. Selon P. Vielhauer : *Aufsätze zum NT*, München, 1965, p. 72, c'est une profession de foi de la communauté chrétienne.

E. Sjöberg est certainement lui aussi sous l'influence de Wrede lorsqu'il affirme que cette déclaration devant le Sanhédrin n'était pas tout à fait publique [1] ! Bien au contraire, elle ne pouvait l'être davantage, puisqu'elle est prononcée devant le Grand Sanhédrin, c'est-à-dire l'autorité suprême et *officielle* de la nation juive. Que le Sanhédrin l'ait récusée n'enlève rien au caractère officiel et public de la confession de Jésus.

Si le secret n'était que l'expression de l'obéissance de Jésus à la volonté du Père, on comprend parfaitement qu'il ait été complètement levé à partir du moment où la condamnation à mort était décidée. Le secret a pour but d'empêcher la gloire messianique de se révéler trop tôt et de se changer en triomphe, rendant impossible l'accomplissement de la volonté du Père manifestée par les Écritures, à savoir que son Christ devait souffrir. C'est pourquoi Jésus choisit de se taire et d'imposer silence à tous ceux qui ont découvert son incognito jusqu'à ce que la volonté du Père soit accomplie. Mais à partir du moment où sa condamnation à mort est irrévocablement décidée, il peut révéler son identité ; mieux, il faut précisément qu'il soit mis à mort *en tant que Messie et Fils de Dieu.*

Il importe donc que, au moment de sa condamnation, sa mission divine soit dévoilée et qu'elle devienne même le motif formel de la condamnation. C'est pourquoi, à l'instant le plus décisif du jugement, les trois grands titres messianiques sont liés en gerbe et appliqués à Jésus. A ce moment, le secret est à son terme. Désormais tout le monde peut savoir. Oui, il est le Messie, oui, il est le Fils de Dieu, oui, il est le Fils de l'Homme qui doit venir sur les nuées du ciel ; mais un Messie, un Fils de Dieu et un Fils de l'Homme bafoué, flagellé et condamné à mort, selon ce qui a été écrit de lui. On perdrait la quintessence de la théologie de Marc, si l'on ne voyait pas que le secret est maintenant ouvertement proclamé, comme Jésus l'avait annoncé (Mc IV, 21-22).

3) Eu égard au silence de Jésus devant ses juges [2] évoquant si nettement Is LIII, 7, en raison même du jugement de mort rappelant Is LIII, 8, il ne nous est pas possible de souscrire à la criti-

---

1. *Der verborgene Menschensohn*, 1955, p. 130.
2. Voir ci-dessus, p. 340-342.

que formulée par B. M. F. van Iersel contre la thèse de C. Maurer[1]. Aux termes de cette critique, il n'existerait aucun indice
positif permettant d'affirmer que le titre de Fils de Dieu en Mc
XIV, 61 remplace un Serviteur de Dieu. Nous ne dirions pas
que le titre de Fils de Dieu *remplace* celui de Serviteur, mais
nous pensons qu'il y a des indices positifs très clairs permettant
d'affirmer que ce titre *connote* celui du Serviteur, dont il est
une des traductions possibles[2]. On peut invoquer en ce sens
le fait que le titre de Serviteur est connoté en plusieurs autres
emplois du titre de Fils de Dieu, tout particulièrement dans le
baptême, programme de tout l'évangile et préfiguration de la
passion. Il y a correspondance entre I, 11, où Jésus est désigné
comme Fils de Dieu au moyen d'une citation d'Is XLII, 1 et Mc
XIV, 61, où Jésus est manifesté Fils de Dieu devant le tribunal
de sa nation, en accomplissement de la prophétie d'Is LIII, 7-8,
et de toutes les autres allusions aux prophéties du Serviteur rele-
vées attentivement par C. Maurer.

4) En conclusion, nous croyons pouvoir affirmer que le titre
de Fils de Dieu évoque en filigrane, dans la pensée de Marc, le
destin du Serviteur souffrant, grâce à l'ambiguïté du mot παῖς ;
ce qui lui permet de signifier en direct le caractère céleste du
Fils de Dieu. Il y a tension voulue entre ce double aspect - bien
juif de part et d'autre ! - du Fils de Dieu, mais non contradiction.
En effet, il était traditionnel que les êtres célestes accomplissent
sur terre les missions que Dieu leur confiait (Héb I, 11), c'est
bien pour cela qu'ils sont nommés « anges », c'est-à-dire « messagers » (Héb I, 14). Or justement, à deux reprises, dans le livre
d'Isaïe, le prophète est envoyé en lieu et place d'un « ange ».
La première fois, c'est au jour de sa vocation ; le prophète est
admis en présence du Roi et participe au conseil divin. Lorsque
Dieu demande qui est disposé à accomplir la mission divine au
milieu du peuple, il s'offre spontanément, et c'est lui qui est envoyé (Is VI, 8sv). La même scène se reproduit dans la deuxième
partie du livre d'Isaïe, lorsque Dieu désigne un messager pour
annoncer la fin de la captivité (Is XL, 6). Une troisième fois,

---

1. B. M. F. van Iersel : 'Der Sohn', 1964, p. 22, note 7 ; cf C. Maurer :
Zeitschr. f. Theol. & Kirche, L, 1953, p. 27.
2. Voir ci-dessus, p. 344-346.

cette désignation du messager de Dieu s'accomplit dans l'élection du Serviteur. « Messager » (= Ange) ou « Serviteur » sont ici pratiquement synonymes ; ils désignent ceux qui, comme « Malachie » (« Messager de Dieu », Mal III, 1) ont été envoyés par Dieu pour accomplir son plan de salut. Ce sont nécessairement des êtres « célestes » en quelque manière, puisqu'ils ont assisté au conseil divin et viennent proclamer ou accomplir ce dessein sur terre. Leur nom même d'« envoyés » implique l'origine divine, donc céleste, de leur mandat. Tandis que Is XLII, 1-4 et surtout Is LIII explicitaient la façon dont le Serviteur aurait à accomplir ce mandat. Le titre de Fils connote donc de façon très dense les deux aspects inséparables de la mission de Jésus : mission divine, que Jésus accomplit dans l'obéissance jusqu'à la mort.

COROLLAIRE.

Il nous reste à nous demander si le titre de « Fils de Dieu » évoquait pour Marc, de façon quelconque, la filiation métaphysique de Jésus. Comme nous l'avons constaté, il semble bien que ce titre - bien qu'il n'ait certainement pas été inventé par Marc - ait été choisi et utilisé avec soin par lui. Il s'agit donc d'une relecture chrétienne. On pourrait donc y trouver le reflet de la foi chrétienne primitive.

Encore que nous n'ayons aucun texte de Marc qui puisse démontrer nettement la transcendance divine du Fils de Dieu, il y a cependant trois textes dignes de retenir particulièrement l'attention

En Mc II, 7, dans le contexte d'une manifestation du Fils de l'Homme (II, 10), Jésus est accusé de *blasphème*, parce qu'il assume le pouvoir de remettre les péchés :

> « Comment celui-là peut-il parler ainsi ? Il blasphème ! Qui donc peut remettre les péchés, sinon Dieu seul ? » (Mc II, 7).

Marc note cette réflexion, mais la commente simplement en affirmant que le Fils de l'Homme a reçu l'investiture pour remettre les péchés sur terre [1]. Marc estime donc que le pouvoir exercé par Jésus est exclusivement divin.

Il faut sans doute rapprocher cette accusation de celle, identique fulminée lors de la condamnation à mort de Jésus et qui donne tant de fil à retordre aux exégètes [2]. La rapprochement entre les deux

---

1. Voir ci-dessus, p. 118-122.
2. Cf J. BLINZLER: *Le procès de Jésus*, Tours, 1961, p. 186-197 ; J. HÉRING *Le Royaume de Dieu*, ²1959, p. 114-118 ; P. LAMARCHE : *Recherches d Science Religieuse*, 1962, p. 74-85, l'article est repris dans *Christ vivant* Paris, 1966, p. 147-163.

textes fait penser que *Marc* voyait en Jésus plus qu'un simple Messie.

Peut-être faut-il interpréter dans le même sens la réponse inattendue de Jésus à l'homme riche :

> « Pourquoi m'appelles-tu bon ? Nul n'est bon que Dieu seul ! » (X, 18).

« Sinon Dieu seul » ce membre de phrase répète mot pour mot II, 7. Remarquons d'ailleurs que cette question avec la réponse de Jésus constituent une sorte de hors-d'œuvre ne concernant pas le sujet de l'apophtegme proprement dit. Nous avons dit qu'il en était de même en Mc II, 5b-10 : il s'agit probablement d'une addition rédactionnelle de Marc pour donner l'interprétation chrétienne du miracle [1]. Il n'est donc pas impossible que Marc soit pour quelque chose dans ce « sinon Dieu seul », qui suggère en Jésus un pouvoir plus qu'humain (Mc I, 22 ; XI, 33).

Il y a également une série de génuflexions (I, 40 ; X, 17 ; XV, 19) ou de prosternements (III, 11 ; V, 33 ; VII, 25 ; cf V, 6), qui peuvent signifier une allégeance royale (XV, 18sv), mais qui peuvent impliquer davantage, surtout lorsqu'il s'agit de démoniaques (III, 11 ; V, 6). Cela nous situe au niveau d'une royauté cosmique, universelle (Phil II, 10).

On peut donc dire que la divinité métaphysique de Jésus est peut-être suggérée en plusieurs endroits par Marc ; elle est peut-être présupposée, mais elle n'est pas le but de sa thèse théologique. Son évangile n'a pas pour fin de démontrer que Jésus est le Fils de Dieu au sens métaphysique, mais plutôt d'enseigner que, bien qu'il fût Fils de Dieu, c'est-à-dire être céleste participant déjà de droit à la gloire de Dieu (IX, 2-8), il a choisi volontairement d'embrasser la souffrance et la mort pour accomplir le plan de salut divin. Voilà ce que signifie pour Marc le titre de Fils de Dieu. Plus que le titre de Messie, il connote le titre de Serviteur en même temps que celui de Fils de Dieu. Il a donc la préférence de Marc.

---

1. Voir ci-dessus, p. 116-120.

C. FILS DE L'HOMME.

1. État de la question.

Mieux vaut sans doute commencer par un tableau d'ensemble de tous les emplois du titre de Fils de l'Homme dans la tradition synoptique. Nous le donnons à la page suivante. Cela permettra de mieux situer le problème. Saint Jean reste en dehors de nos perspectives, car il constitue un problème spécial [1].

En ce qui concerne la tradition synoptique, les critiques admettent généralement, à la suite de R. Bultmann [2], que les logia concernant le Fils de l'Homme se répartissent en trois groupes :

- ceux qui annoncent la parousie du Fils de l'Homme ;
- ceux qui prédisent sa passion ;
- ceux qui ont trait à l'activité présente du Fils de l'Homme.

Bultmann est frappé par la solution de continuité existant entre ces différents groupes. Les textes qui annoncent la parousie du Fils de l'Homme se taisent sur sa passion et ceux qui parlent de la passion ne disent mot de la parousie ; en sorte que l'on a l'impression de deux, voire trois séries de textes juxtaposées sans interférence réciproque. Nulle part on ne découvre la moindre trace d'une indication concernant le passage depuis la destinée terrestre et souffrante du Fils de l'Homme jusqu'à sa manifestation en gloire. On ne prophétise ni un enlèvement, ni une assomption d'aucun type ; d'ailleurs la parousie est uniformément conçue, dans les logia traditionnels, comme la *première* manifestation publique du Fils de l'Homme, et non comme un « retour ». Cette dernière conception est manifestement postpascale.

La situation est donc claire, conclut Bultmann : les logia annonçant la parousie du Fils de l'Homme n'avaient originaire-

---

1. Voir C. H. Dodd : *The Interpretation of the Fourth Gospel*, Cambridge, 1953, p. 241-249 ; S. Schulz : *Untersuchungen zur Menschensohn-Christologie im Johannes-Evangelium*, Göttingen, 1957.

2. *Theologie des NT*, 1953, p. 29-33 ; R. H. Fuller : *The Mission and Achievement of Jesus*, London, 1954, p. 95ss ; A. Richardson : *An Introduction to the Theology of the New Testament*, London, [2]1961, p. 132-136 ; etc.

arc	LE FILS DE L'HOMME [1].	Matthieu	Luc
I. Marc (triple tradition) 14 fois.			
)	Sultanat pr remettre les péchés	IX, 6	V, 24
8	Seigneur du Sabbat	XII, 8	VI, 5
31	prédiction passion	(XVI, 21)	IX, 22
1	prédiction passion	XVII, 22	IX, 44
3	prédiction passion	XX, 18	XVIII, 31
	ressuscité	XVII, 9	—
2	souffrir	12	
5	donner sa vie	XX, 28	(XXII, 27)
21	s'en va	XXVI, 24	XXII, 22
21	livré	24	—
41	livré pécheurs	45	'XXII, 48'
38	viendra dans sa gloire	XVI, 27	IX, 26
26	venir dans les nuées	XXIV, 30	XXI, 27
62	s'asseoir à la droite	XXVI, 64	XXII, 69
II. Q (double tradition) 8 fois + Lc VI, 22 ; XII, 8.			
	n'a pas où reposer la tête	VIII, 20	IX, 58
	mange et boit	XI, 19	VII, 34
28)	parole contre FH	XII, 32	XII, 10
	signe de Jonas	XII, 40	XI, 30
	comme l'éclair du levant au	XXIV, 27	XVII, 24
	comme aux jours de Noé	37	26
	ainsi en sera-t-il	39	30
	à l'heure où vs n'y pensez pas	44	XII, 40
I, 38)	Celui que me confesse, le FH	(X, 32)	XII, 8
	A cause du FH	(V, 11)	VI, 22
III. Propres à Matthieu, 8 fois + inauthentique XVIII, 11 [2].			
	Tour des villes d'Israël	X, 23	—
	Siégerez sur 12 trônes	XIX, 28	—
	Ivraie (explication de la parabole)	XIII, 37	—
	Ivraie id.	41	—
	Qd FH viendra dans sa gloire	XXV, 31	—
I, 27)	Qui dit-on qu'est le FH ?	XVI, 13	(IX, 18)
V, 1)	FH va être livré	XXVI, 2	(XXII, 2)
1)	venant avec son Royaume	XVI, 28	(IX, 27)
IV. Propres à Luc, 5 fois + IX, 55 inauthentique.			
	(Fh n'est pas venu perdre)	—	(IX, 55)
	Voir un seul jour FH	—	XVII, 22
	trouvera-t-il la foi ?	—	XVIII, 8
	paraître avec assurance devant	—	XXI, 36
	venu chercher ce qui était perdu	(XVIII, 11)	XIX, 10
II, 31)	prédiction passion	—	XXIV, 7

1. Pour la composition de ce tableau, nous nous sommes inspiré entre autres du clair aperçu de P. VIELHAUER « Gottesreich und Menschensohn in der Verkundigung Jesu », *Festschrift für Günther Dehn*, Neukirchen, 1957, p. 52-53 (= *Aufsätze zum Neuen Testament*, München, 1965, p. 56sv.)

2. Mt XIII, 37, 41 ; XVI, 13, 28 ; XXVI, 2 sont probablement rédactionnels et ne supposent pas une tradition indépendante. Cf VIELHAUER, a. c.

ment rien à voir avec ceux traitant de sa mort-résurrection. Ces derniers sont des créations de la communauté primitive, des « prophéties » fabriquées après coup (*vaticinia ex eventu*). Seuls les textes annonçant la parousie du Fils de l'Homme sont anciens et authentiques, mais il importe de souligner que Jésus ne s'y identifie *pas* avec le Fils de l'Homme. En tant que prophète eschatologique, il proclame seulement sa foi en la venue d'un Juge transcendant, venant du ciel, comme le « Fils de l'Homme » annoncé par Daniel VII, 13sv, pour accomplir le jugement eschatologique. Jésus n'a jamais imaginé qu'il était lui-même ce Fils d'Homme. Les textes qui identifient Jésus au Fils d'Homme sont une relecture post-pascale de l'Église.

Par ailleurs les textes qui parlent de la souffrance et de la résurrection du Fils de l'Homme ne se rencontrent que dans la tradition qui provient de *Marc* ; ils sont totalement absents de la seconde source synoptique, Q, c'est-à-dire la tradition commune à Matthieu et à Luc indépendamment de Marc. Un seul texte pourrait prêter à discussion : celui du signe de Jonas. Mais il semble acquis que ce soit Luc qui ait conservé la forme originale, présentant simplement Jonas comme le prophète eschatologique [1] ; Matthieu a voulu préciser le « signe », en relevant l'analogie des trois jours et des trois nuits [2].

Le fait que les logia concernant la passion du Fils de l'Homme ne sont représentés que dans une seule des deux grandes traditions synoptiques (Mc) et qu'ils manquent dans la seconde (Q) fait dire à Bultmann qu'il s'agit là d'une tradition tardive - elle doit peut-être même être attribuée à Marc. De telles prédictions, en effet, ne se retrouvent pas davantage dans la source particulière à Matthieu, ni dans celle propre à Luc, mais uniquement chez Marc et dans les textes qui dépendent de lui.

Quant aux textes parlant de l'activité présente du Fils de l'Homme, ils se retrouveraient dans toutes les traditions, Mc, Q, et les traditions propres à Matthieu et à Luc. Mais Bultmann

---

1. Voir l'étude approfondie de A. Vögtle dans *Synoptische Studien*, München, 1953, p. 230-277.
2. Ainsi R. Bultmann : *Gesch. syn. Trad.* [4]1958, p. 124, 133, 162 ; O. Cullmann : *Christologie du NT*, 1958, p. 57 (bibliographie) ; W. G. Kümmel : *Promise and Fulfilment*, London (tr. angl.), [2]1961, p. 68sv ; H. E. Tödt : *Der Menschensohn in der synoptischen Überlieferung*, Gütersloh, [2]1963, p. 48-50 et 194-197.

s'en débarrasse en affirmant qu'il s'agit d'un simple contresens. C'est une mauvaise traduction de l'araméen ; il faudrait lire simplement « homme », sans aucune connotation eschatologique.

On ne peut accuser Bultmann de manquer de clarté. La plupart des travaux postérieurs ont bâti sur ce fondement [1]. Étant donné que nous nous limitons ici à la seule discussion de textes de Marc en tant qu'ils concernent le secret messianique, nous pouvons nous en tenir à cette présentation provisoire, quittes à discuter les cas particuliers. Contentons-nous de faire remarquer que le problème est des plus débattus. Ed. Schweizer, par exemple, arrive à une conclusion diamétralement opposée à celle de Bultmann : seuls sont authentiques les logia parlant du Fils de l'Homme terrestre [2] ; tandis que Ph. Vielhauer considère tous les emplois comme inauthentiques [3]. Mais si les *conclusions* de Bultmann sont sans cesse remises en question, la façon de poser le problème demeure inchangée. Et cela nous suffit ici.

2. Le Fils de l'Homme en saint Marc.

a) Mc II, 10, 28.

On classe généralement ces deux textes parmi ceux traitant de l'activité terrestre du Fils de l'Homme. Nous sommes assez réticents. Nous avons vu plus haut que II, 10 se référait à l'intronisation céleste du Fils de l'Homme [4]. De même, l'activité de Jésus le jour du Sabbat manifeste à ceux qui peuvent le comprendre que le Fils de l'Homme est « Seigneur » du Sabbat. De part et d'autre, les œuvres de Jésus sont le chiffre terrestre, le « signe », comme dirait Jean, de l'intronisation eschatologique du Fils de l'Homme. Ces deux mentions du Fils de l'Homme sont

1. Un exposé des études récentes dans A. J. B. Higgins : « Son of Man-Forschung since 'The Teaching of Jesus' », dans *New Testaments Essays* (T. W. Manson Memorial), Manchester, 1959, p. 119-135 ; complété par R. H. Fuller dans *Studia Evangelica* III, Berlin, 1964, p. 61ss. Nous n'avons malheureusement plus eu la possibilité de nous servir de F. H. Borsch : *The Son of Man in Myth and History*, London, 1967.
2. *Zeitschr. f. Neutest. Wiss.* L, 1959, p. 185-209.
3. « Gottesreich und Menschensohn in der Verkündigung Jesu », dans *Festschrift für Günther Dehn*, Neukirchen, 1957, p. 51-79 (= *Aufsätze zum Neuen Testament*, München, 1965, p. 55-91).
4. Voir ci-dessus, p. 120-122.

donc une anticipation - ou une « rétro-projection », question de
point de vue - de la gloire de Pâques.

Ces deux textes n'ont pas la même signification que ceux qui
parlent de l'activité du Fils de l'Homme en tant que tel, dans
les autres traditions : le Fils de l'Homme mange et boit, il n'a
pas où reposer la tête, etc. Il s'agit là d'une présence terrestre
et contingente du Fils de l'Homme au milieu des humains. Au
contraire, en Mc II, 10, 28, le Fils de l'Homme est essentiellement un personnage céleste. D'ailleurs les raccords rédactionnels de Mc II, 10, 28 [1], manifestent qu'il s'agit d'une relecture
chrétienne : Marc comme Jean voit la gloire céleste du Ressuscité
se manifester dans ses œuvres terrestres, ou bien il veut montrer que les œuvres terrestres de Jésus étaient la préfiguration
de l'activité spirituelle du Ressuscité dans son Église.

Dans la pensée de Marc, ces deux emplois météorites du titre
de Fils de l'Homme dans la première partie de son évangile ne
rompent pas le secret messianique : ils ne font que poser une
question de plus. Ils illustrent la portée eschatologique des controverses exactement comme les titres de Médecin ou d'Époux
utilisés par Jésus dans la même occasion. Mais Jésus ne s'identifie pas clairement au Fils de l'Homme, en sorte qu'il reste impossible pour ses auditeurs de comprendre le lien intrinsèque
entre l'activité terrestre de Jésus et l'intronisation céleste du Fils
de l'Homme, aussi longtemps qu'ils n'ont pas compris que ce
Fils de l'Homme devait d'abord souffrir (VIII, 31 ; IX, 12).

b) Six textes cardinaux.

1) Le seul dénominateur commun entre la tradition de Marc
et les autres traditions (Q et les traditions propres à Matthieu
et à Luc) est donc représenté par les textes sur la parousie du
Fils de l'Homme. En Marc, mis à part II, 10, 28 - qui sont une
allusion et non une description - il n'y a que trois textes qui
annoncent explicitement le scénario de la parousie : VIII, 38 ;
XIII, 26 ; XIV, 62. Et ces trois textes sont étroitement apparentés.

Il y a par contre 9 textes qui parlent de la passion du Fils de
l'Homme. Rappelons que c'est une donnée propre à la tradition

---

1. Ci-dessus, p. 116-120 et 137-139.

représentée par Marc. Il n'est donc pas impossible en soi que Marc ait eu une assez large part à la constitution de cette théologie particulière tellement concordante avec son message.

Parmi ces 9 textes, trois ont une fonction structurale dans l'évangile de Marc : ce sont les trois prédictions de la passion. La première prédiction (Mc VIII, 31) constitue l'explication même du secret messianique, autrement dit le cœur de son évangile [1]. Le fait que cette prédiction soit répétée trois fois de suite, dans une section entièrement consacrée au mystère de la souffrance du Christ et des chrétiens (VIII, 31-X, 45), montre l'importance cardinale de cette idée dans la théologie de Marc. A vrai dire, les six autres textes parlant de la passion, sont plutôt des allusions se référant aux trois prédictions, comme IX, 9, 12, dans une transition rédactionnelle entre la transfiguration et la guérison de l'épileptique [2]. Mc X, 45 est l'aboutissement de tous les développements sur la nécessité de la passion ; X, 45 prolonge et fait culminer les trois prophéties. Mc XIV, 21, 21, 41 s'inscrivent déjà dans le déroulement de la passion et lui donnent sa signification théologique d'accomplissement scripturaire. Mais ce sont aussi des allusions, et non des descriptions ex professo. En sorte que nous avons finalement trois textes cardinaux annonçant la parousie du Fils de l'Homme, et trois autres textes, tout aussi importants, annonçant la passion du Fils de l'Homme. Ces six textes sont étonnamment parallèles trois par trois. Mais en outre chacune des séries de trois manifeste une telle affinité par rapport à la série opposée qu'il nous paraît utile d'en dresser le tableau :

VIII, 31	IX, 31	X, 33-34
Il faut que le FH souffre beaucoup, qu'il soit rejeté par les anciens, les grands prêtres et les scribes, être tué et ressusciter après trois jours.	Le FH est livré aux mains des hommes ; ils le tueront et, tué, il ressuscitera après trois jours.	Le FH sera livré aux grands prêtres et aux scribes. Ils le condamneront à mort et le livreront aux païens. Ils le bafoueront, cracheront sur lui, le flagelleront et le tueront. Et il ressuscitera après trois jours.

---

1. Voir ci-dessus, p. 303-317.
2. Voir ci-dessus, p. 92sv.

VIII, 38-IX, 1	XIII, 26	XIV, 62
Le FH viendra dans la gloire de son Père avec les saints anges. En vérité, je vous le dis : il en est d'ici présents qui ne goûteront pas la mort avant qu'ils n'aient vu le Royaume de Dieu venu avec puissance.	Et alors ils verront le FH venant sur les nuées avec grande puissance et grande gloire.	Et vous verrez le FH assis à la droite de la puissance et venant avec les nuées du ciel.

Il existe une réciprocité entre ces deux séries de textes. L'annonce de la souffrance découle incontinent de la proclamation messianique de Pierre (VIII, 29-31). Inversement, l'annonce de la passion (VIII, 31) libère la gloire messianique (IX, 1-9). Les deux séries sont dès lors intimement liées au secret messianique. La nécessité de la passion (VIII. 31) constitue le nerf même du secret messianique (VIII, 30-31). Mais la seconde série, celle de la manifestation en gloire du Fils de l'Homme est tout aussi intimement liée au secret. En effet, si le Christ a caché avec tant de soin sa dignité depuis le début de l'évangile, il est clair que la triple promesse incisive : « Et vous verrez » (respectivement : « Ils verront ») ne peut se référer qu'à la manifestation publique et définitive du secret.

Les deux séries sont complémentaires. Par trois fois, Jésus annonce solennellement à ses apôtres la nécessité de la passion ; par trois fois également, et d'une façon non moins solennelle, il annonce la manifestation glorieuse du Fils de l'Homme.

2) Nous voudrions attirer l'attention sur une caractéristique commune de ces six textes. Tous tendent vers *un accomplissement imminent*. En ce qui concerne les trois annonces de la passion, il est bien évident que celle-ci met fin à la carrière de Jésus. Il s'agit donc d'un laps de temps inférieur à une génération. Dans le contexte du second évangile, le temps est même très proche où la prédiction de Jésus s'accomplira. En d'autres mots, la réalisation des trois prédictions de la passion a lieu au niveau rédactionnel de l'évangile. Le long récit de la passion représente, en effet, l'accomplissement de ces prophéties, ou, ce qui revient au même, les trois prophéties sont une anticipation du récit de la passion.

Il en va exactement de même en ce qui regarde les trois prédictions de la manifestation en gloire. Nous consacrerons le présent paragraphe à approfondir ce point.

Voyons d'abord IX, 1, Jésus promet à ses disciples que certains d'entre eux ne mourront pas avant d'avoir vu la glorieuse manifestation du Royaume, ce que Matthieu interprète correctement : « le Fils de l'Homme venant avec son Royaume » (Mt XVI, 28). La même affirmation se trouve implicitement dans le rapprochement fait par Marc entre VIII, 38 et IX, 1. Marc affirme donc en toutes lettres que la manifestation du Fils de l'Homme aura lieu dans un délai assez rapproché, inférieur à une génération.

Le dernier texte, XIV, 62 est tout aussi clair : Jésus annonce officiellement et publiquement aux membres du grand Sanhédrin - qui, comme il se doit, étaient vraisemblablement des « Anciens » (!) - qu'ils « verront » le Fils de l'Homme s'asseoir à la droite de la Puissance et venant sur les nuées du ciel. Le terme est encore plus rapproché que dans le cas précédent.

Reste le deuxième texte. Comme par hasard, exactement le même laps de temps est indiqué :

> « En vérité, je vous le dis, cette génération ne passera pas,
>   que tout cela ne soit accompli ! » (XIII, 30).

Les exégères se sont de tout temps exercés à éliminer ces textes, ou à les interpréter en sorte qu'ils ne soient pas contredits par l'« histoire ». Mais si Marc répète trois fois de suite, et chaque fois dans le contexte de la manifestation du Fils de l'Homme, ce terme précis, c'est que cette manifestation, tout comme la révélation du secret messianique, *doit se réaliser au niveau rédactionnel de son évangile*. Cela nous semble clair comme le jour.

3) Il faut donc chercher à comprendre ce que *Marc veut nous dire par là*, avant d'essayer de justifier la « vérité historique ». Le passage au plan de l'histoire ne peut venir que beaucoup plus tard, lorsque l'on aura compris à fond la méthode de travail de Marc et que l'on aura cessé de le considérer comme un narrateur « naïf » de ce qu'il a entendu.

La première annonce de la gloire suit de très près l'annonce de la souffrance (VIII, 31, 38). Sans doute R. Bultmann estime-t-il que la suite entre ces deux versets est assez houleuse [1]. Plus précisément, cette section témoigne d'une profonde activité rédactionnelle de Marc [2]. Mais ce qui pour Bultmann est un indice de son caractère secondaire est pour nous le signe de l'importance de cette connexion dans la théologie rédactionnelle de Marc. Car c'est à ce niveau que nous nous en tenons résolument. Or, là, les deux textes sur le Fils de l'Homme, dans la souffrance (VIII, 31) et dans la gloire (VIII, 38) sont l'*inclusion* de cette péricope consacrée à la nécessité de la passion. Les deux affirmations sont intimement liées : à partir du moment où est révélée la nécessité de la souffrance rédemptrice peut aussi être manifestée la gloire messianique.

« Il en est d'ici présents » rattache le privilège de la vision à l'annonce de la passion. Marc discerne une première réalisation de cette promesse dans la transfiguration réservée à quelques uns parmi ceux qui étaient « ici présents », comme le montre l'intervalle de temps soigneusement noté : « Six jours plus tard » (IX, 2). Mais il insiste une fois encore sur le fait que cette manifestation en gloire n'est pas séparable de la passion (IX, 6, 9-13). Ces indications nous démontrent que nous sommes en droit d'attendre la réalisation de la prophétie de IX, 1 *au niveau de la rédaction* de son évangile.

Le ch. XIII paraît envisager les choses à plus long terme. La manifestation en gloire du Fils de l'Homme y est annoncée en connexion étroite avec la souffrance eschatologique ; mais cette fois, on ne parle plus de la passion du Christ, mais de celle de l'Église. Cette dimension était déjà fortement en relief en VIII, 34-38. Cela nous montre que, de part et d'autre, l'insistance sur la nécessité de la passion a une pointe pastorale [3].

Le lien entre la passion et la gloire est tout aussi intime. En IX, 1, Jésus disait : « Il en est d'ici présents qui ne goûteront pas la mort avant d'avoir vu le Royaume de Dieu venu avec puissance » ; ici il affirme : « Cette génération ne passera pas que tout cela ne soit arrivé ». Cette même imminence indique le lien intime entre la passion et la gloire, qui vaut pour l'Église autant

---

1. *Theologie des NT*, 1953, p. 30 « unausgeglichen ».
2. Voir E. Haenchen : *Novum Testamentum*, VI, 1963, p. 81-109.
3. En ce qui concerne le ch. XIII, voir R. H. Lightfoot : *The Gospel Message of St Mark*, Oxford, 1950, p. 48-59 : « The connexion of chapter thirteen with the Passion narrative ».

que pour le Christ. Mais la promesse de « voir » concerne ceux qui sont « ici présents ». Au ch. XIII, on répète que la génération présente ne passera point que tout ne soit accompli. On peut donc penser que les personnes « ici présentes » sont les lecteurs autant que les disciples. Ils peuvent donc s'attendre à « voir ».

De façon plus incisive encore, c'est à ses propres juges, au moment même de sa condamnation à mort que Jésus annonce qu'*ils verront* le Fils de l'Homme siéger à la droite de la Puissance et venant sur les nuées du ciel [1]. Là aussi il s'agit d'une venue qui a dû se réaliser presque tout de suite. A ce moment-là le secret est à son terme, parce que la passion est commencée.

4) Comme nous l'avons indiqué plus haut [2], le titre de Roi des Juifs est répété six fois de suite, sur tous les tons et par les personnages les plus divers dans le ch. XV. L'inscription sur la croix, manifestée désormais officiellement à tous, lève définitivement le voile du secret. Les grands prêtres et les scribes, accusateurs de Jésus, proclament eux aussi le « Christ, Roi d'Israël » (XV, 32), mais un voile reste sur leurs yeux, puisqu'ils demandent encore de « voir » la gloire du Christ, comme Jésus le leur avait promis [3].

Et finalement, le septième emploi est celui du titre parfait, celui de Fils de Dieu. Sur la croix, au moment même où son sacrifice est consommé et où il expire, Jésus est *reconnu* par le païen. Ce n'est sans doute pas par hasard que Marc écrit : « *Voyant* qu'il avait ainsi expiré... » (XV, 39) [4]. Dès ce moment le secret messianique n'existe plus, le Saint des Saints est dévoilé (XV, 37). La triple promesse de « voir » liée chaque fois si intimement à l'annonce de la manifestation en gloire du Fils de l'Homme prédit donc le terme du secret messianique exactement comme IV, 21-23. Or ce terme arrive pendant la passion de Jésus ; à ce moment-là quelques-uns de ceux qui étaient « ici présents », la foule, les Juifs, les païens, ont « vu » le Fils de l'Homme dans la gloire de son Père, dont il avait accompli jusqu'au bout la volonté de salut universel (Cf Héb V, 8-9).

---

1. Cf A. FEUILLET : « Le triomphe du Fils de l'Homme », dans *La venue du Messie*, Bruges, 1962 (Recherches Bibliques VI), p. 149-171.
2. Ci-dessus, p. 338sv.
3. Comparer XIV, 62 « et vous verrez » avec XV, 32b « pour que nous voyions et que nous croyions ».
4. Dans le même sens, A. VANHOYE, dans *Nouv. Rev. Théol.* 1967, p. 152.

c) Les prédictions de la passion.

Il ne nous semble pas possible d'attribuer à Marc [1] les textes traitant de la souffrance du Fils de l'Homme ; mais il nous semble certain qu'il a fortement souligné cet aspect des choses. Nous venons de le dire : sur les 14 emplois de Marc, 9 concernent la passion, contre 5 seulement pour l'intronisation en gloire. Nous avons souligné également qu'aux trois prédictions de la passion correspondaient étroitement les trois annonces de la parousie. Il faudrait sans doute dire l'inverse : ce sont les trois prédictions de la passion qui, en saint Marc, répondent, coup pour coup, aux trois annonces de la gloire. Ces trois derniers textes en effet, manifestement traditionnels, devaient être connus de tous au même titre que les Ps II et CX. Marc, en partant de cette vérité connue, insiste sur l'aspect complémentaire, qui constitue son message propre : ce Fils de l'Homme glorieux n'est entré dans sa victoire qu'au travers de la passion.

1) Plusieurs auteurs estiment que les trois prédictions [2] ou au moins la deuxième et la troisième sont rédactionnelles [3]. Il ne devait en exister qu'une seule au début. La triple répétition serait de Marc [4]. Effectivement, dans aucun autre évangile, les trois prédictions n'ont une fonction aussi structurale que chez Marc. Toute la section qui suit la proclamation messianique de Pierre (Mc VIII, 31 - X, 45) est véritablement dominée et spécifiée par les trois annonces de la passion (VIII, 31-33 ; IX, 30-32 ; X, 34-34). Ce sont elles qui lui fournissent le cadre, le ton et le sujet [5]. Ce sont elles encore qui acheminent toute la seconde partie de l'évangile de Marc vers Jérusalem et la passion, et cela d'une façon véritablement fatidique : « Il faut que le Fils de l'Homme soit livré ».

---

1. Ce que R. BULTMANN ne fait d'ailleurs pas. P. VIELHAUER « Gottesreich und Menschensohn », *Aufsätze zum NT*, 1965, p. 61 (= *Festschr. G. Dehn*, 1957, p. 56), considère que tous les emplois du titre sont d'origine ecclésiale.
2. Ainsi E. PERCY : *Die Botschaft Jesu*, 1953, p. 240-242.
3. G. STRECKER : dans *Studia Evangelica*, III, 1964, p. 100 ; id. *Zeitschr. f. Theol. & Kirche*, LXIV, 1967, p. 16-39.
4. En sens contraire : H. E. TÖDT : *Der Menschensohn in der synoptischen Überlieferung*, Gütersloh, ²1963, p. 143.
5. Cf E. LOHMEYER : *Evg des Mk*, ¹⁵1959, p. 160sv ; H. E. TÖDT : *Der Menschensohn*, ²1963, p. 134-137.

Chez Matthieu et Luc, les trois prédictions de la passion n'ont pas, à beaucoup près, la même valeur normative et structurale. Chez Luc, qui a abrégé Mc VIII, 34 - IX, 1 (// Luc IX, 23-27) et le miracle de l'épileptique, la deuxième prédiction de la passion suit de très près la première (Lc IX, 22 et 44). La seconde prédiction est d'ailleurs fortement abrégée :

Mc IX, 31	Luc IX, 44
Le Fils de l'Homme est livré aux mains des hommes. Ils le tueront et, tué, il ressuscitera après trois jours.	La Fils de l'Homme va être livré aux mains des hommes.

Quant à la troisième prédiction, elle aussi raccourcie, elle se trouve reléguée après la très longue section propre au troisième évangéliste, au ch. XVIII, 31-34, au moment où Luc reprend le fil interrompu de Marc.

Chez Matthieu, les deux premières prédictions de la passion se suivent d'assez près également, à l'intérieur de la même section de son évangile (Mt XVI, 21 et XVII, 22-23), tandis que la troisième se trouve dans la section suivante, après le discours ecclésiastique (XX, 18-19). En d'autres mots, chez Matthieu et chez Luc, tout se passe comme s'ils avaient simplement repris la substance de Marc. Les prédictions de la passion interviennent aux endroits où ils suivent le plus fidèlement la trame de Marc. Dans l'intervalle, ils ont, l'un et l'autre, intercalé des traditions qui leur sont propres [1]. Chez Marc seul, donc, les trois prédictions de la passion correspondent à une insistance toute particulière de son message et même à une structuration très apparente de son évangile.

2) En outre, si nous analysons le détail des expressions et des tournures, nous constatons que la troisième prédiction comporte un luxe de détails et de précisions qui correspondent au récit de la passion selon Marc [2] :

---

1. Mt XVIII ; XX, 1-16 ; Luc IX, 51 - XVIII, 14 !
2. Cf U. WILCKENS : *Die Missionsreden der Apostelgeschichte*, Neukirchen, 1961, p. 112, note 4 ; F. HAHN : *Christologische Hoheitstitel*, Göttingen, 1963, p. 47 ; en sens contraire H. E. TÖDT : *Menschensohn*, ²1963, p. 186.

Mc X, 33-34	Mc XIV-XV
être livré	XIV, 10, 11, 18, 21, 41, 42, 44.
grands prêtres et Scribes	XI, 18, 27 ; XIV, 1, 10, 43, 53, 55 ; XV, 1, 31.
condamneront à mort	XIV, 64.
le livreront aux païens	XV, 1, 10.
ils le bafoueront	XV, 20, 31.
ils cracheront sur lui	XIV, 65 ; XV, 19.
ils le flagelleront (μαστιγοῦσιν)	XV, 15 (φραγελλώσας)
ils le mettront à mort	XV, 20-39, 44.

Malgré la différence des mots choisis pour la flagellation, il reste probable que Marc a intentionnellement ajouté un certain nombre de détails à cette prophétie pour attirer l'attention et montrer par les faits que tout cela correspondait à un « Il faut » divin. En d'autres mots, Mc X, 33-34 donne par avance la signification théologique du récit de la passion.

3) Il nous semble donc assez vraisemblable que la tournure primitive de la prédiction de la passion devait être brève, et correspondre au noyau commun de nos trois prédictions actuelles :

Mc VIII, 31	Mc IX, 31	Mc X, 33-34
Il faut que le FH souffre beaucoup et soit rejeté par les anciens, les grands prêtres et les scribes, qu'il soit mis à mort et qu'après trois jours il ressuscite.	Le FH est livré aux mains des hommes. Ils le mettront à mort, et, mis à mort, après trois jours il ressuscitera.	Le FH sera livré aux grands prêtres et aux scribes... Ils le mettront à mort, et après trois jours il ressuscitera.

Il est remarquable que l'unanimité des trois prédictions s'établissent surtout sur la fin et singulièrement sur le tout dernier mot, celui de la résurrection. Marc parle à peine de la résurrection dans son évangile, et c'est sans doute pourquoi il n'a pas du tout retouché cette dernière formule. Il ne fait pas la théologie de la résurrection, mais de la passion.

En ce qui concerne la mise à mort, il y a hésitation entre l'actif et le passif ; nous y viendrons à l'instant. Plus décisif encore est le fait de la divergence étonnante sur ce point entre les

trois prédictions de la passion et le récit de la passion selon
Marc. Tandis que ce dernier utilise 7 fois le mot « crucifier »,
les trois prophéties emploient obstinément le mot « ils le mettront à mort » (resp. « il sera mis à mort »). Cette divergence
remarquable provient, à notre avis, de la tradition, que Marc n'a
pas voulu retoucher.

Il nous paraît donc probable que le nœud original des prédictions était :

> Ils le mettront à mort
> et, après trois jours, il ressuscitera.

Mais, plus vraisemblablement encore, la forme originale était-
elle au passif :

> Il sera mis à mort
> et, après trois jours, il ressuscitera.

Cette tournure se trouve telle quelle en VIII, 31. Dans la
seconde prédiction, en IX, 31, Marc a mis - en raison du développement antécédent - « ils le mettront à mort » à l'actif, parce
que « les hommes » sont les auteurs de cet assassinat. Toutefois
la formule passive est restée juxtaposée à la formule nouvelle et
fait double emploi avec elle :

> Ils le mettront à mort,
> et, mis à mort,
> après trois jours il ressuscitera [1].

Cet embarras montre que Marc a éprouvé une certaine difficulté à relier la fin traditionnelle à l'introduction modifiée par
lui. Dans la troisième prédiction, le passif est complètement
supprimé, mais le sujet de l'action change entre les deux membres de phrase :

> Ils le mettront à mort,
> et, après trois jours, il ressuscitera.

La tournure passive nous paraît donc la plus ancienne [2]. Le
Fils de l'Homme est le sujet de l'action dans les trois prédictions,
ce qui postule un verbe à la voix passive.

---

1. Voir une analyse un peu différente de ce redoublement chez F. HAHN :
Christologische Hoheitstital, Göttingen, 1963, p. 47-52.
2. De même B. M. F. VAN IERSEL : *Der Sohn in den synoptischen Jesusworten*, Leiden, 1964, p. 43.

4) En VIII, 31, la proposition « et qu'il soit rejeté par les anciens, les grands prêtres et les scribes » est une allusion au Ps CXVIII, 22 cité en toutes lettres en Mc XII, 10sv, précisément à la face des grands prêtres, des scribes et des anciens (cf Mc XI, 27). On le trouve employé sur un ton polémique très semblable en Act IV, 11. En Mc VIII, 31, l'allusion au Psaume pourrait être un commentaire de Marc. Elle ne se trouve en effet dans aucune des deux autres prédictions, et même le texte parallèle de la première prédiction en Matthieu la supprime également. Quant aux anciens, aux grands prêtres et aux scribes, ils se trouvent si fréquemment dans le récit de la passion selon Marc [1] qu'on peut aussi les lui attribuer.

Si l'on supprime donc les deux incises qui commentent le texte en VIII, 31 et X, 33-34, on retrouve une formule presque identique dans les trois prédictions. Il reste une hésitation possible entre :

> « Que le Fils de l'Homme souffre beaucoup » (VIII, 31)

ou

> « Le Fils de l'Homme est/sera livré » (IX, 31 ; X, 33).

En nous limitant aux trois prédictions de la passion, il nous serait sans doute difficile de choisir. Mais, à part ces trois prédictions, il y a encore une série de textes mentionnant la trahison de Judas :

> « Le Fils de l'Homme s'en va selon qu'il est écrit de lui » (XIV, 21)
> « Malheur à cet homme-là par qui le Fils de l'Homme est livré » (XIV, 21)
> « Le Fils de l'Homme est livré aux mains des pécheurs » (XIV, 41).

La comparaison entre ces trois textes montre que la formule originale devait être celle qui se trouvait déjà dans la deuxième et troisième prédiction de la passion :

> « Le Fils de l'Homme est livré (aux mains des pécheurs/des hommes) ».

Marc disposait donc vraisemblablement d'un logion traditionnel parlant de la souffrance du Fils de l'Homme. Ce logion devait avoir à peu près la forme :

> Le Fils de l'Homme est/sera livré
> Il sera mis à mort
> Et, après trois jours, il ressuscitera.

---

1. Voir tableau, p. 376.

Même sous sa forme élémentaire, ce logion pose toute la
question théologique du Fils de l'Homme souffrant dans la tradition *présynoptique*. Il ne nous semble pas possible, en effet,
d'attribuer à Marc la composition intégrale de ce logion. Ses
trois prédictions de la passion et ses trois annonces imminentes
de l'arrestation du Fils de l'Homme supposent un substrat commun qui devait être donné par la tradition.

5) Sur ce fondement, Marc construit. Il y établit des emprunts
au récit de la passion (X, 33-34), et une allusion au Ps CXVIII,
22 en VIII, 31. On peut sans doute ajouter une évocation
d'Ezéchiel XII en XIV, 21. Cette dernière suggestion, faite par
. Christensen [1], nous semble d'autant plus vraisemblable qu'ils
y a plusieurs autres références à Ezéchiel en Marc [2]. Dans ce
cas, il y a une certaine probabilité que cette évocation un peu
voilée soit de Marc. Comme toute référence à l'Écriture, elle connote un argument apologétique. D'autre part, l'allusion est très
enveloppée, et on ne peut guère la deviner qu'en se reportant
à Mc IX, 19 qui se réfère au même texte d'Ezéchiel :

> « Génération infidèle ! Jusques à quand serai-je parmi vous ?
> Jusques à quand devrai-je vous supporter ? » (Mc IX, 19)

> « Fils d'Homme, tu habites au milieu de cette engeance de rebelles,
> qui ont des yeux pour voir et ne voient point, des oreilles pour
> entendre et n'entendent point, car c'est une engeance de rebelles ! »
> (Ez XII, 2).

Cette phrase rappelle d'ailleurs le reproche de Jésus à ses apôtres en Mc VIII, 18, dans un passage rédactionnel lui aussi. Une
dernière allusion à ce même texte relatant le mime de l'exilé
pourrait se trouver en Mc XIV, 65, où ce sont toutefois les sol-
dats qui voilent le visage de Jésus, tandis que Dieu enjoint à
Ezéchiel (Ezéch XII, 6) de se voiler le visage pour ne pas voir
le pays, symbolisant ainsi les prisonniers de guerre.

En Ezéchiel, le mime de l'émigrant était l'annonce prophétique de la ruine et de la déportation de Jérusalem ; en Mc XIV,
21 ; IX, 19, le même sens pourrait aisément être connoté, si
l'on accepte l'interprétation de R. H. Lightfoot [3] qui voit un

---

1. Dans *Studia Theologica*, X, 1957, p. 28-39.
2. Mc IX, 19 (cf Ez II, 3-7 ; XII, 2, 9 (hébreu)) ; Mc VIII, 12 (cf Ez
XIV, 1-3 ; XX, 1-3).
3. *The Gospel Message of St. Mark*, Oxford, 1950, p. 48-59.

parallélisme étroit entre le récit de la passion et l'apocalypse d
Mc XIII. De toute façon, ces allusions doivent se situer a
niveau de la rédaction.

Et comme, d'autre part, Mc X, 45 doit lui aussi avoir été
modifié assez profondément par Marc [1], nous ne pouvons don
considérer comme présynoptique que la formule indiquée à l
page précédente :

> Le Fils de l'Homme est/sera livré
> Il sera mis à mort
> Et, après trois jours, il ressuscitera.

Mais, comme nous le disions, même cette forme élémentair
présuppose un logion du Fils de l'Homme souffrant antérieur a
Marc, sur la base duquel Marc a fondé toute sa théologie.

3. Racines vétérotestamentaires.

Pour comprendre toute la portée du message de Marc, il ne
suffit pas d'analyser l'usage qu'il fait de ce titre messianique, i
faut encore déceler l'arrière-plan vétérotestamentaire dont il es
l'élaboration. Seule cette référence pourra révéler toute la théo
logie cachée dans ce titre.

a) Daniel VII, 13-14.

Il est indubitable que le grand texte de Daniel a exercé une
influence prépondérante sur saint Marc :

> « Je contemplais, dans les visions de la nuit.
> Voici, venant sur [2] les nuées du ciel,
>   comme un Fils d'Homme.
> Il s'avança jusqu'à l'Ancien,
>   et fut conduit en sa présence.

---

1. Cf F. HAHN : *Christologische Hoheitstitel*, 1963, p. 52 et 57-59. Pa
contre O. CULLMANN considère ce logion comme authentique : *Christologie*
1958, p. 60. A notre avis, la comparaison avec Lc XXII, 27 exclut cette
possibilité ou, en tout cas, la rend peu vraisemblable.
2. « Sur » ou « avec », voir G. DALMAN : *Die Worte Jesu*, Darmstadt,
[3]1965 (= Leipzig [2]1930), p. 198 ; discussion dans G. BEASLEY-MURRAY :
Jesus and the Future, 1954, p. 258sv.

> A lui fut conféré Empire (litt. « Sultanat »)
>   honneur et Royaume,
>   et tous peuples, nations et langues le servirent.
>
> Son Empire est Empire à jamais (litt. « son Sultanat est Sultanat »)
>   qui ne passera point,
>   et son Royaume ne sera point détruit » (Dan VII, 13-14).

La dépendance de Marc par rapport à Daniel VII ne pourrait être mise en doute, au moins en ce qui concerne le Fils de l'Homme glorieux, tout particulièrement Mc XIII, 26 et XIV, 62. On peut y ajouter Mc II, 10, comme A. Feuillet l'a magistralement montré [1].

Par contre, on voit plus difficilement comment ce texte de Daniel pourrait rendre compte des 9 emplois du Fils de l'Homme souffrant en Marc. Remarquons que c'est précisément à propos de ces emplois-là que Marc répète avec insistance : « comme il est écrit » (IX, 12 ; XIV, 21) ou bien « il faut » (VIII, 31). C'est donc surtout lorsqu'il parle du Fils de l'Homme souffrant que Marc renvoie son lecteur à l'Écriture. Cette référence constante à l'Écriture est capitale pour nous. Elle nous dit que nous ne comprendrons pas la théologie de Marc si nous ne découvrons pas à quels textes il se réfère. En second lieu, cette référence, supposée connue, semble montrer qu'au moment où Marc rédigeait son évangile il existait déjà une tradition identifiant le Fils de l'Homme au serviteur souffrant. Marc ne développe pas l'argument ex professo, en effet ; il le suppose.

Sans doute, déjà en Daniel VII, le Fils de l'Homme représente en réalité le peuple d'Israël persécuté par Antiochus Épiphane, et la célèbre vision du Fils de l'Homme est la promesse apocalyptique de ce que Dieu prend sa cause en mains et va bientôt lui rendre justice. Au moment où la vision est révélée à Daniel, le Fils de l'Homme - qui représente le peuple d'Israël [2] - *est actuellement souffrant*, la gloire révélée dans la vision est encore à venir, comme le dit formellement Dan VII, 25-26, et comme cela est évident dans le cadre de la persécution

---

1. Voir ci-dessus, p. 120-122 : A. Feuillet : « L'EXOUSIA du Fils de l'Homme », dans *Rech. Sc. Rel.* 1954, p. 161-192.

2. Au moins dans l'état actuel du texte, cf Dan VII, 21, 25. Pour l'histoire du texte, cf J. Coppens & L. Dequeker : *Le Fils de l'Homme et les Saints du Très-Haut en Daniel VII*, Louvain, 1961.

d'Antiochus Épiphane. Il faut donc donner raison à W. D. Davies [1] et à C. H. Dodd [2] contre H. H. Rowley [3].

b) Paraboles d'Hénoch.

Néanmoins la prophétie de Daniel ne suffit pas pour rendre compte de tout le développement de la théologie du Fils de l'Homme en Marc. Il semble certain qu'il connaît et utilise également les Paraboles d'Hénoch. Sans doute, la date de cet écrit est-elle contestée. Mais le simple fait négatif que l'on n'a pas retrouvé de fragment des Paraboles d'Hénoch dans les grottes de Qumrân ne suffit pas à prouver que les Paraboles sont d'origine chrétienne [4]. La plupart des spécialistes préconisent le premier siècle avant Jésus-Christ comme date de composition de cet ouvrage, sans que l'on puisse préciser davantage dans l'état actuel des recherches [5].

E. Sjöberg, qui a dédié une étude approfondie au livre d'Hénoch [6], réfute longuement l'opinion selon laquelle les paraboles d'Hénoch seraient post-chrétiennes [7] et n'hésite pas à expliquer toute la théorie du secret messianique en saint Marc en référence à cet écrit [8]. Il estime donc que l'antériorité des Paraboles d'Hénoch par rapport à Marc est suffisamment établie pour supporter sa thèse. Nous pensons que les allusions ou citations de Marc lui-même sont également un indice de ce qu'il connaît et utilise consciemment I Hénoch.

Certains textes des Paraboles semblent en effet avoir été évoqués volontairement par Marc. Le thème des Paraboles d'Hénoch, tout comme celui de Marc, est celui de la manifestation suprême du Fils de l'Homme, qui réjouira les justes et remplira les impies d'effroi :

---

1. *Paul and Rabbinic Judaism*, London, [3]1962, p. 280, note 1.
2. *According to the Scriptures*, London, [4]1957, p. 117, note 2.
3. *The Servant of the Lord*, Oxford, [2]1965, p. 64, note 3.
4. Contre J. T. Milik : *Dix ans de découvertes dans le désert de Juda*, Paris, 1957, p. 31. H. H. Rowley : *The Relevance of Apocalyptic*, London, [7]1963, p. 60 note ; J. Jeremias : *Theol. Wört.* V, p. 686, note 245, réfutent explicitement cette affirmation.
5. Cf H. H. Rowley : *The Servant of the Lord*, [2]1965, p. 77sv ; *Revelance of Apocalyptic*, [7]1963, p. 60, note ; Jeremias, l.c.
6. *Der Menschensohn im äthiopischen Henochbuch*, Lund, 1946.
7. o.c. p. 3-24. En faveur d'une datation tardive, cf surtout J. Y. Campbell : *Journ. of Theol. St.* XLVIII, 1947, p. 146-148.
8. Cf ci-dessus, p. 29-32.

« Et lorsque le Juste apparaîtra aux yeux des justes,
   dont les bonnes œuvres sont présentes au Seigneur des Esprits,
   la lumière apparaîtra aux justes et aux élus qui habitent sur terre.

   Que deviendra alors la maison des pécheurs,
   et l'habitation de ceux qui ont renié le Seigneur des Esprits ?
   Il aurait mieux valu pour eux de ne pas être nés ! »
      (I Hén XXXVIII, 2).

Le dernier stique est cité littéralement par Marc :

« Oui, le Fils de l'Homme s'en va selon qu'il est écrit de lui ;
   mais malheur à cet homme-là par qui le Fils de l'Homme est livré :
   il aurait mieux valu pour lui de ne pas être né ! » (Mc XIV, 21).

D'ailleurs, comme E. Sjöberg l'a abondamment montré, le Fils de l'Homme d'Hénoch présente des traits apocalyptiques qui rappellent Marc :

« C'est pour cela qu'il a été choisi et caché en sa présence,
   avant la création du monde et pour toujours.
   Mais la sagesse de Dieu l'a révélé aux saints et aux justes... »
      (I Hén XLVIII, 6-7).

En I Hénoch donc, le Fils de l'Homme est caché aux yeux de tous, sauf pour les élus à qui Dieu le révèle par privilège spécial. En saint Marc aussi, Jésus se cache aux yeux des foules, mais il se manifeste « en particulier » aux disciples.

Mais l'œuvre par excellence du Fils de l'Homme d'Hénoch est d'accomplir le jugement. Si, dans le Livre de Daniel, le Fils de l'Homme était le bénéficiaire d'un jugement dont Dieu était l'auteur ; en I Hénoch, au contraire, le Fils de l'Homme est intronisé sur le trône de Dieu lui-même (LI, 3 ; LXII, 2) [1], et il reçoit pouvoir d'accomplir le jugement [2].

Néanmoins, c'est surtout le ch. LXII d'Hénoch, la grande scène de jugement, qui semble avoir influencé Marc. Les puissants et les rois seront contraints de regarder l'élu lorsqu'il exécutera le jugement :

« Vous, les Rois et les puissants qui habitez sur la terre,
   vous serez contraints de voir mon Élu siégeant sur le trône de gloire,
   pour juger Azazel, ses associés et toute son armée,
   au nom du Seigneur des Esprits » (I Hén LV, 4).

---

1. Cf Discussion dans E. Sjöberg : *Der Menschensohn im äthiop. Henochbuch*, 1946, p. 63-66.
2. Cf Jean V, 27 (sans article, comme en Daniel VII, 13-14, pour indiquer la qualité). C'est sans doute en ce sens que l'on comprenait déjà Dan VII, 22 : le jugement est donné aux saints.

> « Voici l'ordre donné par le Seigneur aux Rois et aux puissants
> et aux chefs et à ceux qui demeurent sur la terre :
> 'Ouvrez les yeux, levez vos cornes [1],
> 'si vous êtes capables de reconnaître l'Élu !'
> Le Seigneur l'a intronisé sur son trône de gloire,
> l'Esprit de justice a été répandu sur lui,
> la parole de sa bouche frappe le pécheur,
> et les injustes sont détruits devant sa face » (I Hén LXII, 1-2).

Dans ces quatre derniers stiques on reconnaît naturellement
la figure du roi messianique décrite par Isaïe XI, et à qui a été
départi l'Esprit de Yahweh pour accomplir le jugement avec une
efficacité et une infaillibilité divines. La suite, tout en conti-
nuant d'abord à démarquer Isaïe XI, va bientôt rendre un autre
son :

> « En ce jour-là, les Rois et les puissants se lèveront,
> tous les grands qui dominent la terre ;
> ils verront et reconnaîtront
> qu'il siège sur son trône de gloire,
> et que la justice est administrée par lui,
> et qu'aucun mensonge n'est proféré en sa présence.
>
> Alors la douleur viendra sur eux comme sur une femme en travail,
> lorsque l'enfant sort de la matrice
> et que la parturition est difficile.
> Ils se regarderont les uns les autres,
> et ils seront terrifiés.
> Ils demeureront consternés
> et la douleur les saisira,
> lorsqu'ils verront le Fils de l'Homme
> assis sur son trône de gloire » (I Hén LXII, 3-5).

Cette fois, l'allusion à la Sagesse de Salomon V, 1-5 est indéniable. Il s'agit des impies qui ont persécuté le juste pendant
sa vie terrestre, parce qu'ils méconnaissaient le jugement de
Dieu. Au jour de ce jugement, le juste se tiendra debout, plein
d'assurance en face de ceux qui l'ont opprimé. A sa vue, ceux-ci
seront saisis d'une terreur subite et réaliseront leur lourde erreur. Remarquons qu'ici, comme en I Hénoch, le fait de « voir »
le juste lors du jugement est ce qui jette les impies dans la
consternation (Sag V, 2). Par-delà le livre de la Sagesse, ce trait
nous renvoie à la prophétie dont le livre de la Sagesse lui-même
s'inspire, les prophéties du Serviteur :

---

1. Cf Ps LXXV, 4.

« Ainsi parle Yahweh, le Rédempteur et le Saint d'Israël,
à celui qui est méprisé et qu'abominent les nations,
à l'esclave des tyrans :
'Des rois en te voyant se lèveront,
des princes se prosterneront,
à cause de Yahweh qui s'est montré fidèle,
du Saint d'Israël, qui t'a élu !' » (Is XLIX, 7, comp. LII, 15).

D'après R. H. Charles [1], les rois et les puissants des paraboles
d'Hénoch représentent les princes asmonéens du premier siècle
avant Jésus-Christ avec leurs satellites sadducéens, à une époque
où les Pharisiens persécutés aspiraient à une éclatante revanche [2].
S'il en était ainsi, le fait que tous les hommes « verront » le Fils
de l'Homme dans sa gloire au jour du jugement (Mc XIII, 26)
et beaucoup plus particulièrement encore, le fait que les oppres-
seurs de Jésus seront eux-mêmes contraints de « voir » le Fils de
l'Homme siéger à la droite de la Puissance et venant sur les
nuées du ciel (Mc XIV, 62) pourrait avoir une connotation terri-
blement précise.

Les adversaires de Jésus sont précisément ces princes et ces
Sadducéens dont il était question dans le livre d'Hénoch. Jésus,
comme le livre d'Hénoch, leur annonce une autre scène de
jugement, qui sera le retournement complet de la procédure
actuelle. D'ici peu, les juges de Jésus « verront » le Fils de l'Homme sur son trône de gloire et s'avançant vers eux pour les juger.
L'allusion à I Hén LXII paraît évidente [3].

c) Serviteur souffrant.

1) Mais l'un des traits les plus décisifs, en même temps que
les plus discutés, du rapprochement entre le Fils de l'Homme de
I Hénoch et celui de Marc, est la reprise dans le contexte des
Paraboles d'Hénoch - et en raison sans doute des persécutions
subies par les Pharisiens à cette époque - de tout le thème des
prophéties du Serviteur souffrant. On en retrouve maint
témoignage :

---

1. *The Apocrypha & Pseudepigrapha of the Old Testament*, vol. II :
Pseudepigrapha, Oxford, 1913, p. 171.
2. S. MATTHEWS : *The Messianic Hope in the New Testament*, 1906,
p. 104, estime également que les Paraboles d'Hénoch sont d'origine pharisienne.
3. Comparer aussi Apoc XI, 12.

	I Hénoch	Isaïe
FH caché	XLVIII, 6 ; LXII, 7	XLIX, 2
L'Élu	XXXIX, 6 ; XL, 6 ; XLV, 3, 4	XLII, 1
Le Juste	XXXVIII, 2 ; LIII, 6	LIII, 11
Rois se lèveront	LXII, 3, 9	XLIX, 7
Lumière des Nations	XLVIII, 4	XLIX, 6

Le fait que les Paraboles d'Hénoch citent à plusieurs reprise les chants du Serviteur de Yahweh n'est guère contesté [1]. Ce qui est contesté, c'est la conséquence que l'on en tire. Pou J. Jeremias [2] en particulier, cela signifie que le Judaïsme tardi identifiait le Serviteur de Yahweh d'Is LIII au Fils de l'Homm de Daniel et même au Messie, fils de David. Par conséquent, le judaïsme préchrétien connaissait déjà un Fils de l'Homme souf frant [3].

A cela un autre groupe d'exégètes tout aussi décidés [4] répond que l'utilisation de plusieurs traits propres au Serviteur souffran dans le portrait du Fils de l'Homme ne signifie pas nécessaire ment que les deux personnages n'en font qu'un. Ils font appel à l'exégèse atomistique des Rabbins qui pouvait très bien inter préter messianiquement un verset, tandis que le verset suivan

1. Voir, par exemple H. H. ROWLEY : The Servant of the Lord, [2]1965 p. 82sv ; C. R. NORTH : The Suffering Servant in Deutero-Isaiah, Oxford [2]1956, p. 7sv.

2. Theol. Wört. V, p. 686-698, et la note suivante ci-dessous.

3. Ainsi déjà P. BILLERBECK : « Hat die alte Synagoge einen präexistenten Messias gekannt ? », dans Nathanael, 1905, p. 89-150, spécialement p. 104 111 ; voir aussi H. L. STRACK & P. BILLERBECK : Komm. z. NT, I, p. 481 e II, p. 282, note 1. - Plus récemment, les mêmes arguments ont été défendu par J. JEREMIAS : « Erlöser und Erlösung im Spätjudentum und Urchristen tum », dans Deutsche Theologie, II : Der Erlösergedanke, Göttingen, 1929 p. 106-129 (réédité à part, Göttingen, [2]1949). Il a été suivi par N. JOHANS SON : Parakletoi. Vorstellungen von Fürsprechern für die Menschen vo Gott..., Lund, 1940, p. 110-119. - Dans le camp anglo-saxon, on peut cite surtout W. MANSON : Jesus the Messiah, London, 1943, p. 173sv ; W. D DAVIES : Paul & Rabbinic Judaism, London, [3]1962, p. 279sv.

4. Jadis G. DALMAN : Der leidende und sterbende Messias der Synagog im ersten nachchristlichen Jahrtausend, Berlin, 1888 et J. KLAUSNER : Di messianischen Vorstellungen des jüdischen Volkes im Zeitalter der Tan naiten, Krakau, 1903. - Plus récemment : E. SJÖBERG : Der Menschensohr im äthiopischen Henochbuch, Lund, 1946, p. 116-139 (réponse systémati que à J. JEREMIAS) ; G. KITTEL : Deutsche Theologie, 1936, p. 175-182 S. MOWINCKEL : He That Cometh, Oxford, 1956, p. 410-415 ; H. H. ROWLEY The Servant of the Lord, [2]1965, p. 81-85.

était appliqué à Israël, à Moïse ou à Rabbi Aqiba [1]. Nous nous demandons, pour notre part, si ces derniers chercheurs ne font pas un usage abusif d'un principe énoncé par G. F. Moore au sujet des Midrashîm, mais qui ne vaut déjà plus des Targumîm [2]. En tous les cas, dans le Nouveau Testament, les références à l'Ancien se rapportent presque toujours à tout le contexte ; et l'interprétation des Paraboles d'Hénoch nous paraît tout à fait cohérente et continue. Le contraire devrait être prouvé.

2) Le second témoin de l'interprétation messianique d'Is LIII est le fameux *Targum de Jonathan*. A nouveau, le *fait* qu'il en donne une interprétation messianique est parfaitement incontestable. Mais les conséquences que l'on en tire sont les plus opposées. Le Rabbin a en effet réussi ce tour de force de paraphraser en araméen le quatrième chant du Serviteur, en sorte d'en éliminer systématiquement toute souffrance messianique [3]. Certains tirent de là argument pour affirmer que le Judaïsme ancien ne connaissait pas de Messie souffrant [4].

D'autres en tirent un argument exactement contraire : une telle parodie du texte sacré est sans analogue dans la tradition targumique, généralement très fidèle au texte. Si donc le Rabbin s'est cru autorisé à faire dire au texte exactement le contraire de ce qu'il disait, c'est qu'il devait y être impérieusement forcé. Or la seule raison valable pour cela paraît être que l'interprétation messianique de ce texte était communément admise à l'époque où fut composée ce Targum - ce qui est confirmé par l'interprétation analogue de I Hénoch -. Pour éviter l'interprétation chrétienne, le Rabbin a donc éliminé toutes les affirmations de la souffrance expiatrice du Serviteur (identifié au Christ selon l'interprétation commune) [5].

---

1. Ainsi G. F. Moore : *Judaism*, Cambridge (Mass), I, [7]1954, p. 229 et 551 ; III, [4]1954, p. 166.
2. G. F. Moore : *Judaism*, I, [7]1954, p. 229 !
3. A deux minimes exceptions près, cf *Theol. Wört.* V, p. 693.
4. Ainsi H. H. Rowley : *The Servant of the Lord*, [2]1965, p. 68sv ; O. Cullmann : *Christologie*, 1958, p. 54 (avec références).
5. Ainsi J. Jeremias : *Theol. Wört*, V, p. 691-3 ; H. Riesenfeld : *Jésus transfiguré*, 1947, p. 86 ; W. D. Davies : *Paul and Rabbinic Judaism*, [3]1962, p. 280. Voir également H. L. Strack & P. Billerbeck : *Komm. z. NT*, I ; p. 481-483 et J. Jeremias : « Zur Problem der Deutung von Jes. 53 in palästinischen Spätjudentum », dans *Aux sources de la tradition chrétienne, Mélanges Goguel*, Neuchâtel, 1950, p. 113-117 ; C. Maurer : *Zeitschr. Theol. Kirche*, L, 1953, p. 6.

Conclusion.

En somme, il paraît donc certain que, dès avant l'ère chrétienne, les prophéties du Fils de l'Homme selon Daniel VII étaient déjà associées avec celles du Serviteur souffrant d'Isaïe LIII. Mais il ne semble pas que l'on puisse prouver qu'on en soit arrivé à l'idée d'un Fils de l'Homme souffrant. Il est possible que l'on ait - consciemment ou inconsciemment - éliminé toute trace de souffrances, comme incompatible avec la figure du Sauveur glorieux de la fin des temps.

De toute façon, la matière était préparée et Marc fait allusion à une tradition antérieure lorsqu'il affirme : « Il *faut* que le Fils de l'Homme souffre beaucoup... » (VIII, 31) ou « Comment est-il *écrit* du Fils de l'Homme qu'il doit beaucoup souffrir » (IX, 12). Néanmoins l'étonnement des disciples et du peuple montre que l'attente d'un Fils de l'Homme souffrant n'était pas doctrine courante à l'époque (Comp. Jean XII, 34).

Par ailleurs, nous avons déjà montré plus haut que Marc n'a pas le premier créé de toutes pièces la théologie du Fils de l'Homme souffrant, bien qu'il l'ait lui-même fortement développée et placée au centre de gravité de sa christologie. Nous constatons donc que deux sur trois des grands titres messianiques de Marc, le Fils de Dieu et le Fils de l'Homme, connotent pour lui l'image du Serviteur de Yahweh. Le troisième grand titre, celui de Christ, et qui précisément ne connote pas celui de Serviteur, est presque chaque fois accompagné d'un correctif dans le but d'inclure également la mission du Serviteur. Tout cela correspond bien à la théologie du secret messianique, telle que l'avons comprise au chapitre précédent.

D. AUTRES THÈMES MESSIANIQUES.

Il ne peut être question d'étudier en détail tous les autres titres messianique attribués à Jésus en Marc. L'étude sommaire des trois principaux titres que nous venons d'achever suffit à notre propos. Nous nous contenterons d'établir un simple tableau des autres titres pour donner une vue d'ensemble et confirmer ainsi qu'il n'y a pas de contradiction avec ce qui vient d'être dit.

1. Royaume.

a) Un seul cas cependant mérite encore un examen particulier, en raison d'un article à grand retentissement écrit sur le sujet. Ph. Vielhauer [1] a affirmé, en effet, que, chaque fois qu'il était question du Fils de l'Homme dans un logion authentiquement traditionnel, on n'y parlait pas du Royaume ; inversement, chaque fois que l'on y mentionne le Royaume, on se tait sur le Fils de l'Homme [2]. En d'autres mots, le Fils de l'Homme et le Royaume appartiennent à deux eschatologies différentes, l'une dans laquelle il y a place pour un médiateur, l'autre dans laquelle Dieu est l'agent immédiat. Ces deux eschatologies s'excluent l'une l'autre.

Or, lorsque l'on étudie en détail tous les textes parlant de la parousie du Fils de l'Homme - les seuls authentiques d'après R. Bultmann [3] - on constate - ou au moins Ph. Vielhauer constate - qu'ils provoquent presque tous des soupçons d'inauthenticité. Cela confirme le jugement posé au départ :

> - Le Fils de l'Homme et le Royaume appartiennent à deux eschatologies incompatibles.
> - Puisque Jésus a annoncé le Royaume, il n'a donc pas pu parler du Fils de l'Homme.

La christologie du Fils de l'Homme est donc une création postpascale de l'Église. Inutile de dire que Vielhauer est l'un de ces exégètes qui voudraient à tout prix prouver que Jésus n'avait pas la conscience messianique.

b) Notre examen des positions de Vielhauer se limitera à ce ce qui concerne Marc. Commençons par un tableau comparatif de l'emploi en saint Marc du terme Fils de l'Homme et de celui de Royaume. Cela éclaircira les idées :

---

1. « Gottesreich und Menschensohn in der Verkundigung Jesu », dans *Festschrift für Günther Dehn*, Neukirchen, 1957, p. 57-79, réimprimé dans *Aufsätze zum Neuen Testament*, München, 1965, p. 55-91.

2. Dans le même sens déjà F. C. Grant : *The Gospel of the Kingdom*, 1940, p. 64-66 et 153-160.

3. Voir ci-dessus, p. 364-367.

	ROYAUME DE DIEU		FILS DE L'HOMME
I, 15	tout proche		
		II, 10	Sultanat pr remettre péchés
		28	Seigneur du Sabbat
IV, 11	= mystère		
26	= graine		
30	= sénevé		
		VIII, 31	prédiction passion
		38	viendra dans sa gloire
IX, 1	Roy. avec puissance		
		IX, 9	ressuscité
		12	Souffrir
		31	prédiction passion
IX, 47	perdre un œil		
X, 14	= enfant		
15	= enfant		
23	= riches		
24	difficile d'accès		
25	chameau		
		X, 33	prédiction passion
		45	donner sa vie
XII, 34	pas loin (cp X, 21)		
		XIII, 26	dans nuées avec puissance
		XIV, 21	s'en va
		21	livré
XIV, 25	boire dans Roy.		
		XIV, 41	livré pécheurs
		62	droite de la Puissance
XV, 43	attendait Roy.		

Il y a donc 14 emplois du Royaume de Dieu, contre 14 du Fils de l'Homme ; ce qui donne une importance sensiblement égale aux deux thèmes dans l'évangile de Marc. Bien que Jésus parle apparemment un peu plus ouvertement du Royaume de Dieu que du Fils de l'Homme, il n'en révèle quand même le « mystère » (IV, 11) qu'à ses disciples privilégiés. Devant les foules, il parle du Royaume en des termes tels qu'elles ne puissent en saisir le secret.

Le secret du Royaume est le même que celui du Fils de l'Homme. Il suffit de parcourir les 14 emplois du mot, pour percevoir que le secret du Royaume réside dans son caractère paradoxal. Sans doute (comme le Fils de l'Homme), le Royaume se manifestera-t-il avec puissance (IX, 1), mais ce qui le caractérise particulièrement, c'est son actuelle insignifiance : il n'est qu'une graine qui pousse sans qu'on y prenne garde (IV, 26), et même la plus petite de toutes les graines (IV, 30). Il n'est révélé qu'aux enfants et aux petits (X, 14-15), tandis que les puissants et les grands n'en peuvent trouver l'accès (X, 23-24). Finalement, il ne sera donné qu'au-delà de la mort de Jésus (XIV, 25 ; XV, 43).

c) Mais pour fonder davantage notre étude, il contient de souligner que, outre les 14 emplois du thème « Royaume de Dieu », il y a six emplois profanes du mot royaume, et ces emplois profanes sont importants pour faire découvrir l'origine biblique du thème. Les voici :

III, 24	divisé
24	fini
VI, 23	moitié du royaume
(XI, 10	royaume de David)
XIII, 8	royaume contre royaume.

En Mc XI, 10, le royaume de notre père David n'est sans doute pas absolument identique au Royaume de Dieu (cf Mc XII, 37 !), quoiqu'il en soit fort proche. Il peut connoter une certaine incompréhension du peuple.

Par contre les cinq autres emplois sont spécifiquement profanes, et ce sont eux qui nous intéressent surtout. En III, 24, il est question du royaume de Satan, en tant qu'il manifeste des signes de *division*, précurseurs de sa ruine totale :

> « Si un royaume est divisé contre lui-même,
> ce royaume-là ne peut subsister » (III, 24).

Deux fois de suite donc le mot royaume est employé dans ce contexte, et deux fois pour exprimer l'idée que ce royaume de Satan est divisé et fini.

En Mc XIII, 8, le mot royaume est employé deux fois de suite également, exactement comme en III, 24, et ici aussi pour exprimer la division des royaumes profanes et leur opposition les uns contre les autres :

> « On se dressera en effet, nation contre nation,
> et royaume contre royaume » (Mc XIII, 8).

Cette division des royaumes profanes entre eux sera le signal des événements de la fin et le signe avant-coureur de l'apparition du Fils de l'Homme (XIII, 26).

Une autre fois encore, il est question du royaume au sens profane. C'est dans le récit du festin d'Hérode. Comme par hasard, Hérode promet justement de donner à sa fille tout ce qu'elle voudra, « *jusqu'à la moitié de son royaume* ». Ce verset, comme tout le récit de l'exécution du Baptiste, rappelle naturellement le festin d'Esther (Esth V, 3,6). Néanmoins, il nous paraît voulu que, *à chaque fois* qu'il est question d'un royaume profane en Marc, chaque fois aussi y est associée l'affirmation d'une *division* qui prélude à la ruine.

d) Pourrait-on trouver un antécédent scripturaire à cet état de choses ? A notre avis, la réponse ne saurait être douteuse. Il existe un antécédent scripturaire précis et clair, à savoir le livre de Daniel.

Comme Ph. Vielhauer est obligé de le reconnaître [1], le mot de Royaume revient tout au long du livre de Daniel et il s'y trouve *en association très précise avec le Fils de l'Homme*. Justement, dans le livre de Daniel, il est sans cesse question des royaumes profanes, par opposition au Royaume de Dieu qui demeure éternellement et qui est personnalisé dans le Fils de l'Homme.

Une des caractéristiques principales des royaumes païens en Daniel est qu'ils sont *divisés* intérieurement. Cela est exprimé de façon vigoureuse dans le symbole de la statue en Dan II. Cette statue, qui représentait l'empire babylonien, était déjà composée d'or, d'argent, de bronze et de fer. Mais le voyant insiste sur le fait que les pieds de la statue, qui en supportaient toute la masse, étaient eux-mêmes de fer et d'argile. Impossible mixture, comme le souligne le texte :

« Ces pieds que tu as vus, partie terre cuite et partie fer,
    c'est un royaume qui sera divisé » (Dan II, 43).

De même que le fer ne s'allie pas à l'argile, de même ce royaume sera irrémédiablement divisé, et puisque les pieds soutiennent la statue entière, la fragilité des pieds provoquera

---

1. *Aufsätze z. NT*, 1965, p. 80-83.

la ruine de la statue. Elle se brisera et sera pulvérisée, et le vent emportera le tout sans en laisser traces (Dan II, 35). Cette destruction complète de la statue est provoquée par la pierre détachée de la montagne sans que main l'eût touchée, et venant frapper les pieds malades de la statue. Après la disparition de la statue, la pierre devint une grande montagne emplissant toute la terre. Ce qui signifie qu'à tous les empires babyloniens et perses construits de main d'hommes, succédera un Royaume d'origine divine, qui ne sera jamais détruit.

Au ch. IV de Daniel, sans qu'il soit explicitement question de division, on affirme à plusieurs reprises que le Royaume de Nabuchodonosor lui sera enlevé et sera donné à un autre (Dan IV, 22-29 (= 25-34)).

Au ch. V, Balthasar, au cours d'un festin, voit avec terreur une main écrire sur le mur que son royaume est « pesé, mesuré, divisé » (V, 26-28) ; ce qui signifie que son royaume va lui être enlevé pour être livré aux Mèdes et aux Perses. Dans le même chapitre, Balthasar, à trois reprises, avait promis de donner la domination sur le tiers de son royaume à quiconque lui interpréterait son rêve (comp. Mc VI, 23). Finalement en Dan XI, 4, on affirme que le royaume des Grecs sera brisé et divisé aux quatre vents du ciel.

e) Le fait donc que Marc parle si souvent du Fils de l'Homme et du Royaume indique une référence constante au livre de Daniel. Précisément, dans l'apocalypse du ch. XIII, il y a deux citations explicites du livre du Daniel (Mc XIII, 14, 19) outre la magnifique apparition du Fils de l'Homme (Mc XIII, 26 = Dan VII, 13-14). Or les guerres qui précèdent immédiatement la grande tribulation se trouvent aussi en Daniel (XI, 40-45). On peut donc considérer comme acquis que Marc pensait au livre de Daniel en parlant de la division des royaumes contre eux-mêmes en Mc XIII, 8. Et comme le thème de la division des royaumes profanes se retrouve avec insistance, chaque fois que ce mot est prononcé, il faut y voir une intention eschatologique, annonçant l'établissement du Royaume de Dieu.

Par ailleurs, lorsqu'il s'agit du Royaume messianique, Marc le compare à une toute petite semence, qui devient un grand arbre, sous les branches duquel tous les oiseaux du ciel viennent s'abriter. Ce dernier trait est une citation de Dan IV, 9, 18, où le roi Nabuchodonosor est comparé à un grand arbre couvrant toute la terre et donnant ombrage aux animaux des champs et aux oiseaux du ciel. Dans ce même chapitre de Daniel, on affirmait aussi que la royauté serait enlevée à Nabuchodonosor, pour qu'il apprenne que la Royauté n'appartient qu'à Dieu et qu'il la donne à qui il lui plaît (Dan IV, 14, 22). En fin de compte, le roi humilié reconnaît que le Royaume de Dieu est un Royaume éternel, son empire pour toutes les générations (Dan IV, 31).

Mais le grain de sénevé de Mc IV, 31 peut difficilement ne pas évoquer aussi la petite pierre détachée de la montagne sans que main l'eût touchée, et qui devient elle-même une grande montagne emplissant toute la terre (Dan II, 35). L'allusion nous semble d'autant plus probable que Marc a pris soin de nous dire que la petite semence qui devient un grand arbre est le symbole du Royaume de Dieu, ce qu'était aussi la pierre de Daniel, d'après l'interprétation expresse de Dan II, 44.

C. H. Dodd voit aussi dans l'annonce de la venue du Royaume (Mc I, 15) une référence à Dan VII, 22 [1], et nous-mêmes, lorsque nous avons étudié la théorie des paraboles en Marc, avions conclu également que l'assimilation du Royaume à un « mystère » (Mc IV, 11) devait aussi provenir de l'influence de Daniel [2]. Nous avions vu encore que le « pouvoir », Ἐξουσία (Sultanat), du Fils de l'Homme est une référence à Daniel VII, 14 [3]. Tout cet ensemble de remarques nous prouvent que, *au moins dans la rédaction de Marc*, la seule qui nous concerne ici, l'association du Royaume et du Fils de l'Homme est bien attestée. Les deux termes constituent une seule tradition messianique très élaborée et ancrée dans la prophétie de Daniel. Il ne nous appartient pas de dire ici si cette association est antérieure à Marc ; le contraire devrait être prouvé de façon plus rigoureuse encore que ne l'a fait Vielhauer. D'après la tradition du livre de Daniel, certainement représentée dans la tradition prémarcienne du grain de sénevé (Mc IV, 30-32), le thème du Royaume se référait au livre de Daniel ; ce que fait aussi, naturellement le thème du Fils de l'Homme. Il semble donc a priori que, loin de s'exclure mutuellement, les traditions du Royaume et celle du Fils de l'Homme se connotent et s'appellent.

1. *The Parables of the Kingdom*, [14]1956, p. 43 ; *According to the Scriptures*, London, [4]1957, p. 69.
2. Cf ci-dessus, p. 195-197.
3. Cf ci-dessus, p. 120-122.

2. Autres motifs messianiques.

Il ne nous reste plus à présent qu'à dresser un tableau succinct de quelques autres motifs messianiques employés par Marc. Nous n'aurons guère la possibilité de les commenter ; mais tels quels ils suggéreront peut-être une certaine orientation d'ensemble de la théologie de Marc :

ÉVANGILE 7 fois		KYRIOS 15 fois		SAUVER 14 fois	
1	titre	I, 3	préparer chemin		
14	de Dieu				
15	= Royaume				
		II, 28	Sg du Sabbat	III, 4	sauver une vie
		V, 19	Sg a fait	V, 23	elle soit sauvée
				28	je serai sauvée
				34	ta foi (= X, 52)
		VII, 28	Syro-phénic.	VI, 56	ceux q. touchent
III, 35	perdre vie			VIII, 35	sauver sa vie
				35	la sauvera
, 29	tout quitter			X, 26	qui peut ?
		(X, 51	var. Rabbouni)		
				X, 52	ta foi (= V, 34)
		XI, 3	en a besoin		
		9	au Nom		
		XII, 9	Sg de la vigne		
		29	Le Sg notre D.		
		29	unique Sg		
		30	tu aimeras		
		36	Sg dit		
		36	à mon Sg		
		37	David !		
III, 10	persécution			XIII, 13	tiendra jusque
		XIII, 20	abrégé ces j.	20	aucun ne sera
		35	Sg de maison		
IV, 9	en mémoire			XV, 30	sauve-toi
				31	il en a sauvé
				31	il ne peut se

On s'aperçoit que le mot Évangile a la même plénitude théologique que celui de Royaume ou de Fils de l'Homme, par exemple. Il est employé avec la même circonspection. Nous y reviendrons au chapitre suivant. Quant au mot Kyrios, il est employé plusieurs fois au sens technique, néanmoins, il est loin d'avoir la même importance qu'en saint Paul. Sans doute, plusieurs fois, le titre de Kyrios a été transféré de Dieu au Christ (par exemple en I, 3). Plusieurs fois aussi le Christ reçoit des titres caractéristiques : Seigneur du Sabbat (II, 28) ; probablement Seigneur de la vigne (XII, 9) et Seigneur de la maison (XIII, 35). En XI, 3 aussi la tournure est remarquable. Et la comparaison entre V, 19 et V, 20 suggère fortement que Marc a également voulu appliquer à Jésus cette appellation. En XII, 36-37, toute la signification technique du mot est explicitée en référence au grand psaume de la résurrection. Le mot semble même soumis à une certaine restriction du secret messianique. Il n'est employé que 3 fois dans la première partie de l'évangile et dans des contextes particulièrement étudiés. Au contraire, il se révèle de plus en plus au fur et à mesure qu'approche la passion, pour culminer dans le texte provoquant de XII, 35-37. Ce titre nous conduit donc à des constatations analogues à celles faites précédemment ; néanmoins, il n'a pas la même importance centrale en saint Marc - plusieurs fois il revêt même une certaine ambiguïté, car il n'est guère possible de décider si Marc le comprend du Christ ou du Père - et cela parce qu'il n'a pas la même aptitude à connoter la souffrance que celui de Fils (= Serviteur) de Dieu ou de Fils de l'Homme.

Le thème « sauver » n'est pas à proprement parler un titre messianique : mais il indique pour Marc la grande œuvre messianique. Les guérisons physiques en sont le signe, comme en saint Jean, mais le salut définitif ne viendra que par la croix (XV, 30sv et VIII, 35 ; X, 26). Cela est indiqué aussi symboliquement par le fait que l'aveugle de Jéricho « suit » Jésus sur la route qui le conduit à sa passion (X, 52, cf VIII, 34 : inclusion).

On pourrait encore citer le titre de Maître (12 fois) ou celui de Rabbi (4 fois), mais le résultat de l'enquête ne différerait guère de ce que nous avons acquis jusqu'à présent. Inutile donc de prolonger davantage.

IV. LE SECRET DANS L'ÉGLISE.

Il ne peut être question d'étudier ex professo toute la dimension ecclésiale de l'évangile de Marc. Nous nous limiterons ici à quelques sondages en des points qui concernent plus particulièrement notre sujet. Ils nous aideront à voir que le but final du secret messianique en saint Marc n'est pas d'ordre dogmatique - comme on l'a presque toujours cru depuis Wrede - mais pastoral.

A. ÉVANGILE.

Commençons par l'étude du mot « Évangile », puisque c'est le titre que Marc choisit de donner à son œuvre. Matthieu parle d'un « livre » (Mt I, 1) et Luc d'un « récit » (Luc I, 1) ; Marc préfère le mot « Évangile ». Nous avons dit plus haut toute l'importance que ce mot a dans son œuvre [1]. Il revient 7 fois et toujours en des endroits-clefs, et qui plus est, en des endroits donnant tous l'impression fondée d'avoir été composés par Marc lui-même. Une étude plus approfondie de ce mot pourra donc nous aider à mieux saisir l'intention de Marc et à interpréter correctement son message.

1. Emplois préchrétiens.

a) Le mot Évangile n'est jamais employé au sens religieux dans l'*Ancien Testament*, que ce soit dans le texte hébreu (*besôrah*) ou, moins encore dans la LXX. Par contre le verbe

---

1. Voir ci-dessus, p. 395.
2. Voir G. Friedrich : *Theol. Wört.* II, p. 718-734.

« évangéliser » se retrouve en plusieurs textes notoires qui ont très certainement influé sur l'emploi néotestamentaire. Il s'agit tout particulièrement de trois textes de la seconde partie d'Isaïe :

> « Monte sur une haute montagne,
>   toi qui évangélises Sion ;
>   Élève fortement la voix,
>   toi qui évangélises Jérusalem ! » (Is XL, 9).

Nous nous trouvons dans le contexte de la triomphale annonce du retour après l'exil. L'évangéliste est chargé de proclamer par toute la terre le salut accompli par Yahweh.

Le second emploi du mot est très semblable à ce premier. L'évangéliste est un coureur revenant de Babylone et dont la silhouette se profile sur les hauteurs entourant Jérusalem au moment où il hurle le message de délivrance :

> « Qu'elle est belle sur les montagnes,
>   la course de l'évangéliste,
>   de l'évangéliste de Paix,
>   de l'évangéliste de bonheur,
>   de l'annonciateur de salut,
>   qui dit à Sion :
>   'Ton Dieu règne !' » (Is LII, 7) [1].

Rien qu'à observer la façon dont il court (comp. 2 Sam XVIII, 25), Jérusalem a déjà compris que le messager vient lui annoncer le bonheur et non le malheur. Elle suit avec joie sa course merveilleuse sur les collines, jusqu'à ce qu'il arrive à portée de voix pour faire entendre son message que l'on avait déjà deviné. L'objet de l'évangile est identique à celui d'Is XL, 9, c'est la fin de la captivité de Babylone, le rétablissement d'Israël.

Le troisième texte se situe aussi dans la perspective du retour de l'exil. Cette fois, le prophète lui-même est investi par Yahweh de la mission d'annoncer au peuple le salut :

> « L'Esprit du Seigneur Yahweh est sur moi,
>   car Yahweh m'a oint.
>   Il m'a envoyé évangéliser les pauvres,
>   panser les cœurs meurtris ;
>
>   annoncer aux captifs la liberté,
>   aux prisonniers l'ouverture des prisons ;
>   annoncer une année de grâce de par Yahweh,
>   un jour de vengeance pour notre Dieu » (Is LXI, 1-2).

---

1. Comparer Nahum II, 1.

Ce dernier texte surtout a exercé une grande influence. On voyait en effet dans l'« onction » faite par Yahweh au prophète une allusion directe à l'onction messianique. Ce texte est cité intégralement par Luc IV, 18-19, mais il est l'objet de plusieurs autres allusions [1], tout particulièrement dans le récit de l'ambassade de Jean-Baptiste (Mt XI, 5//Luc VII, 22). Quelques autres emplois du verbe évangéliser se réfèrent à Is LII, 7 [2].

Par contre, le substantif « Évangile » ne se trouve pas employé au sens religieux dans l'Ancien Testament, nous le disions à l'instant, et parmi les emplois du Nouveau Testament, le texte relativement tardif d'Éph VI, 15 est peut-être l'un des seuls qui se réfère clairement à Is LII, 7.

b) Il est cependant un autre mot, employé très fréquemment par Paul lui aussi, et dans un sens apparemment aussi technique que Évangile, dont il est à peu près synonyme, c'est le mot « *consoler, consolation* », παράκλησις. Luc II, 25 montre bien la valeur eschatologique de ce mot, que Paul exprime à sa façon en le mettant en parallèle constant avec la tribulation eschatologique en 2 Cor I, 1-11. Dans la I Thes II, 3, il fait voir que ce mot est l'équivalent de Évangile (I Thes II, 2 et 4), tandis qu'en 2 Thes II, 16, il en donne le contenu « éternel », qui est évidemment la résurrection du Christ, objet de l'Évangile.

Tout cela nous indique que la « consolation », tout comme l'Évangile peuvent provenir l'une et l'autre du même contexte, à savoir « le Livre de la Consolation ». Si la deuxième partie d'Isaïe a reçu ce titre évocateur, c'est précisément par ce qu'il commence par les mots magnifiques : « Consolez, consolez mon peuple, dit votre Dieu, parlez au cœur de Jérusalem... ! » (Is XL, 1). Le Deutero-Isaïe est le consolateur, parce qu'il annonce la fin du châtiment et la joie, le pardon définitif de Yahweh. Et, de même que son message s'ouvre par cette promesse de consolation, il s'achève aussi par l'assurance d'une consolation qui ne passera pas (Is LXVI, 11, 13).

Si notre rapprochement est exact, les deux termes techniques les plus importants pour désigner le message chrétien, le verbe « évangéliser » et le substantif et le verbe « consolation, con-

---

1. Cf C. H. Dodd : *According to the Scriptures*, 41957, p. 52sv ; 94sv ; 105.

2. Act X, 36 ; Rom X, 15 ; Eph II, 17.

soler » seraient tirés du Deutero-Isaïe [1]. Cela indiquerait certainement l'importance hors de pair du livre d'Isaïe dans la théologie chrétienne primitive ; mais cela serait une indication permettant de supposer que le substantif « Évangile » doit quelque chose au Deutero-Isaïe également. Cela nous semble possible en Mc I, 1, car tout le prologue se trouve sous le signe de la deuxième partie d'Isaïe, comme nous espérons le montrer ailleurs [2].

c) Cette justice une fois rendue à l'influence véterotestamentaire, il nous semble possible d'admettre, à la suite de G. Friedrich et de W. Marxsen [3], que l'*usage hellénistique* a pu jouer un certain rôle, sinon dans la signification théologique, au moins dans la forme du substantif « Évangile ». On trouve en effet ce mot dans l'hellénisme avec une signification fort proche de celle que lui donnent les chrétiens. Il est le terme technique pour signifier la proclamation d'une victoire, et, de façon encore plus évocatrice, il désigne les grands événements de la vie impériale, spécialement la naissance et le couronnement. L'Évangile signifie qu'avec le règne du nouvel empereur une ère de paix et de bonheur s'ouvre pour l'humanité. Cette ressemblance entre le sens hellénistique et le sens chrétien s'explique d'ailleurs par leur commune origine pan-orientale.

L'Évangile chrétien s'oppose aux autres « évangiles » en ce qu'il annonce, non pas le règne passager d'un homme, mais le règne de Dieu. Néanmoins un détail montre que l'influence de l'Ancien Testament est plus décisive que celle de l'hellénisme : dans le Nouveau Testament, le mot Évangile ne signifie pas seulement le *contenu* du message, mais l'*action même d'évangéliser*, ce qui est tout à fait étranger à la pensée grecque. En français nous devrions souvent le rendre par un infinitif avec article :

---

1. Il faut encore citer le texte messianique important d'Is LXI, 2 : « pour consoler les affligés », et l'emploi absolu de Jean, en parlant de l'Esprit Saint : « un autre Paraclet » (Jean XIV, 16). Jésus était le « Paraclet », parce qu'il venait annoncer l'Évangile, la « Consolation » divine (Is XL, 1) ; l'Esprit Saint prolonge et accomplit l'œuvre annoncée par Jésus.
2. Mc I, 3 cite Is XL, 3 ; Mc I, 10 évoque Is XLII, 1 ; LXIII, 19.
3. G. Friedrich : *Theol. Wört.* II, p. 721sv, il cite de nombreux textes à l'appui. Il est suivi par W. Marxsen : *Der Evangelist Markus*, [2]1959, p. 91. - Par contre, R. Bultmann affirme (sans preuves) que cette façon de voir « lässt sich nicht halten » ; il est suivi par É. Trocmé : *Formation de l'évg selon Mc*, 1963, p. 116.

« l'Évangéliser », c'est-à-dire la proclamation elle-même, le fait de proclamer l'Évangile [1].

En résumé, il est donc possible que l'hellénisme soit pour quelque chose dans l'emploi prévalent du substantif surtout chez Paul, mais la signification théologique du substantif Évangile, tout comme du verbe Évangéliser provient surtout du Deutéro-Isaïe.

2. Paul.

Il semble bien que ce soit Paul - et non Jésus - qui ait introduit ce mot dans le Nouveau Testament. Le substantif Évangile se retrouve 60 fois chez lui [2], contre 16 fois dans tout le reste du Nouveau Testament. Or parmi ces 16 emplois non-pauliniens, Marc, à lui seul, en totalise 8 [3], et Matthieu 4 qui dépendent de Marc. Les deux emplois d'Act XV, 7 ; XX, 24 et l'unique emploi de I Pi IV, 17 et d'Apoc XIV, 6 peuvent dépendre médiatement ou immédiatement de Paul. Cela signifie en tout cas que Paul a exercé une influence prépondérante sur l'emploi chrétien de ce mot.

La caractéristique de Paul est d'employer ce mot sans aucun déterminatif, comme un absolu bien connu des lecteurs : « L'Évangile ». Gal I, 7 le dit nettement : « Il n'y a qu'*un* Évangile ! » Cet Évangile a un contenu bien précis, comme le montre l'expression « Évangéliser l'Évangile » [4] ou « Proclamer l'Évangile » [5] ; il est explicité en Rom I, 1-4 ou I Cor XV, 1-3, c'est la mort et la résurrection de Jésus, en tant qu'elles concernent tous les hommes. G. Friedrich le ramasse en un seul mot : « Jésus, le Christ » [6]. Cela n'implique d'ailleurs pas que les nombreux emplois de l'expression « L'Évangile du Christ » désignent invariablement Jésus comme *objet* de l'Évangile ; car il en est aussi et inséparablement l'*auteur*. C'est lui qui proclame l'Évangile [7] et les apôtres (= « envoyés ») ne sont que ses légataires (2 Cor V, 20), ses porte-parole.

---

1. G. Friedrich : *Theol. Wört,* II, p. 727.
2. En comptant Éphésiens (2 fois) et Pastorales (2 fois).
3. En comptant Mc XVI, 15.
4. I Cor XV, 1 ; 2 Cor XI, 7 ; Gal I, 1.
5. Gal II, 2 ; Col I, 23 ; I Thes II, 9 ; cf 2 Tim I, 11, etc.
6. *Theol. Wört.* II, p. 728.
7. Rom XV, 18 ; 2 Cor XII, 3 ; Rom XVI, 25 ; cf *Theol. Wört,* II, p. 728.

Nous avons trop perdu ce sens du Ressuscité vivant et actif au sein de son Église. Nous concevons souvent le Christ comme une personne divine transcendante et séparée, tandis que l'Église proclame sa foi *concernant* le Christ. Pour les premiers chrétiens, c'était le Christ vivant qui créait l'Église par la toute-puissance de sa Parole (= Évangile). Le Christ est donc à la fois le héraut (l'auteur) et l'objet de l'Évangile : lui-même proclame et, en même temps, il est la Parole qu'il proclame. Cette Parole est un message de salut adressé à tout homme, mais qui ne se réalise qu'en lui (Rom I, 16 ; Éph I, 19sv).

L'Évangile n'est pas un simple rappel historique ; il n'est pas la proclamation d'un fait passé (la mort et la résurrection de Jésus), mais une force de Dieu présente et active dans l'Église et le monde. Il n'est pas simple narration de l'événement du salut ; il *est* lui-même événement du salut [1]. Il entre dans la vie des hommes, la renouvelle et crée la communauté chrétienne. L'Évangile n'est pas une Parole vide, mais une puissance créatrice, qui accomplit ce qu'elle annonce, parce qu'elle est Parole de Dieu [2]. Elle opère le pardon des péchés, la mort et la résurrection avec et dans le Christ. Avoir part à l'Évangile, c'est avoir part au salut [3].

Lorsque l'on a bien compris cela, on perçoit à l'évidence que seul le Christ ressuscité peut proclamer *efficacement* l'Évangile - et pour des Hébreux, seule l'efficience authentifie la Parole (Deut XVIII, 22). L'Église peut bien faire entendre un son de paroles, mais seul le Christ vivant a pouvoir de rendre efficace le message qu'elle a mandat de proclamer (Mc XVI, 20). C'est donc bien le Christ qui est l'auteur, le héraut de l'Évangile. Lui seul a autorité pour le proclamer, parce que la force divine qui est à l'œuvre émane de lui. La proclamation de l'Évangile dans l'Église est même l'œuvre par excellence du Ressuscité ; c'est par elle qu'il est présent à son Église et qu'il établit son Royaume dans le monde.

---

1. « Das Evangelium zeugt nicht nur vom Heilsgeschehen, es ist selbst Heilsgeschehen », G. FRIEDRICH, *Theol. Wört*, II, p. 729.
2. Rom I, 1 ; XV, 16 ; 2 Cor XI, 7 ; I Thes I, 5 ; II, 2, 8, 9.
3. I Thes II, 8 ; Phil I, 5 ; I Cor IX, 23.

3. Synoptiques.

a) Marc.

Tournons-nous à présent vers les Synoptiques. Marc surtout emploie le mot Évangile avec prédilection. C'est le titre qu'il a voulu donner à son œuvre, parce que c'était, à ses yeux, celui qui caractérisait le plus exactement son objet. Le mot se retrouve 6 autres fois chez lui et, ce qui est décisif, tous les emplois paraissent être *rédactionnels*, comme nous allons essayer de le montrer immédiatement.

1) En ce qui concerne le titre (Mc I, 1), c'est très clair : c'est évidemment Marc qui a composé le titre de son ouvrage, comme tous les auteurs s'accordent à le reconnaître.

Mc I, 14-15 appartient au cadre rédactionnel de l'ouvrage. Il est un sommaire qui donne le programme de la première section. Il ouvre pratiquement toute la première moitié de l'évangile jusqu'à la confession de Pierre. H. J. Holtzmann fait remarquer le contraste en même temps que le parallélisme entre Mc I, 14 et I, 4 [1] :

Fut Jean le Baptiste dans le désert proclamant un baptême de pénitence pour la rémission des péchés.	Et après que Jean eût été livré, vint Jésus en Galilée, proclamant l'Évangile de Dieu.

Il y a une correspondance entre ces deux événements théologiques. Et cependant Marc en souligne à la fois la complémentarité et la différence. Jean ne proclamait que la pénitence ; Jésus annonce l'Évangile de Dieu. La tournure, la forme, l'opposition elle-même le montrent : Marc compose ici un résumé que Jésus n'a probablement pas prononcé tel quel, mais qui exprime aux yeux de Marc la substance de son message [2]. E. Lohmeyer [3] et, plus nettement encore, D. E. Nineham soulignent que Jésus

---

1. *Die Synoptiker*, Tübingen-Leipzig, 1901 (Hand-Com. z. NT), p. 114.
2. J. WELLHAUSEN : *Das Evangelium Marci*, Berlin, 1909, p. 7.
3. *Evg des Mk*, [15]1959, p. 30sv.

proclame son message « dans la terminologie spécifique de l'Église primitive » [1]. Marc met donc sur les lèvres de Jésus le message qu'annonçait l'Église post-pascale. Il veut par là indiquer l'identité entre le message chrétien et celui de Jésus. Avec R. H. Lightfoot [2], il faut sans doute aller plus loin encore : comment est-il possible que Jésus annonce l'Évangile, sans parler de lui-même ? Lightfoot répond : « Pour l'Évangéliste, Jésus, en annonçant l'Évangile de Dieu, ou l'Évangile du Royaume de Dieu, devait en définitive faire allusion à lui-même ». Cette curieuse réticence de Jésus est elle aussi une manifestation du secret messianique en Marc [3].

2) Le mot Évangile ne se retrouve plus dans toute la première partie de l'ouvrage de Marc. Il ne devait donc pas être courant dans l'enseignement de Jésus lui-même. S'il avait été utilisé par par Jésus, nous le trouverions sans aucun doute plus souvent dans la matière traditionnelle, récits de miracles, controverses et surtout logia et discours. Or il se retrouve uniquement en des passages rédactionnels ou, du moins, visiblement remaniés. Au point de vue du secret comme à celui de la théologie de Marc, il est important de se souvenir que ce mot n'apparaît plus jamais dans la première partie de son évangile, jusqu'à la confession de Pierre.

F. J. McCool [4] le dit clairement : Marc emploie trois fois de suite le mot Évangile dans le titre (I, 1) et l'introduction (programme) de son œuvre (I, 14-15), mais il l'*évite* ensuite dans toute la première partie jusqu'à la confession de Pierre, et cela pour la raison que le mot Évangile ne sera utilisé au sens propre que dans la seconde partie de son œuvre. Dans le titre (Mc I, 1) et dans toute la deuxième partie, le mot Évangile est toujours le message annoncé par l'*Église*, et un message dont Jésus lui-même est le contenu.

---

1. D. E. Nineham : *Saint Mark,* Harmondsworth, 1963, p. 68sv ; de même H. J. Holtzmann, o.c. p. 114sv ; cf R. Bultmann : *Gesch. syn. Trad.* ⁴1958, p. 124.

2. R. H. Lightfoot : *History and Interpretation in the Gospels,* London, 1935, p. 107.

3. D. E. Nineham : *Saint Mark,* 1963, p. 68.

4. *Formatio Traditionis Evangelicae,* Romae, 1955 (cours polycopié, P.I.B.) p. 72.

En Mc VIII, 35 ; X, 29 ; XIII, 10 et XIV, 9, chaque fois l'Église annonce l'Évangile et un Évangile *concernant* Jésus. À cause de l'Évangile les *chrétiens* donnent leur vie (VIII, 35) ou abandonnent tous leurs biens (X, 29). Ce sont les chrétiens qui proclament l'Évangile à toutes les nations (XIII, 10) dans le monde entier (XIV, 9). Tous ces emplois reflètent naturellement un usage post-pascal, exactement comme le titre donné par Marc à son œuvre (I, 1). D'après tout cela, il s'agit donc d'un terme propre pour indiquer le message de l'Église, tout comme en saint Paul.

En VIII, 35 et X, 29, nous trouvons un double emploi du mot Évangile dans une phrase assez curieuse : « Celui qui perdra sa vie ou renoncera à tous ses biens à cause de moi et de l'Évangile les retrouvera ». Les deux autres synoptiques ont supprimé chaque fois le mot « et de l'Évangile ». Leur accord montre que la tradition primitive portait seulement « à cause de moi » [1]. Marc a dû ajouter « et de l'Évangile », pour appliquer à la communauté le logion de Jésus [2], et, plus précisément encore, peut-être, pour créer une équivalence entre Jésus et l'Évangile [3]. Le contenu de l'Évangile annoncé depuis le début, c'est Jésus, le Christ, selon la définition de G. Friedrich [4], qui était déjà celle de saint Marc (Mc I, 1). Marc montre ainsi que le mot Évangile ne peut être employé au sens propre que dans la seconde partie de son message, lorsqu'aura été révélé le mystère de la personne de Jésus [5].

3) Au ch. XIII, le v. 10 rompt la suite entre le v. 9 et le v. 11. Beaucoup de critiques admettent qu'il s'agit d'une addition rédactionnelle [6]. Ici, comme en VIII, 35, la situation envisagée est celle de *chrétiens* en butte à la persécution, témoignant de

---

1. Ainsi G. FRIEDRICH : *Theol. Wört.* II, p. 724 ; W. MARXSEN : *Der Evangelist Markus*, [2]1959, p. 79 ; E. LOHMEYER : *Evg des Mk*, [15], p. 7 et 171, etc.

2. Ainsi E. LOHMEYER o.c. ; H. J. HOLTZMANN : *Die Synoptiker*, 1901, p. 149.

3. Ainsi F. J. McCOOL : o.c. p. 73-74 ; G. FRIEDRICH : *Theol. Wört.* II, p. 726.

4. *Theol. Wört.* II, p. 728.

5. Cf. F. J. McCOOL, ibid.

6. W. MARXSEN : *Der Evangelist Mk*, [2]1959, p. 119 ; R. BULTMANN : *Gesch. syn. Trad.*, [4]1958, p. 129 ; J. SUNDWALL : *Die Zusammensetzung des Markusevangelium*, Abo, 1934, p. 78sv, etc.

l'Évangile devant les tribunaux, jusqu'à la mort. C'est évidemment la situation de l'Église post-pascale [1]. Ces deux textes d'ailleurs, XIII, 10 et VIII, 35, supposent une situation très particulière de l'Église, la persécution. C'est encore le cas de X, 30 : là aussi Jésus promet aux chrétiens qui auront tout quitté à cause de lui et de l'Évangile, le centuple, « maintenant, dans ce temps-ci », et ajoute-t-il, « *avec des persécutions* ». Une fois de plus, Marc seul a cette expression qui surcharge le logion, Matthieu et Luc l'ont supprimée l'un et l'autre. Il est très probable que le logion, dans sa forme primitive, ne comportait pas cette insistance, mais que Marc l'y a ajoutée pour faire l'application précise à l'Église à laquelle il s'adressait. Cette insistance en trois endroits où il est question de la prédication de l'Évangile par l'Église suppose que les destinataires se trouvaient sous le coup de la persécution.

Il ne reste plus que XIV, 9. La construction de ce verset est très parallèle à XIII, 10 :

Vous comparaîtrez devant des gouverneurs et des rois *à cause de moi*, en témoignage pour eux ; car il faut d'abord que l'Évangile soit proclamé à toutes les nations (XIII, 9-10).	Partout où l'Évangile sera proclamé, dans le monde entier, on dira aussi ce qu'elle a fait en mémoire d'elle (XIV, 9).

En XIII, 9, on retrouve le « à cause de moi » de Mc VIII, 35 ; X, 29 en connexion immédiate avec la proclamation de l'Évangile [2]. On saisit aussi le sens du redoublement, apparemment pléonastique de VIII, 35 ; X, 29 : les chrétiens seront persécutés ou quitteront tout, à cause du Nom de Jésus, en raison de leur annonce de l'Évangile (Apoc VI, 9). D'autre part, XIII, 10 et XIV, 9 s'inscrivent dans la perspective d'une proclamation universelle de l'Évangile, comme Act I, 8. On peut supposer que cette situation - ainsi que le dit XIII, 10 - est déjà celle des chrétiens auxquels s'adresse Marc. Cela correspond à la perspective traditionnelle qui voit en Marc un évangile annoncé aux Gentils (Cf Mc VII, 3-4).

---

1. Ainsi D. E. NINEHAM : *Saint Mark*, 1963, p. 230.
2. J. LAMBRECHT dans *Biblica*, XLVII, 1966, p. 323, pense que la forme primitive (originaire de Q) serait la même qu'en VIII, 35 ; X, 29.

Il semble bien aussi que la pointe de l'apophtegme XIV, 3-9 se trouve au v. 7 ou au v. 8. Il est possible que le v. 8 soit déjà une interprétation de Mc, exactement comme le développement II, 20 ; en tous les cas, XIV,9 paraît bien être une application à l'Église universelle telle qu'elle existait du temps de Marc [1].

b) Matthieu et Luc.

Au total, les sept emplois du mot Évangile en saint Marc dénotent un caractère rédactionnel. Cette analyse est confirmée par l'abstention systématique de *Luc* et de *Matthieu*. En effet, Luc n'emploie *jamais* le substantif Évangile dans son premier écrit ; dans les Actes, il l'utilise deux fois, en parlant du message annoncé par les chrétiens. Le deuxième cas, Act XX, 24, trahit une influence paulinienne. Ailleurs, Luc n'emploie que le *verbe* « Évangéliser », tout comme le fait la LXX [2]. De plus, Luc n'a jamais le verbe « Évangéliser » en un endroit où Marc avait « Évangile ». C'est-à-dire que les sept emplois du mot Évangile par Marc ont été systématiquement éliminés par Luc. Si Luc agit ainsi, ce ne peut être par caprice, mais uniquement parce qu'à ses yeux le mot « Évangile » apparaît déjà comme un anachronisme ne correspondant pas à la tradition originale, mais à un usage postérieur de l'Église. Le mot « Évangile » ne se rencontre jamais dans la source des logia de Jésus (Q), mais uniquement dans la tradition qui dépend de Marc, et encore, ce mot a été systématiquement supprimé par l'un des plus fidèles suiveurs de Marc.

Quant à Matthieu, il n'a gardé que 4 des 7 emplois de Marc. Il n'utilise jamais non plus le mot « Évangile » absolument, comme Marc et Paul, mais se sent obligé d'y ajouter un qualificatif : « L'Évangile du Royaume », ou, du moins, « cet Évangile » (Mt XXVI, 13). L'Évangile n'est pas chez lui un terme technique, définition par excellence du message chrétien. Il a besoin d'être précisé. Comme nous venons de le voir, en deux

---

1. Ainsi R. Bultmann : *Gesch. syn. Trad.* [4]1958, p. 37, 283 ; M. Dibelius : *Formgeschichte*, [4]1961, p. 178sv ; E. Lohmeyer : *Evg des Mk*, [15]1959, p. 295sv ; W. Marxsen : *Der Evangelist Markus*, [2]1959, p. 81 ; A. Loisy : *Les Évangiles synoptiques*, Ceffonds, II, 1908, p. 497 ; E. Klostermann : *Das Markusevangelium*, Tübingen, [2]1926, p. 158 ; D. E. Nineham : *Saint Mark*, 1963, p. 371sv.
2. Cf ci-dessus, p. 397-400.

endroits particulièrement importants, Matthieu a supprimé, tout comme Luc, le mot Évangile du texte correspondant de Marc [1]. Autre indice : les quatre emplois de Matthieu dépendent tous de Marc. Outre Mt XXIV, 14 (//Mc XIII, 10) et XXVI, 13 (//Mc XIV, 9), le mot Évangile se rencontre encore en Mt IV, 23 et IX, 36, deux sommaires inclusifs qui démarquent l'un et l'autre Mc I, 14-15.

Concluons : ni Matthieu ni Luc n'ont trouvé le terme Évangile dans les logia de Jésus mais seulement chez Marc. Ce terme chrétien leur a paru insolite sur les lèvres du Maître. Il semble donc que Marc ait introduit le mot dans le langage des synoptiques. Il ne l'a pas puisé dans ses sources traditionnelles - sans quoi il aurait été conservé par Luc et Matthieu - mais dans le vocabulaire et la théologie de Paul.

4. Signification théologique.

W. Marxsen [2] soutient que ce mot signifie pour Marc une *présence* du Seigneur ressuscité. L'Évangile est la forme sous laquelle le Seigneur ressuscité devient présent. Il ne s'agit donc pas de l'histoire du passé en elle-même [3], mais de celle du présent : le passé devient actuel dans la Parole de l'Évangile, parce que l'Évangile est une Parole de Dieu, une Parole vivante qui accomplit ce qu'elle dit (Is LV, 10sv).

Cette interprétation peut avoir des conséquences importantes pour l'exégèse de notre évangile. D'après Marxsen, le titre même de l'ouvrage (Mc I, 1) signifierait que l'écrit de Marc est une Parole de Dieu qui rend Jésus présent et actif dans l'Église d'aujourd'hui. L'Évangile accomplit ce qu'il dit (I Thes II, 10). Lorsqu'il présente Jésus exerçant son activité messianique, c'est en réalité du Ressuscité présent et agissant dans l'Église d'aujourd'hui qu'il est question.

En I, 14-15, Jésus (ressuscité) proclame lui-même l'Évangile dans et par son Église. Tous les épisodes qui suivent sont donc des « signes » - comme dirait Jean - de son activité salvifique dans l'Église d'aujourd'hui. Sa proclamation n'est jamais pure-

---

1. Ci-dessus, p. 405, à propos de Mc VIII, 35 et X, 29.
2. *Der Evangelist Markus*, [2]1959, p. 85sv.
3. Cf G. Friedrich : *Theol. Wört.* II, p. 724-26 et 728-731.

ment verbale, elle est toujours manifestation de puissance et d'efficacité (I Cor II, 4). Les miracles et l'« autorité » (Sultanat) de Jésus en sont les symboles [1].

Au ch. VIII, 35 et X, 29, c'est encore de l'Église qu'il s'agit. Tous ceux qui, à cause de l'urgence de l'Évangile et de l'appel présent du Ressuscité et de son Royaume, renoncent à tout ce qu'ils ont et à la vie même, retrouveront *dès ici-bas*, dans l'Église, le centuple, en parents, amis et biens, et sauveront leur vie (éternelle). Cela met en lumière le caractère actuel et décisif de l'appel.

En XIII, 10, le contexte est fort proche de VIII, 25. Il s'agit de part et d'autre de se prononcer nettement en faveur de l'Évangile devant les tribunaux humains. C'est par ce moyen que l'Évangile sera annoncé dans le monde entier (comp. Act XXIII, 11). La persécution des témoins est le moyen que Dieu a choisi pour faire connaître son Évangile.

Notre propre analyse des emplois de Marc [2] nous autorise à accepter sur ce point les conclusions de W. Marxsen. Tout comme pour Paul, l'Évangile est, pour Marc, l'appel présent du Christ ressuscité, appel qui crée l'Église. Il est une force de Dieu sauvant aujourd'hui tout croyant et se répandant irrésistiblement à travers le monde entier, par le moyen même de la persécution.

Par son emploi du mot Évangile, Marc fait voir qu'il souscrit à l'affirmation de Paul :

> « Même si nous avons connu le Christ selon la chair, nous ne le connaissons plus ainsi à présent » (2 Cor V, 16).

Marc ne nous décrit pas Jésus selon la chair ; mais à travers les anciens souvenirs, il nous décrit l'activité présente du Christ-Esprit dans l'Église. Depuis le début, c'est du Christ ressuscité qu'il est question, mais du Christ inséparablement crucifié et ressuscité ; du Christ qui a continuellement étouffé la lumière jaillissante de sa majesté pour embrasser la volonté du Père, la croix d'où devait lever la résurrection. Marc *relit* les épisodes de la vie du Christ dans l'expérience chrétienne d'aujourd'hui. Il les relit pour l'Église.

---

1. Cf l'interprétation d'A. FEUILLET, ci-dessus, p. 120-122 : le miracle du paralytique est donc une manifestation du Christ ressuscité !
2. Ci-dessus, p. 403-407.

B. IMAGES DE L'ÉGLISE.

1. Descriptions.

a) Ce qui est dit à propos du mot Évangile s'applique singulièrement à certaines scènes caractéristiques de l'œuvre de Marc.
R. H. Lightfoot avait déjà été frappé par la similitude de trois
d'entre elles [1] :

- I, 35-39 : retraite après le sabbat.
- VI, 45-52 : retraite après la multiplication des pains.
- XIV, 26-42 : retraite après la Cène.

Dans chacun de ces cas, Jésus se trouve à part pour prier,
c'est la nuit, et l'on se trouve en un moment de crise après un
succès ou un épisode particulièrement important.

En I, 35-39, il vient de se manifester à Capharnaüm. Les
disciples s'imaginent qu'il va exploiter cette réussite. Mais le
lendemain matin, bien avant le jour, Jésus a disparu. Pierre et
ses compagnons, inquiets et déconcertés, s'en vont à sa recherche. Premier cas d'une situation où les disciples sont seuls parce
que le Maître - apparemment du moins - est absent. Il se trouve
en « un lieu désert » et là il prie. Les disciples veulent le rappeler à la réalité, mais Jésus échappe à la foule qui le cherche et
s'en va ailleurs, car, dit-il, « c'est pour cela que je suis sorti ».
Marc évoque ainsi tout le mystère, le « secret » [2] qui enveloppe
le Christ. Les apôtres sont décontenancés et ne saisissent pas le
sens de sa mission.

Cet aspect des choses nous rapproche de l'agonie (XIV, 32-
42). Là aussi, Jésus se trouve seul. Ses disciples ne sont pas
avec lui. Pour huit d'entre eux, c'est lui-même qui les a empêchés
de l'accompagner (XIV, 32) en des termes qui rappellent Gen
XXII, 5. Puis il éloigne encore de lui ses trois préférés, et ceux-ci
sont, en effet, étrangement absents, en raison de leur incompré-

---

1. « A Consideration of Three Passages in St Mark's Gospel », dans
In Memoriam E. Lohmeyer, Stuttgart, 1951, p. 110-115.
2. Voir ci-dessus, p. 251-254.

hension, tandis que Jésus prie seul. Trois fois, il vient vers eux, mais ils sont incapables de veiller avec lui et ne comprennent rien à cette souffrance subite. Ici encore, il fait nuit, et Jésus vient d'instituer l'Eucharistie.

Ce dernier trait appelle le troisième épisode de Lightfoot, Mc VI, 45-52. La prière de Jésus à Gethsémani suivait de peu la Cène. Ici, la prière de Jésus sur la montagne succède immédiatement à la première multiplication des pains, signe de l'Eucharistie [1]. Il fait nuit et, une fois encore, Jésus se trouve seul, tandis que ses disciples peinent au milieu du lac. Ils n'ont pas encore compris, et c'est pour cela qu'ils sont terrifiés lorsque Jésus s'approche d'eux en marchant sur les flots [2].

b) Ces trois scènes s'éclairent mutuellement et projettent leur lumière sur tout le message de Marc. Mais il ne faudrait pas s'arrêter là. Plusieurs autres épisodes nous placent dans une conjoncture analogue : chaque fois le Maître est absent, ou paraît absent, et les disciples sont dans le trouble. Chaque fois aussi, Marc a soin d'ajouter ou de laisser entendre que, s'ils sont angoissés, c'est à cause de leur manque de foi.

Ainsi, le parallélisme entre les deux *traversées du lac* est trop étroit pour n'être pas intentionnel. Lors de la première traversée (IV, 35-41), il faisait nuit également. Ce premier passage suit, lui aussi, une journée mémorable, la journée des paraboles. Jésus a parlé en termes encore incompréhensibles à la foule des semences qui poussent en moissons et du Royaume de Dieu qui se manifestera en son temps. Pendant la traversée, Jésus dort et les disciples peinent. Ils peinent chaque fois que le Maître n'est pas avec eux. Leur cri : « Maître, tu ne te soucies pas de ce que nous périssons ? » semble dire que ce sont les *disciples* qui courent un danger dont le Maître ne semble pas se préoccuper. Le reproche serait plus difficile à comprendre si le Maître avait couru le même danger qu'eux à ce moment.

Par ailleurs, la péricope démarque l'aventure de Jonas dormant dans la cale tandis que la tempête soulève la Méditerranée (Jonas I, 4-6). Précisément cette allusion à Jonas suggère une application plus profonde, une relecture, si l'on veut. Jonas et

---

1. Cf VI, 41 : formule liturgique.
2. De même, É. Trocmé : *Formation de l'évg selon Mc*, 1963, p. 133, note 89.

son séjour dans les eaux de l'océan évoquent le séjour du Christ dans l'abîme de la mort. C'est le cas dans la tradition tardive [1] de Mt XII, 40. En saint Marc aussi, la répétition insistante de cette scène où les disciples se trouvent seuls, tandis que le Maître est absent ou « dort », semble se référer à une expérience post-pascale de l'Église. Les disciples sont dans la tempête au milieu de la mer, et le Seigneur apparemment ne se soucie pas de leurs tribulations. Mais il suffit qu'il se manifeste pour que toutes leurs terreurs soient dissipées. En VI, 49, la marche de Jésus sur les flots ressemble plus encore à une apparition de Pâques (comparer Luc XXIV, 37, 39), Jésus vient comme un esprit, marchant sur les flots, et les disciples sont épouvantés par cette apparition, parce que leur esprit est encore fermé : ils n'avaient pas compris le miracle des pains. On peut se poser la question : de qui Marc parle-t-il ? Des Douze, témoins des hauts faits de Jésus ? ou bien de l'Église à laquelle il parle, qui a vécu les fêtes pascales, qui sait que le Seigneur est ressuscité et qui pourtant se laisse démonter par la tempête ? Sans doute une application n'exclut-elle pas l'autre : Marc a relu les épisodes de la vie du Christ dans le cadre du christianisme primitif.

Mais ce n'est pas tout. Il existe encore une troisième traversée du lac en saint Marc (VIII, 14-21) et cette fois la part rédactionnelle de Marc est indéniable et elle est considérable [2]. C'est d'autant plus intéressant pour nous. Une fois encore, les disciples sont au milieu du lac et ils sont inquiets. Sans doute Jésus est-il avec eux, mais, précisément, ils n'ont pas de pain et ils sont préoccupés à ce sujet, alors qu'ils viennent de vivre, coup sur coup, les deux multiplications des pains. Une fois encore, on a l'impression que les apôtres ne réalisent pas complètement que Jésus est avec eux. Jésus leur reproche leur manque d'« intelligence », parce qu'ils n'ont pas compris le miracle des pains et sont dans le trouble.

c) Un autre épisode dépeint exactement le même cas, avec des mots différents. C'est le récit de la guérison de l'épileptique,

---

1. Voir ci-dessus, p. 366.
2. Voir W. WREDE : *Messiasgeheimnis*, [3]1963, p. 105 ; É. TROCMÉ : *Formation évg selon Mc*, 1963, p. 30, note ; V. TAYLOR : *Gosp. Acc. to St Mk*, 1952, p. 83 et 363 ; E. SJÖBERG : *Der verborgene Menschensohn*, 1955, p. 103, note ; M. DIBELIUS : *Formgeschichte*, [4]1961, p. 230 ; etc.

tel qu'il est rattaché par Marc [1] à celui de la transfiguration. A nouveau, Jésus est absent. Il se trouve sur la montagne de la transfiguration, tandis que les disciples se trouvent seuls dans la plaine. Ils sont naturellement dans la difficulté ; le démon leur résiste et ils ne peuvent l'expulser. A son retour, Jésus leur reproche leur incrédulité (IX, 19, cf 23-24). Tout comme en IV, 35-41, il y a une allusion très discrète à la mort de Jésus, tout d'abord dans la transition (IX, 12), ensuite dans la guérison du garçon (IX, 26) et enfin dans l'explication donnée par Jésus « à la maison » (IX, 29) [2].

Ces petites scènes se reproduisent trop souvent dans l'évangile de Marc pour n'être pas une monition précise à l'Église. La communauté chrétienne se trouve dans la même situation que les apôtres. Le Maître est retourné aux cieux, et eux sont restés dans la plaine, tout comme les disciples au pied de la montagne de la transfiguration. Le démon leur résiste ; ils sont dans les affres de la persécution et le Seigneur, apparemment, ne se préoccupe guère d'eux. Où est-elle donc cette parousie glorieuse proclamée par le kérygme ? La nuit est venue sur eux avec sa tentation, et ils n'ont plus avec eux qu'un seul Pain [3].

Une autre image de la communauté ecclésiale est dessinée par Marc en VI, 6b-32. Cette fois, le Maître envoie clairement ses disciples en mission, tandis que lui reste à l'écart. C'est la situation post-pascale de l'Église. Il leur communique ses pouvoirs puis il leur laisse annoncer l'Évangile. On aurait l'impression que cette mission réussit mieux que les autres, surtout si on la lit à la lumière du commentaire de Luc X, 17-24, ce qui est toujours à déconseiller, car on projetterait ainsi en Marc la théologie lucanienne.

Chez Marc au contraire, il y a une tragique inclusion entre le récit concernant l'exécution de Jean-Baptiste et le départ et le retour de mission. Entre l'envoi des disciples pour annoncer l'Évangile et leur retour auprès du Maître, Marc a introduit un interlude pendant lequel il raconte l'assassinat du Baptiste par Hérode. Si l'on note le parallélisme entre la pseudo-confession

---

1. Cf ci-dessus p. 89-99, la part rédactionnelle de Marc !
2. Cf ci-dessus, p. 96-99.
3. Interprétation analogue : E. BEST : *The Temptation and the Passion : The Markan Soteriology*, Cambridge, 1965, p. 105sv et 182sv.

de foi d'Hérode (VI, 14-16) et la confession de foi de Pierre (VIII, 27-30), et, en outre, entre le destin du Baptiste et celui de Jésus, explicitement affirmé dans les versets rédactionnels IX, 12-13, on saisira tout de suite que l'exécution du Baptiste préfigure celle du Christ.

Mais sans doute faut-il aller au-delà. En Marc I, 1, Jean-Baptiste constitue le commencement de la proclamation de l'Évangile. C'est lui qui, le premier, a annoncé le message et qui proclame le kérygme (I, 4, 7-8). Or c'est précisément à cause de son message qu'il est mis à mort par Hérode. Le récit de son exécution entretoisé par Marc entre le départ des apôtres en mission et leur retour doit signifier chez lui le destin des missionnaires chrétiens (XIII, 9sv ; VIII, 35-38).

2. Monitions à l'Église.

a) Cette série de petites scènes se répétant avec une lancinante monotonie nous impose l'interprétation ecclésiale du message de Marc. Elle est confirmée par une suite d'*adresses directes* à l'Église, où l'ambiguïté n'est plus possible.

Commençons par la fin : Mc XIII, 33-37 conclut le discours eschatologique. Jésus avertit les apôtres qu'il va les quitter et qu'ils resteront seuls. Ici encore, c'est la nuit ; il ne faut pas qu'ils dorment pendant ce temps. Il faut qu'ils veillent, car leur Maître reviendra, mais ils ne savent pas quand. La situation décrite ressemble à celle des tribulations des disciples sur le lac ou au pied de la montagne, tandis que leur Maître était absent ou qu'il « dormait » du sommeil de Jonas. D'ailleurs, pour qu'on ne puisse s'y méprendre, ces versets sont interprétés par tout le discours eschatologique, dont ils sont la conclusion et le condensé pratique. Dans ce discours, Jésus prévient l'Église de Marc qu'elle sera persécutée, battue de verges à cause de la proclamation de l'Évangile. Mais ceux qui auront tenu bon jusqu'au bout seront sauvés.

Mais, dès le début de l'évangile la situation de l'Église est dépeinte de la même manière. En II, 20, dans un verset rédactionnel [1], Jésus prophétise qu'un jour viendra où l'Église n'aura plus

---

1. Cf ci-dessus, p. 126.

l'Époux avec elle. Elle sera alors en grand deuil. Toujours cette même description de l'Église dont le Christ apparemment est absent, et d'une Église en proie à la persécution en raison même de cette absence. Dans ce verset aussi, c'est nommément de l'Église qu'il est question ; les chrétiens de Marc ne pouvaient ne pouvaient s'y méprendre.

Comme les exégètes l'ont reconnu [1], l'explication de la parabole du semeur (IV, 13-20) constitue en réalité une homélie à l'usage de l'Église. Là, l'enseignement du Maître est appliqué aux nécessités actuelles de la communauté. On y retrouve toujours la même situation, avec quelques précisions toutefois. Là aussi, on endure des persécutions à cause de la Parole, et beaucoup de chrétiens défaillent (IV, 17). Comme on pouvait déjà s'en douter, l'Église de Marc n'est pas seulement une Église persécutée, mais une Église déconcertée par la persécution et dont plusieurs membres apostasient. Ils n'ont pas encore compris le vrai sens de la mission du Christ et s'imaginent que la parousie doit nécessairement être pour demain, faute de quoi leur foi est remise en cause.

Une autre caractéristique de l'Église de Marc est la richesse relative : la richesse étouffe parfois la semence de l'Évangile et celle-ci ne porte pas de fruit (IV, 18-19). L'Église ne devait pas être celle des Corinthiens (I Cor I, 26) ! Sans quoi la recommandation eût été superflue. D'ailleurs nous verrons que l'évangéliste y revient plus loin avec une insistance toute particulière (X, 17-31). Il devait s'agir d'une expérience précise. Tout comme en IX, 14-29, Satan est bel et bien présent dans l'Église. Il ne faudrait donc pas dire que Jésus a vaincu le démon une fois pour toute en I, 12-13 [2] !

b) En VIII, 34-38, aussitôt après la confession de Pierre et la prédiction de la passion, Jésus appelle les foules. On se trouve à Césarée de Philippe (VIII, 27), à une bonne cinquantaine de kilomètres au Nord de la Galilée. Ce doit donc être la solitude, comme le postule Marc pour y situer la confession de Pierre. Mais entretemps Marc a oublié ce détail et il convoque à nouveau les foules autour du Maître [3]. C'est un procédé lit-

---

1. Cf ci-dessus, p. 167sv.
2. Contre E. Best : *The Temptation and the Passion*, 1965, 190sv et passim.
3. Cf ci-dessus, p. 92sv.

téraire : la nécessité de la passion concerne tous ceux qui veulent suivre Jésus, c'est-à-dire tous les chrétiens et, en particulier, l'Église à laquelle s'adresse Marc.

C'est elle, au fond, que Jésus convoque ici. L'Église prolonge la mission et la destinée du Messie. Le mystère messianique se continue en elle. Si quelqu'un veut venir après lui, qu'il prenne sa croix et le suive. Cette parole aurait difficilement pu être prononcée telle quelle dans la situation envisagée ici (à Césarée de Philippe) ; mais, dans le contexte de l'Église persécutée, ce logion devenait limpide comme le jour. Marc applique ainsi à l'Église le message du Christ, comme il l'avait fait déjà en IV, 13-20.

Mc VIII, 34-38 fait donc une claire allusion au martyre de l'Église [1] et se comprend au mieux dans le *Sitz im Leben* de l'Église persécutée. Il nous paraît que Marc - immédiatement après la confession de Pierre, qui amène son livre au sommet de sa tension eschatologique - enlève tout à coup son masque et parle en termes clairs, sans aucune ambiguïté, à l'Église qu'il a entrepris d'encourager. Il faut qu'elle comprenne nettement ce qu'il avait à lui dire. C'est évidemment à la communauté post-pascale que s'adresse cette monition, à une communauté qui, comme Pierre (VIII, 33), a des pensées humaines et non la pensée de Dieu. La situation dépeinte est celle de l'Église primitive. Le Fils de l'Homme se trouve au ciel, dans la gloire de son Père (VIII, 38), tandis que l'Église sur terre est en butte à la persécution. Seuls ceux qui auront le courage du martyre sauveront leur vie en la perdant [2].

La même situation est reflétée par la naïve demande des fils de Zébédée. Ils voudraient se trouver à sa droite et à sa gauche dans sa gloire. Jésus leur répond qu'ils doivent tout d'abord boire sa coupe et être baptisés de son baptême. Tout cela reflète une situation post-pascale de l'Église. Et Jésus répète le même enseignement à tous les disciples [3] : ceux d'entre eux qui voudront être les premiers devront se faire les esclaves de tous car le Fils de l'Homme n'est pas venu pour être servi, mais pour servir et donner sa vie (X, 45).

---

1. Cf J. Schniewind : *Evg nach Mk*, ⁹1960, p. 84sv ; E. Haenchen : *Der Weg Jesu*, 1966, p. 297 ; H. E. Tödt : *Der Menschensohn in der synopt. Überliefer.* ²1963, p. 136.

2. Cf E. Haenchen : *Novum Testamentum*, VI, 1963, p. 91-96.

3. X, 42 ; comparer le procédé à VIII, 34 ; VII, 14.

Ce dernier membre de phrase, tout comme déjà la transparente application de VIII, 34-38 nous impose une vérité qui aurait dû nous aveugler depuis le début : la pointe ultime du secret messianique n'est pas christologique, dogmatique, mais *pastorale*. Marc s'adresse à une Église persécutée et déconcertée par la persécution. Elle s'attendait plutôt à un triomphe du christianisme, puisque le Christ est ressuscité. Tout comme les chrétiens de Thessalonique étaient scandalisés du retard de la parousie, ceux-ci comprennent difficilement que l'Évangile soit tenu en échec et que les chrétiens soient décimés comme de vulgaires perturbateurs de l'ordre public.

Marc leur répond que cette situation est tout à fait normale. Le destin du Christ n'était pas seulement salvifique, il était aussi le prototype mystérieux de celui des chrétiens. Le serviteur n'est pas plus grand que le Maître (comparer Jean XV, 20), et Marc donne en exemple à ses chrétiens le Christ qui, tout Fils de Dieu qu'il fût, a choisi volontairement la passion et la croix, parce que telle était la volonté du Père. Dans ce contexte on comprend mieux les violentes injonctions au silence, tout autant que leur immanquable violation : Marc veut apprendre à ses chrétiens qu'il aurait été tellement facile et tellement « naturel » au Fils de Dieu de s'assurer un triomphe spectaculaire, s'il avait seulement laissé se manifester l'extraordinaire puissance qui émanait de lui. Et cependant il a repoussé avec violence cette possibilité, car elle ne représentait pas la pensée de Dieu, mais la pensée des hommes (VIII, 33). Ce qui vaut du Christ, vaut de l'Église (VIII, 34) ; elle aussi devra boire le calice qu'il a bu et être baptisée du baptême dont il a été baptisé (X, 39).

c) Dans la perspective de l'Église persécutée, toutes les *allusions* de Marc devaient porter. Depuis II, 20, jusque VIII, 14-21 et X, 35-45, tout cela l'atteignait de plein fouet. À travers les disciples qui ne comprenaient rien, et qui cherchaient sans cesse la gloire immédiate (IX, 5 ; VI, 52 ; VIII, 21 !), c'est l'Église qui était fustigée. Dans la description cinglante de l'impuissance des apôtres au pied du Tabor, la communauté chrétienne sentait passer le vent de la mordante ironie de son évangéliste. De même dans les disputes pour la préséance, au moment même où Jésus leur enseigne la nécessité de la passion (IX, 33sv ; X, 35-45). Chacun de ces traits choisis devait faire mouche [1]. Tout au long de l'évangile, à travers d'innombrables allusions, on voit se profiler la silhouette de l'Église persécutée et terrifiée. Elle a oublié - ou n'a pas compris - qu'au milieu de la tempête qui la secoue, elle n'a pas le droit d'avoir peur, parce que le Seigneur ressuscité est avec elle, même s'il paraît dormir (IV, 40) ou être absent (VI, 47sv ; IX, 18) ; elle ne comprend pas que l'unique Pain qui lui reste suffit pour assurer sa subsistance (VIII, 14-21) [2].

Tout ce long aveuglement, entrecoupé de reproches et guidé par la patiente impatience du Christ, reflète l'incompréhension de la communauté persécutée, instruite par son pasteur, Marc. On comprend, dans cette perspective, que son évangile se termine par le récit circonstancié de la passion de Jésus, suivi de la peur et de l'effroi des disciples qui n'ont encore rien compris du mystère de sa mort-résurrection, tandis que la résurrection elle-même est à peine suggérée. Ce n'était pas ce triomphe-là qu'il importait d'orchestrer au jour de l'Église (cf II, 20 !). Elle n'avait que trop tendance à s'y installer (IX, 5) ; mais ce n'était pas le moment.

Même le discours en paraboles devait faire comprendre aux chrétiens que l'Évangile de la croix - trame de leur vie ! - était une semence toute petite et apparemment méprisable et qui pourtant croissait et deviendrait bientôt un grand arbre, ou une moisson magnifique. C'était le privilège des chrétiens - « ceux du dedans », par opposition aux non-chrétiens, IV, 11 - de connaître ce « mystère », tandis que, pour les autres, tout cela était pure folie (cf I Cor I, 18-25). Et cependant Marc laisse suffisamment entendre que, pour les croyants eux-mêmes, ce langage était bien difficile à entendre (IV, 13 ; VII, 18).

d) A côté de ce trait central, d'autres touches peuvent nous aider à redécouvrir le visage de l'Église. Nous avons déjà parlé de la richesse qui risquait d'étouffer la Parole (IV, 19). Cette allusion rapide est précisée dans une monition à l'Église (X, 17-31). À l'intérieur du cadre formé par les trois prophéties de la

---

1. Cf J. M. ROBINSON : *The Problem of History in Mk*, 1957, p. 69 ; *Geschichtsverständnis*, 1956, p. 76.
2. N'oublions pas que VIII, 14-21 est la conclusion de toute la section des pains, elle-même centrée autour des deux formules liturgiques, VI, 41 ; VIII, 6.

passion, et dans le contexte de l'insistance sur l'obligation pour
les disciples de suivre leur Maître jusqu'au martyre (VIII, 34-
38 ; X, 38sv, 52), il semble bien que ce texte particulièrement
dur sur la richesse, avec le commentaire rédactionnel qui le suit
(X, 23-27) [1] devait répondre à un problème concret de l'Église.
La richesse avec tous les engagements temporels qu'elle suppose
(IV, 19) pouvait, en temps de persécutions, être un obstacle
dirimant. Elle rendait infiniment plus difficile le désistement
total pour l'Évangile. Elle empêchait parfois - voire souvent -
les chrétiens de suivre le Christ jusqu'au bout, et entraînait
même à l'apostasie (X, 22-23).

Les disputes pour la préséance dénotent aussi une Église de
notables. Sans doute aussi les monitions de perdre plutôt un
œil ou une main que d'apostasier devaient-elles refléter une
expérience vécue de l'Église (IX, 42-48). Le rejet de Jésus par sa
propre famille (III, 21, 31-35 ; VI, 1-6) correspondait à la situation ecclésiale en temps de persécutions. Les parents et amis
païens adjuraient les chrétiens d'apostasier, ou bien les traitaient
de fous parce qu'ils affrontaient les persécutions pour leur foi.
L'allusion est interprétée en X, 28-31 (v. 30 : « avec des persécutions » !) et en XIII, 12.

Plus douloureusement, le triple reniement de Pierre, si longuement orchestré par Marc (XIV, 29-31, 54, 66-72) avait
peut-être été dramatiquement revécu par l'Église ; de même la
trahison de Judas, la fuite de tous les disciples et peut-être le
petit épisode caractéristique XIV, 52. En ce qui concerne l'agonie,
J. Héring [2] a montré que dans sa teneur actuelle ce récit concerne la tentation *de l'Église* : « Veillez et priez pour ne pas entrer en tentation » (XIV, 38), cela correspond à la demande du
Pater, Mt VI, 13. Nous ne pensons pas - contre J. Héring - qu'il
s'agisse ici d'une pieuse correction de scribe, mais d'une application voulue par Marc. Malgré cela, Marc n'enseigne pas que
l'apostasie est irrémissible, bien au contraire (XIV, 72). Il a
même la délicatesse d'éviter de parler du suicide de Judas, encore
qu'il affirme clairement que ceux qui ont perdu le Christ ont
tout perdu (XIV, 21 ; cf VIII, 36 ; IX, 42-48 ; X, 23).

---

1. Voir ci-dessus, p. 261-263.
2. « Zwei exegetische Probleme in der Pericope von Jesus in Gethsemane », dans *Neotestamentica et Patristica* (Freundesgabe O. Cullmann),
Leide, 1962, p. 64-69 !

Une multitude d'autres détails s'éclairent à cette lumière ; il n'est pas nécessaire de les étudier tous ici. À travers le choix des épisodes d'un bout à l'autre de l'évangile et par une foule de traits de plume artistement composés - malgré l'apparente maladresse - l'Église de Marc est visée et, en quelque sorte, dépeinte.

C. MARC XIII, DISCOURS ESCHATOLOGIQUE.

Comme le dit excellement W. Marxsen [1], le ch. XIII est un des témoins principaux de la situation de l'Église au moment où Marc écrit son évangile. Ce chapitre décrit en raccourci toute l'histoire du monde, et plus particulièrement celle de l'Église jusqu'à la parousie. Cette histoire est envisagée depuis le départ du Christ. Cela correspond exactement à la situation actuelle de l'Église à laquelle s'adresse Marc.

Un grand nombre - un nombre décourageant ! - d'études ont paru sur ce chapitre XIII de Marc. Néanmoins la plupart de ces études s'attaquent au problème de l'authenticité historique. Comme le dit encore W. Marxsen [2], la quasi-totalité de ces problèmes disparaissent à partir du moment où l'on décide de se situer au niveau de la *rédaction marcienne* de ce chapitre et de s'y tenir. Une inférence critique au niveau historique ou au niveau de l'authenticité de ce discours sur les lèvres de Jésus dépasserait les limites de notre programme. Nous nous contentons donc de renvoyer à quelques-uns des principaux auteurs qui ont approfondi et discuté cette question [3].

1. Remarque préliminaire.

Nous nous limiterons donc à la rédaction de Marc, dans l'espoir de déceler quelques précisions concernant la communauté chrétienne à laquelle il s'adresse. Tout d'abord une remarque.

---

1. *Der Evangelist Markus*, [2]1959, p. 102 « als Kronzeuge ... für die Feststellung der Abfassungszeit des Evangeliums ».
2. Ibid. p. 103.
3. Voir bibliographie spéciale en fin du volume.

Le propre du genre apocalyptique est de nous décrire la situation présente comme prévue depuis longtemps par Dieu et
annoncée par un prophète patenté par lui [1]. Pour arriver à leurs
fins, les auteurs des apocalypses mettent sur les lèvres d'un
prophète [2] qui a vécu ou est supposé avoir vécu plusieurs années,
voire plusieurs siècles auparavant, la « prédiction » précise de
toutes les épreuves actuelles. L'exemple classique en est le Livre
de Daniel. Ce prophète, censé avoir vécu au VIe ou Ve siècle
raconte en détail la persécution d'Antiochus Épiphane en 170-
167 avant Jésus-Christ. Le but de ce procédé est d'encourager
les fidèles persécutés, de leur faire prendre du recul, de leur montrer que leurs souffrances avaient été prévues de tout temps par
Dieu. Ces souffrances n'évacuent pas le plan divin de salut ;
elles en sont partie constitutive, elles sont la tribulation finale
qui précède de peu l'avènement du salut définitif.

Presque toutes les apocalypses sont donc caractérisées par
une précision minutieuse dans la description de la tribulation
présente, constrastée avec le caractère imprécis et vague du salut
promis dans l'avenir. La description de la persécution est le récit
circonstancié d'événements s'accomplissant sur terre ; tandis que
le salut est une œuvre de Dieu, se réalisant au ciel ou venant
du ciel. On montre ainsi la dimension théologale de l'espérance.
Il ne s'agit pas de conjectures, mais de foi dans le secours divin
qui ne peut faillir.

Nous avons là un critère d'analyse littéraire relativement aisé.
Il suffit de comparer la description très reconnaissable des quatre animaux qui représentent successivement les Babyloniens
(lion), les Médo-Perses (ours), l'empire d'Alexandre (léopard) et
celui des Séleucides (bête à dix cornes), dans le ch. VII de Daniel,
avec la vision céleste du Fils de l'Homme. Jusqu'au v. 8, la
description rappelle (« prédit ») tout ce qui se passe sur la terre,
c'est l'histoire contemporaine. A partir du v. 9, commence la
description du jugement divin. Nous sommes transportés de la
terre au ciel, et aussitôt la suite des événements sur la terre
devient beaucoup plus vague. On apprend seulement que la bête
sera tuée (v. 11) après un certain laps de temps (v. 25). Puis

---

1. Cf L. Hartmann : *Prophecy Interpreted*, Lund, 1966, p. 24.
2. Ou par un autre moyen : anges, visions célestes, etc. Voir Hartmann,
o.c. p. 105.

vient la promesse de l'éternel salut. - De même en Daniel VIII, un contraste analogue existe entre VIII, 1-12 et VIII, 13-14, ou bien entre XI, 2-45a et XI, 45b-XII, 4, etc.

2. Structure rédactionnelle.

Si l'on se base sur un critère analogue en ce qui concerne Marc XIII, on sera amené à dire que la description de la situation présente perdure jusqu'au v. 23, tandis que les v. 24-27 sont l'annonce du salut divin [1]. Le caractère céleste de ce salut saute aux yeux.

On trouve la confirmation de cette répartition dans la structure rédactionnelle du chapitre. Dans l'introduction, dont le style trahit la main de Marc [2], les quatre disciples demandent à Jésus quand *cela* arrivera et quels sont les signes que *tout cela* va s'accomplir. Ces deux qualificatifs, « cela » et « tout cela » sont les repères littéraires que nous retrouverons à travers tout le discours.

Nous en reconnaissons l'expression à la fin de tout l'exposé, au v. 30 : « jusqu'à ce que *tout cela soit accompli* ». C'est la reprise littérale de la question des disciples : « Quels sont les signes que *tout cela* va s'accomplir ? » Jésus répond avec précision : « En vérité, je vous le dis, cette génération-ci ne passera pas que *tout cela* ne soit accompli ». La précision chronologique, ainsi que le fait admis que Marc écrit son évangile entre 65 et 75 [3] suggère que *tout cela* devait être accompli au moment où Marc écrit. Cette inférence est appuyée par le v. 29, où la même tournure est reprise : « Lorsque vous verrez *cela* arriver, sachez qu'Il est proche, aux portes » [4]. Cette phrase laisse entendre que les lecteurs ont déjà *vu cela arriver*, et que Marc les invite à en tirer la conséquence : « sachez qu'Il est proche, aux portes ». Le « il » en question se rapporte au Fils de l'Homme qui vient d'être décrit aux v. 24-27. Dans le contexte apocalyptique, la signification est claire : la tribulation eschatologique précède

---

1. De même G. R. Beasley-Murray : *Jesus and the Future*, 1954, p. 199sv, avec bibliographie ; J. M. Robinson : *The Problem of History in Mk*, 1957, p. 60-63.
2. Cf S. G. F. Brandon : *New Test. Studies*, VII, 1960-61, p. 135-6.
3. Cf Brandon, ibid. p. 126 (bibliogr.).
4. Cf H. Conzelmann : *Zeitschr. f. neutest. Wiss.* L, 1959, p. 220.

immédiatement la manifestation définitive du salut. Ici donc, l'accomplissement de « cela » est le signe que le salut, c'est-à-dire, pour les chrétiens, la parousie, ne saurait tarder [1].

De façon plus précise encore, au v. 23, à l'endroit exact où s'achève la description détaillée de tous les événements terrestres, avant que n'intervienne le salut divin (v. 24-27), Jésus conclut sa description par ces mots : « Voilà, je vous ai *tout* prédit ». Cela suppose que la prédiction est achevée en cet endroit ; après cela, il n'y a plus que l'annonce du salut divin, qui est une description classique de la parousie. Il y a donc correspondance entre l'interrogation : « Dis-nous quand *cela* arrivera, et quels sont les signes que *tout cela* va s'accomplir » et la réponse de Jésus : « Voilà, je vous ai *tout* prédit » (v. 23). La description s'achève en cet endroit.

Dans la même perspective se place le terme précis fixé à l'accomplissement de *tout cela* : « En vérité, je vous le dis, cette génération(-ci) ne passera pas que *tout cela* ne soit arrivé » (v. 30). Le vocabulaire nous oblige à rapporter ce v. 30 à la question posée au v. 4. Cela évite du même coup la contradiction apparente entre le v. 30 et le v. 32. Le v. 30 affirme que *tout cela*, c'est-à-dire les événements terrestres au sujet desquels les disciples avaient interrogé Jésus au v. 4, et auxquels se rapportait toute la longue description des v. 5-23, jusqu'à « Voilà, je vous ai tout prédit », tout cela donc se réalisera avant la disparition de la génération contemporaine de Jésus. C'était encore le cas des destinataires de Marc, si comme l'unanimité des exégètes l'admettent, il a écrit vers 65-75 ap. Jésus-Christ. Par contre, le v. 32 concerne nettement la parousie, dont personne ne connaît le Jour, pas même le Fils. Cette façon de rapporter le v. 30 et le v. 32 à deux événements bien distincts ne nous est pas imposée par un souci apologétique, mais par la simple analyse rédactionnelle du chapitre : « *tout cela* », selon nous, ne peut se rapporter qu'à la question du v. 4 ; tandis que le Jour et l'heure inconnus même des anges, ne peut désigner que la parousie [2]. La contradiction quasi insoluble à laquelle se heur-

---

1. Cf A. Feuillet : *Revue Biblique*, LVI, 1949, p. 83.
2. Contre G. R. Beasley-Murray : *Jesus and the Future*, 1954, p. 183-191 qui interprète les deux versets (v. 30 *et* 32) de la parousie. Il est affronté à la contradiction (ibid. p. 189).

tent les auteurs qui veulent rapporter les v. 30 et 32 au même
événement est une puissante confirmation de notre analyse.

Résumons-nous : quatre repères précis permettent de circonscrire exactement le propos de Marc. La question rédactionnelle du v. 4 définit l'objet du discours eschatologique : « Dis
nous quand *cela* arrivera et quels sont les signes que *tout cela*
va s'accomplir ». Le v. 23 marque nettement un terme : « Voilà,
je vous ai *tout* prédit ». Jésus a donc répondu à la question des
disciples en cet endroit, il ne lui reste plus qu'à décrire la parousie qui doit succéder à ces événements-là. Plus loin, le v. 29
suppose que les lecteurs de Marc ont déjà vu (lorsque vous aurez
vu *tout cela* accompli) la réalisation de toutes les prophéties de
Jésus (v. 5-23), et c'est pourquoi il leur est enjoint de veiller :
l'accomplissement de toutes ces prophéties manifeste que la
parousie ne saurait tarder et donc que les chrétiens doivent
veiller, ce qui est l'enseignement parénétique [1] de tout le
discours eschatologique (v. 28-29, 33-37). Cette « veille » ne
serait pas aussi urgente, loin de là, si tous les événements précurseurs de la parousie ne s'étaient pas encore accomplis au moment ou Marc écrit. La précision chronologique du v. 30 nous
contraint à la même conclusion [2].

3. Situation des lecteurs.

Reste à savoir ce que « cela » et « tout cela » désigne (v. 4).
Le v. 2 le dit sans aucune ambiguïté : « Tu vois ces grandes
constructions ? Il n'en restera pas pierre sur pierre ; tout sera
détruit. » Et c'est à ce sujet que les quatre disciples, rassemblés
sur le Mont des Oliviers, *face au temple* (v. 3 !), l'interrogent :
« Dis-nous quand 'cela' arrivera ». « Cela », c'est évidemment
la destruction du temple dont Jésus vient de parler.

a) Certains auteurs ont voulu donner une interprétation différente de « Cela » au v. 4a et de « Tout cela » au v. 4b.
V. Taylor, qui cède à cette tentation, reconnaît loyalement que,
grammaticalement, rien n'autorise cette dissection [3]. Il ne s'y

---

1. La parénèse désigne l'exhortation pastorale.
2. Analyse analogue chez L. HARTMAN : *Prophecy Interpreted*, 1966,
p. 219-226.
3. *Gospel Acc. to St Mk*, 1952, p. 502.

sent poussé que par sa propre théorie concernant le caractère composite du discours [1]. Mais n'est-ce pas une pétition de principe ? D'autres font appel à Daniel XII, 7 [2]. Or, en cet endroit aussi, il est question d'événements terrestres « quand sera achevé l'écrasement du peuple saint », à savoir la durée de la tribulation juive sous Antiochus Épiphane. L'achèvement de tout « cela » en Daniel XII, 7 tout comme en Mc XIII, 4 concerne donc des événements historiques, préludes immédiats de l'intervention céleste de Dieu. En Daniel XII, 7, « l'achèvement de toutes choses » concernait directement l'abomination de la désolation dans le lieu sacré (Dan XII, 11). Il n'y a donc aucune raison d'interpréter différemment « Cela » en Mc XIII, 4a, et « tout cela » en Mc XIII, 4b. Et ce n'est pas non plus la réinterprétation de Mt XXIV, 3 [3] qui peut nous autoriser à donner une signification différente aux deux membres de phrase chez *Marc*. En somme l'exégèse du ch. XIII ne serait pas trop difficile, si l'on pouvait faire abstraction de toutes les théories qui ont été élaborées à ce sujet et si l'on s'en tenait au message de Marc. Toute autre est la question de remonter jusqu'aux paroles telles qu'elles ont été prononcées par Jésus, mais tel n'est pas notre propos.

Le sens premier et obvie de la question des disciples - qui, dans la perspective rédactionnelle de Marc, situe l'objet du discours - concerne donc la destruction du temple en des termes qui s'inspirent de Daniel XII, 7. Effectivement tout le discours apocalyptique culmine dans la désolation du temple décrite d'après Dan IX, 26-27. Au v. 19, Marc cite une fois encore Daniel (XII, 1), tandis que l'intervention finale du Fils de l'Homme sur les nuées est tirée de Dan VII, 13-14. Cela signifie que la tribulation eschatologique annoncée par Daniel vient de s'accomplir sous les yeux horrifiés des lecteurs de Marc. Il ne reste plus désormais qu'à attendre l'intervention eschatologique du Fils de l'Homme décrite par Daniel et relue par les chrétiens dans la perspective du Christ ressuscité et de sa parousie. Tout

---

1. Ibid. et, contre lui, G. R. BEASLEY-MURRAY : *A Commentary on Mk XIII*, 1957, p. 28sv.
2. L. HARTMAN : *Prophecy Interpreted*, 1966, p. 145.
3. Voir G. R. BEASLEY-MURRAY : *A Commentary on Mk XIII*, 1957, p. 28sv.

ce qui est décrit dans les v. 15-23 ne représente pas l'histoire *postérieure* à la désolation du temple, mais les événements concomitants de celui-là. La fuite dans les montagnes, la détresse et même les faux prophètes sont toutes les expériences vécues « en ces jours-là » (Mc XIII, 19 = Dan XII, 1).

b) Or en Mc XIII, 14, la parenthèse rédactionnelle « Que le lecteur comprenne ! » suppose indiscutablement que *les lecteurs sont à même de saisir* de quoi il est question, en d'autres mots, qu'ils sont capables de reconnaître de quels événements Marc veut parler. Cette incise doit être comparée avec Apoc XIII, 18, où l'auteur avertit les lecteurs de calculer le chiffre de la Bête. Cette note rédactionnelle prouve donc que les lecteurs de l'évangile de Marc ont déjà vécu ce qui est raconté en cet endroit.

D'ailleurs l'enseignement parénétique ne laisse pas place à l'ambiguïté : les v. 28-29, disent clairement que l'accomplissement de *tout cela* est le signe de l'imminence de la parousie : « lorsque vous verrez tout cela arriver, sachez qu'Il (le Fils de l'Homme) est proche, aux portes » (v. 29). Et le discours se termine par une pressante exhortation à veiller (v. 33-37). Cette exhortation présuppose que les lecteurs ont déjà « vu tout cela arriver » (v. 28), et donc qu'ils doivent se tenir sur leur garde, parce qu'il est « aux portes », comme l'explicitent les v. 33-37 : « Il » pourrait venir à l'improviste et les trouver endormis (v. 36). Cette monition suppose que tout le reste s'est déjà accompli (v. 23) et qu'il ne reste plus que la dernière étape à attendre, à savoir la venue du Fils de l'Homme. Dans cette perspective, on comprend très bien aussi pourquoi les v. 5-23 sont tellement détaillés : l'accomplissement de tous ces signes est en effet le gage de l'imminence de la venue du Fils de l'Homme. Inversement, si l'on se place au point de vue de la communauté persécutée et inquiète, la description détaillée des v. 5-23 l'assure que tout cela, jusque dans ses derniers détails, a été prévu par le Seigneur et fait partie du plan eschatologique de salut. La parousie viendra après cette tribulation (comparer Jean XV, 18-XVI, 4).

c) Derniers *indices rédactionnels* qui structurent la description, et qui subdivisent les événements : à la fin du v. 7, Marc avertit : « Ce n'est pas encore la fin », au v. 8 : « ce sera le commencement des douleurs de l'enfantement », c'est-à-dire de

la tribulation messianique qui précède le grand avènement[1]. La
« fin » n'est donc plus si éloignée, et le lecteur est exhorté à
tenir bon « jusqu'à la fin » au v. 13. Après cela, l'avertissement
« que le lecteur comprenne ! », nous avertit que nous en sommes
aux événements contemporains de la rédaction et donc que « la
fin » est arrivée. Cela est confirmé par la conclusion : « Voilà !
Je vous ai *tout* prédit ! » (v. 23). Après cela peut venir la parousie (v. 24-27).

Après cette décortication du discours apocalyptique, il nous
paraît donc certain que, *dans la pensée de Marc*, le terme indiqué
au v. 30 « cette génération(-ci) » concerne l'accomplissement de
« tout cela », c'est-à-dire de la désolation du temple et de tout
ce qui s'ensuit (v. 14-23). « Tout cela » est effectivement accompli en l'an 70 et les chrétiens auxquels Marc s'adresse sont encore des hommes de la génération du Christ.

Par contre, aucun terme n'est fixé pour ce qui va suivre :
« Lorsque vous verrez cela arriver (c'est le cas des destinataires),
sachez qu'Il est proche, aux portes ». Il avertit simplement de
l'imminence de la parousie, mais sans préciser aucune date pour
celle-ci ; au contraire, il dit explicitement : « Quant à la date de
ce Jour, ou à l'heure, personne ne les connaît » (XIII, 32). Vu
que la première épître aux Thessaloniciens en dit autant (I Thes
V, 1-3), il doit s'agir d'une tradition connue parmi les chrétiens : Paul en tous les cas la suppose telle (I Thes V, 2a). Remarquons qu'en Marc XIII, 32 « le Jour » est au singulier, par
opposition à XIII, 19, 24, car il désigne le Jour du Seigneur,
celui que personne ne connaît. Et c'est précisément parce que les
chrétiens n'en connaissent ni le jour ni l'heure qu'ils doivent
veiller. C'est *le* mot qui résume tout le contenu pratique du ch.
XIII : « Veillez ! » (v. 37). L'adresse : « Et ce que je vous dis à
vous, *je le dis à tous* » indique bien qu'ici, tout comme en VIII,
34, les lecteurs de Marc sont nommément désignés.

4. L'abomination de la désolation.

a) Avant d'approfondir les racines historiques de Mc XIII -
qui nous donneront le contexte historique supposé par tout
l'évangile - il nous reste une difficulté à solutionner. L'abomi-

---

1. Cf G. F. MOORE : *Judaism*, II, [7]1954, p. 360-362.

nation de la désolation de Mc XIII, 14 renvoie naturellement à Daniel IX, 27 ; XI, 31 et XII, 11 [1] ; or, en Daniel, elle désignait non la destruction, mais la profanation du sanctuaire par Antiochus Épiphane. E. Nestle [2] a donné une explication définitive [3] de cette expression. L'« abomination » est un surnom employé pour désigner une idole. L'usage de remplacer le nom de Baal, en particulier, par un sobriquet méprisant est très attesté dans la Bible. On trouve Ish-Boshet (homme de confusion) pour Ish-Baal, de même Yérub-Boshet pour Yérub-Baal ou aussi Beth-Awen (maison d'iniquité) pour Béthel, etc. Les deux mots choisis par Daniel, *Shiqqus*, l'abomination et *pesha'*, le péché, sont fréquemment attestés comme désignation d'une idole [4]. - Quant au mot *Shamém*, désolation, c'est une dépravation voulue du mot *Shamaïm*, ciel. L'abomination de la désolation posée sur l'autel saint est donc un sobriquet pour désigner Baal Shamaïm, le Baal (= Seigneur) du Ciel, équivalent sémite du Zeus Olympien posé par Antiochus Épiphane sur l'autel des holocaustes [5].

b) La signification originale du texte de Daniel ne fait donc pas de doute. Néanmoins, rien ne nous prouve que *Marc* ait compris et repris Daniel avec la même exigence critique qu'E. Nestle. Justement 2 Thes II, 3b-8 nous offre une autre réinterprétation chrétienne du livre de Daniel. Le texte n'est guère plus aisé que celui de Marc. Mais J. A. Montgomery [6] a sûrement raison de voir Antiochus Épiphane dans l'Adversaire qui s'élève au-dessus de tout ce qui porte le nom de Dieu, allant jusqu'à s'asseoir en personne dans le sanctuaire de Dieu, se produisant lui-même comme Dieu. « Épiphane » signifie précisément

---

1. Cf I Macc I, 54 et Dan VIII, 13.
2. « Der Greuel der Verwüstung », dans *Zeitschr. f. alttest. Wiss.* IV, 1884, p. 248.
3. Cf les approbations de J. A. MONTGOMERY : *The Book of Daniel*, Edinburgh, ²1950 (Intern. Crit. Comm.), p. 388sv ; B. RIGAUX : *L'Antéchrist et l'opposition au Royaume messianique dans l'Ancien et le Nouveau Testament*, Gembloux-Paris, 1932 (Dissert. Lovan.) p. 159, note ; G. R. BEASLEY-MURRAY : *A Commentary on Mk XIII*, 1957, p. 54sv (« indubitable »).
4. Cf Deut XXIX, 17 ; I Rois XI, 5, 7 ; etc. *Theol. Wört.* I, p. 600.
5. Pour ce qui regarde l'équivalence entre ces deux titres, la version syriaque de 2 Mac VI, 2 rend le « Zeus Olympien » de l'original grec par « Baal Shamaïm ». Cf aussi Philon de Byblos cité par Eusèbe : *Praeparatio Evangelica*, I, 10, 7.
6. *Book of Daniel*, ²1950, p. 396.

« Dieu devenu visible ». Or Paul ne présente pas là une théorie personnelle ; il rappelle une doctrine bien connue des chrétiens (2 Thes II, 5), doctrine que l'on retrouvera d'ailleurs - très élaborée - dans l'Apocalypse, avec référence indubitable à Daniel (Apoc XIII).

Marc a donc dû reprendre à son compte une interprétation chrétienne de la prophétie des semaines de Daniel IX, 24-27. Ce n'est certainement pas Marc qui a, le premier, appliqué à l'histoire de la primitive Église cette prophétie. Les milieux les plus divers de l'Église primitive en attendaient déjà l'accomplissement. Ce qui est nouveau, c'est que Marc estime cette prophétie désormais accomplie. Il en a vu la réalisation dans un événement contemporain.

Au point de vue du fond, l'interprétation est la même. Paul, comme Marc, attend une nouvelle manifestation d'Antiochus Épiphane avec une violation ouverte du sanctuaire de Dieu, avant que ne vienne la parousie. Tant que cette violation patente n'aura pas eu lieu, les chrétiens ne doivent pas s'affoler : tel est le sens de l'exhortation 2 Thes II, 3b-8.

C'est précisément sur le *fait* de l'accomplissement que se révèle toute la différence entre Paul et Marc. Paul dit à ses chrétiens qu'ils doivent se tenir tranquilles *parce que* l'Adversaire (prophétisé par Daniel) n'est *pas encore* venu. Marc leur dit exactement le contraire : ils doivent veiller et se tenir sur leurs gardes *parce que* l'Abomination de la désolation prédite par Daniel s'est accomplie sous leurs yeux. L'avertissement « Que le lecteur comprenne ! » (XIII, 14), ainsi que toute la structure du discours[1] le prouvent : Marc estime que la prophétie de Daniel est maintenant accomplie ; *c'est pourquoi* les chrétiens doivent veiller et se tenir sur leurs gardes, car désormais le Fils de l'Homme annoncé par Daniel (= le Christ lors de sa Parousie) peut arriver d'un instant à l'autre. Il y a donc un lien - au plan eschatologique - entre la description des événements terrestres de Mc XIII, 14-23, que le lecteur est invité à reconnaître, et la venue du Fils de l'Homme en XIII, 24-27. La Parousie peut venir, puisque le signe précurseur est désormais accompli. La recommandation de « veiller », parce que le Maître peut arriver incessamment (XIII, 33-37) en découle immédiatement : XIII, 29 !

---

1. Voir ci-dessus, p. 422-427.

5. Marc XIII et l'histoire.

a) Il reste à nous demander quel pouvait être l'événement dans lequel Marc a décelé l'accomplissement historique de la prophétie de Daniel. Certains auteurs estiment que l'Abomination de la désolation de Daniel *ne* désignait *qu'*une profanation et non une destruction du temple [1]. En conséquence, ils verraient volontiers - au moins dans la *source* (juive ?) de Mc XIII, 14 - une allusion à la tentative de Caligula d'installer sa statue dans le temple de Jérusalem en l'an 40 de notre ère. Mais comme cette tentative a avorté, grâce à la sage temporisation du proconsul Petronius, on voit mal comment on aurait pu y reconnaître l'accomplissement de la solennelle prophétie de Daniel [2].

Au contraire, en arguant du moins au plus, il est facile à comprendre que Marc qui, avec les premiers chrétiens (Cf 2 Thes II !) attendait impatiemment l'accomplissement de la prophétie des semaines, ait vu dans la catastrophe finale qui s'abattait sur le temple la réalisation eschatologique annonciatrice de la parousie.

D'ailleurs Marc n'était pas seul à en juger ainsi. Son contemporain, l'historien juif Josèphe, lui apporte ici une puissante confirmation, car lui aussi voit dans la destruction du temple par les Romains l'accomplissement de la prophétie des semaines [3]. La date et l'origine du *Testament de Lévi* XV-XVI sont des plus contestés ; néanmoins nous avons là aussi un témoin d'une tradition juive ou chrétienne du premier ou deuxième siècle de notre ère.

Dans cette perspective, l'accord (ou le désaccord !) du participe masculin « *se tenant* là où il ne doit pas » avec le mot « l'abomination de la désolation » qui est un neutre en grec, ne pré-

---

1. Cette observation est un des arguments invoqués par les tenants de la théorie de la petite apocalypse, cf C. Weizsaecker : *Untersuchungen über die evangelische Geschichte*, Tübingen, 1864, p. 125. Cf S. G. F. Brandon : *New Testament Studies*, VII, 1960-1961, p. 133.

2. Cf M.-J. Lagrange : *Évangile selon saint Mc*, [4]1929, p. 340 ; V. Taylor : *Gospel Acc. to St Mk*, 1952, p. 511 ; G. R. Beasley-Murray : *A Comm. on Mk XIII*, 1957, p. 63-66.

3. *Antiquités Juives*, X, XI, 7, cf J. A. Montgomery : *The Book of Daniel*, [2]1950, p. 396sv. Cf I. Lévy : *Revue des Études juives*, LI, 1906, p. 161-190.

sente pas de grande difficulté : l'Antichrist, le nouvel Épiphane annoncé par Daniel, s'est manifesté récemment - comme le lecteur peut en juger - dans la dévastation complète du temple par les Romains. Il est possible que Marc fasse allusion à une profanation particulière du temple, comme l'érection des enseignes romaines sur le temple désolé [1]. Mais cette supposition ne nous paraît pas nécessaire. L'anéantissement du temple et de la Ville sainte était, de soi, un événement majeur dans l'ordre du plan divin ; il justifiait largement Marc (et Josèphe !) d'y voir l'accomplissement eschatologique de la prophétie de Daniel.

b) A cette démonstration tirée de la nature des faits, s'en ajoute une autre, plus décisive encore, tirée des textes mêmes de Marc. Car s'il juge bon d'annoncer solennellement, *cinq fois de suite* dans les cinq derniers chapitres de son évangile, la destruction complète et définitive du temple, c'est que cet événement tenait une place importante dans son message.

1) La première affirmation claire de la destruction et du rejet du temple se trouve en XI, 12-23, dans le récit de l'expulsion des vendeurs encadré par la malédiction du figuier stérile. L'expulsion des vendeurs tend vers un accomplissement eschatologique précis : les Juifs ont fait de la Maison de Dieu un repaire de brigands - ce qui correspond exactement à la situation réelle lors de la guerre juive, au cours de laquelle le temple devint le repaire de Jean de Gischala [2]. Jésus les chasse parce que désormais le temple (spirituel) doit devenir une maison de prière pour tous les peuples. La malédiction du figuier stérile encadre et commente le geste de Jésus [3].

Il est possible que les mystérieuses « sorties » de Jésus hors de la ville sainte [4] aient quelque chose à voir avec XIII, 14-15 (Luc XXI, 20-21) et expriment le rejet du temple par Dieu. Mais ici nous ne pourrions pas être affirmatifs. C'est possible, sans plus.

---

1. F. Josèphe : Guerre Juive, VI, VI, 1 (316) érection des enseignes et sacrifice en leur honneur. Ainsi S. G. F. Brandon : *New Test. Studies*, VII, 1960-1961, p. 134 ; G. R. Beasley-Murray : *A Comm. on Mk XIII*, 1957, p. 56sv.
2. F. Josèphe : *Guerre juive*, IV, IV, 1 (228) et IV, IX, 10-12 (556-584) et V, XIII, 6 (562-566) : pillage du temple par les Zélotes.
3. Comparer Jér VIII, 13 ; Michée VII, 1 ; (Isaïe V, 1-7).
4. Cf ci-dessus, p. 255-258.

La parabole des vignerons homicides, bien qu'elle ne parle pas directement de la destruction du temple, traite pourtant un thème singulièrement voisin de celui de Mc XI, 12-23. Les vignerons qui ne donnent pas de fruits seront tués (XII, 9) et la vigne sera donnée à d'autres. Tout Juif lisant en filigrane à travers ce récit le chant de la vigne d'Isaïe V, 1-7, le texte de Marc s'y enrichissait d'une multitude de sous-entendus, car le chant d'Isaïe décrit, lui, en détail, la destruction de la vigne :

> « Eh bien ! je vais vous apprendre
> ce que je vais faire de ma vigne :
> en ôter la haie pour qu'on la broute,
> en abattre le mur pour qu'on la piétine.
>
> Qu'elle soit saccagée, non plus taillée ni cultivée ;
> sur elle : épines et ronces... » (Is V, 5-6).

Marc a d'ailleurs soin de préciser que la parabole de Jésus concernait les dirigeants juifs et que ceux-ci ne s'y étaient pas trompés (XII, 12). Les deux autres synoptiques rendront plus patentes encore les allusions (Mt XXI, 41, 43 ; Luc XX, 15-16).

2) La deuxième prédiction explicite de la ruine du temple est le ch. XIII, que nous venons d'étudier. L'introduction rédactionnelle (XIII, 1-4) nous prouve que Marc a bien voulu interpréter l'attente apocalyptique de l'Église en ce sens. Tous les événements décrits dans tout le chapitre, depuis le v. 5 jusqu'au v. 23 sont les remous qui ont précédé et accompagné la guerre juive. L'accomplissement de tous ces signes est pour Marc le gage de l'imminence de la parousie.

3-4) Aussi nette que l'affirmation de Jésus « Il n'en restera pas pierre sur pierre » (XIII, 2) est la proclamation qui lui est prêtée :

> « Je détruirai ce temple de Dieu fait de mains d'hommes,
> et en trois jours j'en construirai un autre mais non de mains d'hommes » (XV, 58).

Cette même accusation sera répétée comme un sarcasme au crucifié (XV, 29). L'insistance de Marc prouve qu'il ne s'agit pas d'un racontar sans importance. De plus, le texte est trop attesté par ailleurs (Act VI, 14 ; Jean II, 19-22) pour n'avoir pas un certain fondement de vérité. Il n'est pas même nécessaire de sortir de l'évangile de Marc pour s'assurer qu'il en est bien ainsi : les deux autres actes de Jésus, son intervention prophétique en XI, 15-19, avec le commentaire qu'il en donne aux Juifs (XI, 17) et aux disciples (XI, 12-14, 20-23), et plus encore le discours eschatologique montrent que Marc lui aussi entend bien établir un lien précis entre la mort de Jésus et la destruction du temple. Il serait faux sans doute de dire que l'une entraîne l'autre, comme si la destruction du temple était la « punition » du crime des Juifs, c'est là une conception juridique et moralisante, qui n'atteint que la frange du mystère messianique. Le lien entre la mort du Christ et la destruction du temple est infiniment plus profond.

Ce lien intime est indiqué non seulement par le fait que les cinq affirmations de la destruction du temple ont lieu au cours des derniers jours de Jésus, mais aussi par le contenu même de l'accusation : les trois jours sont une référence claire aux trois jours de la résurrection, et cela même si Jean ne s'était pas chargé de confirmer cette interprétation (Jean II, 19-22). Cela signifie donc que la mort du Messie implique l'abolition du temple terrestre, tandis que sa résurrection instaure une relation nouvelle entre l'homme et Dieu (comparer Jean IV, 21-24).

Il y a une difficulté. Marc qualifie cette accusation de mensongère (XIV, 57) et affirme que les accusations des témoins ne concordaient pas (XIV, 56b, 59a) [1]. On sait qu'un procès criminel juif exigeait la déposition de deux témoins indépendants (Deut XIX, 15). Pour s'assurer de la non-connivence des témoins, on les interrogeait séparément (Dan XIII, 51). Si la déposition des témoins ainsi séparés ne concordait pas, l'accusation n'était pas retenue.

En quel sens Marc peut-il affirmer que cette accusation est fausse et que les accusateurs ne parviennent pas à convaindre Jésus de crime ? Vu que Marc dit clairement que Jésus a prophétisé en ce sens (XI, 12-23 et XIII), cela ne peut avoir qu'une seule signification, à savoir un quiproquo, exactement comme dans les controverses [2]. Les adversaires de Jésus s'imaginent que Jésus prêche une révolte contre la Loi de Moïse et qu'il veut entraîner un commando à sa suite pour commencer la démolition

---

1. S. G. F. BRANDON : « The Apologetical Factor in Mark », dans *Studia Evangelica*, vol. II, Berlin, 1964, p. 37, met bien en relief la valeur apologétique de cette assertion.
2. Voir plus haut, p. 139sv et 157-159.

du temple. Au temps des Zélotes et des Sicaires, cette crainte n'était peut-être pas tout à fait chimérique. Mais telle n'était pas la signification de la prophétie de Jésus.

5) La dernière mention de l'abolition du temple se trouve en Mc XV, 37 : au moment précis de la mort de Jésus, le rideau du temple se déchire du haut en bas. Marc établit ainsi un lien de causalité entre la mort du Christ et la ruine du temple. A partir du moment exact où le Roi messianique expire sur la croix, le temple de Jérusalem n'a plus de raison d'être. C'est toute l'économie ancienne qui, en ce moment précis, est remplacée par un ordre entièrement nouveau, céleste et universel.

6. La communauté de Marc.

a) Nous voici en mesure de *dater l'évangile de Marc*. La structure et les différentes adresses du ch. XIII prouvent que les auditeurs viennent d'être les témoins de la ruine de Jérusalem. Marc a même dû composer son évangile *en partie* pour répondre à ce scandale. Il suppose ce fait historique et en donne une interprétation théologique chrétienne. Cette catastrophe fait partie des événements eschatologiques devant immédiatement précéder la parousie.

Nous sommes donc tout disposés à souscrire aux conclusions de S. G. F. Brandon [1]. Le second évangile a dû être composé dans les années qui ont suivi immédiatement le sac de Jérusalem, à savoir en 71 ou 72 ; probablement dans le contexte immédiat du triomphe écrasant de Vespasien et de Titus à Rome en 71.

D'autre part la langue même de l'évangile manifeste que leur auteur est un Juif hébraïsant - il connaît très bien les Écritures et les cite généralement d'après l'hébreu ou d'après le targum araméen (IV, 12). Il écrit pour des non-Juifs (VII, 3-4) parlant grec, comme la langue même de son évangile et les traductions des mots techniques araméens (V, 41 ; VII, 11 ; XV, 34) le manifestent. Malgré cela, les auditeurs ne sont pas ignorants de la tradition juive, comme les nombreuses allusions et références à

---

1. « The Date of the Markan Gospel », dans *New Testament Studies*, VII, 1960-1961, p. 126-141.

l'Ancien Testament le supposent. Cette communauté vient d'assister à la destruction de la Cité sainte. Bien qu'elle en ait été concernée et que cela lui ait posé un sérieux problème, elle paraît avoir conservé un certain recul par rapport à ces événements ; la théologie relativement sereine élaborée par Marc sur ce sujet le prouve. Par contre, cette communauté a passé ou se trouve encore dans une grave persécution qui l'a ébranlée jusqu'en ses fondements et a mis sa foi en danger. C'est même pour répondre à une menace urgente d'apostasie que Marc a rédigé son évangile. Il leur montre que la persécution, la souffrance et la mort ont été la destinée du Christ, destinée qu'il a volontairement assumée (secret messianique !) parce que tel était le plan de salut divin. Ce qui a prévalu pour le Christ vaut aussi pour le chrétien (VIII, 34-38). Marc affirme avec force que ceux qui, dans la persécution présente, auront renié le Christ, n'auront pas de part avec lui.

La communauté chrétienne de l'an 71 à laquelle s'applique le mieux cet ensemble de traits est sans doute celle de Rome, traditionnellement considérée comme destinataire de l'évangile de Marc.

> La plupart des caractéristiques signalées ci-dessus pourraient convenir également à l'Église d'Alexandrie. Néanmoins les mots latins employés par Marc ainsi que la tradition bien attestée sont beaucoup plus favorable à Rome [1].

Les événements narrés au ch. XIII nous paraissent décrire l'expérience contemporaine de l'Église - comme c'est le cas dans presque toutes, sinon toutes les apocalypses -. Les v. 5-8 dépeignent les remous qui ont précédé la guerre juive. La persécution des chrétiens, relatée aux v. 9-13, paraît précéder la ruine de Jérusalem. Les événements sont en effet répartis en deux étapes, introduites chacune par « lorsque », ὅταν δὲ (v. 7 et 14). La première parle de guerres et de bruits de guerre et avertit que ce n'est pas encore la fin, mais seulement le commencement des douleurs (v. 7-8). Par contre, lorsque viendra l'abomination de la désolation (que le lecteur comprenne !) alors ce sera la fin. Immédiatement après viendra le Fils de l'Homme. La persécution

---

1. Voir les textes dans l'introduction de V. TAYLOR : *Gospel acc. to St Mc.* Pour Alexandrie, ibid. p. 30. Notre thèse s'oppose à celle de L. W. BARNARD : « St Mark and Alexandria », dans *Harvard Theological Review*, LII, 1964, p. 145-150.

se rattache donc à la première période ; ce qui correspond à l'histoire, puisque la persécution romaine de Néron (64-67) a précédé de peu la destruction de Jérusalem (70). D'autre part, comme V. Taylor le dit clairement [1], les sanhédrins et les synagogues dont il est question dans ce contexte ne désignent pas nécessairement les instances suprêmes de Jérusalem, mais peuvent très bien qualifier les autorités juives locales qui, spécialement à Rome, possédaient toute une hiérarchie.

b) Une petite difficulté pourrait subsister. D'après toute notre analyse antérieure, la communauté paraît sous le coup de la persécution et fort ébranlée. Cela nous semble bien s'accorder avec la communauté romaine de l'an 71. Sans doute, la persécution de Néron avait-elle cessé. Néanmoins cette persécution avait certainement fait de nombreuses victimes dans presque toutes les familles chrétiennes de Rome. En outre, d'après la tradition, elle avait enlevé à cette communauté décimée ses deux chefs, Pierre et Paul. Voilà pourquoi cette Église ressemblait à des enfants perdus au milieu de la mer sur une coquille de noix, alors que la tempête faisait rage. De plus, les menaces contre les Juifs et les chrétiens - considérés comme des sous-produits des Juifs - ont dû redoubler à Rome pendant tout le temps de la guerre juive et tout particulièrement au cours du triomphe de Vespasien et de Titus. Tous ces événements ont dû raviver la haine antisémite des Romains et faire peser une terrible menace de persécution sur le petit reste de l'Église romaine.

En tous les cas, notre analyse ne nous incite pas à suivre Brandon [2], lorsqu'il prête à la communauté de Rome le sentiment peu chrétien de revanche et de soulagement lors de la chute de Jérusalem ; comme si elle avait supporté avec peine le joug de l'Église de Jérusalem, et qu'elle aspirait à se désolidariser le plus vite possible des origines juives de la foi chrétienne.

Il nous semble, tout au contraire, que l'évangile de Marc témoigne que la ruine de Jérusalem a été un événement majeur pour sa communauté. La persécution des chrétiens paraît liée à ce signe eschatologique. Peut-être que la destruction de Jérusalem, berceau du christianisme, l'anéantissement des deux colonnes de l'Église à Rome, Pierre et Paul, ont remis en question

---

1. *Gospel Acc. to St Mk*, 1952, p. 506.
2. *New Testament Studies*, VII, 1960-1961, p. 127-129.

la solidité des fondements mêmes du christianisme. Les chrétiens de Rome devaient être décontenancés, à la fois par les événements catastrophiques de Judée et par la persécution ou la menace de persécution dont ils étaient eux-mêmes l'objet, alors qu'ils avaient perdu leurs chefs et leurs soutiens. Face à tous ces événements, il paraît s'être produit un trouble sérieux : le Christ a-t-il dit vrai ? la nouvelle religion n'était-elle rien de plus qu'une de ces sectes mystiques issues du judaïsme et destinée à disparaître en même temps que ce peuple ?

C'est au milieu de ce terrible désarroi que Marc juge nécessaire d'écrire son évangile pour donner à l'Église de Rome privée de son fondement une nouvelle base. Pour lui dire que c'est bien vrai, que pas une Parole de Dieu n'est tombée à terre (XIII, 31), et que tout ce qui s'est passé accomplit ligne par ligne le plan incompréhensible de Dieu. Ainsi Dieu avait-il voulu, dans sa sagesse, que le Christ souffrît et accomplît sa mission royale en passant par le gibet de la croix. De même en va-t-il pour les chrétiens : ceux qui veulent suivre le Christ doivent comme lui prendre leur croix et tenir bon jusqu'au bout. L'expression « jusqu'à la fin », employée à plusieurs reprises au cours du ch. XIII, renvoie à Daniel VIII, 17 ; IX, 27, où elle se rapporte à la fin de la persécution d'Antiochus Épiphane et donc à la venue du Fils de l'Homme pour le jugement.

Conclusions.

Notre analyse du ch. XIII montre que ce chapitre a été largement réinterprété par Marc en fonction des nécessités de son temps et de ses lecteurs [1]. Son évangile est un écrit de circonstances. Il s'insère dans un temps et des circonstances précises. Il n'a rien d'un message intemporel. Marc et Luc ne s'y sont d'ailleurs pas trompés, eux qui ont jugé, chacun pour sa part, qu'il fallait accomplir un travail analogue à celui de Marc et appliquer aux diverses communautés chrétiennes le message qui leur convenait.

---

1. Dans un sens analogue : W. Marxsen : *Der Evangelist Markus,* [2]1959, p. 113 ; H. Conzelmann : *Zeitschrift f. Neutest. Wiss.* L, 1959, p. 212sv ; par des voies différentes : J. Lambrecht dans *Biblica*, XLVII, 1966, p. 321-360.

Il nous paraît donc impossible de suivre purement et simplement le consciencieux effort entrepris par G. R. Beasley-Murray dans ses deux importants volumes pour démontrer que ce discours a été prononcé par Jésus à peu de choses près dans l'état où Marc nous l'a transmis. Nous ne voyons pas davantage la nécessité d'admettre que Marc se fonde ici sur une apocalypse juive par ailleurs inconnue. Il nous semble au contraire qu'il se basait sur une tradition apocalyptique chrétienne qui, elle, est solidement attestée en 2 Thes II et dans l'Apocalypse. Cette tradition chrétienne, selon toute vraisemblance, tirait son origine de « la parole du Seigneur » (cf I Thes IV, 15), et c'est pour cela qu'elle jouissait d'une telle autorité, et d'une autorité aussi universelle dans l'Église (cf Mc XIII, 31). Marc lui-même met cette apocalypse sur les lèvres du Christ.

Néanmoins, Marc ne cite pas cette tradition apocalyptique dans sa teneur originale, mais il la relit et la réinterprète à la lumière des événements récents. Il fait découvrir, grâce à ce procédé, dans tous ces faits tellement déconcertants, l'accomplissement littéral de l'attente eschatologique chrétienne. Il n'y a rien là qui doive scandaliser les chrétiens.

L'Église à qui était destinée ce message a aisément dû reconnaître sa propre histoire dans ce message placé sur les lèvres du Maître, et elle en a saisi l'appel. La persécution passée (et présente ?), la ruine de Jérusalem, la levée en série de faux Messies et de faux prophètes ne peut la troubler, pas plus que la tempête sur le lac, parce que son Seigneur est avec elle. Ce sont des préludes qui l'avertissent que la fin est proche (v. 28). Mais lorsque la parousie sera là, personne ne pourra s'y tromper. Il est d'ailleurs totalement inutile de faire des pronostics sur le temps de cette venue : c'est le secret de Dieu (XIII, 32). En attendant, la seule chose qui est demandée, c'est de tenir bon et de veiller.

D. LE MARTYRE DE PIERRE.

S'il est vrai que l'évangile de Marc a été écrit à Rome en 71, est-il vraisemblable qu'il ne fasse aucune allusion au martyre de Pierre (et de Paul) ? En ce qui concerne Paul, on comprend que l'allusion, s'il y en a, soit beaucoup plus discrète, puisqu'il n'intervient pas dans la vie du Christ selon la chair. Mais Pierre, lui, remplit tout l'évangile. On le retrouve à toutes les pages et chaque fois au premier plan. Est-il donc possible que son martyre, qui a nécessairement dû marquer dans l'Église de Rome - si la tradition dit vrai - n'ait été l'objet d'aucune allusion dans son évangile ?

Nous pensons qu'effectivement il y a plusieurs allusions à ce martyre dans l'évangile de Marc, mais elles sont discrètes. S'adressant à des chrétiens dont la pensée et le tourment étaient remplis de l'image de son supplice, il n'était pas nécessaire de décrire explicitement ce destin, comme Jean le fera bien plus tard (Jean XXI, 18-19). Néanmoins, lorsque l'on garde à l'esprit l'image de Pierre crucifié, plusieurs détails prennent un relief nouveau.

1. Sans doute faut-il commencer par la fin. Est-il concevable que Marc ait raconté, au long et au large, dans un écrit officiel, le reniement de Pierre, du vivant de ce dernier ? Il nous semble que cela eût porté un préjudice grave à l'autorité de Pierre. Et cela n'eût guère été un exemple fort utile ni édifiant pour une Église qui se débattait précisément en des difficultés analogues. Au contraire, si toute la communauté savait pertinemment comment Pierre avait racheté sa trahison passée par un martyre qui était dans toutes les mémoires, alors ce premier reniement lui-même pouvait devenir une exhortation à la communauté. Il leur enseignait que les lapsi pouvaient se reprendre comme Pierre, et « suivre » ensuite le Christ jusqu'au bout.

Une phrase de Pierre, lancée un peu à la légère, prend aussi tout son sens dans cette perspective : « Dussé-je mourir avec toi, non je ne te renierai pas ! » (XIV, 31). Effectivement, les Romains savaient bien que cette exclamation de jeunesse était devenue réalité dans la vieillesse de Pierre. Et il faut faire ici le rapprochement avec l'engagement aussi spontané et aussi irréfléchi des fils de Zébédée : « Nous le pouvons » (X, 38). La question de Jésus avait été très précise : « Êtes-vous capables de subir le même martyre que moi ? » La réponse était partie comme un éclair : « Nous le pouvons ! » Et Jésus confirme cette réponse : « Oui, vous passerez par où je dois passer ». Au temps où Marc écrit son évangile, Jacques au moins avait déjà subi le martyre. Remarquons en passant avec quelle sobriété les Actes mentionnent l'événement (Act XII, 2).

Des trois disciples privilégiés, deux au moins devaient avoir rendu à Jésus le témoignage suprême au moment où Marc écrit. Or Marc les rassemble tous trois à des moments précis. Ainsi lors de la résurrection de la fille de Jaïre, préfiguration de celle du Christ et des chrétiens, seuls Pierre, Jacques et Jean sont admis à voir ce miracle (V, 37). Au moment où Marc écrit, Pierre et Jacques, à tout le moins, étaient déjà admis à contempler le Christ dans sa gloire. C'est dans cette même contemplation que Pierre est présenté lors de la transfiguration, et Marc note qu'il aurait bien voulu s'y établir tout de suite (IX, 5). Mais le temps n'était pas encore venu ; il fallait d'abord que son Maître, et lui-même à sa suite, passe par la mort (IX, 12). Pierre ne comprenait pas alors ce que pouvait signifier « la résurrection des morts » (IX, 10). Au moment où Marc écrit, tout cela est devenu réalité.

Mais ce sont les réprimandes faites à Pierre qui donnent le plus à penser que, au moment où Marc écrit, Pierre a déjà rendu le témoignage définitif qui rend sa dimension véritable, sa dimension relative, à toutes ses incompréhensions antérieures. Il peut d'autant mieux être un modèle pour la communauté qu'il a lui-même erré longtemps avant de trouver le chemin. Mais cet exemple ne peut être réellement édifiant que si, entre-temps, Pierre a porté jusqu'au bout son témoignage.

Dans cette perspective, il est peut-être intentionnel que la première réprimande adressée à Pierre - qui n'a pas compris la nécessité de la passion (VIII, 32-33) - soit suivie immédiatement d'une pressante exhortation de Jésus à le suivre jusqu'à la croix. L'union directe entre VIII, 33 et VIII, 34 est remarquable, si Pierre, qui - comme les chrétiens auxquels Marc lance son message ! - n'avait d'abord pas compris la nécessité de la croix a, devant les yeux de la communauté de Marc, suivi son Maître dans une mort semblable à la sienne. L'expression choisie par Marc « qu'il se charge de sa croix et qu'il me suive » est presque certainement une expression chrétienne post-pascale. Si elle est replacée ici sur les lèvres de Jésus, elle ne pouvait manquer de frapper les chrétiens de Marc qui avaient assisté à ce supplice. Marc affirme ici que le destin de Pierre est normal pour un chrétien. Les chrétiens de Marc savent que Jésus a été crucifié, ils ont vu Pierre subir le même sort ; ils ne doivent pas s'étonner si le même appel leur est adressé.

2. L'usage du nom de Pierre est d'ailleurs assez instructif. Marc est assez conséquent avec lui-même. Il emploie 7 fois le nom de Simon et 19 fois celui de Pierre [1]. Six emplois du nom de Simon précèdent logiquement l'imposition du nom nouveau par Jésus en III, 16. À partir de ce moment, Marc emploiera régulièrement le nom de Pierre, à l'exception de XIV, 37 : « Simon, tu dors ? ». Il est possible que l'emploi de l'ancien nom soit ici intentionnel, à la manière d'un reproche.

La répartition des emplois du nom « Pierre » est intéressante également. Ce nom n'est employé que deux fois avant la confession de Césarée ; une fois lors de l'imposition du nom nouveau (III, 16), et une seconde fois lors de la première expérience de résurrection (V, 37). Ces deux emplois ont lieu à l'écart des foules ; Marc le souligne (III, 7, 13 ; V, 37).

Dans la section qui commence à la confession de Pierre (VIII, 27-X, 52), le nom de Pierre revient 6 fois : trois fois lors de la confession et de la réprimande qui suit (VIII, 29, 32, 33), deux fois lors de la transfiguration (IX, 2, 5) et une fois en X, 28 pour définir la condition de disciple. Justement, dans les trois emplois, on a l'impression nette que Pierre représente la communauté chrétienne et singulièrement la communauté à laquelle Marc adresse son message. C'est Pierre qui prononce la confession de foi chrétienne (VIII, 29) et qui pourtant n'a encore rien compris au message de la croix. A travers ce double épisode, c'est évidemment la communauté de Marc qui est visée : elle aussi magnifiait le nom du Seigneur ressuscité, mais se laissait déconcerter par la persécution. De même, en IX, 2, 5, c'est bien la communauté de Marc qui voulait déjà s'installer dans la gloire du Ressuscité, alors qu'il lui était demandé de passer par sa croix. En X, 28, Pierre définit la condition du chrétien ; et Jésus répond en dépeignant l'état de la communauté de Marc (X, 30), avec son annonce de la persécution présente, mais aussi sa promesse de vie éternelle comme en VIII, 34-38. Dans tous ces cas, Pierre apparaît donc comme le prête-nom de la communauté.

---

1. Nous ne comprenons pas comment R. C. Nevius, dans *Studia Evangelica II*, 1964, p. 225, compte 21 emplois.

C'est lui qui est chargé de poser les questions ou de faire les déclarations que Marc prête à la communauté.

En XI, 21 et XIII, 3, le nom de Pierre paraît rédactionnel ; la question posée par lui sert uniquement à introduire une explication destinée à la communauté de Marc. En XIV, 32-42, le sommeil des disciples pendant l'agonie de Jésus se réfère à l'attitude actuelle de l'Église de Marc, à laquelle est opposée la vigilance chrétienne. Rappelons-nous la remarque de J. Héring [1].

L'endroit où le nom de Pierre est cité le plus fréquemment, est le récit circonstancié de son reniement. Son nom y revient six fois (XIV, 29, 54, 66, 67, 70, 72). Là comme ailleurs, Pierre paraît bien être le type de la communauté romaine. Elle aussi, comme Pierre, « suit de loin » son Maître. Mais lorsqu'elle est affrontée à la persécution, elle est déconcertée, saisie de terreur et renie son Maître qu'elle ne reconnaît plus dans les opprobres de la passion.

Marc n'est pas aussi intransigeant que Tertullien. Le repentir de Pierre et plus encore la mention spéciale de son nom en XIV, 7 dit clairement que Marc accorde la pardon aux lapsi, à condition qu'ils se repentent et se reprennent suivant l'exemple de Pierre. Mais s'ils persévèrent dans leur apostasie, alors il n'y a plus de salut pour eux (VIII, 38 ; XIV, 21).

3. Il nous paraît donc simpliste et erroné de voir dans tous ces traits une polémique contre l'Église de Jérusalem et contre Pierre [2]. Il s'agit bien plutôt d'une « polémique » ou, mieux, d'une monition adressée à l'Église romaine. Marc la fustige, mais il a en même temps la délicatesse de la faire entrer dans la trame de son message sous les traits des disciples et, plus particulièrement, sous les traits de Pierre qui, lui aussi, comme elle, n'avait tout d'abord rien compris au message de la persécution et de la croix, mais qui, ensuite, sous les yeux de la communauté à laquelle Marc parle, a donné le plus éclatant témoignage. Pierre devient ainsi, sous la plume de Marc, le plus poignant et le plus pressant appel du chef de la communauté.

---

1. Voir ci-dessus, p. 419.
2. Contre É. Trocmé : *La formation de l'évg selon Mc*, 1963, ch. II : « Les antipathies manifestées par l'évangéliste », cf ci-dessus, p. 267. Et déjà R. Bultmann : *Gesch. syn. Trad.* ⁴1958, p. 277.

Six ou sept ans après la mort du premier des apôtres, Marc ressuscite hardiment son image avec audace et réalisme, et le présente comme le modèle vivant de la communauté. Cette figuration graphique permettait à Marc une ironie cinglante à l'égard de la communauté, tout en laissant toujours une note profonde de possibilité de rachat et presque de tendresse.

En résumé, il n'est donc pas possible de trouver en Marc une description du martyre de Pierre, ni même une allusion positive *certaine*. Néanmoins plusieurs péricopes et même l'ensemble des emplois du nom de Simon et de celui de Pierre à travers tout l'évangile gagnent beaucoup en précision et en acuité lorsqu'on les replace dans ce contexte historique. Ce contexte historique est très attesté, puisque plusieurs traditions anciennes de l'Église précisent que Marc a écrit après la mort de Pierre [1]. Nous avons apporté cette précision que Marc n'écrit pas *immédiatement* après la mort de Pierre. Il n'écrit pas non plus *uniquement* pour laisser par écrit à la communauté orpheline l'enseignement de son premier chef. Entre-temps un autre événement est intervenu qui a une importance théologique égale sinon supérieure à la crucifixion du chef de l'Église. En tous les cas, on a l'impression d'une certaine distance ; Marc n'écrit pas sous le coup direct de cette mort. Quelques années doivent s'être écoulées et Marc peut écrire avec plus de sérénité, voire même avec humour. Pourtant, la communauté se sent encore toute secouée par la terrible menace de persécution qui pèse sur elle et qui pourrait éclater à tout moment. Tout cet ensemble de traits confirme la date de 71-72 pour la composition de l'évangile de Marc.

On voit aussi que l'évangile de Marc est tout autre chose qu'un simple compendium impersonnel ou un florilège de miracles et d'enseignements. Il est un écrit de circonstance, précis, étudié et dont chacun des traits porte, malgré une liberté qui semble parfois friser la fantaisie. Marc n'est pas un compulseur de traditions (« Sammler »), mais un théologien qui a l'audace de repenser et de réinterpréter tout le message du Christ en fonction de la situation présente, et sa théologie est essentiellement pastorale, tournée vers la nécessité présente et urgente de l'Église. A ce point de vue on pourrait le comparer à l'auteur de l'épître aux Hébreux (Héb V, 11-VI, 8). L'instabilité présente

---

1. Cf V. Taylor : *Gospel Acc. to St Mk*, 1952, p. 1-8.

de l'Église l'incite à approfondir le message évangélique dans toute sa dimension théologique. Sous une présentation différente, son message n'a peut-être pas beaucoup à envier à la richesse théologique d'un saint Paul.

CONCLUSION :

LE SECRET ET L'HISTOIRE.

A. ÉTAT DE LA QUESTION.

A parler franchement, nous aurions préféré ne pas aborder ce problème ici, non que nous le redoutions, mais parce que nous l'estimons prématuré. Nous avons choisi, en effet, de nous placer et de nous tenir sur le terrain de l'analyse de l'intention et des procédés de Marc. Pour rester conséquents avec nous-mêmes, nous devrions nous refuser à toute descente sur le plan historique avant que notre analyse ne soit complètement achevée. Il conviendrait même d'exiger encore une confrontation avec la manière rédactionnelle des deux autres synoptiques. Ce n'est qu'au terme de tout ce travail que l'on devrait entreprendre une critique historique sur une base plus solide.

Néanmoins la question est tellement urgente de nos jours que nous nous sentons forcés de nous aventurer dès à présent sur ce terrain. D'ailleurs une raison précise nous en fait une obligation : la question de l'historicité de Jésus a été posée de manière cruciale par la thèse de Wrede sur le secret messianique. Il n'est pas exagéré de dire que Wrede a énoncé le problème d'une façon qui conditionne encore toute la recherche aujourd'hui. Nous verrons à quel point des exégètes comme R. Bultmann dépendent des prémisses posées par Wrede.

Il importera donc de démonter - pour ainsi parler - les données du problème, de nous efforcer de saisir exactement comment il se pose, et de voir en quoi la solution nouvelle donnée ci-dessus au secret messianique peut modifier les termes mêmes de la question posée.

I. Martin KÄHLER.

Le livre de R. M. Grant [1] vient de montrer à quel point les auteurs chrétiens des trois premiers siècles - et singulièrement Origène - étaient avertis des difficultés historiques. Néanmoins il ne saurait être question de tracer ici le développement de la problématique à partir des origines chrétiennes. Nous nous en tiendrons à la situation contemporaine, dont les données remontent à Wrede, nous l'avons dit.

Et pourtant, presque dix ans avant le grand livre de Wrede, un prophète avait élevé la voix en des termes qui constituent le programme de la quête contemporaine. Le livre de Martin Kähler s'intitulait en effet : « Le Jésus de l'histoire et le Christ de la foi [2] ». Il était une énergique protestation contre les « Vies de Jésus » pseudo-scientifiques de son temps, qui prétendaient reconstituer un Jésus « historique » sur lequel aurait pu s'édifier la foi.

M. Kähler affirme que cette tentative est désespérée tant du point de vue de la foi que du point de vue de l'histoire. Du point de vue de la foi, parce que la prétention de l'histoire de fournir à la foi son fondement et son objet est intolérable pour un protestant. La foi ne dépend pas de la science, sans quoi elle pourrait être remise en question par la dernière hypothèse scientifique. Le fondement et l'objet de la foi, Jésus-Christ, doit être également accessible par l'homme le plus simple. Le savant n'a aucun privilège à cet égard.

Du point de vue de la science, la prétention des critiques est tout aussi vaine, précisément parce que nos évangiles ne sont pas des documents d'histoire, mais des témoins de la foi primitive. Jean ne s'en cache pas (Jean XX, 31) ; mais les synoptiques en sont aussi conscients. Ils ne se contentent pas de décrire les faits et gestes de Jésus ; ils veulent en montrer la portée trans-historique (übergeschichtlich). Celle-ci se manifeste avant tout

---

1. *The Earliest Lives of Jesus*, London, 1961.
2. Traduction approximative du titre allemand : *Der sogenannte historische Jesus und der geschichtliche, biblische Christus*, Leipzig, 1892, [2]1928, réimpression, Munich, 1953, [2]1956 et [3]1961.

dans la résurrection. Supprimer cette dimension serait priver la vie de Jésus de tout contenu ; car le vrai Jésus « historique » est celui qui est annoncé par la foi.

II. William WREDE.

Mais si M. Kähler avait pressenti, dans son intuition de croyant, que la voie suivie par l'École libérale était sans issue (Holzweg), il revenait à W. Wrede de démontrer péremptoirement que l'on se trouvait dans une impasse. Pour le prouver, Wrede ne s'établit pas, comme M. Kähler, sur un observatoire juché en dehors du courant critique ; au contraire, il s'installe en plein milieu du courant et pousse la méthode critique à fond, jusqu'au mur où elle vient buter définitivement.

Avant Wrede, on savait déjà que nos évangiles - surtout Matthieu et Luc, pour ne pas parler de Jean - contenaient un grand nombre de traditions tardives et inauthentiques. On y découvrait nombre d'affirmations théologiques et de « mythes ». Mais on espérait néanmoins, grâce à une exigente critique littéraire, pouvoir retrouver le fond « historique » primitif.

Or le livre de Wrede a montré, de façon irrécusable et dans la ligne de la méthode la plus rigoureuse de l'époque, que la tradition même la plus ancienne, celle de Marc, est entièrement issue de la foi chrétienne. Le secret messianique, tel qu'il le comprend, est la projection de la foi pascale dans la vie terrestre de Jésus. Ainsi donc le Jésus terrestre, « historique », est déjà revêtu de la gloire du Christ ressuscité. Il est le Christ de la foi et non pas le Jésus de l'histoire.

Wrede sonne ainsi le glas de toute la recherche sur la « vie de Jésus », et A. Schweitzer se fera bientôt l'officiant d'un enterrement de première classe [1]. Désormais toute spéculation sur les synoptiques, tout examen critique pour retrouver la source la plus ancienne ont perdu leur raison d'être, puisque le texte primitif lui-même, celui de Marc, est farci de projections pascales. C'est ce que la fameuse thèse du secret messianique a

---

1. *Von Reimarus zu Wrede*, Tübingen, 1906, repris et complété ensuite sous le titre *Geschichte der Leben-Jesu-Forschung*, [2]1913, [6]1951.

démontré. *Toute* la tradition de Marc - la plus antique de toutes
et le fondement des autres évangiles - est une relecture, une
réinterprétation pascale de la vie de Jésus.

III. Rudolf BULTMANN.

a) La thèse de Wrede représentait donc le cul-de-sac dans
lequel s'était enfermée la recherche libérale sur la « Vie de
Jésus ». Force était donc de trouver une issue. Wrede avait
prouvé que l'évangile de Marc était un évangile « dogmatique » ;
si l'on voulait remonter par-delà le « dogme » jusqu'à l'« histoire », il fallait bien s'efforcer, au-delà de Marc, de scruter la
tradition présynoptique. K. L. Schmidt [1] s'appliquera donc à
démonter complètement la rédaction de Marc pour prouver
qu'elle n'est que la mise bout à bout de péricopes isolées. D'où
la thèse de l'École de l'histoire des formes (Formgeschichte) que
seules peuvent avoir quelque valeur « historique » les péricopes
isolées, le cadre rédactionnel étant relativement tardif, artificiel
et dogmatisant.

Il ne reste plus qu'à prendre acte de ce fait et à discerner les
différents courants de traditions, la tradition palestinienne, la
tradition hellénistique, etc. Par ce moyen, on arrivera peut-être
à discerner ce qui a été purement et simplement créé par la foi
pascale de la communauté, et ce qui est le reflet plus ou moins
fidèle d'un geste ou d'une parole de Jésus. Il est convenu que
tout ce qui est rédactionnel, tout ce qui trahit une relecture ou
une retouche, tout ce qui dénote une tradition d'origine hellénistique doit être éliminé. On procède donc par voie d'exclusion.

Au terme d'un travail considérable [2], R. Bultmann estime que
les traditions qui relatent des *actions* de Jésus, récits de miracles
ou autres faits notables proviennent de la communauté primitive. Ce sont donc des narrations qui reflètent la foi de l'Église
et non des documents d'histoire. Ils ne nous fournissent aucune
donnée qu'une critique historique exigeante puisse considérer
comme indiscutable. Ils portent la marque d'une élaboration et

---

1. *Der Rahmen der Geschichte Jesu*, Berlin, 1919, Darmstadt, ²1964.
2. *Die Geschichte der synoptischen Tradition*, Göttingen, 1921, ⁴1958.

d'une réinterprétation à l'intérieur de la Communauté primitive, dont ils reflètent les préoccupations. Ils sont donc des documents précieux sur la vie et la foi de l'Église primitive ; mais ils ne sont que des documents indirects concernant Jésus. Il en va tout autrement pour les *logia* de Jésus. Dans ce secteur, il est possible de reconnaître, avec une certitude critique, un nombre assez considérable de logia authentiques, provenant certainement de Jésus en personne.

Cela signifie que, pour une large part (les narrations), il est impossible de remonter avec certitude au-delà de la tradition post-pascale de l'Église primitive. Le portrait de Jésus tracé par nos évangiles est donc un témoignage de la foi et non un document historique.

Cette conclusion de Bultmann se situe dans le prolongement de la thèse de Wrede. Il est donc impossible de dépasser le témoignage de foi de l'Église pour atteindre le Jésus historique. Le Jésus des évangiles est entièrement réinterprété par la foi pascale de l'Église. Ce fait - Bultmann y voit une conclusion scientifique inéluctable - pose naturellement un problème crucial à la conscience de l'homme contemporain. Cela signifie que nous ne connaissons presque plus rien de certain concernant l'activité historique de Jésus de Nazareth. Seule son existence demeure hors de doute, selon Bultmann.

b) Sur quoi donc pourra se fonder la foi de ceux de nos contemporains qui réfléchissent et qui ne se contentent pas de la logique du charbonnier ? Et Bultmann entreprend ici une très méritoire herméneutique dans la pure ligne du protestantisme [1].

Selon lui, connaître Dieu, ce n'est pas avoir de belles idées *sur* Dieu. Toute connaissance vraie de Dieu ne se situe pas au niveau conceptuel, mais au niveau expérimental. Connaître Dieu, c'est le rencontrer, ou, mieux, être rencontré par lui. Il est clair, en effet, que toute l'initiative de cette rencontre viendra toujours de Dieu. Je ne puis rencontrer Dieu que si lui-même m'in-

---

1. Sur le système de R. Bultmann, voir surtout *Kerygma und Mythos*, vol. I et VI, Hamburg, 1948 ([6]1967) et 1963 ; R. Bultmann : *L'interprétation du Nouveau Testament*, Paris, 1955 ; id. *Histoire et eschatologie*, Neuchâtel, 1959 ; id. *Glauben und Verstehen*, III, Tübingen, 1962, p. 81-121 et 178-189. - L. Malevez : *Le message chrétien et le mythe*, Bruges, 1954 ; A. Malet : *Mythos et Logos*, Paris, 1962 ; G. Hasenhüttl : *Der Glaubenvollzug*, Essen, 1963, etc.

terpelle et me tire de ma solitude. Tant que j'en reste aux constructions intellectuelles, je ne sors pas de moi-même et je n'ai pas encore commencé à rencontrer Dieu : n'importe quel athée pourrait en faire autant. Bultmann refuse donc, lorsqu'il s'agit de Dieu ou du Christ, de s'en tenir au plan de la raison raisonnante. Il prétend se tenir au plan de la pure foi. C'est sur ce plan-là seul que l'Évangile apportera son message.

C'est pourquoi Bultmann rejette tout discours objectif sur Dieu ou sur le Christ. Je ne puis pas analyser la résurrection du Christ ni sa divinité, comme un objet que je pourrais classer et inventorier. Tant que j'en reste là, je ne sais encore rien de la résurrection de Jésus. Je reste enfermé dans mon propre système de pensée. La résurrection de Jésus n'a de réalité pour moi que lorsqu'elle me rencontre et me ressuscite.

Dès lors, Bultmann se met en campagne. Il estime que toute affirmation objectivante sur Dieu ou sur le Christ est un « mythe ». Lorsque l'on dit que Dieu ou ses anges, ou encore les démons, interviennent dans le cours des événements, c'est un mythe. Lorsque l'on dit que, « à la fin des temps », Dieu envoya son Fils, lequel, être divin préexistant, apparut sur terre comme un homme, expia les péchés des hommes par sa mort, ressuscita et s'assit à la droit de Dieu, tout cela est un langage « objectivant », donc « mythique ». Pour Bultmann, en effet, est « mythique » tout langage qui représente l'action salvifique de Dieu comme une réalité constatable dans le monde.

Selon lui, la seule manifestation perceptible de Dieu en Jésus-Christ est la Parole qui m'interpelle, a barre sur moi (Anspruch) et me met en question. Elle n'est pas une réalité objective que je pourrais circonscrire et définir (un « Was ») - ce qui reviendrait à la maîtriser en quelque façon. Elle est le Tout-Autre qui surgit tout à coup dans ma vie (le « Dass », l'Événement) et m'accule à la décision (Entscheidung). Pour répondre à son appel, je dois quitter mon passé et tout ce que je suis pour devenir ce que je ne suis pas. Cela ne signifie d'ailleurs pas que j'y perde mon identité ; au contraire, j'acquiers une manière nouvelle d'être ce que je suis. Je suis le même, mais autrement. Grâce à la rencontre, j'acquiers ainsi une nouvelle conscience de moi-même.

Ce dernier point est caractéristique de Bultmann. L'Autre reste toujours insaisissable en lui-même (« Was »). Je ne puis percevoir de lui que le changement qu'il produit en moi (« Dass »). C'est pourquoi, si je veux définir l'Autre en termes de foi, je ne puis décrire autre chose que le changement opéré en moi par sa venue. C'est un peu comme s'il s'agissait d'un être invisible qui ne pourrait être détecté que par son action. C'est une connaissance « négative », mais je ne puis obtenir le positif de ce cliché, car l'Autre (précisément en tant qu'*Autre*) est insaisissable par définition et, dès que je veux m'en faire une représentation, je crée un mythe.

c) Bultmann entend se tenir rigoureusement sur cette corde raide. La science contemporaine lui a d'ailleurs appris que le monde est un système clos qui se suffit à lui-même. Toutes ses lois sont strictement déterminées et constantes. Il y a longtemps que la science a abandonné toutes les explications *sur-naturelles* des phénomènes extraordinaires. Ceux-là aussi obéissent à d'autres lois cosmiques précises, dont la nature nous est peut-être moins connue, mais qui sont indéniables. Il n'est plus besoin, de nos jours, de faire appel à des puissances mystérieuses ou à une intervention surnaturelle. Le cosmos est tellement complet dans son faisceau de causalités, que toute ingérence extérieure y serait une pièce surnuméraire venant gêner le bon fonctionnement d'une montre.

Et cependant, il faut bien reconnaître que la Bible vit dans un monde différent. Sans cesse elle « objective » l'intervention divine. Elle la décrit comme une réalité visible et observable sur terre, comme un « en-soi » ayant une existence autonome dans le monde avant de me rencontrer. Ainsi, elle décrit la venue sur terre du Fils de Dieu, son incarnation virginale, ses miracles, sa résurrection, son entrée au ciel et sa session sur le trône de Dieu. Autant de façons imaginatives d'exprimer l'inexprimable.

Tout cela est une objectivation, une « chosification » illégitime de la réalité et de l'intervention divines. Dieu n'est pas une chose. Il n'est pas une réalité extérieure à moi que je pourrais cerner et décrire. Je ne puis expérimenter Dieu que dans une rencontre. Il s'agit donc de montrer que le langage objectivant de la Bible cache la rencontre existentielle de la Parole de Dieu.

Jésus-Christ, en réalité, n'est rien d'autre que l'événement et l'avènement de la Parole. Sa venue est celle du Royaume de Dieu. L'accueillir, c'est accueillir Dieu (Mt X, 40 ; Jean XII, 44-50). Dans sa personne, il représente l'appel à la décision. Cette Parole, qu'il *est* lui-même, n'est pas une définition métaphysique (un « Was »), mais une interpellation de Dieu m'obligeant à répondre Oui ou Non.

d) La résurrection de Jésus n'est pas non plus une réalité objective. Elle n'est pas un phénomène de ce monde (« Was »). Elle ne peut donc consister dans les apparitions dont parlent les récits de Pâques, car elle est beaucoup plus que le simple retour d'un homme à la vie d'ici-bas. Elle est un événement eschatologique. Jésus n'est le Ressuscité *que* parce qu'il *me* ressuscite. C'est dans la rencontre vitale que je fais avec lui qu'il se manifeste comme le Ressuscité et le Ressuscitant. C'est seulement dans la mesure où il est le Sauveur et le Seigneur des hommes qu'il est le Ressuscité (cf I Cor XV, 16).

Bultmann s'emploie donc à montrer que la résurrection n'est pas un événement objectif existant *d'abord* en soi, et m'atteignant *ensuite* pour me vivifier. Dans ce *d'abord* et cet *ensuite*, il y a une objectivation qui transforme le divin en un événement observable dans notre univers, c'est-à-dire en un « mythe ».

La démythologisation consistera donc à montrer que même là où l'Écriture elle-même tend à objectiver l'action de Dieu, il faut la comprendre comme pure rencontre spirituelle s'accomplissant entre Dieu et moi. Dieu, parce qu'il est le Tout-Autre, ne peut être représenté ou objectivé par aucune réalité visible de notre univers. Dieu est l'Événement (Dass). Il n'a aucun contenu que je puisse cerner, palper et décrire (Was). Dès que je cède à cette tentation, je crée un mythe.

C'est pourquoi la Résurrection, à tout prendre, n'est rien d'autre que le sens de la croix. Elle n'est pas une réalité objective, « historique », mais simplement elle est la valeur salvifique de la croix. La croix du Christ est une intervention eschatologique de Dieu qui change mon être de croyant et me donne une compréhension nouvelle de moi-même. La résurrection du Christ n'est pas un « en-soi », elle est un « pour-moi ». Les récits de Pâques sont donc des confessions de foi exprimant l'expérience de la communauté croyante, et non des événements objectifs.

e) Bultmann voudrait que la christologie soit radicalement libérée de sa gangue objectivante pour être traduite en langage strictement existential, c'est-à-dire en termes de rencontre. Il ne faut pas dire : Jésus est le Christ, le Fils de Dieu mort et ressuscité pour moi. Cela laisserait supposer que le Christ, le Fils de

Dieu, est un être objectif, existant en soi ou ayant existé en tant que tel en un endroit quelconque de notre monde. C'est là un mélange du Tout-Autre et du profane. En réalité le Christ, le Fils de Dieu est une vivante relation et rien d'autre. Il est Dieu se manifestant à moi. De même que le Logos n'est pas un être objectif, distinct de Dieu : il est Dieu en tant qu'il se révèle. De même Jésus-Christ est le Logos en tant qu'il révèle Dieu. Un catholique sent ici un souffle de modalisme : la Trinité n'est pas un être en soi, mais un symbole des diverses façons dont Dieu se manifeste à l'homme.

Je ne puis donc ni analyser, ni exprimer en concepts ce qu'est le Fils de Dieu en lui-même, ou ce qu'est le Christ ressuscité. Une telle question n'aurait d'ailleurs aucun intérêt pour moi. Le Christ ressuscité est la façon dont Dieu me transforme et me sauve. Je ne puis ni ne dois exprimer ce qu'il est en lui-même. Je ne puis décrire que ce que j'en ressens. Je sais bien qu'il me transforme intérieurement et qu'il crée en moi un nouveau mode d'être. Ma connaissance vraie de lui sera donc simplement ma conscience de ce nouveau mode d'existence : ce qu'il est pour moi.

f) Nous espérons ne pas avoir trahi la pensée de Bultmann dans ce trop bref résumé. On nous permettra d'en donner encore une courte critique. Du point de vue catholique, il y a un hiatus dans la pensée de Bultmann. D'une part, il y a pour lui un Jésus terrestre aussi terrestre que possible, auquel, en tant que critique, il dénie toute conscience messianique, toute action miraculeuse et jusqu'à la résurrection elle-même en son objectivité. Et d'autre part, il y a la foi du croyant Bultmann, qui se situe uniquement au niveau spirituel de la rencontre existentielle avec le Fils de Dieu. Il n'accepte pas l'objectivité de la résurrection, et cependant toute sa foi de croyant est fondée sur la résurrection.

C'est précisément cet hiatus qui rend Bultmann tellement libre à l'égard de la tradition « historique ». On ne peut s'empêcher de songer à ces nouvelles voitures ultra-rapides, portées par un coussin d'air à l'abri des rugosités de la route. Bultmann possédait déjà une voiture de ce modèle lorsqu'il se lança dans la critique du Nouveau Testament. Justement, parce que la rencontre existentielle se produit au plan de sa foi, elle n'interfère jamais avec le plan des réalités historiques et terrestres. C'est pour cela que Bultmann se sent aussi libre et dégagé de part et d'autre : sa foi de croyant n'est pas troublée par les découvertes de la critique, et sa recherche critique n'est endiguée par aucun a priori dogmatique.

Mais si ce coussin d'air met Bultmann à l'abri des rugosités de sa route exégétique, elle l'isole aussi de l'étoffe de notre univers. Le plus grand reproche que nous ferions à Bultmann est que par son refus de l'objectivité du salut - qui a nom incarnation et résurrection - il met le monde et l'étoffe de notre cosmos en dehors de l'atteinte du salut. Le coussin d'air qui assure le confort de Bultmann isole aussi irrémédiablement notre univers de la puissance eschatologique de renouvellement. Parce que le salut divin est tout-autre, il ne peut interférer avec la substance close sur elle-même de notre cosmos. Mais alors celui-ci est exclu à tout jamais du salut et le salut prend une dimension étroitement individualiste qui ne renouvelle plus la face de la terre.

Cela signifie, selon nous, que Bultmann - quoiqu'il en paraisse - est finalement incapable de donner un sens véritable à la lutte, aux progrès et à la technique du monde contemporain. Tout cela est implacablement séparé de Dieu. Et donc si Bultmann, en raison de son « dualisme », est très libre sur le plan terrestre, tout ce qu'il entreprend sur ce plan contingent reste à tout jamais « absurde », parce que tout cela ne pourra *jamais* déboucher sur Dieu ni être touché par le salut divin. Sans doute, Bultmann demeure-t-il ainsi fidèle à la ligne du protestantisme réinterprété par l'idéalisme ; mais le catholique et aussi le scientifique restent sur leur faim.

A-t-on mesuré la gravité d'une telle conséquence ? Cela contredit toutes les perspectives cosmiques des épîtres de la Captivité. Le salut n'est plus que la rencontre individualiste avec le Christ ressuscité. Le salut isole en quelque sorte le croyant du monde, puisqu'il l'atteint à un niveau où le monde ne peut être touché [1]. Sans doute Bultmann affirmera-t-il rester parfaitement libre au niveau terrestre et cosmique de sa vie, mais cette liberté n'est que celle de l'homme naturel, tandis que le croyant vit sur un autre plan. A tout prendre, nous croyons donc que le

---

1. Critique analogue : A. Vögtle dans *Biblische Zeitschrift*, N.F. I, 1957, p. 144sv.

système de Bultmann, malgré sa complexité et sa richesse, a simplifié indûment le mystère de l'historicité de Jésus-Christ.

g) Peut-être y a-t-il une seconde mise au point, fournie par Bultmann lui-même ; nous en trouverons un raccourci chez l'un de ses meilleurs commentateurs, André Malet [1]. Très loyalement, ce dernier reconnaît que la démythologisation de Bultmann ne se trouve pas telle quelle dans l'Écriture et, en outre, qu'elle est spécifiquement protestante [2]. Il met sur les lèvres des adversaires de Bultmann la question : « Jusqu'où irez-vous dans la démythologisation ? » Et il répond :

> « Interroger ainsi, c'est avouer qu'on n'a pas de critérium pour distinguer entre *Scriptura* et *Revelatio*. On reste ainsi très vulnérable au catholicisme. En vérité le principe du catholicisme est déjà dans l'Écriture et l'Église romaine est parfaitement fondée à invoquer la Bible à l'appui de ses dires et de la justification qu'elle fournit d'elle-même. Naturellement tout ce qu'elle dit être dans l'Écriture ne s'y trouve pas (le NT ignore tout de la papauté, du septénaire sacramentel et de maints autres articles essentiels de la foi catholique), mais le principe fondamental du catholicisme y est, à savoir l'*objectivation* du divin, l'amalgame de la Révélation et de la philosophie de l'homme naturel ou, en termes luthériens, de la foi et des œuvres ».

Nous sommes reconnaissants à A. Malet de cette franchise qui circonscrit exactement l'enjeu de la démythologisation de Bultmann : elle veut obvier au danger de tomber dans le catholicisme. C'est un protestantisme plus radical encore que celui de la *Scriptura sola*, celui de la *Revelatio sola*. Il prétend être plus protestant que l'Écriture, parce que l'Écriture est encore trop « catholicisante ».

Pour notre part, nous ne prétendons nullement répondre à la totalité du système de Bultmann. Puisque nous nous sommes limités strictement à l'analyse de la *rédaction* de Marc, notre analyse ne pourra jamais atteindre que la façon dont l'Église primitive - Marc en particulier - comprenait et interprétait les faits concernant Jésus. L'analyse approfondie nous a toutefois révélé que Marc n'entend pas décrire les faits et gestes de Jésus

---

1. *Mythos et Logos*, 1962, p. 80.
2. Dans le même sens : A. Hulsbosch : « Het reformatorisch karakter van de Entmythologisierung », dans *Tijdschrift voor Theologie*, IV, 1964, p. 1-34.

dans leur matérialité. Au contraire, il s'efforce en tout temps de les interpréter. Il y a donc chez lui une certaine herméneutique, qui n'est pas identique en tout point à celle de Bultmann, mais qu'il vaut cependant la peine d'examiner en détail pour saisir mieux les données du problème.

IV. DISCUSSION CONTEMPORAINE.

a) Albert Schweitzer avait pensé mettre un point final à la recherche concernant la vie de Jésus. Martin Kähler et William Wrede avaient en effet montré que l'on s'aventurait sur une piste sans issue, puisque nos évangiles ne sont pas des documents d'histoire, mais des témoins de la foi.

Pourtant, en 1949, T. W. Manson reprenait, avec une pointe d'humour britannique, le titre donné à l'édition anglaise de l'ouvrage de Wrede, accompagné d'une addition significative : « The Quest of the Historical Jesus - Continued » [1]. Non, la quête concernant la vie de Jésus ne s'est pas terminée avec Wrede. Aussi vivace que l'antique Phénix, elle a survécu dans la métamorphose de la Formgeschichte [2].

La solution de Bultmann, en particulier, a été un réveil génial de la recherche située désormais dans un jour nouveau. Et cependant ses thèses n'apaisent pas toutes les soifs. Bultmann prend acte des conclusions de Wrede : la tradition, même la plus ancienne - celle de Marc - est entièrement informée par la foi pascale des chrétiens. Pour Bultmann, cela signifie que, dans les évangiles, j'atteins, non pas l'histoire de Jésus, mais la foi de l'Église. Cette foi doit me suffire ; en elle me rencontre et m'interpelle la Parole de Dieu. Cette dernière est un absolu qui ne requiert d'autre légitimation qu'elle-même. Vouloir en chercher un fondement historique serait baser ma foi sur une recherche historique. Ce serait requérir de Dieu une légitimation à son exigence. Mais requérir de Dieu une justification, c'est déjà ne pas croire, comme l'enseigne l'exemple de Zacharie (Luc

---

1. Conférence publiée à nouveau dans *Studies in the Gospels and Epistles*, Manchester, 1962, p. 3-27.
2. Autre aggiornamento du livre de SCHWEITZER : F.-M. BRAUN : *Où en est le problème de Jésus ?* Bruxelles-Paris, 1932.

I, 18). C'est donc par principe que le Jésus historique n'intéresse plus la théologie de Bultmann [1]. Il se fonde pour cela sur la célèbre parole de Paul : « Nous ne connaissons plus le Christ selon la chair » (2 Cor V, 16) [2].

> P. Althaus [3] montre que Bultmann fait un contresens ou, plus exacte-
> ment, qu'il projette sa propre pensée dans le texte de Paul. En 2
> Cor V, 16, le déterminatif « selon la chair » doit se rapporter à
> « connaître » et non à « Christ ». C'est une allusion à la façon
> « charnelle » dont les Judaïsants se réclamaient de leur parenté avec
> Jésus [4].

Bultmann s'en tient résolument au dualisme. Il n'essaye pas de concilier les contraires. Il prône la séparation des plans. Pour lui, le message de Jésus n'est que le présupposé et non le con-tenu du kérygme chrétien [5]. Le passage entre le plan terrestre et le plan divin s'accomplit dans la foi pascale de l'Église. C'est sur cette foi de Pâques que Bultmann établit la sienne. Le Jésus terrestre ne l'intéresse plus. Il appartient à l'ère ancienne, à la Loi et aux promesses. Le Royaume est encore un futur pour lui [6]. Bultmann aime autant le livrer au feu de la critique [7].

b) Mais les disciples de Bultmann ne peuvent plus accepter cette prise de position extrême. Si le kérygme de l'Église primi-tive n'est pas fondé sur l'histoire, c'est-à-dire sur le Jésus histo-rique, il n'est qu'un mythe [8]. Le retour au Jésus historique est non seulement légitime, il est indispensable. Cette référence à l'histoire n'est en rien une tentative de justifier ou de prouver

---

1. Cf. E. KAESEMANN : *Zeitschr. f. Theol. und Kirche*, LI, 1954, p. 126 (= *Exegetische Versuche und Besinnungen*, I, ³1964, p. 188) ; P. ALTHAUS : *Das sogenannte Kerygma und der historische Jesus*, Gütersloh, 1958, ³1963, p. 19sv.
2. R. BULTMANN : *Glauben und Verstehen*, I, Tübingen, ⁴1961, p. 101, 207 ; *Theologie des Neuen Testaments*, Tübingen, 1953, p. 234. Voir aussi J. M. ROBINSON : *Le kérygme de l'Église et le Jésus de l'histoire*, Genève, 1960, p. 82, note 1.
3. *Das sogenannte Kerygma*, ³1963, p. 19sv.
4. Voir aussi X. LÉON-DUFOUR : *Les évangiles et l'histoire de Jésus*, Paris, 1963, p. 71.
5. *Theologie des Neuen Testaments*, 1953, p. 1.
6. *Glauben und Verstehen*, I, ⁴1961, p. 200sv.
7. *Glauben und Verstehen*, I, ⁴1961, p. 101.
8. E. KAESEMANN : *Zeitschr. f. Theol. und Kirche*, LI, 1954, p. 134 (= *Exegetische Versuche und Besinnungen*, I, 1964, p. 197) ; J. M. ROBINSON : *Le kérygme de l'Église et le Jésus de l'histoire*, Genève, 1960, p. 73.

rationnellement le kérygme ; elle accorde au *fait* que le kérygme s'enracine dans l'histoire la valeur qui lui revient.

Le cœur du kérygme est en effet l'affirmation de l'identité entre le Christ de la foi et Jésus de Nazareth. Les apôtres attestent que Jésus est bien le Christ (Act IX, 20, 22 ; Rom X, 9), ou, inversement : « Le Christ, c'est ce Jésus que je vous annonce » (Act XVII, 3). Le kérygme lui-même renvoie donc les disciples de Bultmann au Jésus historique.

Un second motif, d'ordre littéraire, oriente la nouvelle recherche dans le même sens, à savoir le genre littéraire de nos évangiles. Ce point a été spécialement développé par E. Käsemann [1]. Sans doute, note-t-il, seuls nos évangiles présentent-ils le message chrétien dans le cadre d'une vie de Jésus. Dans tous les autres écrits du Nouveau Testament, la vie terrestre de Jésus ne joue presque aucun rôle. Dans nos évangiles eux-mêmes - à l'exception de Luc - l'intérêt n'est pas centré sur la vie de Jésus en tant que telle, mais sur sa gloire, celle du Fils unique ou celle du Christ ressuscité. Néanmoins tous les évangélistes, y compris Jean, sont suprêmement intéressés par le *fait* de la vie terrestre de Jésus. La raison en est que, pour eux, l'événement eschatologique est lié à cette destinée concrète et cela, non en vertu d'une causalité interne, mais en raison de la liberté et de la gratuité de Dieu.

c) Il n'est plus question, bien sûr, d'en revenir à la recherche d'une chronologie ou des faits bruts, tels que s'efforçait de les retrouver la critique du XIXè siècle. Sur quelles bases alors pourra-t-on édifier la nouvelle recherche ? Tout le problème est celui de la nature de l'identité entre Jésus de Nazareth et le Christ de la foi. Comment Jésus de Nazareth, le *héraut* de l'Évangile (Mc I, 14-15), a-t-il pu en devenir l'*objet* ? Comment celui qui annonçait l'Évangile a-t-il pu devenir l'Annoncé ? Comment un personnage historique, contingent, a-t-il pu devenir le contenu du kérygme divin ? Comment passer de l'histoire à la foi ? de la matérialité terrestre à l'intervention salvifique de Dieu ?

---

1. « Das Problem des historischen Jesus », dans *Zeitschrift für Theologie und Kirche*, LI, 1954, p. 125-153 (= *Exegetische Versuche und Besinnungen*, Göttingen, I, [3]1964, p. 187-214).

Hans Conzelmann a sans doute forgé la formule définitive pour caractériser la nouvelle problématique : la christologie indirecte [1]. Et J. M. Robinson a expliqué en détail ce qu'il fallait entendre par là [2]. H. Conzelmann part d'une phrase de Bultmann : « L'appel à la décision lancé par Jésus implique une christologie » [3]. Cette phrase va loin et les disciples de Bultmann en tireront toutes les conséquences. Le levier de la nouvelle recherche sera donc celui-ci : la compréhension que Jésus avait de l'existence est-elle la même que celle du kérygme ?

Cette façon de poser le problème nous dépayse sans doute un peu. En effet, si les disciples de Bultmann reprennent la recherche du Jésus « historique », qui avait été abandonnée depuis Wrede, ce n'est pas parce qu'ils pensent pouvoir dépasser le point mort où s'était bloquée la recherche du XIXè siècle, mais parce que le mot « histoire » a changé de sens pour eux.

Au siècle dernier, l'histoire (Historie) positivo-critique recherchait les événements tels qu'ils s'étaient réellement déroulés. La critique se faisait forte de les reconstituer exactement et certainement. Dans le cas de Jésus cependant, elle avait abouti à un échec en raison de la nature des sources : celles-ci ne sont pas une relation des faits bruts, mais une interprétation des événements à la lumière de la foi.

La nouvelle conception de l'histoire, au contraire, est existentielle. On s'intéresse beaucoup moins à la matérialité des faits, à leur succession, qu'à la signification existentielle de ces faits. Ainsi, en Jésus, ce qui intéresse aujourd'hui, ce ne sont plus les diverses phases de succès et d'insuccès de son ministère, mais la conception qu'il se faisait de sa relation à Dieu et de la relation de l'homme à Dieu, le sentiment qu'il avait de provoquer chez ses auditeurs une crise décisive en raison même de la Parole qu'il leur adressait.

A partir de là, un pont peut être jeté entre le Jésus de l'histoire et le kérygme. On pourra se demander si la compréhension de l'existence de Jésus est identique à celle exprimée dans le kérygme et si le kérygme a raison de fonder son appel sur Jésus.

1. *Zeitschr. f. Theol. und Kirche*, 1959, Beiheft 1, p. 12 ; *Die Religion in Geschichte und Gegenwart*, Tübingen, [3]1959, col. 633sv.
2. *Le kérygme de l'Église et le Jésus de l'histoire*, 1960, p. 80-86.
3. *Theologie des Neuen Testaments*, 1953, p. 44 ; cf. H. CONZELMANN : *Zeitschr. f. Theol. u. Kirche*, 1959, Beiheft 1, p. 6.

L'appel à la décision que l'on trouve dans les logia authentiques de Jésus a-t-il la même portée que l'appel du kérygme ?

d) Pour résoudre ce problème chacun des chercheurs part de ce que l'analyse critique des évangiles [1] a considéré comme certainement authentique. Puisqu'il s'agit de l'idée que Jésus se faisait de lui-même, de son existence et du caractère décisif de l'appel qu'il lançait à ses contemporains, les logia de Jésus auront beaucoup plus d'importance que les récits de miracles. Or ici nous nous trouvons sur un terrain privilégié, puisque Bultmann admet lui-même l'authenticité d'un grand nombre de logia [2].

E. Käsemann part des trois antithèses fondamentales contenues dans Mt V, 21-45, les controverses sur le sabbat (Mc II, 23-27) ainsi que les purifications juives (Mc VII, 1-23). Jésus y revendique pratiquement une autorité qui ne convient qu'au Messie, bien au-delà de ce que pourrait prétendre un rabbi ou même un prophète. Il a l'audace de remettre en question la Loi de Moïse et donc il se place au-dessus de Moïse. Cette prétention ne peut convenir qu'au Messie. Cependant Käsemann estime comme Bultmann que tous les textes où ce vocable est appliqué au Jésus terrestre sont littérairement secondaires [3]. Il semble que Jésus a mis sa mission bien plus en évidence que sa personne. Après sa mort, la communauté chrétienne a montré qu'elle avait compris cette mission, précisément en proclamant qu'il était le Messie.

H. Conzelmann, lui, préfère partir du substrat primitif des paraboles. Celles-ci, à leur tour, fourniront un critère pour juger de l'authenticité des logia. Jésus y annonce la proximité immédiate du Royaume. Il y établit même un lien essentiel entre son propre ministère et la venue du Royaume [4]. Lien si essentiel, selon Conzelmann, qu'entre la venue de Jésus et celle du

---

1. C'est-à-dire pratiquement R. BULTMANN dans son livre *Die Geschichte der synoptischen Tradition*, 1921, [6]1964.
2. Cf ci-dessus, p. 449.
3. De même tous les disciples de BULTMANN, par exemple G. BORNKAMM : *Jesus von Nazareth*, Stuttgart, 1956, p. 163.
4. Dans le même sens déjà R. BULTMANN : *Glauben und Verstehen*, Tübingen, I, [4]1961, p. 266 ; A. MALET : *Mythos et Logos*, 1962, p. 141sv, et la conférence de J. DUPONT citée ci-dessus, p. 215. Voir surtout H. CONZELMANN dans *Die Religion in Geschichte und Gegenwart*, Tübingen, 3è éd. II, 1958, col. 667sv.

Royaume il n'y a place pour aucun autre événement, ni la venue ultérieure d'un (autre) « Fils de l'Homme », ni celle d'une Parousie encore à venir.

Cela signifie que l'eschatologie est liée à la personne de Jésus. Son appel appartient à la structure même de cette eschatologie. Et pourtant Jésus ne s'identifie pas au Royaume, il en annonce seulement la proximité. On se heurte ainsi à une christologie indirecte, présupposée ; à savoir qu'en entendant la parole de Jésus, l'auditeur se trouve incontinent confronté à Dieu. Jésus se comprend lui-même comme la vivante interpellation de Dieu. Le kérygme de l'Église primitive n'ajoutera rien à cela ; il ne fera qu'expliciter ce qui était virtuel dans le message de Jésus.

E. Fuchs part lui aussi des paraboles, mais il estime que la manière de vivre de Jésus est la clef de son enseignement [1]. Partant de là, un autre disciple de Bultmann a même estimé légitime d'écrire une « vie de Jésus » dans une perspective renouvelée [2]. Désormais le lien est noué entre le kérygme de l'Église et le Jésus de l'histoire. L'Église n'a pas « inventé » le kérygme, elle n'a fait que prolonger et expliciter le message de Jésus. La résurrection elle-même n'est pas un nouveau dogme qui vient s'ajouter aux autres, un nouvel objet de foi. La foi pascale n'est rien d'autre qu'une compréhension correcte du Jésus historique [3]. Le kérygme de l'Église était la seule interprétation vraie qu'il fût possible de donner au fait de Jésus.

J. M. Robinson [4] montre, dans cette nouvelle perspective, la nécessité théologique de la recherche concernant le Jésus historique. L'étude de l'historicité de Jésus nous donne deux façons complémentaires de comprendre et de vivre l'événement chrétien : d'une part je l'atteins par le kérygme, dans l'emprise divine qu'il exerce sur moi, et d'autre part par l'histoire, où je puis atteindre le conditionnement terrestre de cette intervention divine ; ce qui me place à l'égard de Jésus dans la même situation que les premiers chrétiens qui, d'une part, connaissaient les souvenirs historiques de Jésus et, d'autre part, réinterprétaient

1. *Das urchristliche Sakramentsverständnis*, Württemberg, 1958 ; *Zeitschrift für Theologie und Kirche*, LIII, 1956, p. 210-229 et LVI, 1959, Beiheft 1, p. 31-48.
2. G. Bornkamm : *Jesus von Nazareth*, (Urban Bücher), Stuttgart, 1956.
3. G. Ebeling : *Zeitschr. f. Theol. & Kirche*, LVI, 1959, Beiheft 1, p. 27.
4. *Le kérygme de l'Église et le Jésus de l'histoire*, 1960, p. 80-86.

tous ces souvenirs à la lumière de la foi. Le XIXè siècle avait
évacué la dimension transcendante ; Bultmann fait bon marché
de la dimension temporelle. Le retour à l'histoire donne tout
son sens à la tension entre l'histoire et l'Eschaton.

e) Nous avons résumé le plus clairement possible une pensée qui se cherche. Nous espérons n'avoir pas trahi son intention fondamentale. Les disciples de Bultmann sont eux-mêmes
très conscients que le dernier mot n'est pas dit sur cette enquête.
Loin de là ; ils ont plutôt l'impression de se trouver dans une
crise [1]. Néanmoins l'orientation générale de cette nouvelle tendance apparaît suffisamment claire et, si nous en avons bien
compris l'enjeu, il doit nous être permis de formuler un essai
de critique.

Rappelons tout d'abord que R. Bultmann en personne a désap-
prouvé cette nouvelle tendance [2]. Il estime illégitime ce retour à
l'histoire. Le kérygme présuppose le Jésus historique, mais ne
postule que le *fait* de son existence (Dass). Il ne contient aucun
portrait de lui et ne s'y intéresse pas. Le kérygme n'annonce
pas le Jésus historique, mais le Christ ressuscité. Il est donc faux
de dire que le message de Jésus contient en germe le message
chrétien.

A ces objections, E. Käsemann, le promoteur de la nouvelle
vague, a répondu [3] : Le kérygme lui-même ne nous autorise-t-il
pas à remonter au-delà du Dass (le simple *fait* de l'existence de
Jésus) ? Ne contient-il pas en germe, c'est-à-dire en paroles et
en actions, le Jésus historique ? Toutes les formes du kérygme
eschatologique du Nouveau Testament se réfèrent à lui ; tandis
que, du point de vue de Bultmann, le retour au Jésus de l'histoire entrepris par Marc, Matthieu et Luc (et même Jean) devient
totalement incompréhensible. En réalité, le kérygme chrétien
considère Jésus comme le critère de sa propre véracité. Le passé
devient le critère du présent. La nécessité théologique de poser
la question du Jésus historique est ainsi exposée à partir de la
tradition évangélique.

---

1. Cf. E. Heitsch : « Die Aporie des historischen Jesus als Problem theologischer Hermeneutik », dans *Zeitschr. für Theol. u. Kirche*, LIII, 1956,
p. 192-210.
2. *Sitzungenberichte der Heidelberger Akademie der Wissenschaft* (S.A.W.
Heidelberg), phil.-hist. Klasse, 1960, 3.
3. *Exegetische Versuche und Besinnungen*, II, Göttingen, 1964, p. 42-68.

On peut donc admettre la nécessité d'un retour à l'histoire, faute duquel notre christianisme verserait dans le docétisme et une forme nouvelle de gnose. Ce ne serait plus finalement qu'un syncrétisme modernisé, évacuant la moëlle du message chrétien, par laquelle, précisément, il est essentiellement irréductible à tout autre système ou philosophie. Mais si le *principe* du retour à l'histoire est correctement énoncé d'après la tradition évangélique elle-même, il apparaît que la *méthode* proposée est insuffisante.

La nouvelle tendance fait-elle autre chose que de reculer le problème ? Pour Bultmann, la ligne de démarcation entre les « éons », c'est-à-dire entre la foi et le monde, passait entre Jésus et Paul. Jésus se trouvait encore tout entier dans le monde « selon la chair », tandis que Paul se trouvait dans la lumière de la résurrection. Les successeurs de Bultmann ont reculé la frontière jusqu'à Jean-Baptiste qui acquiert désormais le poste enviable de « garde-frontière des éons » [1].

Le problème de la venue de la foi est donc remonté d'une génération. Est-il modifié pour autant ? Bien sûr, on n'accordera plus à la communauté chrétienne l'audace géniale d'avoir inventé la foi de Pâques ; la racine de cette foi se trouve dans le message de Jésus de Nazareth. Désormais le mystère ou le paradoxe se concentre en la personne de Jésus, et c'est sans aucun doute un progrès. La thèse de Wrede n'est plus vraie, le secret messianique n'est plus une supercherie de l'Église pour camoufler la caractère non-messianique de la vie de Jésus.

Mais tout cela demeure au niveau existentiel. La continuité tracée par eux entre le kérygme et le Jésus historique ne se situe pas au niveau psychologique, ni à celui de l'histoire de la pensée [2], mais au niveau existential. Jésus, en vertu d'une grâce particulière, a fait une expérience unique de la proximité et de l'emprise de Dieu sur son être. Et c'est cette expérience qu'il communique à tous ceux qui entendent sa Parole. La foi en la résurrection exprime en termes ontologiques (c'est-à-dire mythiques, parce que objectivants), ce qui s'est passé ontique-

---

1. G. Bornkamm : *Jesus von Nazareth*, 1956. Cf. aussi G. Hebert : The *Christ of Faith and the Jesus of History*, London, 1962, p. 49-52.
2. Cf. J. M. Robinson : *Le kérygme de l'Église et le Jésus de l'histoire*, 1960, p. 100-103.

ment en Jésus (à savoir dans sa compréhension de l'existence) [1]. La foi chrétienne primitive a donc objectivé, « chosifié » la compréhension qu'avait Jésus de son existence devant Dieu. Ce qui était une conviction purement intérieure, elle en a fait une réalité objective, extérieure, la résurrection des corps.

Si l'on veut retourner la formule, on peut dire que les disciples de Bultmann restent fidèles à la grande exigence de leur maître. Dans tous les faits présentés par le Nouveau Testament comme intervention divine dans l'étoffe de notre univers (incarnation, résurrection, etc.), ils ne voient que l'expression symbolique d'une expérience intime : c'est ce qu'ils nomment démythologisation.

Au bout du compte, les disciples de Bultmann ne sortent pas davantage du dualisme que leur maître. La création reste toujours hors des atteintes du salut. Par conséquent, l'expérience existentielle de la foi restera toujours une fuite hors du monde et les athées continueront, avec raison, d'accuser les chrétiens de se désintéresser, *en tant que chrétiens*, du développement de l'humanité.

En outre, ceux-là mêmes qui affirmaient que le kérygme ne serait qu'un mythe s'il était une création de la communauté, estiment aujourd'hui avoir retrouvé le lien avec l'« histoire », parce qu'ils en ont remonté l'origine d'une génération. Mais l'expérience existentielle de Jésus ne peut-elle pas être considérée comme aussi « mythique » que celle de la communauté ? Malgré ce changement d'étiquette, ne réduit-on pas le christianisme à un piétisme ? Et, à tout prendre, les disciples de Bultmann ne sont-ils pas moins conséquents dans leur propre ligne que leur maître ?

V. LES MODÉRÉS.

a) Dans sa conférence donné à Cambridge en 1949, T. W. Manson proclamait qu'il était temps d'abandonner les fantaisies de la critique des formes et d'en revenir à l'étude objective des

---

1. J. M. Robinson : Le kérygme de l'Église, 1960, p. 130.

évangiles [1]. Quelques années plus tard, E. Stauffer tentait une reconstruction de l'histoire de Jésus avec les moyens de la critique historique [2]. De l'aveu de tous les commentateurs ce fut un échec, parce que ce n'était qu'un retour pur et simple à la problématique du siècle dernier [3]. Le livre de W. Grundmann est sans doute plus nuancé ; mais ses positions très traditionnelles ne font pas véritablement avancer le problème [4].

La même année 1957, H. Riesenfeld prononce une conférence-programme au Congrès d'Oxford [5]. Il y compare la formation de la tradition évangélique à celle de la Mishna. Cette dernière n'a pas été constituée par une masse anonyme de croyants, mais par des autorités qualifiées. Il dut en être de même pour nos évangiles. L'origine s'en trouverait dans cet enseignement des apôtres dont parlent les Actes (II, 42). Mais au-delà des apôtres, Riesenfeld estime que la tradition remonte à Jésus lui-même, non seulement en ce qui concerne les logia, qu'il dut souvent leur enseigner par cœur, mais même pour les récits : Jésus leur en aurait déjà donné la structure fondamentale. Tout cela est confirmé par les araméismes et les procédés mnémotechniques que l'on discerne dans la tradition [6]. Ce discours de Riesenfeld ne faisait d'ailleurs que renforcer une prise de position claire et nette d'un autre Scandinave, N. A. Dahl [7], qui montrait, deux ans plus tôt, à quel point l'historicité de Jésus est inscrite au cœur même du kérygme.

b) Très profondément ancrée dans la discussion allemande contemporaine, elle aussi, la contribution de H.-W. Bartsch marque une réaction contre Bultmann [8]. Elle met en doute la vali-

---

1. Cf *Studies in the Gospels and Epistles*, 1962, p. 8.
2. *Jerusalem und Rom im Zeitalter Jesu Christi*, Bern, 1957 ; *Jesus, Gestalt und Geschichte*, Bern, 1957 ; *Die Botschaft Jesu damals und heute*, Bern, 1959.
3. Cf. J. M. Robinson : *Le kérygme de l'Église*, 1960, p. 11, avec bibliographie.
4. W. Grundmann : *Die Geschichte Jesu Christi*, Berlin, 1957.
5. *The Gospel Tradition and its Beginnings*, London, 1957.
6. Voir critique de W. G. Kümmel (avec bibliographie) dans *Theologische Rundschau*, N. F. XXXI, 1966, p. 25.
7. « Der historische Jesus als geschichtswissenschaftliches und theologisches Problem », dans *Kerygma und Dogma*, I, 1955, p. 104-132.
8. « Neuansatz der Leben-Jesu-Forschung », dans *Kirche in der Zeit*, XII, 1957, p. 244-247 (compte-rendu du livre de E. Stauffer) et surtout : *Das historische Problem des Lebens Jesu*, München, 1960. Bien qu'il puisse être considéré comme « antibultmannien » (*Revue Biblique*, 1958, p. 495), Bartsch est l'un des principaux éditeurs de Bultmann (Collection « *Kérygma und Mythos* »).

dité des fondements posés par les disciples de Bultmann dans leur recherche du Jésus de l'histoire. En effet, l'influence de la communauté, même sur des logia que la critique considère aujourd'hui comme authentiques, peut être plus profonde qu'on ne le pense. Qui nous dira si un nouveau Qumrân ou un nouvel Évangile de Thomas ne remettront pas en question demain des paraboles et des logia que l'on tient aujourd'hui pour authentiques ?

Bartsch lui-même estime que le récit de la passion est le noyau historique sur lequel s'est greffé celui de la résurrection, expression de la foi chrétienne. La passion est en effet l'archétype de l'existence ecclésiale. La situation de Jésus condamné à la souffrance et à la mort est le lot commun des chrétiens. C'est pourquoi on annonce à ces derniers la résurrection de Jésus, gage de leur propre victoire sur la tribulation présente. Dès lors, tout ce qui a trait à la passion doit être considéré comme authentique. Au contraire, ce qui décrit la manifestation en gloire de Jésus est une expression de la foi chrétienne.

Bartsch invoque encore un fait complémentaire : celui de la vocation des disciples. Selon l'accord unanime des exégètes, même les plus radicaux, cette vocation a eu lieu *avant* la résurrection de Jésus ; de sorte que les disciples, à travers leurs incompréhensions et les mutations de leurs foi, constituent, eux aussi, un maillon capital de continuité entre le Christ et la foi [1].

Bartsch pose donc comme première pierre de la reconstruction de l'histoire tout ce qui se situe dans le contexte de la passion : l'incrédulité des disciples, leur fuite et le secret messianique lui-même. Sur ce point, Bartsch ne veut pas suivre W. Wrede jusqu'au bout. Le « secret », tel qu'il est élaboré en Marc, n'est pas la preuve de ce que la vie de Jésus n'avait aucun caractère messianique, mais de ce que *les disciples* n'ont reconnu le caractère messianique de Jésus qu'après sa résurrection.

L'ennui, à notre point de vue, est que les fondements substitués par Bartsch à ceux qui avaient été posés par les disciples de Bultmann ne nous paraissent guère plus solides. En effet, tout ce que Bartsch considère comme historiquement inébranlable, le secret messianique, l'incompréhension des disciples, leur fuite, le reniement de Pierre, nous a paru marqué au coin de la rédaction et du souci pastoral de Marc.

---

1. *Das historische Problem des Lebens Jesu*, 1960, p. 23.

c) L'essai de P. Althaus est plus enrichissant. A la suite de M. Kähler, il établit une éclairante distinction. Le kérygme comporte une dualité dans une indivisible unité [1] :

- Il est l'annonce d'un événement qui s'est accompli au sein de notre histoire humaine, en un lieu et un temps précis.
- Mais, en même temps, le kérygme témoigne à l'indicatif et à l'impératif du salut ou du jugement contenus dans cet événement.

Notre connaissance du kérygme comportera donc, elle aussi, une double dimension :

- L'action de Dieu dans l'histoire ne peut être démontrée. Seule la foi la perçoit. A ce niveau, il n'y a donc pas de « preuves » à requérir.
- Par contre, il est légitime de chercher à savoir si l'événement historique s'est réellement déroulé comme il nous a été annoncé. Il s'agit là d'un événement qui relève de l'histoire et qui peut être contrôlé.

Dans la mesure donc où le kérygme est partie historique, partie proclamation, il peut être interrogé quant à son aspect historique et cela d'autant plus que cet aspect historique est le fondement de l'autre. On nous dit que, dans tel événement historique, Dieu s'est manifesté. Avant de croire à l'action de Dieu telle qu'elle m'est annoncée, j'ai le droit de savoir si l'événement en question s'est bien passé comme on me l'a dit [2], sans quoi toute l'affaire pourrait bien n'être qu'un mythe.

Nous ajouterions, quant à nous, qu'une connaissance approfondie et critique de la partie historique du kérygme nous permettra de mieux voir comment le message chrétien se greffe sur l'histoire. Par là nous en saisirons mieux la portée.

d) Il importe de signaler ici un copieux recueil d'études publié par l'Evangelische Verlagsanstalt de Berlin-Est et entièrement consacré à ce sujet [3]. Malgré quelques articles de R. Bultmann et de ses disciples, la très grosse majorité des contributions marque une nette réaction contre les thèses de Bultmann et une

---

1. P. ALTHAUS : *Das sogenannte Kerygma und der historische Jesus*, Gütersloh, 1963.
2. o.c. p. 13 et 15sv ; dans le même sens : C. H. DODD : *History and the Gospel*, London, ²1964 (Hodder Paperback), p. 12.
3. *Der historische Jesus und der kerygmatische Christus* (hrsg H. RISTOW & K. MATTHIAE), Berlin, 1960, ²1961, 710 p.

volonté ferme de tenir à l'historicité substantielle des évangiles.
Il nous est impossible de passer ici en revue tous ces intéres-
sants articles. Retenons seulement que la position extrême de
Bultmann est très loin de s'imposer à tous ; tout au contraire,
on a le sentiment d'un isolement progressif de l'exégète de
Marburg.

e) Une claire affirmation de la valeur de l'histoire se rencontre spécialement dans l'œuvre de W. G. Kümmel, dont beaucoup
d'articles ont été commodément regroupés et deviennent ainsi
très accessibles [1]. Le principe de cette revalorisation du temps
était déjà fondé par l'interprétation qu'il donnait de l'eschatologie dans son beau livre « Promesse et accomplissement » [2].
Il y refusait tant l'eschatologie conséquente de A. Schweitzer
que l'eschatologie réalisée de C. H. Dodd, pour montrer que le
présent et le futur coexistent dans l'enseignement de Jésus. Grâce
à cela, le message de Jésus reste toujours entièrement valable ;
l'enseignement de Paul et de l'Église primitive n'est pas
rupture, mais continuité logique de la doctrine de Jésus. Aujourd'hui encore, pour la même raison, l'enseignement de Jésus
n'a pas besoin d'être réinterprété existentialement (Bultmann),
ni selon une éthique du « respect de la vie » (A. Schweitzer).

W. G. Kümmel a prolongé son étude par une revue exhaustive
de la recherche sur la vie de Jésus entre 1950 et 1966 [3]. Son
information est sans fissures, et son jugement toujours positif,
éclairé et modéré.

f) Le grand livre d'Oscar Cullmann, *Le salut dans l'histoire* [4],
concerne lui aussi notre problème. L'auteur est l'un des plus
décidés anti-bultmanniens qui soit. Il reprend et complète son
premier livre *Christ et le temps* [5]. Répondant aux nombreuses
objections soulevées contre lui, il maintient fortement l'idée
d'« histoire du salut ». Il se rend d'ailleurs parfaitement compte

---

1. W. G. Kümmel : *Heilsgeschehen und Geschichte. Gesammelte Aufsätze
1933-1964*, Marburg, N. G. Elwert, 1965.
2. *Verheissung und Erfüllung. Untersuchungen zur eschatologischen Verkündigung Jesu*, Zürich, 1945, [3]1956.
3. *Theologische Rundschau*, XXXI, 1966, p. 15-46.
4. Neuchâtel, 1966, édition originale : *Heil als Geschichte*, Tübingen,
1965.
5. Neuchâtel, 1947.

de ce que l'expression a d'ambigu, « puisqu'il ne s'agit pas d'histoire » (p. 72) ! Le mot « histoire » est pris dans un sens très particulier, analogique.

« Pour l'esprit moderne, l'histoire est formée d'une multiplicité d'incidents plus ou moins remarquables, qui se trouvent placés dans un rapport de cause à effet ; l'enchaînement ainsi produit ne connaît ni faille ni rupture, et l'historien doit pouvoir établir et démontrer la logique inhérente à ce développement » (p. 50).

L'histoire biblique, elle aussi, comporte une continuité, la continuité du dessein divin, mais c'est une logique qui ne répond pas à la loi de causalité ; « elle est pleine de sauts, de heurts, d'arrêts brusques, de revirements inexplicables » (p. 50).

C'est bien pourquoi l'histoire de Jésus, en particulier, ne peut être expliquée adéquatement par l'historien profane, car ce dernier pourra tout au plus aligner une série de faits matériels, mais il sera incapable de les interpréter. Seule l'Église a compris le vrai sens de la venue et de la personne de Jésus. D'ailleurs l'image par laquelle la première Église représente Jésus dans la tradition évangélique n'infirme pas les faits tels qu'ils se sont déroulés dans l'histoire (p. 43).

La Bible contient donc deux éléments : l'événement, qui relève de l'histoire et de la science historique, et l'interprétation qui échappe à l'exploration scientifique (p. 45 et 43). L'interprétation est du domaine de la révélation, c'est la Parole ou le kérygme, qui a pour fonction essentielle de replacer l'événement dans la trame du dessein divin (p. 45 et 118).

De l'événement ou de la Parole qui l'interprète, lequel est premier ? L'événement, répond sans hésiter Cullmann (p. 136), puisque la Parole ne fait que l'interpréter ; elle le présuppose donc. Cela signifie que l'histoire est le fondement de la Bible et particulièrement du Nouveau Testament.

Mais une difficulté majeure se présente : dans la Bible, l'histoire est intimement unie et mélangée au mythe. L'histoire biblique commence par le mythe de la création et aboutit à celui de l'Apocalypse. La situation est d'autant plus difficile que le mythe affleure sans cesse et se mélange à l'histoire. La Bible ne trace aucune frontière entre le mythe et l'histoire ; elle les met sur le même plan. Mais précisément, Cullmann trouve une solution dans ce qui fait la difficulté majeure.

En effet, à ses yeux, les mythes sont démythologisés par le fait même qu'ils sont placés sur le plan de l'histoire. « Les mythes bibliques ne sont pas indépendants : ils font partie de l'histoire du salut ! Comme les extrémités se rattachent au tronc, ils sont liés à cette partie du milieu qui, dans l'histoire biblique du salut, se prête au contrôle des méthodes historiques. Unis au reste, ces mythes ne sont plus les mêmes, car la Bible, et déjà l'Ancien Testament, les a démythologisés en les historisant ! Ainsi les voici dévêtus, au sein de la Bible déjà, de ce qui faisait leur portée mythique propre » (p. 139).

La méthode de Cullmann est aux antipodes de celle de Bultmann. Pour celui-ci, l'objectivation du mythe et son interférence constante à l'histoire est justement ce qui est inacceptable et qu'il faut éliminer grâce à l'interprétation existentiale. Le mélange inextricable du mythe et de l'histoire fait qu'il est pratiquement impossible de retrouver l'histoire avec une rigueur scientifique. Le croyant doit se contenter de réinterpréter existentialement le mythe pour en vivre le message.

Pour Cullmann, au contraire, dans le mélange du mythe et de l'histoire, l'élément le plus fort est l'histoire. Celle-ci n'est pas contaminée par le mythe, mais le mythe est démythologisé par l'histoire. « Agglutinés à l'histoire du salut, les mythes remplissent un devoir. Ils font les interprètes. Ils nous montrent pourquoi les événements se succèdent dans l'ordre indiqué » (p. 139).

Nous avons là deux données complémentaires et dissociées de la recherche biblique contemporaine. Chez Cullmann, nous trouvons la fidélité rigoureuse à la lettre du Nouveau Testament, interprétée conformément à l'intention des auteurs sacrés. Cullmann rétablit ainsi excellemment le sens primitif de la Bible. J. Willemse estime que l'on pourrait parler d'un biblicisme éclairé [1]. Par contre, on voit moins directement comment ce message concerne aujourd'hui l'homme contemporain.

Bultmann, lui, est sensible avant tout à l'impact de la Parole de Dieu sur l'homme d'aujourd'hui, au point que l'historicité - qu'il estime indémontrable - passe complètement à l'arrière-plan. Il en fait volontairement le sacrifice pour s'assurer le bénéfice du consentement fidéiste à la Parole.

---

1. Dans *Tijdschrift voor Theologie*, VII, 1967, p. 68.

A notre avis, O. Cullmann ne distingue pas encore avec suffisamment de netteté le plan de la révélation et celui de l'histoire. Mais contentons-nous ici de ces remarques. Nous verrons par après s'il est possible de concilier le souci de Cullmann avec l'inquiétude de Bultmann.

g) Tout comme O. Cullmann [1], C. K. Barrett [2] estime que Jésus s'est trompé en annonçant l'avenir. Mc IX, 1, en particulier, prouve que Jésus attendait la parousie dans un laps de temps très court. C'est dans sa faillibilité humaine qu'il nous annonce le message de Dieu. Il ne s'est pris ni pour le Christ (p. 19-24), ni pour le Fils de Dieu (p. 24-29). Mais il avait prévu sa passion. Il savait aussi que Dieu le justifierait, encore que le mode de cette justification (sa résurrection) ait été très différent de ce qu'il avait attendu (cf Mc IX, 1 ; XIII, 30).

VI. LA RECHERCHE CATHOLIQUE.

a) D'expression française.

Il faut le confesser, la recherche catholique n'a pas été initiatrice en cette matière. Les problèmes ont été posés presque exclusivement par Bultmann et son école. L'exégèse catholique ne fait que refléter ces recherches et cela, presque toujours, pour les réfuter. Il ne faut donc pas espérer une grande originalité, mais prendre note des arguments invoqués.

1. Le livre de F.-M. BRAUN [3] fut un des premiers à donner, du côté catholique, un état de la question approfondi et documenté. Il reprend et prolonge l'œuvre d'A. Schweitzer [4]. Mais, comme on pouvait s'y attendre en 1932, son livre est surtout un refus - équilibré et motivé - des différents systèmes qu'il expose avec une clarté remarquable.

---

1. *Le salut dans l'histoire*, 1966, p. 212-216.
2. *Jesus and the Gospel Tradition*, London, 1967, p. 84-86.
3. *Où en est le problème de Jésus ?*, Bruxelles-Paris, 1932.
4. *Geschichte der Leben-Jesus-Forschung*, ³1926.

2. Cependant, à partir de 1955 surtout, la question a été relancée avec une vigueur nouvelle. Ce n'était que l'écho des discussions allemandes. R. Marlé [1] rapporte avec complaisance la conférence modérée de H. Riesenfeld [2]. Puis il pose clairement le problème de la nouvelle recherche : quel lien, quelle relation y a-t-il entre le « Christ de la foi » et le « Jésus de l'histoire » ? L'un est l'interprétation croyante de l'autre. Mais il serait chimérique de vouloir séparer le fait (le Jésus historique) de son interprétation (le Christ de la foi). Au point de départ de la tradition, il y a au moins un fait historique incontestable : la mort de Jésus sur la croix. Or la condamnation de Jésus serait inexplicable (historiquement) s'il n'y avait pas eu un élément provocateur dans la doctrine de Jésus. Précisément, cela concorde avec la tradition chrétienne témoignant de la résonnance eschatologique sans précédent de cette doctrine. L'Église affirme ne rien faire d'autre que monnayer le message de Jésus. Le lien est ainsi noué entre le Christ de la foi et le Jésus de l'histoire.

3. Le Père B. Rigaux a consacré, lui aussi, une importante étude à ce sujet [3]. Il brosse d'abord un tableau fort complet de la discussion actuelle, en s'arrêtant surtout à Bultmann et à ses disciples. Ils sont en effet au cœur du problème. Rigaux en montre l'enjeu de façon éclairante, mais il ajoute aussitôt que l'école de Bultmann ne représente pas - loin de là - toute l'exégèse protestante et anglicane.

Après quoi B. Rigaux s'essaye lui-même à une résolution systématique de la question. Un chrétien ne peut faire abstraction de sa foi lorsqu'il lit les évangiles. Par ailleurs, un catholique ne peut admettre la légitimité d'une abdication totale de la raison dans l'acte de foi (telle que la réclame Bultmann). Il y a chez Bultmann un fidéisme que le catholique réprouve. La foi catholique accepte et exige même une certaine critique historique.

En ce qui concerne la méthode, B. Rigaux admet la critique des formes (Formgeschichte), à condition qu'elle se libère des préjugés philosophiques et sociologiques qui l'ont viciée à la

---

1. « Le Christ de la foi et le Jésus de l'histoire », dans *Études*, CCCII, 1959, p. 65-76.
2. *The Gospel Tradition and its Beginnings,* 1957, voir ci-dessus, p. 465.
3. « L'historicité de Jésus devant l'exégèse récente », dans *Revue Biblique*, 1958, p. 481-522.

base. La division en genres littéraires ne peut entraîner un jugement de valeur historique. Les faits réels se modèlent assez normalement et sans se dénaturer dans les formes littéraires déjà constituées. Mais, plus encore que la critique des formes, Rigaux estime que l'analyse rédactionnelle de nos évangiles (Redaktionsgeschichte) peut rendre des services. Il a d'ailleurs lui-même écrit un petit livre sur l'évangile de Marc [1], dans lequel il expose l'état actuel des études et montre la valeur historique et théologique de cet évangile habituellement considéré comme le plus ancien.

Ensuite l'article de la *Revue Biblique* traite directement les questions historiques. B. Rigaux choisit une attitude moyenne : il se donne pour tâche de distinguer entre les ipsissima verba (les paroles authentiques) du Christ et l'élaboration postérieure. Il en revient aux arguments classiques : les témoins bien informés et consciencieux, la fidélité à la tradition primitive considérée comme une norme. D'ailleurs le kérygme lui-même exige un fondement historique, faute de quoi il n'aurait pas d'existence (I Cor XV, 14).

Sans doute, dans l'évangile de Jean, les discours prêtés à Jésus ressemblent étrangement aux développement de l'évangéliste lui-même ; mais, dans les Synoptiques, les commandements de Jésus ne se rapportent ni à des interprétations, ni à des prédications. Les Synoptiques ne nous offrent pas une spéculation. Ils narrent des faits, mettent en jeu des personnes, supposent des situations. Bref, Jésus est replacé dans le temps et dans l'espace. Finalement B. Rigaux montre le caractère unique des paroles authentiques de Jésus, tellement différentes de tout ce que l'on trouve à Qumrân ou dans le judaïsme.

L'étude enrichissante de B. Rigaux nous paraît, malgré ses mérites, un peu unilatérale. Si Rigaux admet, en effet, que Jean a donné forme aux discours de Jésus au point que la distinction en devient malaisée entre les paroles du Christ et les relectures de Jean, comment peut-il affirmer a priori qu'il n'en va pas de même - au moins dans une certaine mesure - dans les Synoptiques ? Il nous semble qu'une telle affirmation ne convaincra pas un incroyant. A part cette réserve, il est clair que nous apprécions grandement l'article du Père Rigaux.

---

1. *Témoignage de l'évangile de Marc*, Bruges, 1965.

4. On a coutume de tracer un parallélisme entre le *Jesus von Nazareth* de G. Bornkamm (1956) et le *Jesus* du maître de Marburg (1926). Il nous semble que l'on pourrait comparer aussi le livre récent de X. Léon-Dufour [1] avec celui de L. de Grandmaison [2]. Le format du nouveau livre est nettement plus réduit, ce qui est sans doute un signe des temps. La structure des deux livres est apparentée ; mais, lorsque l'on approfondit la comparaison, on s'aperçoit que le P. de Grandmaison présentait une vue en quelque sorte statique de la littérature chrétienne ; le P. Léon-Dufour en montre la formation et le développement. Il y a donc chez lui une insistance plus grande sur la tradition présynoptique, sur les matériaux rassemblés par la tradition, et sur le milieu ecclésial où s'est développée cette tradition.

Bien qu'il refuse catégoriquement, dès le début (p. 8), les positions d'un Bultmann et qu'il y revienne occasionnellement au cours de son exposé (par exemple p. 64-65), Léon-Dufour ne discute ex professo le problème qui nous occupe que dans son épilogue, et cela de façon assez rapide.

Si l'on veut formuler l'alternative moderne, dit-il, on ne peut mieux faire que de reprendre le titre de l'ouvrage de M. Kähler : Le Jésus de l'histoire et le Christ de la foi. X. Léon-Dufour donne alors un bref exposé des positions de Bultmann et de ses disciples. Par réaction contre l'historicisme rationaliste du siècle dernier, Bultmann repousse catégoriquement toute tentative de reconstituer un Jésus « historique ». Il ne veut connaître que le Christ annoncé par la foi de l'Église primitive. L'histoire ne peut en aucun cas devenir le fondement de la foi. Bultmann refuse la réalité de l'événement absolu. La résurrection du Christ n'est pour lui qu'une expression, à l'usage des gens simples, des expériences spirituelles des premiers croyants. Jésus n'est plus médiateur de la foi ; il est une simple occasion : celui en qui je rencontre Dieu. Croire en Jésus, c'est répéter la décision de Jésus. Léon-Dufour estime que les thèses de Bultmann ne sont qu'une gnose moderne, un nouveau mythe de l'éternel retour (p. 65).

En ce qui concerne l'interprétation existentiale, Léon-Dufour pense avec K. Barth qu'elle réduit la théologie à une anthropologie. Elle méconnaît cet au-delà de ma connaissance qu'est

---

1. *Les évangiles et l'histoire de Jésus*, Paris, 1963.
2. *Jésus-Christ, sa personne, son message, ses preuves*, Paris, 1928, 2 volumes.

l'événement dans sa « facticité » objective ; car c'est l'événement seul qui empêche la foi de l'Église naissante de se dissoudre en un mythe. Bultmann s'évade donc dans un fidéisme sans attache véritable avec l'événement qui a donné naissance à la foi. La démarche de l'historien, telle que la conçoit Léon-Dufour, ne met pas en question la priorité réelle, absolue, inconditionnelle que l'événement conserve aux yeux du croyant, par rapport à la foi ; mais il doit avouer, pour son propos, la priorité littéraire de la foi sur le récit de l'événement. Si donc il n'atteint Jésus de Nazareth qu'à travers le kérygme, il l'atteint réellement.

Quant aux disciples de Bultmann, au fond, ils ne sortent pas des présupposés de leur maître. Ils instaurent comme lui une discontinuité entre les faits historiques et l'objet de la foi [1]. Léon-Dufour refuse cette discontinuité et il repousse pareillement l'alternative classique : le Jésus de l'histoire et/ou le Christ de la foi. Il estime que les résultats de la science historique, dans l'état actuel des choses, sont valables, bien que fatalement limités. Quelles que soient les exigences critiques adoptées, ses conclusions demeurent solides. Mais l'histoire n'atteint encore que le fait brut privé de signification. Seule la foi confère à ces images partielles la plénitude de leur sens.

La solution de notre problème, selon Léon-Dufour, serait donc celle-ci : il existe un rapport vivant et indestructible entre la tradition de l'Église naissante et l'événement que constitue l'existence de Jésus de Nazareth. Le kérygme apostolique, accepté par la foi, appelle l'événement prépascal dont il émane, et, à son tour, l'événement reconnu mène au kérygme qui seul lui donne sa pleine signification. L'objet propre de la connaissance historique de l'exégète, ce n'est pas seulement la tradition de l'Église naissante, c'est aussi la tradition d'où celle-ci dérive et dont Jésus est la source ; c'est exactement la relation qui s'établit entre kérygme et événement. Il est sans doute légitime et même nécessaire de les distinguer ; mais ils demeurent indissolublement unis ; ils forment la double dimension d'une vérité dont la signification demeure unique.

---

1. Cf H. CONZELMANN : « Jesus von Nazareth und der Glaube an den Auferstandenen » dans *Der historische Jesus und der kerygmatische Christus*, en collaboration, édité par H. RISTOW et K. MATTHIAE, Berlin, 1960, p. 197.

Léon-Dufour possède certainement une connaissance approfondie du problème et en donne une solution pertinente ; mais il s'agit là d'un aperçu à l'usage d'un lecteur non initié et non d'une discussion ex professo.

b) L'exégèse allemande.

1. A. VÖGTLE [1] montre le caractère typiquement protestant de la tentative de Bultmann et affirme la possibilité pour Dieu d'agir et de se révéler dans l'histoire. A la suite de H. Ott [2], se demande s'il s'agit réellement de mythe dans le système de Bultmann, ou bien de certains préjugés idéalistes sur la possibilité d'une connaissance objective.

Pour répondre à Bultmann, il importe de préciser certaines notions. Le mythe, en réalité, consiste à faire d'un élément transcendant un rouage de ce monde. Le christianisme est tout autre chose ! En outre, il n'y a pas exclusion, comme le prétend Bultmann, entre une conception objective et une conception existentielle. Le christianisme est *à la fois* objectif et existentiel. La résurrection de Jésus et ses apparitions, dans la mesure où elles n'appartiennent déjà plus à notre monde, ne sont des faits historiques que dans un sens analogue.

Pourtant Bultmann ne rend pas justice au caractère strictement historique du kérygme biblique. Pour lui, le fait que le salut divin, bien qu'eschatologique, se soit *quand même* manifesté dans le temps n'est qu'un paradoxe, c'est-à-dire un fait inexplicable qui relève de la pure gratuité divine [3]. Il n'y a donc aucune explication, dans la théologie de Bultmann, concernant le fait théologique de la manifestation de l'eschaton *dans le temps*. Or c'est précisément l'A et l'Ω de la révélation.

On peut donc dire que la théologie de Bultmann passe complètement à côté de ce qui est le cœur même de la Révélation biblique et, en particulier, du Nouveau Testament. Pour inter-

---

1. « Rudolf Bultmanns Existenztheologie in katholischer Sicht », dans *Biblische Zeitschrift*, N.F. I, 1957, p. 136-151.
2. H. OTT : *Geschichte und Heilsgeschichte in der Theologie Rudolf Bultmanns*, Tübingen, 1955 (Beiträge zur histor. Theologie, 19), p. 34.
3. « *Obwohl* einmaliges historisches Ereignis, *gleichwohl* das eschatologische Ereignis gilt ; und es liegt uns als Theologen alles daran, ob es ein mythologischer Satz ist, oder ob er der (existentialen) Interpretation fähig ist » *Kerygma und Mythos*, I, 51967, p. 128. BULTMANN exclut donc a priori toute possibilité d'une manifestation de l'eschaton dans le temps.

préter le message, il est obligé - faute de quoi le message lui
paraît inacceptable - d'en évacuer ce qui en constitue la moëlle,
à savoir l'intervention eschatologique de Dieu dans le monde
et dans le temps.

Il nous semble que cet article dense d'A. Vögtle a porté un
coup au but. Nous croyons avec lui qu'une interprétation
acculée à évacuer le message lui-même n'est qu'une doctrine
flattant les oreilles (2 Tim IV, 3) et non la proclamation du message divin dans toute sa vérité et son exigence. Bultmann sub-
stitue au message de Dieu une philosophie qui lui paraît plus
acceptable. Il tombe donc sous le coup de la condamnation de
I Cor I, 22-23 !

2. Franz Mussner [1] part de l'article de N. A. Dahl [2] pour établir une série de critères nous garantissant que nous atteignons
véritablement l'histoire :

    1) La mort violente de Jésus sur la croix est un fait historique certain.

    2) Cette mort *violente* suppose une revendication particulière de Jésus.
    En raison de l'attente surexcitée du judaïsme contemporain, il est
    vraisemblable, mais non certain, qu'il s'agissait d'une prétention
    messianique.

    3) L'attitude de Jésus à l'égard des Pharisiens, d'une part, et à l'égard
    des publicains et des pécheurs, de l'autre, est unique et inimitable.
    Il s'agit certainement d'un souvenir historique.

    4) Le monde où se meut Jésus est bien celui du bas judaïsme, il se
    profile en arrière-fond partout et est présupposé dans les contro-
    verses et les paraboles.

    5) Les logia très courts, les exemples frappants, faciles à retenir, sont
    la façon d'un maître de sagesse et non celle d'un théologien.

    6) Les logia sont souvent rattachés artificiellement les uns aux autres,
    ce qui prouve qu'ils sont antérieurs à nos évangiles et qu'on les
    conservait comme un dépôt intangible.

Dans un paragraphe suivant, F. Mussner montre l'intérêt
manifesté par les écrits néotestamentaires à l'histoire de Jésus :

    1) Dans les discours des Actes on parle toujours de « Jésus de Naza-
    reth » [3], alors qu'on eût pu attendre « Seigneur » et « Sauveur ». -
    On y trouve un résumé du ministère (Act X, 34-43). La croix est
    décrite, non comme un événement de salut, mais comme un fait
    historique, qu'il faut justifier.

---

1. « Der historische Jesus und der Christus des Glaubens », dans *Biblische Zeitschrift*, N.F. I, 1957, p. 224-252.
2. Cf ci-dessus, p. 465.
3. Act II, 22 ; III, 6 ; IV, 10 ; VI, 14 ; X, 38.

2) Les logia manifestent le caractère eschatologique du message de Jésus : Mt XI, 12sv [1] ; les trois antithèses de Mt V, les paraboles, etc. Aucun prophète n'a parlé de la sorte.

3) Le fait même de la constitution du recueil de logia (Q) : il ne s'agit pas de sentences d'un sage, mais de la Tôrah messianique remplaçant la tradition des Pères.

4) L'intérêt du kérygme pour l'histoire prouve l'« extra nos » du salut, c'est-à-dire le fait que le salut est un événement objectif et non une simple projection de l'expérience des chrétiens.

5) Même Jean tient à l'histoire. Son évangile n'est pas une réaction contre les Synoptiques, mais contre les docètes !

Examinant ensuite la foi en la résurrection, F. Mussner constate que, bien que Jésus leur eût annoncé sa mort, les disciples furent complètement désorientés et découragés par cet événement. Leur soudaine certitude pascale ne peut s'expliquer que par les apparitions du Ressuscité. Sans la résurrection de Jésus, le kérygme est « vide », nous dit Paul (I Cor XV, 14). La résurrection de Jésus est donc présupposée par le kérygme ; sans ce donné, le kérygme n'aurait jamais existé. Il est clair que l'on ne pourrait démontrer l'historicité de la résurrection. Mais il est indéniable que le Nouveau Testament entendait parler d'une vraie résurrection physique, et qu'il considérait la rencontre du Ressuscité comme une rencontre nouvelle avec le Jésus historique.

Le fait de Pâques explicite les revendications cachées dans le message de Jésus. Du Jésus de l'histoire on passe au Christ de la foi, et cela dans l'affirmation d'une identité : Jésus est le Christ, Jésus est Seigneur, etc. A la lumière de Pâques, on va dorénavant réinterpréter toute la tradition du Jésus historique. Entre l'histoire et nous, il y aura désormais une interprétation chrétienne, laquelle n'est pas le fait d'individus privés, mais d'une instance officielle et responsable, les apôtres. Ce sont eux qui garantissent la continuité entre Jésus de Nazareth et le Christ ressuscité.

En conclusion, le Jésus historique se trouve donc lui aussi dans les évangiles. Il peut y être atteint non seulement par la foi, mais aussi par la recherche historique. Les apôtres ne témoignent pas du « Christ de la foi », mais du Jésus histori-

---

1. Cf E. KAESEMANN : *Zeitschr. für Theol. & Kirche,* LI, 1954, p. 149 : « Jésus a pensé que le Royaume arrivait à ses auditeurs dans ses paroles ».

que, dont la prétention eschatologique est à leurs yeux entièrement explicitée et justifiée par le fait de la résurrection. Les termes techniques de « témoins », « témoignage » signifient d'ailleurs que l'on se porte garant, devant un tribunal humain, de faits historiques que l'on a vus [1]. La résurrection est donc un fait historique dont on peut témoigner.

3. L'article de R. SCHNACKENBURG [2] est, dans sa majeure partie, une revue de l'état actuel du problème. En fin d'étude, il propose deux réflexions fort intéressantes.

D'une part, il examine le traitement auquel est soumis la tradition primitive. En Mc X, par exemple, nous trouvons un exemple particulièrement instructif. Il s'agit de quatre pièces de tradition, possédant toutes quatre une grande importance pour la vie de l'Église : l'indissolubilité du mariage, la bénédiction des enfants, la richesse, les préséances. Chacune de ces pièces a été commentée par l'Église primitive : la réponse actuelle de Mc X, 11sv se réfère au droit romain (où la femme pouvait avoir l'initiative du divorce) et non au droit juif ; Mc X, 15 est probablement un verset ajouté par l'Église primitive, de même que X, 23ss qui applique à l'Église la solution de principe donnée par Jésus au problème de la richesse. Ces interprétations ajoutées par l'Église n'impliquent en aucun cas que l'épisode lui-même ait été inventé par elle, ou qu'il ne soit pas historique. Au contraire, l'Église se fonde sur l'autorité et l'exemple du Christ. Elle ne se contente pas de répéter matériellement ce que le Christ a dit ; elle en fait l'application à la situation présente.

D'autre part, R. Schnackenburg attache - comme F. Mussner - beaucoup de poids à la fidélité des témoins oculaires. Toute la tradition évangélique est entièrement fondée sur ce témoignage, tout spécialement sur celui des Douze. Néanmoins, il est juste de le faire remarquer : W. G. Kümmel estime que c'est là un argument qui vaut pour les croyants, non pour les incroyants [3].

---

1. Cf *Theol. Wört.* IV, p. 479sv.
2. « Jesusforschung und Christusglaube », dans *Catholica*, XIII, 1959, p. 1-17 ; cf aussi *La théologie du Nouveau Testament*, Bruges, 1961, p. 41-46.
3. *Theologische Rundschau*, XXXI, 1966, p. 27.

4. J. R. GEISELMANN est revenu à plusieurs reprises sur cet important problème [1]. Il demande que l'on parte du fait historique indéniable de la passion et que l'on remonte de là aux événements qui ont provoqué cette issue. Nos évangiles nous expliquent en détail comment on en est arrivé là. Mais voilà d'emblée posée la question de la valeur historique de ces documents.

La critique des formes a démontré qu'il ne s'agissait pas de souvenirs d'histoire, mais de proclamations de l'Évangile. Quelle est donc l'origine des traditions les plus anciennes ? Jésus lui-même n'a rien écrit, mais le message des Douze a certainement été constitutif de la première tradition. Par ailleurs il n'y a pas à craindre de corruption au cours de la transmission, car les procédés mnémotechniques sémites sont remarquables de précision et de fidélité. Bien sûr, les Synoptiques ont développé leur théologie particulière, mais on découvre maintenant les couches remontant au-delà de ces rédactions jusqu'aux séries de logia juxtaposées sans ordre logique (par exemple Mc IX, 33-50). C'est la preuve que l'on était lié par des traditions plus anciennes. Certains logia que l'on ne comprenait plus très bien ont même été conservés tels quels (par exemple Mc IX, 1).

On peut donc être assuré de retrouver substantiellement une tradition qui remonte au Christ lui-même. La relecture pascale de la communauté a d'ailleurs été beaucoup moins profonde que ne le veulent Bultmann et ses partisans. Sans cesse on retrouve dans nos évangiles des logia qui supposent un contexte historique prépascal [2].

Après deux chapitres très documentés consacrés à l'historique du problème de Jésus dans la théologie protestante et catholique, Geiselmann en arrive au chapitre final de synthèse et de conclusion. Il y trace un aperçu de la carrière terrestre de Jésus. Jésus est non seulement homme et juif, il est aussi le Maître qui met la venue du Royaume de Dieu en relation intime avec sa propre venue, qui revendique un pouvoir souverain, se proclame le Fils de l'Homme et le Fils de Dieu en un sens unique.

---

1. *Jesus der Christus. Die Urform des apostolische Kerygma als Norm unsrer Verkündigung und Theologie von Jesus Christus*, Stuttgart, 1951, entièrement remanié et réédité en deux volumes, dont le premier surtout nous intéresse : *Jesus der Christus* I. *Die Frage nach dem historischen Christus*, München, 1965. Voir aussi *Theologische Quartalschrift* 1949, p. 257-277 et 418-439.

2. *Jesus der Christus*, I, ²1965, p. 51-60.

Bien qu'il se fonde occassionnellement sur E. Käsemann - par exemple, lorsqu'il parle du pouvoir souverain, supérieur à célui de Moïse, revendiqué par Jésus [1], Geiselmann donne l'impression de se retirer purement et simplement sur des positions préparées d'avance. Ces conclusions traditionnelles apaiseront sans doute les craintes de certains catholiques, mais elles risquent de laisser croire aux non-catholiques que l'on passe finalement à côté du problème [2].

5. Puisqu'il faut bien nous limiter, nous ne pourrons plus que signaler le recueil d'études publié à Vienne en 1962, sous le titre « Le Jésus historique et le Christ de notre foi » [3]. F. Mussner y a retravaillé sa prise de position. Le témoignage des apôtres se rapportait à un « messianisme non messianique », c'est-à-dire qu'ils annonçaient un Christ crucifié, conception étrangère au messianisme juif contemporain. C'est en ce sens-là que la vie de Jésus elle-même a pu être considére comme « non-messianique ». Cette mise au point correspond exactement aux conclusions de notre présente étude. Mussner développe plus largement aussi l'intérêt manifesté par le Nouveau Testament à l'histoire de Jésus. C'est un autre argument important pour la continuité entre Jésus de Nazareth et le Christ de la foi [4].

W. Beilner après avoir exposé, dans un premier article [5] le contenu du kérygme chrétien, en consacre un second à critiquer la démythologisation de R. Bultmann. L'interprétation existentielle de Bultmann est valable à condition qu'elle n'exclue pas - comme elle le fait - l'objectivité du salut. Ce sont les présupposés philosophiques de Bultmann qui vicient ses conclusions. Le scandale du message chrétien était aussi choquant au temps de Paul (I Cor I, 22sv et XV) que maintenant. L'évacuer pour ne pas blesser les oreilles de nos contemporains n'est pas la vraie solution [6].

---

1. J. R. Geiselmann : *Jesus der Christus*, I, [2]1965, p. 218, se référant à E. Kaesemann : *Exegetische Versuche und Besinnungen*, I, 1964, p. 206.

2. Voir la remarque de W. G. Kümmel : *Theologische Rundschau*, XXXI, 1966, p. 39.

3. *Der historische Jesus und der Christus unseres Glaubens*, Wien, 1962.

4. F. Mussner : « Der 'historische Jesus' », p. 103-128.

5. « Jesus als der Christus im Gemeinde-Kerygma und die Bedeutung dieses Kerygma für unseren eigenen Glauben », p. 197-230.

6. Ibid. p. 231-255.

6. Il y a encore l'un ou l'autre article catholique dans le recueil paru à Berlin sous un titre fort semblable [1]. J. De Fraine [2] montre que le catholicisme ne confond pas les plans, comme Bultmann l'en accuse, et qu'il ne fait pas des événements du salut des faits historiquement prouvés. L'existence et l'activité de Jésus sont des faits scientifiquement démontrables. Il n'en va pas de même de la valeur salvifique attribuée à la mort du Christ. Seule la foi peut y atteindre. Quant à Bultmann, son idéalisme, en voulant éviter une acception objectivante du kérygme, le vide de sa substance.

R. Schnackenburg étudie le développement de la tradition primitive [3]. Il montre d'après deux exemples (le rejet de Jésus à Nazareth et la purification du temple) que, malgré une indéniable réinterprétation, l'essentiel des événements narrés par les évangélistes est certainement historique. En ce qui concerne les paraboles, à la suite de J. Jeremias [4], il distingue le fond authentique des commentaires ecclésiaux. C'est la voie que nous avons suivie également dans le présent travail.

A. Vögtle dit que le jugement porté sur l'œuvre de Jésus dépend en grande partie de la précompréhension (jadis on aurait dit : des préjugés) de l'exégète. Il serait illusoire de prétendre en faire abstraction. Par ailleurs, il insiste fortement sur l'aspect « historique », c'est-à-dire progressif de la révélation en Jésus-Christ [5].

7. W. Trilling a écrit un petit livre sur le même sujet [6]. Il aboutit à l'irritant secret messianique - dont il avait déjà montré ailleurs qu'il se situait au cœur de l'évangile de Marc [7]. On bute partout sur cette ambiguïté dès que l'on veut sonder l'histoire. Intimement liée au secret est la question si difficile de la conscience messianique de Jésus. Le secret est au cœur de

1. *Der historische Jesus und der kerygmatische Christus*, Berlin, 1960.
2. « Die Eigenart der Geschichtlichkeit Jesu », p. 121-135.
3. « Zum Verfahren der Urkirche bei ihrer Jesusüberlieferung », o.c. p. 439-454.
4. *Die Gleichnisse Jesu*, Göttingen, [6]1962 (= *Les paraboles de Jésus*, Le Puy, 1966).
5. « Révélation et histoire dans le Nouveau Testament », dans *Concilium*, n° 21, 1967, p. 39-48.
6. *Fragen zur Geschichtlichkeit Jesu*, Düsseldorf, [2]1967.
7. *Christusgeheimnis - Glaubensgeheimnis. Eine Einführung in das Markus-Evangelium*, Leipzig et Mainz, 1957.

la théologie de Marc. Ces affirmations rejoignent exactement
nos propres convictions.

c) Conclusions.

Nous serons bien obligés de nous en tenir là, si nous ne voulons pas lasser définitivement tous nos lecteurs. La littérature
est immense et il n'est pas possible d'être complet. Signalons
simplement, dans la littérature de langue néerlandaise, plusieurs
articles intéressants sur l'herméneutique de Bultmann [1] et un
essai de L. GROLLENBERG éclairant à partir de l'Ancien Testament le problème de l'historicité de nos évangiles [2] : les Sémites
ont tendance de rendre visible et palpable l'action de Dieu en
faisant intervenir les anges, les démons, etc. Une comparaison
entre les livres des Chroniques et ceux de Samuel-Rois ou entre
les deux livres des Maccabées est très instructive à cet égard.

Lorsque l'on envisage l'exégèse catholique dans son ensemble,
par opposition à l'exégèse protestante, on éprouve un certain
malaise. N'est-ce pas un dialogue de sourds ? Chacun suit sa
voie. Il rapporte, souvent avec déférence, les opinions des autres, puis il retrouve son petit chemin coutumier, comme si rien
ne s'était passé. Les protestants - surtout l'école de Bultmann -
ne se sentent pas concernés par la façon dont les catholiques
posent le problème ; et les catholiques estiment les positions de
Bultmann inacceptables.

Les positions catholiques ont ceci de particulier - et de particulièrement irritant pour des non-catholiques ! - qu'elles paraissent dictées d'avance. Lorsque l'on aborde une étude catholique,
on sait bien d'avance - malgré quelques variations de détail
dans l'itinéraire - où elle va aboutir. Et, effectivement, elle y
arrive toujours. Ce qui pis est, est que l'on sent bien que, s'il en
est ainsi, c'est qu'il *doit* en être ainsi. A priori le catholique est
poussé par un impératif qui lui dit : Tu dois arriver là. Et il y
arrive en effet. Mais cet impératif - qu'il vienne de Rome ou

---

1. A. HULSBOSCH : « Het reformatorisch karakter van de Entmythologisierung », dans *Tijdschrift voor Theologie*, IV, 1964, p. 1-34 ; A. HULS-
BOSCH : « Het verstaan van de Schrift », dans *Tijdschrift voor Theologie*,
V, 1965, p. 1-27 ; J. WILLEMSE : « Van, over en na BULTMANN », même
revue, IV, 1964, p. 285-299.
2. « De historiciteit der evangeliën toegelicht door het Oude Testament »,
dans *Tijdschrift voor Theologie*, IV, 1964, p. 35-53.

d'ailleurs - est précisément ce qu'un non-catholique se sentira incapable d'accepter, et, à cause de cela, tout le travail fait par le catholique lui semblera unilatéral, préfabriqué, sujet à caution. Il lui donnera souvent l'impression de passer à côté du problème.

Le jugement le plus serein et sans doute le plus vrai à cet égard nous paraît avoir été porté par E. Heitsch [1]. Il montre que le problème de Jésus est un problème spécifiquement protestant, en raison de l'écart vécu par les Réformés entre le temps de Jésus et leur propre expérience. Chez les catholiques, le problème ne se pose pas, puisque l'Église est le Corps du Christ vivant dans le présent. La tradition est l'actualisation du passé. Au contraire, le protestantisme s'est émancipé du passé et, du coup, un problème critique - parfois très grave - se pose pour lui.

Néanmoins, il paraît indispensable aujourd'hui que, même les catholiques sachent présenter une analyse objective des données, capable de faire avancer le problème. Il faut pour cela que leur recherche ne soit pas conduite par un jugement dogmatique préliminaire, sans quoi on mélange les plans et le raisonnement devient a priori inacceptable pour un non-catholique.

B. L'ESCHATON ET LE TEMPS.

On nous permettra de faire ici quelques considérations d'ordre général avant d'aborder l'objet propre de notre conclusion, à savoir l'apport positif de notre travail dans la discussion contemporaine. Ces considérations ont pour but de bien définir l'objet de la discussion.

I. Le problème de l'herméneutique.

a) Au milieu de l'énorme littérature - dont nous venons de donner un bref aperçu - deux articles semblent donner le ton. Ce sont les articles « Nouveau Testament et mythologie » de

---

1. « Jesus aus Nazareth als Christus », dans *Der historische Jesus und der kerygmatische Christus*, Berlin, 1960, p. 68-69.

R. Bultmann [1] et l'article « Das Problem des historischen Jesus »
d'E. Käsemann [2]. Bien que se situant dans le sillage de Bultmann,
Käsemann se présente déjà comme en réaction contre le maître
de Marburg. Néanmoins, lorsque l'on effectue le démontage critique des deux articles pour mettre à nu la structure de leur
raisonnement, on aboutit de part et d'autre à un principe indivisible, énoncé en des termes curieusement semblables. Pour
Bultmann :

> « Nous avons aujourd'hui une image du monde formée par les
> sciences de la nature ; *en conséquence,* l'intelligence que l'homme
> a de lui-même le fait apparaître comme une unité intérieure fermée,
> imperméable aux interventions surnaturelles » [3].

Sous-jacent à tout l'exposé du problème [4], on discerne donc
clairement les grands principes positivistes. Si l'on veut, on
peut les formuler dans les termes classique des trois âges
(A. Comte) :

- l'âge théologique (mythe)
- l'âge métaphysique
- l'âge positiviste.

Dès lors que, par hypothèse, nous nous trouvons dans le
troisième âge, les formulations « mythiques » du premier âge
sont devenues inacceptables.

L'étude d'E. Käsemann part d'un principe identique :

> « Dès que l'activité ou le discours (de Jésus) sont représentés (dans
> nos évangiles), le cours humain des événements devient une série
> ininterrompue d'actes puissants et de révélations divines, qui n'a
> aucun point de comparaison possible avec n'importe quelle autre
> vie humaine et qui *donc* ne peut pas entrer dans les catégories de
> l'histoire » [5].

De part et d'autre, ce que nous voudrions interroger, c'est le
« en conséquence » (wonach) de Bultmann, auquel correspond
le « donc » (also) de Käsemann. C'est parce que Bultmann ne se

---

1. *Kerygma und Mythos* I, Hamburg, [5]1967, p. 15-48 ; traduction
française dans *L'interprétation du Nouveau Testament*, Paris, 1955, p. 139-
183.
2. *Zeitschrift für Theologie und Kirche*, LI, 1954, p. 125-153 (= *Exegetische Versuche und Besinnungen* I, Göttingen, [3]1964, p. 187-214).
3. *L'interprétation du Nouveau Testament*, p. 145 (cf p. 185).
4. Ibid. p. 139-146.
5. *Exegetische Versuche und Besinnungen* I, [3]1964, p. 200.

sent plus le droit, *au nom de l'esprit moderne,* d'accepter l'intervention du surnaturel dans le cours de l'histoire, qu'il se sent forcé d'« interpréter » ce surnaturel comme une simple illumination intérieure analogue à celle décrite par Heidegger.

Bultmann se permet donc de faire passer la Parole de Dieu (le kérygme) sous le gabarit de la pensée moderne. Comme elle n'y passe pas, il l'« interprète » jusqu'à ce qu'elle devienne capable d'y passer. On voit donc avec précision l'enjeu de la démythologisation : il s'agit d'éliminer l'élément inacceptable du kérygme, à savoir l'intervention du surnaturel dans le cours de l'histoire. Comme les historiens positivistes l'avaient fait remarquer, le surnaturel n'est pas scientifiquement vérifiable ; il ne peut donc faire partie de l'historiographie scientifique.

b) Voilà donc la raison pour laquelle Bultmann entreprend - au nom de l'homme moderne - de « démythologiser » le kérygme. Le kérygme annonce l'intervention de Dieu dans l'histoire ; or une telle intervention est scientifiquement impossible, donc il faut « interpréter » le kérygme en sorte de faire disparaître cette incompatibilité.

Mais nous demandons : « démythologiser » le kérygme de la sorte, n'est-ce pas l'évacuer purement et simplement ? Les exégères libéraux du XIXe siècle étaient plus clairs que Bultmann. Ils estimaient que le kérygme était un mythe et ils le rayaient de la carte. Ils ne gardaient plus qu'un vague moralisme universel et intemporel. Si l'on pose a priori que toute intervention de Dieu dans l'histoire est non-historique, comment s'étonner si, au terme de l'analyse des évangiles, on ne trouve plus qu'un Jésus semblable à nous [1] ?

R. Bultmann, lui, en partant des mêmes principes, s'est efforcé de sauver le kérygme. Néanmoins, puisqu'il est obvie que le kérygme décrit une intervention de Dieu dans l'histoire, il s'efforce de le démythologiser en le réduisant à une expérience existentiale de l'homme.

Ce n'est d'ailleurs pas tant la solution trouvée par Bultmann que le levier même de son effort que nous mettons en question. Est-il tellement certain que toute intervention divine dans l'histoire est a priori impossible ? Et surtout qu'entend-on par inter-

---

1. E. Kaesemann : *Exegetische Versuche und Besinnungen,* I, ³1964, p. 190.

vention de Dieu *dans l'histoire* ? Y a-t-il mélange des plans ?
intervention du surnaturel dans le naturel - qui constitue précisément la magie ? Il faudra donc préciser en quel sens on peut
dire que Dieu intervient dans l'histoire sans aucune confusion
de plans et sans que l'histoire devienne la démonstration rationnelle de l'action de Dieu.

Une fois posées ces précisions, il faudra revenir au postulat
« scientifique » de l'impossibilité de l'intervention divine dans
l'histoire. En admettant ce postulat, ne perd-on pas le scandale
du kérygme, son caractère « irrationnel », comme dit saint Paul.
Aux yeux de l'Apôtre, le kérygme est nécessairement une
« folie » pour la science, parce qu'il ne se situe pas au niveau
de la philosophie, mais de la science de Dieu. C'est à prendre
ou à laisser (I Cor I, 17-25). En voulant donc rationaliser le
kérygme, en essayant de le rendre acceptable pour « l'homme
moderne », ne le vide-t-on pas tout simplement de son contenu ?

c) Précisons notre intention : en défendant l'« historicité »
des évangiles - et nous ne le ferons pas a priori - nous ne prétendons aucunement « légitimer le kérygme comme un fait
divin démontré » [1]. Un fait divin, par définition, ne pourra
jamais être « démontré », parce qu'il est au-delà de toute
démonstration rationnelle.

En quel sens, en effet, peut-on dire que la résurrection de
Jésus est un événement « historique » ? On pourra bien - à la
rigueur - établir scientifiquement le fait du tombeau retrouvé
vide. Peut-être même pourra-t-on raisonnablement admettre que
certains disciples ont eu la vision du Christ après sa crucifixion.
Mais qu'est-ce que cela prouve concernant le fait de la
résurrection ?

La résurrection, telle qu'elle est proclamée par le kérygme
chrétien, est tout autre chose que le simple retour d'un homme
à sa vie antérieure - et pourtant, aussi étonnant que cela puisse
paraître, c'est ainsi que semble le comprendre Bultmann [2]. A ce
niveau, on pourrait concevoir la possibilité d'établir scientifiquement, sur des témoignages probants :

---

1. Voir, par exemple, J. M. ROBINSON : *Le kérygme de l'Église et le Jésus
de l'histoire*, 1960, p. 72.
2. *Interprétation du Nouveau Testament*, 1955, p. 146 et 178sv (=
Kerygma und Mythos I, ⁵1967, p. 20 et 44-46.

1° l'existence d'un homme à telle époque de l'histoire ;

2° le fait de son exécution capitale, attestée par des actes officiels et par un diagnostic médical au-dessus de tout soupçon ;

3° et enfin le preuve historique, fondée sur des pièces à conviction irrécusables de la présence et de l'activité de cet homme après son exécution capitale.

Dans le cas où les trois éléments de ce processus seraient historiquement certains (supposons le cas d'une décapitation, par exemple), on pourrait parler d'une « résurrection » historiquement démontrée. En soi, ce n'est pas impossible. Il faut avouer que l'on est loin du compte en ce qui concerne Jésus.

Mais surtout, la résurrection proclamée par le kérygme est tout autre chose que le simple retour d'un homme à la vie terrestre. Elle est l'entrée d'un homme - et par lui, de l'humanité tout entière - dans la vie et la sphère de Dieu. Ici nous avons affaire à une réalité qui, par définition, échappe au contrôle de l'histoire « scientifique ». Si l'on s'en tient à ce sens-là du mot « histoire », il faut bien dire que la résurrection n'est pas « historique » ; elle est transhistorique, puisqu'elle appartient à un domaine qui échappe essentiellement à l'histoire (scientifique). Ce que nous disons ici de la résurrection, vaut aussi des autres manifestations « surnaturelles » de Jésus ou du christianisme primitif.

II. Méta-physique et trans-historique.

a) Considération générale.

Par ailleurs, il est certain que le kérygme doit être rendu compréhensible pour les hommes de notre temps et pour l'élite intellectuelle de notre temps. Mais cela ne signifie pas qu'il doive être rationalisé, vidé de son irrationalité (qui est une suprarationalité), de son scandale. A vouloir le ramener au niveau d'une philosophie moderne, on le vide de sa substance (I Cor XV, 14).

Postulons-nous par là un saut dans l'absurde, un suicide intellectuel ? Oui, si notre philosophie (supposée positiviste) prétend être une explication adéquate du monde et aussi de l'expérience religieuse ; non, si nous concevons l'explication scientifique du monde comme valable au niveau technique, mais en admettant que Dieu échappe à ses catégories.

Dieu est d'un autre ordre. Il n'interfère pas et ne peut être enfermé dans nos catégories positives. Ce n'est pas pour cela qu'il est un « mythe ». Il est au-dessus des catégories scientifiques et rationnelles. Gagarine pouvait aller se promener dans l'espace sans rencontrer Dieu ; de même nos catégories scientifiques de causes et d'effets pourront former un filet dont nulle maille ne manque, sans pour autant enfermer Dieu. Dieu n'est pas une cause s'inscrivant dans la série des causes et des effets et que l'on pourrait scientifiquement démontrer. Le système des causes et des effets est parfaitement clos et, *en ce sens-là*, Dieu n'est pas une pièce du système scientifique. Il n'est pas un rouage de la mécanique du monde, sans lequel la machine cosmique tomberait en panne. Non, les pièces sont au complet, et l'appareil du cosmos a tout ce qu'il faut pour marcher par lui-même. Mais tout ce complexe de causalités provient de Dieu et subsiste en lui et par lui. C'est Dieu qui donne à toutes ces causalités leur existence, leur convergence et leur complémentarité.

Dieu, parce qu'il est au-dessus de toutes les causalités particulières et parce qu'il les constitue toutes est capable de les orienter sans leur faire violence. Au contraire, cette orientation divine confère à toutes les causalités leur cohérence et leur finalité ; c'est elle qui leur donne de ne pas être anarchiques ou tout simplement absurdes, sans raison ni but. Mais, en disant cela, nous sortons du domaine positiviste et scientifique et nous entrons dans la « méta-physique », dans ce qui est au-delà de la physique et que nient les positivistes.

Mais s'ils nient ce domaine inconnu, c'est en tant que la « métaphysique » serait l'explication dernière du physique. Comme si le monde physique postulait un certain nombre de rouages invisibles à l'œil nu pour pouvoir fonctionner correctement. Nos physiciens sont formels : notre univers physique a en lui-même tout ce qu'il faut pour marcher correctement, pour justifier sa genèse et son évolution. Le domaine divin dont nous parlons ne s'inscrit pas en suppléance du monde physique, répétons-le.

b) La résurrection.

Dans quel ordre de réalités se situera alors la résurrection du Christ ? Peut-on la considérer comme un fait « historique » ? Nous avons déjà précisé plus haut ce qu'était la résurrection dans le kérygme chrétien. Il est clair dès lors qu'elle n'entre pas dans le réseau des causes et des effets cosmiques. Elle ne pourrait donc être démontrée, ni même saisie scientifiquement. Elle appartient à un autre ordre.

La Bible, bien qu'ignorant le vocable peu apprécié de « métaphysique », a une claire notion de ce que la résurrection appartient à un autre ordre de réalités que celui de notre cosmos. Elle qualifie la résurrection d'« eschatologique ». La résurrection du Christ, c'est l'« Eschaton » (ou le « monde futur ») qui se manifeste dans le temps. En parlant ainsi, la Bible affirme que les événements dont elle parle sont d'un autre ordre que les lois positives de notre univers. Il faut donc admettre qu'ils ne sont pas de la compétence des sciences humaines. Ils se situent d'emblée au-delà de la technique et au-delà de l'histoire, du moins si l'on comprend celle-ci comme une science positive.

Cela ne signifie pas que les événements du salut soient non-historiques. Ils sont transhistoriques. C'est très différent. Non-historiques voudrait signifier qu'ils n'ont pas d'existence du tout ; transhistoriques signifie qu'ils ont une existence tout à fait réelle, plus réelle même que celle de notre cosmos, mais dont la modalité échappe à notre façon habituelle de connaître. Ces événements sont donc, par définition, indémontrables et Bultmann a parfaitement raison de refuser toute « démonstration » rationnelle du kérygme.

Et cependant ces événements sont eschatologiques, c'est-à-dire finals et finalisants. Ils donnent, en effet, à notre cosmos une finalité au-delà de lui-même dans lequel il atteint son terme véritable. Le cosmos peut être une machine très bien réglée, mais il reste un machine sans âme tant qu'il n'est pas orienté vers quelque chose de plus grand et de plus définitif, quelque chose au-delà de lui-même, que la Bible appelle Eschaton.

Il faudrait demander ici à H. de Lubac[1] comment l'Eschaton peut situer *à la fois* sur la ligne intentionnelle la plus profonde de

---

1. H. DE LUBAC : *Surnaturel. Études historiques*, Paris, 1946 ; id. : *Le mystère du surnaturel*, Paris, 1965 (Théologie nº 8 et 64).

l'être de l'homme et de l'univers et cependant totalement au-delà de
son atteinte. - On pourrait se demander également dans quelle
mesure le point Oméga de Teilhard de Chardin correspond à l'Eschaton biblique.

Nous nous rendons parfaitement compte que les scientifiques
auront quelque peine à accepter nos explications, parce que,
pour eux, ce qui échappe aux investigations de la science n'a
pas d'existence. Nous ne voulons pas évacuer le scandale de la
Parole de Dieu, ce scandale du kérygme qui annonce l'arrivée de
l'Eschaton dans le temps. Nous essayons simplement de le situer
à son véritable niveau. Quant à la Parole elle-même, elle est à
prendre ou à laisser. Il en a toujours été ainsi et c'est le mode
d'être essentiel de la Parole de Dieu.

Il est clair à présent que Marc est avant tout un « Évangile »,
c'est-à-dire la proclamation de l'intervention eschatologique dans
le temps. Cela signifie qu'il y a désormais une intersection entre
le temps et l'éternité. Pour Marc, comme pour les autres auteurs
néotestamentaires, il ne s'agit pas d'un événement simplement
« historique » (au sens scientifique de ce terme), mais d'une
« venue » qui fait éclater les limites de l'histoire.

III. Interférence de l'Eschaton et du temps.

Mais nous en arrivons ainsi à une difficulté particulière, le
nœud même du problème. Sans doute, certains esprits scientifiques pourront admettre - au moins théoriquement - la possibilité
d'un ordre transcendant, échappant à nos moyens habituels d'investigation. Ce qu'ils nieront, c'est l'*interférence* entre cet ordre
supposé « surnaturel » (encore un vilain mot !) et la réalité naturelle, telle que nous la connaissons de mieux en mieux.

a) En effet, nous affirmons a priori que l'Eschaton échappe
à l'investigation technique et, par là, nous dénions toute compétence en ce domaine à nos scientifiques. Mais, à partir du
moment précis où nous faisons intervenir cet ordre eschatologique dans la trame de la réalité cosmique, les scientifiques se
lèvent, parce qu'ici nous touchons à leur domaine. Ils ne peu-

vent établir les lois du monde eschatologique, puisque, par hypothèse, nous leur en déniions la compétence, mais les lois cosmiques les concernent. Et ils peuvent affirmer, au moins négativement, que ces lois sont cohérentes et se suffisent à elles-mêmes, qu'elles forment un système clos et complet, où il n'y a pas place pour l'ingérence d'un monde « surnaturel ».

C'est pourquoi, il importe de bien distinguer. Nous ne prétendons nullement que l'intervention de l'Eschaton soit nécessaire pour que l'ordre cosmique arrive à ses fins immédiates : ce serait de la magie. En fait, le cosmos est doté de tout le faisceau de causalités nécessaire à sa marche correcte. Le surnaturel n'intervient pas en suppléance du naturel, comme si la machine allait tomber en panne sans son intervention. D'ailleurs depuis la résurrection du Christ, les lois du monde et même de l'histoire n'ont pas changé ; elles ont continué leur cours comme auparavant. En ce sens-*là*, il est clair que l'ordre transcendant n'a pas à intervenir dans le réseau des causalités cosmiques. Ce réseau se suffit à lui-même et conditionne tous les phénomènes de l'évolution de notre univers.

La réalité eschatologique n'intervient pas dans le cosmos *pour se mettre au service du cosmos*, c'est-à-dire pour faire arriver le cosmos à sa fin naturelle. Cela l'ordre cosmique l'accomplit par lui-même. Il n'a pas besoin de réparations surajoutées.

> Les miracles de l'Évangile - comme ceux de Lourdes ou d'ailleurs - n'ont pas pour but de « réparer » l'ordre naturel. Ils sont les signes visibles de l'invisible présence de l'Eschaton.

L'eschatologie intervient dans le monde pour permettre à l'homme de sortir de l'ordre cosmique et entrer dans l'ordre transcendant, le monde de Dieu. Cela ne nie aucune des causalités ou des lois de ce monde ; cela permet à l'homme d'échapper à tout le réseau indémaillable de ces lois pour entrer dans un monde tout différent, celui de Dieu. C'est cela la résurrection.

b) Nous avions dit plus haut que Dieu ne faisait pas nombre avec les causalités de notre cosmos, en sorte que l'on pourrait en déceler scientifiquement la présence ou la nécessité - fût-ce même négativement par l'absence scientifiquement démontrable d'une cause proportionnée en un point quelconque du système, à la façon dont Urbain Le Verrier a démontré l'existence de Neptune d'après les perturbations subies par Uranus. Dieu, c'est autre chose. Il n'appartient pas au système clos de notre univers ; c'est pourquoi nul œil, nul radar ne peut le déceler. Le mystère chrétien est donc indémontrable.

Il en va de même en ce qui concerne l'Eschaton, puisque celui-ci est précisément l'ordre divin qui se manifeste dans le cosmos. Il n'interfère pas à proprement parler avec l'ordre cosmique, puisqu'il ne se situe pas sur le même plan que lui. Mais il y intervient au sens où nous avions dit que tout le complexe des causalités cosmiques provient de Dieu et subsiste en Dieu. De même l'ordre eschatologique transcende et domine l'ordre cosmique. Il le finalise, mais sans le recouper. Il laisse le cosmos à toutes ses lois naturelles, à tous ses jeux de causes et d'effets qu'aucun scientifique ne pourra jamais prendre en défaut. Et cependant il donne à l'homme la possibilité d'échapper au contingent pour entrer dans l'éternel.

Ce n'est pas non plus une fuite du monde, un abandon pur et simple, car dans ce cas, on se demanderait quel sens aurait eu la création dans la pensée de Dieu. Si l'homme devait purement et simplement échapper à ce monde pour entrer dans un autre, ce monde-ci serait totalement privé de son sens, et le chrétien serait l'homme le plus désengagé qui soit dans le combat de l'humanité.

Ce n'est pas une simple sortie du monde, mais un au-delà du monde, c'est-à-dire non une réalité simplement hors du monde, mais une réalité qui est *au-delà* de la portée du monde. Une finalité, par conséquent, qui réassume en bloc tout le réseau des causes et des effets vers un but qui est au-delà de leur atteinte.

c) Le cosmos conserve cependant tout son réseau de causalités et de finalités internes. Au point de vue mécanique et technique, rien n'est changé. Mais tout le complexe est réassumé dans un dynamisme plus essentiel. On pourrait songer, par exemple, au système solaire dont les dynamismes internes sont repris dans un dynamisme cosmique supérieur. Mais l'exemple est inadéquat, car les dynamismes cosmiques, tout en étant supérieurs et en intégrant tout le système solaire, *sont du même ordre de causalité que lui*. C'est pourquoi il y aura nécessairement interférence mutuelle des causes et des effets. Le dynamisme du système solaire est une cellule active du dynasmie cosmique. Il n'en va pas ainsi de l'Eschaton.

Il vaudrait mieux prendre l'exemple d'un tir sur la lune. Au niveau technique, l'opération peut être parfaitement calculée et impeccablement menée.. Néanmoins tout le processus d'études, d'essais, de montage, etc. peut avoir été commandé par une intention de guerre ou dans une intention de promouvoir le bien de l'humanité. Cette intention des responsables de l'opération est de soi indiscernable au niveau technique. Elle peut se trahir dans tel détail de l'exécution, mais ce sera toujours par accident. De soi, l'intention morale des auteurs de l'opération est invérifiable au niveau technique de l'opération, parce qu'elle est d'un autre ordre.

Ce n'est qu'une analogie. Elle peut aider à comprendre que l'ordre naturel, dans sa totalité, soit finalisé dans un ordre transcendant qui ne fait pas nombre avec lui et qui ne peut être décelé - sinon « par accident » - dans le jeu des causes et des effets ; car il n'intervient pas dans le mécanisme intérieur de la création, tandis qu'il le finalise tout entier. Par là, le cosmos et toutes ses lois ne perdent pas leur raison d'être, ni leur mécanisme. Mais ils en gagnent un nouveau, transcendant.

Auparavant, la machine pouvait être très bien montée et remontée, elle pouvait fonctionner parfaitement (voire !). Mais tout l'ensemble pouvait soulever la question : A quoi bon ? Quel sens cela peut-il avoir d'être entraîné dans cette ronde cosmique pendant quelques années, puis de s'en aller ? Quel sens peut avoir cette ronde cosmique elle-même ? Elle aura duré peut-être quelques millards d'années - qu'importe sa durée, dès lors qu'elle doit finir ? - puis tout s'éteindra. Dans certaines planètes privilégiées, la vie aura éclos pendant quelques millions d'années, puis tout rentrera dans le silence, dès que les conditions atmosphériques et autres ne seront plus propices à la vie.

IV. Fonction de l'eschaton.

a) L'Eschaton est une vie transcendante, une vie divine, qui vient relayer le rythme essoufflé de notre univers, pour lui fournir un aboutissement éternel. Il y a là nécessairement un contact entre l'éternité et le temps, entre l'Eschaton et le cosmos.

Toute l'initiative gratuite vient naturellement du côté de l'éternité et de l'Eschaton, car ils dominent et surclassent le temps et le cosmos, tandis que ces derniers sont incapables de les atteindre par eux-mêmes.

Pour qu'il puisse y avoir une continuité, un passage possible entre le temps et l'éternité, entre le cosmos et l'Eschaton, il faut qu'un pont soit jeté entre eux, qu'un contact soit établi. Nous en revenons toujours au même problème. Comment peuvent-ils interférer, puisqu'ils sont d'un ordre différent ?

La Bible nous donne la réponse. Il n'y a aucune commune mesure entre le monde de Dieu et le monde de l'homme, le cosmos est incapable de contenir Dieu (I Rois VIII, 27), et cependant il y a une mystérieuse correspondance entre le monde de Dieu et celui de l'homme. L'homme est créé à l'image de Dieu et l'univers de l'homme reflète celui de Dieu (Ps XIX, 2-3). A partir de là, un contact pourra être établi.

Ce contact indique aussi fortement la rupture que la continuité, et la continuité que la rupture. L'homme peut entrer dans le monde de Dieu ; il y est convié depuis le début de l'histoire. C'est là le lieu de son repos et son destin. Et cependant il n'y entrera que par une mort. Le chef de notre race, l'Adam nouveau, créateur de l'Homme céleste, devra lui-même passer au travers de la mort pour enseigner à l'humanité le chemin de l'Eschaton. L'Eschaton est déjà présent et actif dans le monde par sa venue, et cependant l'homme n'y entrera totalement qu'en passant par le mystère et la purification de la mort. L'Eschaton est à la fois tout-proche et tout-autre.

b) Au centre même du message chrétien est donc établi le fait de Pâques, le fait de la mort-résurrection de Jésus. Fait qui, à la fois appartient à la trame la plus serrée de notre histoire - puisque l'on a dit et répété que la passion de Jésus était le seul fait dont nous puissions être historiquement assurés - et en même temps lui échappe, dans la mesure où il plonge dans l'éternité de Dieu. Fait donc qui relève de la foi et que le kérygme proclame. La rupture est l'aboutissement normal du cosmos ; la continuité est une continuité de grâce, effet d'une initiative gratuite de Dieu accomplie la nuit de Pâques.

Grâce à cette initiative le sens du destin de l'homme est changé. Il n'est plus absurdité du circuit fermé ; dans le Christ il devient ouverture sur l'éternité. Mais cette ouverture ne se situe pas à l'intérieur du mécanisme des causalités cosmiques, comme un rouage parmi les autres rouages - sans quoi elle n'en ferait pas sortir - mais au-delà, dans une mystérieuse venue de l'Eschaton dans le temps, venue qui fait éclater les limites du cosmos et lui donne de pouvoir déboucher - au-delà de la mort - sur l'éternité. Le cosmos acquiert désormais une finalité nouvelle, transcendante, une finalité au-delà de lui-même, exprimée dans la mort-résurrection de Jésus.

Évidemment ce destin nouveau, qui surclasse son destin cosmique, l'homme ne peut y atteindre que par la foi. Seule la proclamation pascale le lui révèle. Il reste libre de déclarer que cette proclamation n'est qu'un mythe ou une fable, ou au contraire de bâtir toute sa vie sur ce message. Toutes les herméneutiques et toutes les « interprétations » lui restent possibles, jusqu'à éliminer entièrement le message qui le gêne. Mais la Parole de Dieu reste semblable à elle-même et n'est affectée en rien par les exégèses minimisantes. Nous nous en tenons ici au kérygme tel qu'il est énoncé par nos évangiles, Marc en particulier, et nous essayons simplement de le comprendre, sans plus. Et nous sommes convaincus que, comme tel, il reste tout à fait valable - et plus que jamais - pour nos contemporains.

V. Intentionnalité eschatologique.

Au-delà de sa fonction propre, le cosmos acquiert donc dans le Christ une intentionnalité transcendante. L'homme est l'image de Dieu ; le cosmos renferme une mystérieuse correspondance avec le monde divin. Dans le Christ, cette pierre d'attente est devenue première pierre de l'édifice spirituel. C'est pourquoi le monde et l'homme deviennent désormais - outre leur nature cosmique propre - signes d'une réalité plus haute. Par le fait même que le cosmos ouvre désormais - dans le Christ - sur ce qui est au-delà de lui-même, il acquiert une signification transcendante, une signification symbolique. Le symbole, le signe, indique à la fois continuité et rupture : continuité, parce qu'il y a secrète correspondance, secrète ressemblance ; rupture, parce que c'est quand même tout autre chose (simile secundum quid, simpliciter aliter). Les anciens disaient, par exemple, que le temple avec tout son culte était une ombre des réalités célestes manifestées dans la résurrection du Christ (Héb VIII, 5 ; IX, 9).

Ainsi un contact nouveau - prolongement de la mort-résurrection de Jésus - est désormais établi entre l'Eschaton et le monde. Précisons que cette intentionnalité nouvelle peut se réaliser de deux façons différentes :

1) Soit que le temps devienne simplement le symbole de l'eschaton. Certaines réalités cosmiques acquerront alors un sens nouveau, prophétique ou eschatologique, en ce sens qu'elles évoqueront d'une façon toute particulière - pour ceux qui peuvent le comprendre - une réalité appartenant à l'ordre éternel. Ainsi, par exemple, le temple, en tant qu'il est une demeure de Dieu, peut devenir le symbole de la « vraie » demeure de Dieu avec les hommes, c'est-à-dire de l'entrée de l'humanité dans le monde de Dieu (= résurrection du Christ). - Mais, pour bien marquer que le temple terrestre n'est *que* le symbole de cette réalité transcendante et non cette réalité même (qui, elle, étant d'un ordre transcendant, ne peut être représentée adéquatement par aucune réalité terrestre), le temple terrestre sera détruit. Dans ce cas, c'est surtout la rupture, la disproportion entre le signe terrestre et la réalité transcendante qui est soulignée. Aucun pont n'est encore jeté entre le temps et l'Eschaton.

2) Le cas le plus difficile et le plus inacceptable pour un esprit moderne est celui où la réalité terrestre n'est plus seulement le symbole, mais aussi le vecteur, le médiateur de la réalité eschatologique. Nous avons là, apparemment, une véritable interférence entre l'ordre cosmique, scientifiquement décomposable, et l'ordre eschatologique transcendant. Pourtant c'est là que réside la substance propre du Nouveau Testament. C'est évidemment le cas du Christ et des sacrements. Il nous faudra donc approfondir ce problème.

Commençons par une remarque négative : il ne s'agit pas de magie. L'ordre eschatologique n'intervient pas dans l'ordre cosmique pour suppléer à une causalité physique déficiente. Dans ce cas, sa présence serait scientifiquement démontrable, fût-ce par la constatation de la non-présence d'une cause physique produisant l'effet constaté. La science pourrait éventuellement constater un « trou » dans la concaténation des causalités physiques et postuler ainsi l'action d'une cause « méta-physique ». Notre intention n'est d'ailleurs pas de nier la possibilité du miracle ; nous affirmons simplement que la médiation de l'Eschaton dans certaines réalités terrestres (le Christ, les sacrements, par exemple) s'accomplit d'une autre façon.

Tout comme le temps est incapable de produire l'Eschaton, de même aucune réalité cosmique n'est capable de « produire » le transcendant. Toute manifestation de l'Eschaton dans le temps proviendra donc nécessairement d'une initiative gratuite de l'Eschaton. Le transcendant peut transfinaliser le cosmique ; tandis que le cosmique est incapable d'atteindre par lui-même au transcendant. L'élément cosmique est essentiellement passif lorsqu'il reçoit une nouvelle intentionnalité au-delà de lui-même.

Dans ce deuxième cas seul, c'est-à-dire lorsque certains éléments cosmiques (par exemple l'homme Jésus, ou le pain) reçoivent une puissance eschatologique capable de faire passer l'humanité de l'ordre terrestre à l'ordre eschatologique, un pont est réellement jeté entre l'Eschaton et le monde. Le passage est désormais possible de l'un à l'autre.

Néanmoins, le propre de l'Eschaton est de ne pas être une transformation automatique. L'Eschaton se présente comme un appel. Il est capable de transformer ceux qui croient. Par la foi, l'homme participe de la vertu divine qui le transfère dans le domaine divin. Celui qui ne croit pas reste dans le domaine cosmique et meurt avec lui.

C. MARC ET L'HISTOIRE.

I. L'Évangile et l'histoire.

Ces considérations générales nous paraissaient nécessaires pour aborder sans trop d'ambiguïté le problème de l'« historicité » de l'évangile de Marc. Dans quelle mesure peut-on dire, en effet, que l'« Évangile » soit « historique » ? L'Évangile annonce la venue de l'Eschaton dans le temps. En quel sens l'Eschaton peut-il être considéré comme « historique » ? Nous avons défini ici l'« histoire » au sens d'une science humaine démontrable. D'après ce que nous venons de dire, il est clair que l'Eschaton, *en tant que tel*, n'intervient pas dans la concaténation des causalités cosmiques. Il est donc impossible de le déceler ou de le découvrir scientifiquement. Il ne fait donc pas partie de l'histoire scientifique.

Tout au plus pourra-t-on trouver le support cosmique de cette réalité transcendante. Nous disons bien support et non fondement. La réalité cosmique ne peut jamais fonder le don eschatologique, c'est pourquoi aussi, il est impossible de prouver le kérygme à partir de l'histoire scientifique. La réalité transcendante pourra se servir de la médiation d'une entité terrestre, mais celle-ci ne sera jamais que son « support », non son fondement. Le support cosmique éventuel ne pourra jamais rien livrer à la science de son contenu transcendant. Si on livrait à l'analyse chimique une hostie consacrée, on n'y trouverait que les éléments constitutifs du pain. Lorsque Pompée entra dans le Saint des Saints, il n'y trouva « rien ».

De même dans l'histoire de Jésus, l'analyse historico-critique ne pourra jamais relever que les faits et gestes de l'homme Jésus. Le contenu eschatologique de sa personnalité lui échappe nécessairement. Ce contenu étant d'ordre transcendant échappe par définition à toute investigation scientifique. Il ne peut être atteint que par la foi, qui est notre faculté d'appréhension du transcendant.

Or nos évangélistes se situent d'emblée au niveau de l'Eschaton. L'Évangile est la proclamation de la venue de l'Eschaton dans le temps, venue qui change le destin de l'homme et de l'univers. Un écrit évangélique, comme celui de Marc, ne sera donc pas une biographie « scientifique » de Jésus de Nazareth. Cela ne l'intéresse pas en soi. Son Évangile est une manifestation de la réalité eschatologique en Jésus de Nazareth. Cette réalité n'est perceptible que par la foi, nous venons de le dire. Le témoignage de l'Évangile sera donc un témoignage de foi.

Et ici nous rejoignons les conclusions indéniables de la critique des formes : nous ne connaissons le Christ qu'à travers la foi de l'Église. Il ne saurait en être autrement. Des milliers d'hommes sont passés à côté de Jésus de Nazareth sans discerner en lui cette qualité transcendante. Comme le dit Jean, par la foi seule, l'homme peut « voir » la gloire du Fils de Dieu (Jean II, 11 ; XI, 40). Car autre chose est ce que Thomas a vu et autre ce qu'il a cru (Jean XX, 29). De même Jean a vu Jésus, mais il a cru au Verbe de Dieu (I Jean I, 1-4) [1].

---

1. Chez Jean, le mot « voir » s'emploie souvent au sens métaphorique de « croire ». C'est la foi qui « voit » les réalités divines.

L'éternité n'est pas visible dans le temps, elle n'y est pas non plus scientifiquement discernable, car elle n'est pas du même ordre que le temps. Ce n'est pas pour cela qu'elle est moins réelle ; au contraire, pour un croyant, elle est beaucoup plus réelle que le cosmos, puisque ce dernier n'a qu'une existence limitée, tandis que le transcendant possède une existence totale (I Cor XV, 45).

La transcendance de l'Eschaton ne l'empêche d'ailleurs pas de se manifester dans le temps. S'il est une promesse faite aux hommes, il faut qu'il devienne, d'une certaine façon, perceptible pour les hommes. Néanmoins il ne se manifestera jamais de la même façon que le cosmique, car sa manifestation sera toujours, par définition, inadéquate, puisqu'il restera toujours incommensurable à n'importe quelle réalité de ce monde. C'est pourquoi la manifestation du transcendant est elle-même objet de foi.

Expliquons-nous. Admettons que la transfiguration et les manifestations du Christ après sa résurrection se soient passées matériellement comme elles sont décrites dans nos évangiles. Il n'en reste pas moins que, même alors, ces phénomènes extraordinaires ne seraient pas encore l'Eschaton rendu vivisble dans le temps, mais simplement un *signe* visible, un symbole de cette réalité. Car, même si le visage de Jésus devient comme le soleil et ses vêtement comme la neige, même si son corps reçoit une subtilité telle qu'elle lui permet de passer au travers de corps opaques, tout cela n'est pas encore la réalité de l'Eschaton - tant s'en faut ! - mais un symbole de cette réalité. La réalité elle-même reste toujours, par définition, infiniment au-delà de ce qui peut en être manifesté.

Toute manifestation de l'Eschaton dans le cosmos ne sera jamais qu'un symbole inadéquat de la transcendance. L'ascension du Christ dans les airs est le symbole de son entrée dans l'eschaton. Son entrée réelle n'est pas visible à nos yeux de chair, ni discernable scientifiquement - fût-ce par Gagarine ! - puisqu'il s'agit d'un autre ordre. On peut donc *voir* le Christ s'élever dans les airs et *croire* qu'il s'en est allé auprès du Père. Il n'y a aucune proportion réelle entre les deux événements. L'un est simplement le signe de l'autre, signe déchiffrable dans la foi. Il est donc évident qu'aucune recherche historique ne pourra jamais « légitimer » le kérygme, comme Bultmann le craint tellement. Elle pourra tout au plus nous replacer dans la situation des contemporains de Jésus et nous mettre en face du choix de la foi ou du refus.

II. Le message de Marc.

a) En ce qui concerne Marc, il est clair à présent que son Évangile ne pourra pas être la simple description des faits et gestes de Jésus de Nazareth, mais l'explication eschatologique de son existence. Dans la pensée de Marc, les paroles et les actions de Jésus sont porteuses d'eschatologie. L'Eschaton se manifeste à travers toute son activité. C'est cela qu'il veut rendre sensible. Comme le dit Luc à propos des apôtres : « ils annonçaient en Jésus la résurrection des morts » (Act IV, 2) ; de même Marc annonce en Jésus la venue de l'Eschaton.

L'évangile de Marc est avant tout un kérygme, comme son titre l'indique. Il repose sur des faits bien établis. Marc, comme les autres évangélistes, insiste sur la réalité de ces faits, car cette réalité conditionne à ses yeux l'enracinement de l'Eschaton - condition essentielle pour que la venue de l'Eschaton nous concerne réellement et concerne l'étoffe de notre univers. Mais saint Marc dépasse cependant de très loin la matérialité de ces faits ; c'est pourquoi il s'efforce sans cesse d'en montrer la portée eschatologique, transhistorique. C'est *là*, dans l'annonce de l'Eschaton en Jésus, que réside son message. C'est cela qu'il veut montrer. La réalité matérielle des faits est l'enracinement de l'Eschaton dans le temps. Mais cela n'en est encore que l'envers. La réalité terrestre, miracle, expulsion de démons, etc. est l'ombre de l'Eschaton. C'est pourquoi Marc évoquera sans cesse, autant qu'il le pourra, la dimension invisible de l'Eschaton. Les démons sont ici les spectateurs de l'invisible. Ce qui échappe à la vision du savant est perceptible pour eux. De même les controverses et les miracles évoquent ou suggèrent sans cesse la présence de cette grandeur invisible, plus réelle que le réel cependant et qui conditionne une attitude nouvelle pour ceux qui la voient.

Pour la même raison, Marc, comme Jean, relit tout le ministère de Jésus à la lumière de Pâques. Pâques est pour lui la grille

qu'il faut superposer au ministère de Jésus pour en comprendre
la signification. Pâques est la révélation plénière du mystère fil-
trant à travers tout le ministère de Jésus.

b) Un second aspect, particulièrement crucial, du problème est
que Marc - comme Jean - relit la vie de Jésus dans l'Église. A
ses yeux, les miracles et les guérisons accomplies par Jésus au
cours de son ministère terrestre redeviennnent l'aujourd'hui de
l'Église. Il fera donc évoluer le Jésus terrestre au milieu de la
jeune Église pour l'instruire. Nous avons constaté que les disciples sont souvent les prête-parole et les représentants de la
Communauté. Inversement, Marc projette dans le déroulement
de la vie terrestre de Jésus les expériences pascales et postpasca-
les de l'Église. Jésus de Nazareth est déjà revêtu de la robe de
gloire de sa résurrection. Il évolue et agit dans l'Église
d'aujourd'hui.

Aux yeux de Marc, ce procédé était non seulement légitime,
mais il était le seul possible et fructueux. Pas plus que Bultmann,
il n'éprouvait d'intérêt pour la vie de Jésus en tant que phénomène du passé (2 Cor V, 16). Pour lui, le destin de Jésus ouvre
le temps eschatologique du salut, bien plus encore que l'Exode
pour les Juifs. Or le propre de ce temps de salut est que tous
les croyants peuvent se l'approprier. Comme le dit la liturgie
hébraïque : « Ce n'est pas avec nos pères seulement que Yahweh
a conclu cette alliance, mais avec nous qui sommes ici aujourd'
hui, tous vivants » (Deut V, 3). C'est pourquoi chaque Israélite
relisant ou écoutant la Haggada de la Pâque a le devoir de se
considérer lui-même comme sortant aujourd'hui d'Égypte [1].

Pour les chrétiens également, l'histoire de Jésus n'est pas un
épisode du passé, mais une expérience présente. Les évangélistes
s'efforceront donc de revêtir le Jésus terrestre de la robe de
gloire du Ressuscité et de le faire évoluer au milieu de l'Église
à laquelle ils s'adressent. C'est sans doute chez Jean que ce procédé est le plus visible ; mais il se trouve déjà et tout aussi radicalement chez Marc. Les évangélistes veulent montrer par là que
l'histoire terrestre de Jésus concerne aujourd'hui encore tous
les chrétiens. Les miracles de Jésus sont les « signes » de son
activité spirituelle dans l'Église. Jésus guérissant les malades,

---

1. A. Neher : *Moïse et la vocation juive*, Paris, 1956, p. 135.

chassant les démons et enseignant avec autorité, c'est le Christ glorieux exerçant son activité de salut dans l'Église.

On a trop longtemps méconnu la valeur kérygmatique de nos évangiles, au profit d'une interprétation historisante, qui voyait en Marc un naïf témoin des faits et gestes de Jésus. Cette tendance provenait en partie d'une *pietas moderna* fondée trop exclusivement et de façon quelque peu sentimentale sur le Jésus terrestre et sur ses souffrances, plus que sur le mystère de sa gloire et de sa résurrection. L'Église orientale est ici restée beaucoup plus fidèle que l'Église d'Occident au sens primitif des évangiles.

Ce ne sont pas non plus les discussions et les difficultés actuelles au sujet de l'« historicité » des évangiles qui doivent nous inciter à mettre cet aspect essentiel de la lumière évangélique sous le boisseau. Envisageons donc loyalement les problèmes que cette façon de faire nous pose et les solutions possibles.

III. L'Évangile de Marc.

Pour étayer davantage cette affirmation de principe, il sera utile de revoir rapidement ici les conclusions de nos divers chapitres.

a) Nous avons vu, dans notre premier chapitre, que les *miracles* étaient, aux yeux de Marc, la manifestation de gloire du Fils de Dieu. Manifestation eschatologique du Christ, Fils de Dieu, mais manifestation qui reste en grande partie voilée encore par la nécessité du secret. Jésus étouffe cette gloire qui émane de lui. Dans plusieurs miracles, nous voyons comme un duel entre la gloire irrésistible du Fils de Dieu, et la volonté intransigeante de Jésus de tirer le voile. Marc veut souligner que Jésus de Nazareth est inondé déjà de la gloire de la résurrection, qui est son élément naturel, comme elle devrait l'être - par un point de vue - du chrétien.

Dans plusieurs de ces récits - par exemple celui du paralytique, II, 1-12, celui de l'hémoroïsse V, 25-34, celui de la fille de Jaïre V, 21-43, celui de l'aveugle de Bethsaïde VIII, 22-26 ou du sourd-bègue VII, 31-37 - Marc suggère avec insistance qu'il ne s'agit pas seulement d'une guérison physique passée, mais d'une activité salvifique du Christ ressuscité dans l'Église d'aujourd'hui. En II, 5b-10a, Marc intercale un long développement pour montrer qu'il s'agit en réalité du Fils de l'Homme en gloire (II, 10) venant pardonner les péchés. En VII, 31-37 ; VIII, 22-26, c'est le Christ glorieux qui guérit l'aveuglement et l'endurcissement de l'Église. A travers la « résurrection » de la fille de Jaïre ou du petit possédé de IX, 14-29, il s'agit déjà du pouvoir donné par le Christ en gloire à son Église, pouvoir qui jaillit de sa propre résurrection [1]. De même le cas de l'hémoroïsse exemplifie le fait que tous ceux qui « touchent » Jésus par la foi reçoivent de lui une puissance spirituelle et sont « sauvés ».

b) Ce qui se trouve inscrit en filigrane dans les récits de miracles se lit plus clairement encore dans les rapports d'*exorcismes*. Bien plus que d'épisodes particuliers de la vie de Jésus, il s'agit de l'affrontement « cosmique » (comme aime à le dire Robinson) entre le Fils de Dieu et le Royaume démoniaque. C'est une lutte à mort, qui ne sera finalement résolue que par la crucifixion du Fils de Dieu (IX, 29) [2]. Le mystère de Jésus et tout le secret messianique sont donc inscrits dans toute la relecture marcienne des exorcismes. Les démons contemplent l'invisible et ils révèlent aux lecteurs de Marc l'aspect transcendant de la personnalité de Jésus. A travers le Jésus terrestre, ils voient déjà la gloire du Ressuscité. Ils sont ainsi les théologiens de Marc ! Il est donc probable que, tout comme le vieil auteur de Nombres XXII, 28-30 prêtait la parole à l'ânesse de Balaam, pour lui révéler ce que le prophète lui-même ne pouvait distinguer, ainsi Marc aussi prête la parole aux démons pour apprendre à ses lecteurs une dimension invisible de son Évangile. La controverse III, 22-30 et le récit de la tentation au désert I, 12-13 évoquent plus nettement encore la victoire pascale passant par le chemin du calvaire [3].

c) Nous avons constaté également que les *controverses* n'étaient nullement des disputes d'écoles à la mode rabbinique, mais la proclamation indirecte de la venue de l'ère eschatologique. La présence de l'Eschaton motive l'attitude révolutionnaire

---

1. Voir plus haut, p. 39sv et 96-99.
2. Cf. ci-dessus, p. 97-99.
3. Cf. ci-dessus, p. 108-110.

de Jésus. Ceux qui peuvent comprendre - et Marc espère que ses lecteurs sont du nombre - voient que l'attitude de Jésus est l'ombre, la manifestation sensible de ce qui ne peut être vu. Inversement - au point de vue des lecteurs de Marc - on suggère ainsi la dimension profonde des paroles et des gestes de Jésus. Leur véritable signification ne peut être saisie qu'à la lumière de Pâques. Dans toute cette partie surtout on assiste à la réinterprétation consciente de tous les épisodes de la vie de Jésus dans l'illumination pascale. Dans plusieurs cas décisifs, nous avons souligné la part rédactionnelle de Marc. C'est le Fils de l'Homme en gloire (II, 10), le Médecin (II, 17), l'Époux (II, 19), le Seigneur du Sabbat (II, 28) qui manifeste son droit souverain, son Autorité céleste (II, 10 ; XI, 33). Finalement, c'est le Seigneur de David intronisé à la droite de Dieu qui ferme définitivement la bouche à tous ses adversaires (XII, 35-37) et qui révèle le mystère de la résurrection (XII, 18-27). On pourrait difficilement nier que Marc réinterprète sciemment tous ces épisodes à la lumière de Pâques. Cela est encore confirmé par l'insistance, dans ce même contexte, sur le Sabbat messianique, symbole de la résurrection (II, 23-III, 6).

d) Il y a longtemps que l'on sait que les « explications » des *paraboles* sont en réalité des commentaires homilétiques à l'usage de l'Église. Marc a bâti tout une théorie sur cette base. Il en fait l'exposé en IV, 10-12, 33-34. Cela lui permet de donner une interprétation (pascale) des paroles de Jésus pour ses lecteurs. Les contemporains de Jésus sont censés rester dans l'ignorance jusqu'à ce que se manifeste le rayonnement pascal qui éclairera tout.

e) Plus nettement encore, le chapitre consacré aux *disciples* a montré que les Douze ne sont la plupart du temps que les prête-nom de la communauté. A travers eux, c'est à la communauté de Marc que s'adresse Jésus. Il est clair qu'il s'agit du Christ ressuscité réinterprétant pour son Église tous les épisodes de sa vie terrestre, tout comme en Luc XXIV, 27. Marc met ici sur les lèvres du Maître ressuscité son propre enseignement pour lui donner plus de poids, ou, ce qui revient au même, à la lumière de la résurrection, il montre à l'Église la véritable portée transhistorique de l'enseignement de Jésus. On se souvient ici de la parole de Jean :

« Ses disciples ne comprirent pas cela tout d'abord. Mais quand Jésus
eut été glorifié, ils se souvinrent que cela avait été écrit de lui et
que c'était bien ce qu'on lui avait fait » (Jean XII, 16, cf II, 22).

D'ailleurs toute la théorie du secret messianique, dans son
ensemble, montre que l'attitude de Jésus ne peut se comprendre
qu'à la lumière pascale. La mort et la résurrection de Jésus sont
la clef de tout son ministère. Le secret messianique dans tout
son déroulement est donc une relecture pascale de la vie de
Jésus. En tout ceci, il est donc clair qu'il ne s'agit pas d'une projection anonyme et inconsciente de la légende pascale dans l'histoire de Jésus (comme le veut Bultmann), mais d'un effort
conscient, personnel, signé, de réinterprétation de la vie de
Jésus. L'auteur veut révéler à ses lecteurs la dimension transcendante, transhistorique de la carrière de Jésus. Il le fait de façon
méthodique et suivie. Il serait possible, au terme d'une analyse
approfondie, de tracer une théologie ou une christologie de Marc.

IV. Le problème du Jésus historique.

Il est clair que ces conclusions ont une répercussion considérable sur la façon d'envisager le problème historique de Jésus.
A plusieurs reprises W. G. Kümmel [1] s'est plaint de ce que les
auteurs dont il résumait les contributions n'aient pas exposé
clairement et positivement une *méthode* de travail. A cet égard,
nous croyons que l'article de N. A. Dahl [2], dont Kümmel ne
parle précisément pas dans sa revue [3], a le plus nettement indiqué la méthode à suivre. Il distingue très bien le problème scientifique de la légitimité théologique. Chaque question est traitée
à part. Il faut commencer par une analyse rédactionnelle et
comparée des évangiles [4].

---

1. « Jesusforschung seit 1950 », dans *Theologische Rundschau*, NF XXXI,
1966, p. 15-46.
2. « Der historische Jesus als geschichtswissenschaftliches und theologisches Problem », dans *Kerygma und Dogma* (Göttingen) I, 1955, p. 104-
132.
3. Il la cite en note p. 19, et renvoie pour cette période à P. Biehl :
« Zur Frage nach dem historische Jesus », dans *Theologische Rundschau*,
NF XXIV, 1957/58, p. 54-76.
4. N. A. Dahl : a.e. p. 115.

Dans notre cas, cette analyse prend une importance d'autant plus décisive que la théologie de Marc est plus délibérée et que sa méthode de travail est plus conséquente. Il devient possible d'étudier avec une rigueur scientifique toute l'emprise rédactionnelle de Marc sur la matière préévangélique. Nous avons relevé nous-même, tout au long de notre étude, la façon dont Marc insère ses commentaires à l'aide d'appendices ou de versets surajoutés. Parfois il entretoise tout un épisode ou tout une interprétation à l'intérieur d'un récit traditionnel pour en suggérer l'interprétation (II, 5b-10 ; IX, 14-16, 18b-20a, 28sv, etc). Tous ces procédés rédactionnels devraient être suivis méthodiquement d'un bout à l'autre de son évangile.

Cette analyse - déjà poussée fort loin ici - est d'autant plus instructive qu'elle nous permet de saisir objectivement la méthode de relecture employée dans l'Église primitive et le but qu'elle s'assignait. Les résultats auxquels ont mené cette étude sont déjà notablement différents de ceux auxquels aboutissait Bultmann au terme de la critique des formes. Dans certains cas majeurs - dont Marc est un exemple notoire - il ne s'agit donc pas de transformations inconscientes opérées par la communauté anonyme, mais d'une relecture systématique accomplie par un théologien qui veut donner à la communauté ce qu'il estime être la portée véritable du message de Jésus.

Ce travail, qui devrait être poursuivi, permettrait de reprendre sur une base nouvelle le livre de K. L. Schmidt [1] et de distinguer exactement ce qui appartient à la tradition ancienne et ce qui revient à la rédaction. On pourrait ainsi remonter avec plus de rigueur à la tradition préévangélique, surtout si l'on ne s'était pas limité à l'analyse rédactionnelle de Marc, mais si l'on avait prolongé cette recherche à travers Matthieu et Luc, dans une confrontation constante des trois synoptiques.

On obtiendrait ainsi des petites unités isolées, auxquelles la critique des formes nous a accoutumés, mais que l'on pourrrait serrer avec plus de rigueur. On y retrouverait sans doute pas mal de logia venus littéralement de la bouche de Jésus, mais aussi pas mal de récits déjà réinterprétés. La méthode utilisée par Marc pourra aider alors à mieux comprendre la réinterprétation opérée par la tradition.

---

1. *Der Rahmen der Geschichte Jesu*, Berlin 1919, Darmstadt ²1964.

On peut ajouter encore les autres méthodes préconisées par
Dahl [1] : l'étude approfondie de la tradition judaïque pharisienne,
qumranienne et autre. Cela nous aiderait à mieux situer le cadre
dans lequel a évolué Jésus et de mieux discerner aussi la portée
de ses apostrophes et de ses logia dans le contexte du monde
juif.

V. Le scandale de Jésus.

a) Mais tout cela n'évacuera jamais la difficulté majeure :
celle que nous ne recevons le témoignage concernant Jésus de
Nazareth qu'à travers la foi de l'Église. Ceci dit une fois pour
toute pour répondre au scrupule de Bultmann qui pense que
rechercher le Jésus historique, c'est tenter de prouver le kérygme. Il n'y a aucun danger de cette espèce. Au contraire, rechercher le Jésus historique, c'est aller au-devant du scandale de
Jésus.

En effet la science historique est incapable, par définition,
d'atteindre jamais la dimension transhistorique du Christ. Elle
n'atteindra jamais qu'un homme et elle pourra y ajouter le
témoignage *historique* de la foi de l'Église. En d'autres mots,
elle ne pourra jamais dépasser la constatation de Félix :

> « Touchant un certain Jésus, qui est mort, et que Paul affirme être
> en vie » (Act XXV, 19).

Tout le problème du Jésus historique nous paraît résumé en
cette phrase. L'historien ne pourra jamais dire plus. Il pourra
établir le fait historique certain de la mise à mort de Jésus (qui
suppose une certaine prétention vraisemblablement messianique
de la part de Jésus), et le fait tout aussi certain que l'Église primitive était persuadée qu'il était ressuscité et qu'il était devenu
le Seigneur et le Fils de Dieu dans la gloire, cause de salut pour
tous les hommes.

L'analyse historique plus approfondie ne fera jamais que
mieux mettre en relief l'exigence, l'appel à la foi. Elle ne pourra
jamais franchir la distance métaphysique entre l'établissement du

---

1. *Kerygma und Dogma*, I, 1955, p. 118-121.

fait concret et son interprétation par la foi chrétienne. Elle
pourra tout au plus établir le fait concret et l'interprétation de
ce fait proposée par l'Église. Au lecteur restera toujours la tâche
de choisir entre l'acceptation du témoignage chrétien ou son
refus.

b) On pourrait dire de Marc ce que Félix disait de Paul : il
parle d'un certain Jésus, qui est mort, et dont il certifie qu'il vit.
Ce témoignage de la résurrection, Marc ne le livre pas *à la fin*
de son évangile - puisqu'il n'a justement pas de récit de la
résurrection ! - mais *à travers tout* son évangile. Son « Évangile » est précisément la proclamation que Jésus est vivant et
capable de vivifier tous ceux qui croient en lui. A travers toutes les scènes de son évangile, Marc proclame le kérygme de la
résurrection.

Mais sa méthode est un peu différente de celle de Pierre ou de
Paul. Ceux-ci proclamaient : « Il est ressuscité, nous en sommes
tous témoins ! ». Ils fondaient la foi de leurs auditeurs sur leur
propre témoignage, confirmé d'ailleurs par celui de Dieu (Mc
XVI, 20 ; Jean VIII, 18). Marc, lui, veut donner à entendre que
toutes les œuvres du Christ lui rendaient témoignage, toutes
manifestaient par avance sa résurrection (Jean V, 36 ; IX,
33 ; Act II, 22). Il veut montrer que toutes les œuvres de Jésus
de Nazareth étaient grosses déjà de la résurrection.

Ce n'est pas une pétition de principe parce qu'il s'adressait
à une génération qui connaissait et avait entendu raconter par
nombre de témoins les œuvres du Christ. Marc réinterprète ces
œuvres à la lumière de la résurrection et montre ainsi la continuité essentielle de la carrière de Jésus, aboutissant à sa mort et
à sa résurrection. Tout cela est la logique de Dieu.

Nous-mêmes aujourd'hui, il nous est encore possible - c'est
ce que nous avons essayé de faire - d'isoler la réinterprétation
de Marc, de percevoir comment elle s'articule sur la tradition
sous-jacente et comment elle procède. Ce résultat est exception-
nellement important, pensons-nous, non pas parce qu'il nous
dispenserait de la foi, mais au contraire parce qu'il nous permet
de saisir en quoi consiste la foi chrétienne aux yeux de Marc.
Il nous permettra de saisir exactement ce que Marc a à nous dire
et la façon dont il nous le dit.

Au terme de notre étude, on ne pourra donc pas exiger de
nous que nous disions : ceci est « historique », ceci est une

réinterprétation de Marc. Le problème ne se pose pas ainsi. Il est possible d'opérer une distinction précise entre la rédaction de Marc et la *tradition* antécédente. Nous nous sommes efforcés d'opérer ce départage, verset par verset, à travers toute notre étude. Il nous semble qu'une partie essentielle de l'analyse rédactionnelle de Marc a déjà été opérée au long de ces pages. Mais nous nous sommes expressément interdits d'aller au-delà. Ce que nous trouvons sous-jacent à Marc, c'est la *tradition* primitive, non l'« histoire » au sens scientifique. Ce serait trop simple. La tradition dont Marc s'est servi était déjà une tradition interprétée. Et il est normal qu'il en soit ainsi, tout récit chrétien concernant Jésus est nécessairement un kérygme, c'est-à-dire l'annonce de la résurrection universelle dont il est le foyer.

Néanmoins Marc, le premier, a voulu rattacher explicitement la gloire du Fils de Dieu ressuscité à Jésus de Nazareth. Il ne s'est pas contenté, comme Paul, de parler de la gloire cosmique du Christ ressuscité. Il a voulu continûment montrer que cette gloire jaillissait d'un homme de Nazareth. Un homme qu'on connaissait bien, un homme dont on avait suivi les faits et gestes, dont on savait qu'il avait fini par être misérablement condamné et exécuté. Marc ne parle pas seulement de l'intervention divine qui sauve le monde et qui rencontre existentiellement tout croyant ; il lui importe essentiellement que cette puissance et cette gloire émanent d'un homme parmi les hommes.

c) La valeur historique la plus décisive de Marc réside dans le genre littéraire qu'il a choisi : un « Évangile » sous l'apparence extérieure d'une biographie, parce que dans ce destin d'homme, Dieu a manifesté son salut universel. Elle réside aussi dans ce qu'il ne dit pas : Marc souligne, en effet, explicitement la valeur eschatologique du destin de Jésus, mais en réinterprétant les matériaux à lui fournis par la tradition, il suppose tacitement ce que tout le monde savait : à savoir que c'étaient les divers épisodes de la carrière de Jésus qui sont ainsi réinterprétés.

Et ici l'analyse rédactionnelle a un rôle de premier plan. Elle nous montre en effet Marc reprenant et réutilisant les matériaux traditionnels que tous les chrétiens connaissaient par cœur. Précisément parce que cette tradition était bien connue et acceptée par tous, tout mot ajouté par Marc, tout coup de pouce insinuant une réinterprétation était immédiatement perçu par la communauté. Par le fait même le message de Marc devenait perceptible pour eux. L'analyse rédactionnelle retrouve la sensibilité au message de Marc.

Mais en réinterprétant et en montrant la portée transcendante des faits et gestes de Jésus, Marc suppose l'authenticité de ces faits et gestes ; mieux, ils les suppose connus de tous. Son interprétation repose de tout son poids sur l'authenticité de ces faits et gestes. Si Jésus n'a pas existé, s'il n'a pas imposé silence, s'il n'a pas accompli des œuvres que nul autre que lui n'avait faite, alors l'« Évangile » de Marc n'existe plus. Il pourrait dire comme Paul : si tout cela n'est pas vrai, alors mon évangile est vide, il est sans objet (I Cor XV, 17).

L'argument d'authenticité le plus fort que l'on puisse trouver, c'est donc :

1° que Marc ait entrepris d'écrire son Évangile sous cette forme ;

2° que cette réinterprétation suppose, d'un bout à l'autre, l'authenticité des faits ainsi réinterprétés.

d) Cela ne signifie d'ailleurs pas que *tous* les épisodes se soient passés matériellement comme Marc nous les rapporte. Il est bon ici de nous rappeler l'excellente contribution de L. Grollenberg [1] : certains miracles ou certaines manifestations peuvent très bien se situer à un niveau purement spirituel et avoir été matérialisés par Marc pour mettre plus clairement en relief l'intervention de Dieu. D'autres fois, Marc a pu introduire certaines scènes ou certains dialogues pour souligner une idée ou se faire ses interprètes auprès du lecteur.

Ainsi nous avons vu que II, 5b-10 est probablement une interprétation de Marc. On voit ainsi la véritable portée du miracle : il est un « signe » de l'activité salvifique du Ressuscité dans la communauté chrétienne. De même en IX, 14-29, le dialogue sur l'incapacité des disciples est vraisemblablement de lui également. Il en va de même de plusieurs cris de démons ou de certains « attouchements » de Jésus, au moins dans les sommaires rédactionnels (III, 10 ; VI, 56). Le dialogue avec le lépreux (I, 43-44a) et la théorie des paraboles sont encore des interprétations de Marc. Nous ne pourrions songer à reprendre ici tout le faisceau de nos conclusions : à chaque pas nous avons décelé la main de Marc.

---

1. « De historiciteit der evangeliën toegelicht door het Oude Testament », dans *Tijdschrift voor Theologie*, IV, 1964, p. 35-53.

VI. Rédaction et histoire.

Est-ce à dire que, chaque fois que nous avons un passage rédactionnel, nous devions le considérer comme une réinterprétation théologique et donc comme « non-historique » ? Ce serait encore une simplification du problème. Il est certain que l'activité rédactionnelle de Marc tend surtout à donner une réinterprétation théologique, christologique des faits qu'il relate. Mais certains cas remarquables tendent à montrer que, même lorsqu'il développe ses théories les plus personnelles, Marc maintient encore un contact étroit avec la réalité terrestre en même temps que céleste.

Prenons un exemple. Nous avons étudié plus haut la théorie des paraboles. Nous avons vu que c'était un des endroits (IV, 10-12, 33-34) où Marc développe *ex professo* sa façon de concevoir le « secret ». Jésus parle en paraboles à la foule « pour qu'elle ne comprenne pas » (sic !), mais en particulier il explique tout à ses disciples. C'est une théorie choquante. Elle se comprend dans le contexte un peu rude - parfois rugueux - du secret messianique. C'est donc une théorie de Marc ; il faut la replacer dans le cadre de sa théologie.

Et pourtant on trouve une confirmation frappante de cette théorie dans un contexte fort différent. Il s'agit précisément d'un point que l'on attribuerait volontiers à la plume un peu fruste de Marc [1]. A la fin du discours après la Cène, l'évangile de Jean fait dire à Jésus :

> « Tout cela, je vous l'ai dit en paraboles [2] ; l'heure vient où je ne vous parlerai plus en paraboles, mais je vous entretiendrai ouvertement du Père » (Jean XVI, 25).

Jean ne développe aucune théorie des paraboles comparable à celle de Marc. Même dans le passage cité à l'instant, Jean n'expose pas un système. Il *suppose* seulement que, durant

---

1. Ainsi E. Percy : « Liknelseteorien i Mark IV, 11f och kompositionen av Mark IV, 1-34 », dans *Svensk Exegetisk Arsbok*, III, 1947, p. 258-278.
2. Comparer Mc IV, 1, 33.

toute la durée du ministère terrestre, Jésus a parlé en paraboles. Le mot παροιμία, proverbe, figure, énigme est l'équivalent johannique des « paraboles » (παραβολαί) synoptiques [1]. Ce mot connote, pour Jean comme pour Marc, un langage difficile, énigmatique, incompréhensible. Tout comme chez Marc également, cette économie du secret est provisoire pour Jean. Le temps est arrivé où Jésus parle « ouvertement ».

Précisément ce mot « ouvertement », παρρησία nous impose un nouveau rapprochement, plus étonnant encore que celui noté à l'instant. Nous avions noté chez Marc l'opposition entre VIII, 31 et IV, 33-34 [2]. Une opposition, en tout point comparable se retrouve en Jean XVI, 29 :

> « Enfin tu parles ouvertement et sans paraboles. Nous voyons bien maintenant que tu sais tout et qu'il n'est pas nécessaire qu'on t'interroge. Cette fois, nous croyons que tu es sorti de Dieu ! »

Tout comme chez Marc, les disciples sont frappés du brusque changement de ton de Jésus au moment de sa passion. Jusqu'alors il leur avait parlé en « paraboles ». Ce genre oratoire était pour les disciples obscur et difficile. Sur ce point aussi Jean s'accorde avec Marc contre Schniewind. Pour ce dernier, nous nous en souvenons, les paraboles étaient de soi un genre populaire, clair comme le jour, un enfant les aurait comprises [3]. Les apôtres ne paraissent pas de cet avis.

Autre détail significatif, en Jean comme en Marc, lorsque Jésus parlait en paraboles, les disciples étaient obligés de l'« interroger » pour obtenir l'interprétation des paraboles (Jean XVI, 29). Ce trait nous rapproche singulièrement de Marc IV, 33-34.

Il ne semble pas que, dans le cas envisagé, il y ait dépendance de Jean par rapport à Marc. Cette parole se situe en effet dans un contexte entièrement différent et Jean ne semble nullement soucieux de développer une théorie comparable à celle de Marc. La phrase est dite en passant. Elle n'a pas la même fonction qu'en Marc. Il ne s'agit pas du secret messianique, mais de l'opposition entre la connaissance spirituelle communiquée par

---

1. Cf *Recueil Lucien Cerfaux*, II, Gembloux, 1954, p. 21sv (= *Coniectanea Neotestamentica*, Lund, XI, 1947, p. 19sv.)
2. Cf ci-dessus, p. 308sv.
3. *Evangelium nach Markus*, [9]1960, p. 41. Cf. ci-dessus, p. 201sv.

le Paraclet et la connaissance imparfaite des disciples du vivant de Jésus. Cela nous rapproche de Wrede [1] !

Malgré certains rapprochements, en Marc le secret ne provient pas tant du caractère terrestre et charnel des disciples [2] que de la volonté de Jésus d'accomplir quoiqu'il en coûte la volonté de Dieu.

Dans le cas concret envisagé, il n'est donc pas possible de conclure avec certitude s'il s'agit de deux traditions indépendantes, ou bien s'il y a dépendance médiate ou immédiate entre Jean et Marc. Cet exemple frappant doit en tout cas nous inciter à la prudence. Il nous montre que, même dans les passages les plus rédactionnels, on peut très bien retrouver certains traits parfaitement attestés.

En ce qui concerne le secret messianique lui-même, certaines analogies avec Jean [3] ne permettent pas de poser un jugement définitif. S'agit-il d'une dépendance ou de deux attestations indépendantes ? Un nombre impressionnant de faits confirment en tous les cas le témoignage de Marc, à telle enseigne que Bultmann et un grand nombre d'autres critiques estiment que Jésus ne s'est jamais cru ou en tout cas jamais proclamé le Messie.

La théorie de Marc doit donc être fondée sur une attitude très réelle de Jésus. Marc en donne ici une interprétation christologique profonde et systématique. Cette attitude de Jésus était délibérée et voulue. Elle correspondait à la fidélité de Jésus au plan divin : le salut s'accomplira par la croix.

VII. W. WREDE et nous.

Nous venons d'affirmer que le livre de Wrede avait été au point de départ de la critique des formes, de la démythologisation de Bultmann et de toute la recherche actuelle concernant le

1. W. WREDE : *Messiasgeheimnis*, [3]1963, p. 185-188 et 204-205. - D'autres ont souligné le parallélisme entre Jean XVI, 25, 29 et Marc : L. CERFAUX : *Recueil Lucien Cerfaux*, II, 1954, p. 17-26 ; G. STRECKER dans *Studia Evangelica*, III, Berlin, 1964, p. 95sv ; T. A. BURKILL : *Mysterious Revelation*, 1963, p. 172sv.

2. Cf pourtant Mc VI, 52 ; VIII, 17-26 !

3. Cf. J. COUTTS : « The Messianic Secret in St John's Gospel », dans *Studia Evangelica*, III, 1964, p. 45-57.

Jésus historique. Wrede a posé le problème ; les autres ont essayé de répondre. Puisque nous avons remis en question la thèse de Wrede lui-même, s'ensuit-il que toutes les données du problème en sont modifiées par la base ?

Pour Wrede donc, le secret messianique était la projection de la foi pascale sur la vie terrestre de Jésus. Ainsi le Jésus terrestre, « historique » est-il revêtu de la gloire du Christ ressuscité. Il est le Christ de la foi et non le Jésus de l'histoire [1].

Dans quelle mesure nos conclusions ont-elles pu modifier cette façon de voir ? Pour nous, le secret messianique exprime la liberté avec laquelle Jésus a choisi le chemin de la passion plutôt que celui de la gloire, parce que telle était la volonté du Père exprimée dans l'Écriture. Le secret messianique en Marc joue le même rôle que le récit développé de la « tentation » chez Matthieu ou Luc : Jésus aurait pu avoir une carrière triomphante. C'était même celle qui, normalement, aurait accompagné sa dignité et sa force de Messie et de Fils de Dieu. Mais il a choisi le chemin de l'humiliation, parce que c'était par là que devait se réaliser la salut du genre humain. Toutes les injonctions au silence expriment donc l'idée que la gloire illumine naturellement la figure et les actes du Fils de Dieu ; les êtres spirituels comprennent immédiatement la source de ce rayonnement ; les hommes qui sont les bénéficiaires de ses bienfaits perçoivent que quelque chose d'extraordinaire se passe sous leurs yeux. Et cependant Jésus impose inexorablement silence à tous, un silence ambigu, lourd, impossible.

Pour Wrede, le secret messianique est la projection inconsciente de la foi pascale sur l'histoire de Jésus ; pour nous, il est une thèse élaborée systématiquement par Marc. Nous n'avons pas remis en question l'intuition géniale de Wrede que le secret messianique était une relecture ecclésiale. Nous avons simplement critiqué le caractère hâtif de ses conclusions et nous avons voulu pousser son analyse jusqu'au bout grâce à l'étude rédactionnelle de l'intention de Marc. Nous avons ainsi pu - du moins nous l'espérons - serrer de plus près la signification littéraire et théologique du secret messianique.

Wrede a posé une question et elle reste posée. Mais il l'a fait de façon inadéquate et approximative. Rétablir les termes

---

1. Voir ci-dessus, p. 447.

exacts de la question influera nécessairement sur les résultats. La relecture ecclésiale est ainsi cernée de plus près. Elle posait surtout un problème ; on s'apercevra mieux qu'elle constitue aussi une étonnante richesse. La thèse de Wrede avait sonné l'heure d'une nouvelle méthode de travail, la critique des formes ; un développement ultérieur, l'analyse rédactionnelle (Redaktionsgeschichte) permet d'aller encore au-delà et de pousser jusqu'à son terme l'intuition de Wrede.

C'est dire aussi que notre étude n'a rien d'un point final. Elle est une étape vers une connaissance plus rigoureuse de la tradition primitive et de ses méthodes. Elle voudrait être aussi un appel au dialogue.

BIBLIOGRAPHIE SÉLECTIONNÉE.

I. Commentaires de l'évangile de Marc.

Alexandre, J. A., The Gospel according to Mark, London, Banner of Truth Trust, 1960.

Allen, W. C., The Gospel according to Saint Mark, London, 1915.

Bacon, B. W., The Gospel of Mark : Its composition and date, New Haven, 1925.

Bartlet, J. V., St Mark, (Century Bible) Edinburgh, 1922.

Blunt, A. W. F., The Gospel according to Saint Mark, Oxford, The Clarendon Bible, 1929.

Bolkestein, M. H., Het evangelie naar Markus, Nijkerk, Callenbach, ²1966.

Bowman, J., The Gospel of Mark. The New Christian Jewish Passover Haggada, Leiden, E. J. Brill, 1965.

Branscomb, B. H., The Gospel of Mark, London, The Moffatt NT Comm. 1937, ⁵1948.

Bruce, A. B., The Synoptic Gospel, London (The Expositor's Greek Testament) 1897.

Carrington, P., According to Mark. A running commentary on the Oldest Gospel, Cambridge, University Press, 1960.

Cranfield, C. E. B., The Gospel according to St Mark, Cambridge (Cambridge Testament Commentary), 1959.

Dehn, G., Jesus Christus der Gottersohn. Das Evangelium des Marcus, Berlin, Furche Verlag, ³1932.

Dehn, G., Le Fils de Dieu. Commentaire de l'Évangile de Marc, Genève, Labor et Fides, ²1957.

Dillersberger, J., Das Evangelium des hl. Markus theologisch und heilsgeschichtlich erklärt, 5 vol. Salzburg, O. Müller, 1937sv.

Dorris, C. E. W., A Commentary on the Gospel of Mark, Nashville, 1939.

Gould, E. P., The Gospel according to Saint Mark, Edinburgh, T. & T. Clark, (International Critical Comm.), 1896.

Grant, F. C., The Gospel according to St. Mark, (The Interpreter's Bible, VII, p. 627-917), New York, Nashville, 1951.

Grob, R., Einführung in das Markus-Evangelium, Zürich, Zwingli-Verlag, 1965.

Grundmann, W., Das Evangelium nach Markus, Berlin, Evangelische Verlaganstalt, (Theol. Handkom. NT), 1959.

Haenchen, E., Der Weg Jesu. Erklärung des Markusevangeliums und der kanonischen Parallelen, Berlin, Töpelmann, 1966.

Hauck, F., Das Evangelium des Markus, Leipzig (Theol. Handkom. NT) 1931.

Hermann, I., Das Markusevangelium, 2 vols. Düsseldorf, Patmos, 1965 et 1967.

Hermann, I., L'évangile selon saint Marc, Bruxelles, Ed. Vie Ouvrière, 1967.

Holtzmann, H. J., Die Synoptiker (Hand-Comm. NT) Tübingen, 1901.

Huby, J., L'évangile selon saint Marc, Paris, Beauchesne, (Verbum Salutis), 1924, [43]1948.

Hunter, A. M., The Gospel according to Saint Mark, London, SCM (Torch Bible Comm.) 1948, [8]1967.

Jeremias, J., Das Evangelium nach Markus, Chemnitz, Max Müller, [3]1928.

Johnson, S. E., The Gospel according to St. Mark, London, A. & C. Black, 1960 (= New York, Harper's NT Comm.).

Jones, A., The Gospel according to St Mark. Text and Commentary, London, Geoffrey Chapman, 1963.

Klostermann, E., Das Markusevangelium, Tübingen, J. C. B. Mohr (Hand. z NT), [4]1950.

Knabenbauer, J., Evangelium secundum S. Marcum, Paris, Lethielleux, [2]1907.

Lagrange, M. J., Évangile selon saint Marc, Paris, Gabalda, ⁷1942.

Legg, S. C. E., Novum Testamentum graecum secundum textum Wescotto-Hortianum. Evangelium secundum Marcum, Oxford Univ. Press, 1935 (édition critique).

Lohmeyer, E., Das Evangelium des Markus, ¹⁵1959, ¹⁷1967, Ergänzungsheft hrsg G. Sass, Göttingen, Vandenhoeck & Ruprecht, (Kritisch-Exeg. Komm. NT).

Loisy, A., Les évangiles synoptiques, Ceffonds, Paris, 1907, 2 vol.

Loisy, A., L'évangile selon Marc, Paris, 1912.

Maclear, G. F., The Gospel according to St. Mark, Cambridge (Cambr. Bible for Sch. & Coll.), 1888.

Menzies, A., The earliest Gospel, London, 1901.

Merk, A., Das Evangelium des Markus, Berlin, 1905.

Mitton, C. L., The Gospel according to St. Mark, London, 1957.

Montefiore, C. G., The Synoptic Gospels, 2 vol. London, ²1927.

Moule, C. F. D., The Gospel according to Mark, Cambridge Univ. Press, 1965.

Nineham, D. E., Saint Mark, London, 1963 (Pelican Gospel Comm.)

Osty, E., Évangile selon saint Marc, Paris, Ed. Siloé, 1949.

Plummer, A., The Gospel according to St Mark, Cambridge, 1914 (Cambridge Greek Testament for Schools and Coll.)

Pirot, L. & Leconte, R., Évangile selon saint Marc, Paris, Letouzey, ²1950 (La Sainte Bible).

Rawlinson, A. E. J., The Gospel according to St. Mark, London, ⁷1949 (Westminster Comm.).

Schlatter, A., Markus, der Evangelist für die Griechen, Stuttgart, Calwer-Verlag, 1935.

Schmid, J., Das Evangelium nach Markus, Regensburg, ⁴1958.

Schmid, J., L'Evangelo secondo Marco, Brescia, Morcelliana, 1956 (traduction italienne).

Schnackenburg, R., Das Evangelium nach Markus, 2 vol., Düsseldorf, Patmos, 1966.

Schniewind, J., Das Evangelium nach Markus, Göttingen, Vandenhoeck & Ruprecht, ⁹1960 (Das Neue Testament Deutsch).

Schweizer, E., Das Evangelium nach Markus, Göttingen, Vandenhoeck & Ruprecht, 1967 (Das Neue Testament Deutsch).

Staab, K., Das Evangelium nach Markus und Lukas, Würzburg, 1956 (Echter-Bibel).

Strack, H. L. & Billerbeck, P., Kommentar zum Neuen Testament aus Talmud und Midrasch, vol. I et II, München, Beck, 1922, ²1956.

Sundwall, J., Die Zusammensetzung des Markusevangeliums, Abo, Akademi, 1934.

Swete, H. B., The Gospel according to St Mark, London, Macmillan, 1898, ³1909.

Taylor, V., The Gospel according to St. Mark, London, Macmillan, 1952, ²1966.

Turner, C. H., The Gospel according to St. Mark, London, 1928.

Urichio, F. M. & Stano, G. M., Vangelo secondo San Marco, Torino, Marietti (La Sacra Bibbia), 1966.

Volkmar, G., Die Evangelien oder Marcus und die Synopsis der kanonischen und ausserkanonischen Evangelien nach dem ältesten Text mit historisch-exegetischen Commentar, Zürich, 1870, ²1876.

Weiss, B., Die Evangelien des Markus und Lukas, Göttingen, Vandenhoeck, 1901 (Kritisch-Exegetischer Komm. NT).

Weiss, J., Das älteste Evangelium, Göttingen, 1903.

Weiss, J., Das Markusevangelium, dans Die Schriften des Neuen Testaments (ed. W. Bousset & W. Heitmüller) vol I, 3, Göttingen, Vandenhoeck, 1917.

Wellhausen, J., Das Evangelium Marci, Berlin, 1903, ²1909.

Wohlenberg, G., Das Evangelium des Markus, Leipzig, 1910.

Wood, G., Mark, dans Peake's Commentary on the Bible, London, 1920.

II. Monographies générales.

(Les données de ce paragraphe débordent un peu les cadres de la présente étude. Bien qu'incomplèts, nous espérons que ces renseignements pourront être de quelque utilité à ceux qui désirent étudier saint Marc).

Allan, J., « The Gospel of the Son of God crucified », dans Interpretation ; a Journal of Bible and Theology, (Richmond), IX, 1955, p. 131-143.

Bacon, B.W., The Beginnings of Gospel Story. A Historico-critical inquiry into the sources and structure of the Gospel according to Mark, with expository Notes upon the Text for English Readers, New Haven, 1909.

Bacon, B. W., The Gospel of Mark. Its Date and ist Composition, New Haven, 1925.

Beach, C., The Gospel of Mark, ist Making and Meaning, New York, 1959.

Best, E., The Temptation and the Passion, The Marcan Soteriology, Cambridge, 1965.

Boobyer, G. H., « Galilee and Galileans in St.Mark's Gospel », dans Bulletin of the John Rylands Library, Manchester, XXV, 1952-1953, p. 334-348.

Bowman, J., The Gospel of Mark. The New Christian Jewish Passover Haggadah, Leiden, E. J. Brill (Studia Post-Biblica), 1965.

Bratcher, R. G., « Introduction to the Gospel of Mark », dans Review and Ewpositor (Baptistes) Louisville, Ky, LV, 1958, p. 351-366.

Bratcher, R. G. & Nida, E. A., Manuel du traducteur de l'évangile de Marc, Lausanne, Société bibl. Suisse, 1963.

Burkill, T. A., « Anti-Semitism in St. Mark's Gospel », dans Novum Testamentum III, 1959, p. 34-53.

Burkill, T. A., Mysterious Revelation. An Examination of the Philosophy of St. Mark's Gospel, Cornell Univ. Press, Ithace, N.Y.

Cadoux, A. T., The sources of the Second Gospel, London, 1935.

Carrington, P., The Primitive Christian Calendar. A study in the making of the Marcan Gospel, Cambridge, 1952 (Voir la critique de W. D. Davies, ci-dessous).

Clogg, F. B., « The Trustworthiness of the Marcan Outline », dans Expository Times, 1933-1934, p. 534-538.

Colon, J. B., article « Marc », dans Dictionnaire de la Bible, Supplément, V, col. 835-862, Paris, Letouzey, 1954.

Coutts, J., « The Autority of Jesus and of the Twelve in St. Mark's Gospel » dans Journal of Theological Studies, n.s. VIII, 1957, p. 111-118.

Crum, J. M. C., St. Mark's Gospel. The stages of its making, Cambridge, 1936.

Davies, W. D., « Reflections on Archbishop Carrington's The Primitive Christian Calendar », dans The Background of the New Testament and its Eschatology (ed. by W. D. Davies & D. Daube in honour of Charles Harold Dodd), Cambridge Univ. Press, 1956, p. 124-148.

Delorme, J., « Points de vue nouveaux sur l'évangile selon saint Marc », dans Ami du Clergé, LXV, 1955, p. 193-203.

Delorme, J., « Aspects doctrinaux du second évangile, dans Ephemerides Theologicae Lovanienses, 1967, p. 74-99.

Denis, A. M., « Les richesses du Fils de Dieu selon saint Marc », dans Vie Spirituelle, 1959, A, p. 229-239 et 416-427.

Denis, A. M., Christus de verlosser en het leven der christenen. Theologische schets van het Marcusevangelie, Antwerpen, Patmos, 1963.

Dodd, C. H., « The Framework of the Gospel Narrative », dans Expository Times, XLIII, 1931-1932, p. 396-400, reproduit dans New Testament Studies, Manchester, 1954, p. 1-11.

Doudna, J. C., The Greek of the Gospel of Mark, Philadelphia, Pa (JBL, Monographies XII), 1961.

Farrer, A., A Study in St. Mark, London, Westminster, 1951.

Farrer, A., St. Matthew and St. Mark, London, 1954.

Faw, C. E., « The Heart of the Gospel of Mark » dans Journal of Bible and Religion, Wolcott, NY, XXIV, 1965, p. 72-82.

Faw, C. E., « The Outline of Mark », dans Journal of Bible and Religion, Wolcott, NY, XXV, 1957, p. 19-23.

Geslin, G., La prédication de saint Pierre à Rome, laquelle est l'évangile de saint Marc, Sées, chez l'auteur, 1959.

Goguel, M., L'évangile de Marc dans ses rapports avec ceux de Matthieu et de Luc, Paris (Bibliothèque de l'École Pratique des Hautes Études), 1909.

Good, E. M., « The Bridge between Mark and Acts », dans Journal of Biblical Literature, LXXVII, 1958, p. 67-74.

Van Goudoever, J., Biblical Calendars, Leide, Brill, 1959.

Guy, H. A., The Origin of the Gospel of Mark, New York, 1954.

Hartmann, G., Der Aufbau des Markusevangeliums, Münster, 1936.

Hebert, G., « The Resurrection-Narrative in St-Mark's Gospel », dans The Scottish Journal of Theology, XV, 1962, p. 66-73.

Hirsch, E., Frühgeschichte des Evangeliums. I. Das Werden des Markusevangeliums, Tübingen, 1940, ²1951.

Hoffmann, R. A., Das Markusevangelium und seine Quellen. Ein Beitrag zur Lösung der Urmarkusfrage, Königsberg, 1904.

Jones, H. S., An Analysis of the Gospel of Mark, London, Pickering, 1956.

Karnetzki, M., « Die letzte Redaktion des Markusevangeliums », dans Zwischenstation. Festschrift für Karl Kupisch zum 60. Geburtstag, München, 1963, p. 161-174.

Karnetzki, M., « Die galiläische Redaktion im Markusevangelium », dans Zeitschrift für Neutestamentliche Wissenschaft, LII, 1961, p. 238-272.

Kilpatrick, G. D., « The Gentile Mission in Mark and Mark 13, 9-11 », dans Studies in the Gospels. Essays in Memory of R. H. Lightfoot (ed. D. E. Nineham), Oxford, 1957, p. 145ss.

Knox W. L. & Chadwick, H., The sources of the Synoptic Gospels, I. St Mark, Cambridge, 1953.

Kuby, A., « Zur Konzeption des Markus-Evangeliums », dans Zeitschrift für Neutestamentliche Wissenschaft, XLIX, 1958, p. 52-64.

Levie, J., « L'évangile araméen de S. Matthieu est-il la source de l'évangile de Marc ? », dans Nouvelle Revue Théologique, LVIII, 1954, p. 689-715 & 812-843.

Lightfoot, R. H., The Gospel Message of St Mark, Oxford, Clarendon Press, 1950.

Lohmeyer, E., Galiläa und Jerusalem, Göttingen, Vandenhoeck & Ruprecht, 1936.

Lohse, E., Mark's Witness to Jesus Christ, New York, 1955.

Manson, T. W., « The Foundation of the Synoptic Tradition : The Gospel of Mark » dans Studies in the Gospels and Epistles, Manchester Univ. Pr. 1962, p. 28-45.

Marxsen, W., Der Evangelist Markus. Studien zur Redaktions-geschichte des Evangeliums, Göttingen, Vandenhoeck & Ruprecht (FRLANT), 1956.

Masson, C., Vers les sources d'eau vive. Études d'exégèse et de théologie du Nouveau Testament, Lausanne, Librairie de l'Université, 1961.

Mauser, N. W., Christ in the Wilderness. The Wilderness Theme in the Second Gospel and its Basis in the Bible Tradition, London, SCM Press, 1963, (Studies in Biblical Theology).

Meyer, A., « Die Entstehung des Markusevangeliums », dans Festgabe für A. Jülicher, Tübingen, J. C. B. Mohr, 1927, p. 35-60.

Michaux, W., « Cahier de Bible ; l'évangile selon Marc », dans Bible et vie chrétienne, I, 1953, p. 78-97.

Nineham, D. E., « The order of Events in St. Mark's Gospel. An Examination of Dr. Dodd's Hypothesis », dans Studies in the Gospels. Essays in Memory of R. H. Lightfoot (ed. D. E. Nineham), Oxford, 1957, p. 223-239.

Noack, R., Markus evangeliets lignelses kapitel, Kobenhavn, C. E. C. Gad, 1965.

Pallis, A., Notes on St. Mark and St. Matthew, London, 1932.

P. Parker, The Gospel before Mark, Chicago, 1953.

Peacock, H. F., « The Theology of the Gospel of Mark », dans Review and Expositor, Louisville, Ky, LV, 1958, p. 393-399.

Potterie, I. de la, Exegesis Synopticorum. « Sectio Panum » in Evangelio Marci (6, 6 - 8,35), Romae, P. I. B. (polycopié) 1965-1966.

Potterie, I. de la, « De compositione evangelii Marci » (avec bibliographie) dans Verbum Domini, Roma, XLIV, 1966, p. 135-141.

Raschje, M. H., Die Werkstatt der Markusevangelisten, eine neue Evangelientheorie, Iena, 1924.

Richardson, A., Study outline on St Mark's Gospel, London, SCM.

Richardson, A., The Miracle Stories of the Gospel, London, SCM, 1941.

Riesenfeld, H., « Tradition und Redaktion im Markusevangelium », dans Neutestamentliche Studien für R. Bultmann, Berlin, Töpelmann, 1954, p. 157-164 (Beih. für Zeitschr. für Neutest. Wiss.)

Rigaux, B., Témoignage de l'évangile de Marc, Bruges, Desclée De Brouwer, 1965.

Robertson, A. T., Studies in Mark's Gospel, Nashville, 1958.

Rohrbach, P., Der Schluss des Markusevangeliums, Berlin, 1894.

Sandmel, S., « Prolegomena to a commentary on Mark », dans Journal of Bible and Religion, XXXI, 1963, p. 294-300.

Schille, G., « Bemerkungen zur Formgeschichte des Evangeliums. Rahmen und Aufbau des Markus-Evangeliums », dans New Testament Studies, IV, 1957-1958, p. 1-24.

Schreiber, J., Der Kreuzigungsbericht des Markusevangeliums. Ein traditionsgeschichtliche Untersuchung von Mk 15, 20b-41, Dissertation (dactylographiée), Bonn, 1959.

Schreiber, J., « Die Christologie des Markusevangeliums. Beobachtungen zur Theologie und Komposition des zweiten Evangeliums », dans Zeitschrift für Theologie & Kirche, LVIII, 1961, p. 154-183.

Schulz, S., « Markus und das Alte Testament », dans Zeitschrift für Theologie und Kirche, LVIII, 1961, p. 184-197.

Schulz, S., « Die Bedeutung des Markus für die Theologiegeschichte des Urchristentums », dans Studia Evangelica II, Berlin, 1963, p. 135-145.

Schweizer, E., « Anmerkungen zur Theologie des Markus », dans Neotestamentica et Patristica. Freundesgabe O. Cullmann, Leiden, Brill, 1962, p. 35-46.

Schweizer, E., « Die theologische Leistung des Markus », dans Evangelische Theologie, XXIV, 1964, p. 337-355.

Stauffer, E., « Der Methurgeman des Petrus », dans Neutestamentliche Aufsätze. Festschrift J. Schmid, Regensburg, Pustet, 1963, p. 283-293.

Stonehouse, N. B., The Witness of Matthew and Mark to Christ, Philadelphia, 1944.

Suhl, A., Die Funktion des alttestamentliche Zitate und Anspielungen im Markusevangelium, Gütersloh, G. Mohn, 1965.

Tagawa, K., Miracles et évangiles. La pensée personnelle de l'évangéliste Marc, Paris, Presses Univ. de France (Études d'hist. & de philos. rel. Strasbourg), 1967.

Taylor, R. O. P., The Groundwork of the Gospels, Oxford, 1946.

Taylor, V., « The Origin of the Marcan Passion-Sayings », dans New Testament Studies, I, 1955, p. 159-167.

Taylor, V., « Mark's Use of Gospel Tradition », dans Bulletin of the Studiorum Novi Testamenti Societas, III, 1952, p. 29-39.

Thiel, R., Drei Markus-Evangelien, Berlin, 1938.

Trilling, W., Christusgeheimnis - Glaubensgeheimnis. Eine Einführung in das Markus-Evangelium, Leipzig, St. Benno-Verlag et Mainz, M. Grünewald, 1957.

Trocmé, E., La formation de l'évangile selon Marc, Paris, Presses Univ. de France, 1963.

Turner, C. H., « A Textual Commentary on Mark I », dans Journal of Theological Studies, XXVIII, 1926-1927, p. 145-158.

Turner, C. H., « Western Readings in the Second Half of St Mark's Gospel », dans Journal of Theological Studies, XXIX, 1927-1928, p. 1-16.

Turner, C. H., « Marcan Usages. Notes, Critical and Exegetical on the Second Gospel », dans Journal of Theological Studies, t. XXV, 1923-1924, p. 377-386 ; t. XXVI, 1924-1925, p. 12-20, 145-156, 225-240 ; t. XXVII, 1925-1926, p. 58-62 ; t. XXVIII, 1926-1927, p. 9-30 ; 349-362 ; t. XXIX, 1927-1928, p. 275-289, 346-361.

Vaganay, L., « L'absence du sermon sur la montagne chez Marc », dans Revue Biblique, LVIII, 1951, p. 5-46.

Vaganay, L., « Existe-t-il chez Marc quelques traces du sermon sur la montagne ? » dans New Testament Studies, I, 1954-1955, p. 192-210.

Vielhauer, P., « Erwägungen zur Christologie des Markusevangeliums », dans Zeit und Geschichte. Dankesgabe an R. Bultmann, Tübingen, J. C. B. Mohr, 1964, p. 155-169.

Weiss, K., « Ekklesiologie, Tradition und Redaktion in der Jüngerunterweisung, Mark VIII, 27 - X, 52 » dans Der historische Jesus und der kerygmatische Christus (ed. H. Ristow & K. Matthiae), Berlin, 1962, p. 414-438.

Wendling, E., Ur-Marcus. Versuch einer Wiederherstellung der älteste Mitteilungen über das Leben Jesu, Tübingen, 1905.

Wendling, E., Die Entstehung des Marcusevangeliums, philologische Untersuchungen, Tübingen, 1908.

Werner, M., Der Einfluss paulinischer Theologie im Markusevangelium, Giessen, (Beih. z. Zeitschr. für Neutest. Wiss.) 1923.

Wilke, C. G., Der Urevangelist, 1838.

Zerwick, M., Untersuchungen zum Markus-Stil, ein Beitrag zur stilistischen Durcharbeitung des Neuen Testaments, Romae, Pont. Inst. Bibl. 1937.

III. Secret messianique.

Bickermann, E., « Das Messiasgeheimnis und Komposition des Markusevangeliums », dans Zeitschrift für Neutestamentliche Wissenschaft, XXII, 1923, p. 122-140.

Bickermann, E., « Latens Deus : La reconnaissance du Christ dans les évangiles » dans Harvard Theological Review, (Cambridge, Massachusetts), XXXIX, 1946, p. 169-188.

Bolliger, A., « Das Messiasgeheimnis bei Markus », dans Schweizerische Theologische Zeitschrift, Zürich, XXIII, 1906, p. 98-132.

Boobyer, G. H., « St. Mark and the Transfiguration », dans Journal of Theological Studies, XLI, 1940, p. 119-140.

Boobyer, G. H., St Mark and the Transfiguration Story, Edinburgh, T. & T. Clark, 1942.

Boobyer, G. H., « The Secrecy Motif in St. Mark's Gospel », dans New Testament Studies, VI, 1959-1960, p. 225-235.

Bousset, W., « Das Messiasgeheimnis in den Evangelien », dans Theologische Rundschau, Tübingen, V, 1902, p. 307-316 et 347-362.

Burkill, T. A., « The Injunctions to Silence in Mark's Gospel », dans Theologische Zeitschrift, Basel, XII, 1956, p. 585-604.

Burkill, T. A., « Concerning St. Mark's Conception of Secrecy », dans Hibbert Journal, London, LV, 1956-1957, p. 150-158.

Burkill, T. A., Mysterious Revelation. An Examination of the Philosophy of St. Mark's Gospel, Ithaca & Oxford, 1963.

Cerfaux, L., « 'L'aveuglement d'esprit' dans l'Évangile de Saint Marc », dans Recueil Lucien Cerfaux II, Gembloux, 1954, p. 3-15.

Charue, A., L'incrédulité des Juifs dans le Nouveau Testament, Gembloux, Duculot, 1929, p. 86-119.

Dhanis, E., « De secreto messianico », dans Doctor Communis, XV, 1962, p. 22-36.

Ebeling, H. J., Das Messiasgeheimnis und die Botschaft des Marcus-Evangelisten, Berlin, A. Töpelmann (Beih. z. Zeitsch. f. Neutest. Wiss.) 1939.

Gils, F., « Le secret messianique dans les évangiles », dans Sacra Pagina II, Gembloux, Duculot, 1959, p. 101-120 (critique d'E. Sjöberg).

Guisan, R., « Le secret messianique », dans Revue de Théologie et de Philosophie, Genève, n.s. XXII, 1934, p. 222-235.

Hilgenfeld, A., « Der mysteriöse Marcus und der reactionäre Jacobus », dans Zeitschrift für Wissenschaftliche Theologie, Leipzig, XLVI, 1903, p. 1-39.

Leicht, J. W., « The Injunctions of Silence in Mark's Gospel », dans Expository Times, LXVI, 1954-1955, p. 178-182.

Luz, U., « Das Geheimnismotiv und die markinische Christologie », dans Zeitschrift für Neutestamentliche Wissenschaft, LVI, 1965, p. 9-30.

Manson, T. W., « Realized Eschatology and the Messianic Secret », dans Studies in the Gospels (ed. D. E. Nineham), Oxford, 1955, p. 215ss.

Meye, R. P., « Messianic Secret and Messianic Didache in Mark's Gospel », dans OIKONOMIA. Heilsgeschichte als Thema des Theologie (Mél. O. Cullmann), Hamburg, H. Reich, 1967, p. 57-68.

Percy, E., « Messiashemligheten i Markusevangeliet », dans dans Svensk Exegetisk Arsbok, XVII, Uppsala, 1952, p. 47-67.

Percy, E., Die Botschaft Jesu, Lund, Gleerup, 1953, p. 271-299.

Pisanelli, U., Il segreto messianico nel Vangelo di S. Marco, Rovigo, Ist. Padano Arti Graf. 1953 (Collana Quaderni Esegetici).

Sanday, W., « The Injunctions of Silence in the Gospels », dans Journal of Theological Studies, V, 1903-1904, p. 321-329.

Schniewind, J., « Messiasgeheimnis und Eschatologie », dans Nachgelassene Reden und Aufsätze, (hrsg E. Kähler), Berlin, Töpelmann, 1951.

Schniewind, J., Das Evangelium nach Markus, Göttingen, Vandenhoeck & Ruprecht, (Das Alte Testament Deutsch), ⁹1960, passim.

Schreiber, J., « Die Christologie des Markusevangeliums. Beobachtungen zur Theologie und Komposition des zweiten Evangeliums », dans Zeitschrift für Theologie und Kirche, LVIII, 1961, p. 154-183.

Schulze, M., « Der Plan des Marcusevangeliums in seiner Bedeutung für das Verständnis der Christologie desselben », dans Zeitschrift für wissenschaftliche Theologie, Leipzig, XXXVII, 1894, p. 332-373.

Schweitzer, A., Das Messianitäts- und Leidensgeheimnis, Tübingen, J. C. B. Mohr, 1901, ³1956.

Schweizer, E., « Zur Frage des Messiasgeheimnis bei Markus », dans Zeitschrift für Neutestamentliche Wissenschaft, LVI, 1965, p. 1-8.

Sjöberg, E., Der verborgene Menschensohn in dem Evangelien, Lund, Gleerup, (Acta Reg. Soc. Hum. Lit. Lund. LIII), 1955.

Strecker, G., « Zur Messiasgeheimnis-Theorie im Markusevangelium », dans Studia Evangelica III, Berlin, 1964, p. 87-104.

Taylor, V., « Unsolved New Testament Problems - The Messianic Secret in Mark » dans Expository Times, LIX, 1947-1948, p. 146-151.

Taylor, V., « W. Wrede's The Messianic Secret in the Gospels (Das Messiasgeheimnis in den Evangelien) », dans Expository Times, LXV, 1953-1954, p. 246-250.

Taylor, V., « The Messianic Secret in Mark. A Rejoinder to the Rev. Dr. T. A. Burkill », dans The Hibbert Journal, LV, 1956-1957, p. 241-248.

Trilling, W., Christusgeheimnis - Glaubensgeheimnis. Eine Einführung in das Markus-Evangelium, Leipzig, St. Benno-Verlag & Mainz, M. Grünewald, 1957.

Tyson, J. B., « The Blindness of the Disciples in Mark », dans Journal of Biblical Literature, LXXX, 1961, p. 261-268.

Wrede, W., Das Messiasgeheimnis in den Evangelien, zugleich ein Beitrag zum Verständnis des Markusevangeliums, Göttingen, 1901, [2]1913, [3]1963.

Coutts, J., « The Messianic Secret in St. John's Gospel », dans Studia Evangelica III, Berlin, 1964, p. 45-57.

IV. Miracles.

Burkill, T. A., « The Notion of Miracle with Special Reference to St. Mark's Gospel », dans Zeitschrift für Neutestamentliche Wissenschaft, L, 1959, p. 33-48.

Eder, G., Der göttliche Wundertäter. Ein exegetischer und religionswissenschaftlicher Versuch, Girching, 1957.

Fiebig, P., Jüdische Wundergeschichten des neutestamentlichen Zeitalters, 1911.

Fridrichsen, A., Le problème du miracle dans le christianisme primitif, (Thèse, Strasbourg), 1925.

Fuller, R. H., Die Wunder Jesu in Exegese und Verkündigung.

Fuller, R. H., Interpreting the Miracles, London, SCM, 1963.

Headlam, A. C., The Miracles of the New Testament, 1914.

Kallas, J., The Significance of the Synoptic Miracles, London, 1961.

Loos, H. Van der, The Miracles of Jesus, Leiden, E. J. Brill, (Supplements Novum Testamentum VIIII), 1965.

Menoud, P. H., « La signification du miracle dans le Nouveau Testament, dans Revue d'Histoire et de philosophie religieuse, XXVIII-XXIX, 1948-1949, p. 185ss (n° 3).

Miracles and the Resurrection, The, (en collaboration), London, SPCK, 1964.

Monden, L., Het wonder. Theologie en apologetiek van het christelijk mirakel, Utrecht, Het Spectrum, 1958.

Monden, L., Le miracle, signe de salut, Bruges, Desclée De Brouwer, 1960.

Perels, O., Die Wunderüberlieferung der Synoptiker in ihrem Verhältnis zur Wortüberlieferung, Stuttgart, 1934.

Richardson, A., The Miracle Stories of the Gospels, London, SCM, 1941, [6]1959.

Trench, R. C., Notes on the Miracles, 1958.

Wallace, R. S., The Gospel Miracles, 1960.

Weinreich, O., Antike Heilungswunder, Giessen, 1909.

Wright, C. J., Miracle in History and in Modern Thought, 1930.

- voir B. M. METZGER : Index to Periodical Literature on Christ and the Gospels, Leiden, Brill, 1962, n° 275 à 337.

V. Exorcismes.

Bauernfeind, O., Die Worte der Dämonen im Markusevangelium, Stuttgart, (Beih. Wiss. Alt. & Neuen Testaments), 1927.

Burkill, T. A., « The Injunctions to Silence in St. Mark's Gospel », dans Theologische Zeitschrift, XII, 1956, p. 585-604.

Leder, H. G., « Sunderfallerzählung und Versuchungsgeschichte. Zur Interpretation von Mk I, 12f. », dans Zeitschrift für Neutestamentliche Wissenschaft, LIV, 1963, p. 188-216.

Léon-Dufour, X., « Épisode de l'enfant épileptique », dans La formation des Évangiles, Recherches bibliques II, Bruges, Desclée De Brouwer, 1957, p. 94-100.

Mauser, U. W., Christ in the Wilderness, London, SCM, 1963.

Robinson, J. M., The Problem of History in Mark, London, SCM, 1957.

Robinson, J. M., Geschichtsverständnis des Markus-Evangeliums, Zürich, Zwingli-Verlag, 1956.

VI. Controverses.

Alberz, M., Die synoptische Streitgespräche, ein Beitrag zur Formgeschichte des Urchristentums, Berlin, 1921.

Barrett, C. K., The Holy Spirit and the Gospel Tradition, London, SPCK, [2]1966.

Black, M., An Aramaic Approach to the Gospels and Acts, Oxford, 1946.

Bowman, J., The Gospel of Mark. The New Christian Jewish Passover Haggada, Leiden, Brill (Studia Post-Biblica VIII), 1965, p. 113-121.

Bultmann, R., Geschichte der synoptischen Tradition, Göttingen, Vandenhoeck & Ruprecht, [4]1958, p. 8-73.

Daube, D., The New Testament and Rabbinic Judaism, London, Athlone Press, 1956.

Daube, D., « The Earliest Structure of the Gospels », dans New Testament Studies, V, 1958-1959, p. 174-187.

Descamps, A., Les Justes et la justice dans les évangiles et le christianisme primitif hormis la doctrine proprement paulinienne, Louvain, 1950.

Féret, H. M., « Les sources bibliques », dans Le Jour du Seigneur, Paris, Cerf, 1948.

Feuillet, A., « L'EXOUSIA du Fils de l'Homme », dans Recherches de Science Religieuse, 1954, p. 161-192.

Gils, F., « Le Sabbat a été fait pour l'homme et non l'homme pour le Sabbat », dans Revue Biblique, LXIX, 1962, p. 506-523.

Jeremias, J., Jesus als Weltvollender, Gütersloh, G. Mohn, 1930 (Beitr. z. Förderung christl. Theol. XXXIII, 4), surtout p. 21-32.

Le Déaut, R., La nuit pascale, Rome, P. I. B., 1963.

Mead, R. T., « The Healing of the Paralytic - A Unit ? », dans Journal of Biblical Literature, LXXX, 1961, p. 348-354.

Murmelstein, B., « Jesu Gang durch die Staatfelder », dans ῎Αγγελος, III, 1930, p. 111-120.

Neher, A., Moïse et la vocation juive, Paris Seuil, (Maîtres spirituels), 1956.

Riesenfeld, H., Jésus transfiguré. L'arrière-plan du récit évangélique de la transfiguration de Notre-Seigneur, Lund, 1947, p. 318-330.

Robinson, J. M., The Problem of History in Mark, London, SCM, 1957, p. 43-53.

Spicq, C., L'épître aux Hébreux, II, Paris, Gabalda (Études Bibliques), 1953, p. 95-104.

Strack, H. L. & Billerbeck, P., Kommentar zum Neuen Testament aus Talmud und Midrasch, surtout vol. I, II et IV, München, ²1956.

Wrede, W., « Zur Heilung des Gelähmten (Mk II, 1ff) », dans Zeitschrift für Neutestamentliche Wissenschaft, V, 1904, p. 354-358.

Zeitlin, S., « Korban » dans The Jewish Quarterly Review, LIII, 1962-1963, p. 160-163.

VII. Paraboles.

Boobyer, G. H., « The Redaktion of Mark IV, 1-34 », dans New Testament Studies, VIII, 1961-1962, p. 59-70.

Cerfaux, L., « La connaissance des secrets du Royaume d'après Matt XIII, 11 et parallèles », dans New Testament Studies, II, 1955-1956, p. 238-249 (= Recueil Lucien Cerfaux, Gembloux, Duculot, III, 1962).

Charue, A., L'incrédulité des Juifs dans le Nouveau Testament, Gembloux, Duculot, 1929, p. 128-134.

Coutts, J., « 'Those Outside' (Mark 4, 10-12) », dans Studia Evangelica, II, 1964, p. 155-157.

Deden, D., « Le 'Mystère' paulinien », dans Ephemerides Theologicae Lovanienses, XIII, 1936, p. 405-442.

Dodd, C. H., The Parables of the Kingdom, London, Nisbet, 1935, [14]1956.

Dupont, J., « La christologie des paraboles », conférence donnée à l'Université Grégorienne à Rome, le 17 novembre 1965.

Dupont, J., « Le chapitre des paraboles », dans Nouvelle Revue Théologique, LXXXIX, 1967, p. 800-820.

Gnilka, J., Die Verstockung Israels. Isaias VI, 9-10 in der Theologie der Synoptiker, München, Kösel, 1961.

Hermaniuk, M., La parabole évangélique, Louvain-Bruges, 1947.

Jeremias, J., Die Gleichnisse Jesu, Göttingen, Vandenhoeck und Ruprecht, [6]1962.

Jeremias, J., Les paraboles de Jésus, Le Puy, Mappus, 1966.

Jülicher, A., Die Gleichnisse Jesu, Tübingen, I, 1888 ; II, 1899 ; Darmstadt, [3]1966.

Marxsen, W., « Redaktionsgeschichtliche Erklärung der sogenannten Parabeltheorie des Markus », dans Zeitschrift für Theologie und Kirche, LII, 1955, p. 255-271.

Masson, C., Les paraboles de Marc IV, Neuchâtel, Delachaux et Niestlé, 1945.

Meye, R. P., « Mk 4, 10 : 'Those about Him with the Twelve' », dans Studia Evangelica, II, 1964, p. 211-218.

Parente, F., « Un contributo alla ricostruzione dell'apocalittica cristiana originaria al lume degli scritti esseni. Is VI in Mc IV, 12 », dans Rivista Storica Italiana, Nápoli, 1962, p. 673-696.

Rigaux, B., « Révélation des mystères et perfection à Qumrân et dans le Nouveau Testament », dans New Testament Studies, IV, 1957-1958, p. 237-262.

VIII. Disciples.

Cerfaux, L., « L'aveuglement d'esprit dans l'évangile de saint Marc », dans Le Muséon, LIX, 1946 (mélanges L. T. Lefort), réimprimé dans Recueil Lucien Cerfaux II, Gembloux, 1954, p. 3-15.

Daube, D., « Public Pronouncement and Private Explanation in the Gospels », dans Expository Times, LVII, 1945-1946, p. 175-177.

Daube, D., The New Testament and Rabbinic Judaism, London, 1956, p. 141-150.

Ebeling, H. J., Das Messiasgeheimnis, Berlin, 1939, p. 92-93 et 146-177.

Gnilka, J., Die Verstöckung Israels, München, Kösel, 1961.

Kuby, A., « Zur Konzeption des Markus-Evangeliums », dans Zeitschrift für Neutestamentliche Wissenschaft, Berlin, XLIX, 1958, p. 52-64.

Lamarche, P., « La guérison de la belle-mère de Pierre et les genres littéraires des évangiles », dans Nouvelle Revue Théologique, LXXXVII, 1965, p. 515-526.

Mauser, U. W., Christ in the Wilderness, London, SCM, 1963.

Rengstorf, K. H., Theologische Wörterbuch (G. Kittel), IV, p. 392-465.

Robinson, J. M., The Problem of History in Mark, London, 1957, p. 78-85.

Schulz, A., Nachfolge und Nachahmen, München, Kösel, 1962.

Schulz, A., Jünger des Herrn, München, Kösel, 1964 (résumé du précédent.

Trilling, W., Christusgeheimnis - Glaubensgeheimnis. Eine Einführung in das Markus-Evangelium, Mainz, M. Grünewald, 1957, p. 40-45 et 50-53.

Trocmé, E., Formation de l'évangile selon Marc, Paris, Presses Univ. de France, 1963, p. 126-144.

Turner, C. H., Journal of Theological Studies, XXVIII, 1926-1927, p. 22-30.

Tyson, J. B., « The Blindness of the Disciples in Mark », dans Journal of Biblical Literature, LXXX, 1961, p. 261-268.

Vögtle, A., « Messiasbekenntnis und Petrusverheissung », dans Biblische Zeitschrift, Paderborn, I, 1957, p. 252-272 et II, 1958, p. 85-103.

IX. Révélation du secret.

Voir « Secret messianique » ci-dessus. En outre :

Cullmann, O., Saint Pierre, Disciple - Apôtre - Martyr, Neuchâtel, Delachaux et Niestlé, 1952, p. 154-166.

Cullmann, O., « L'apôtre Pierre, instrument du diable et instrument de Dieu : la place de Mat. 16, 16-19 dans la tradition primitive », dans New Testament Studies in Memory of T. W. Manson, 1959, p. 94-106.

Dinkler, E., « Petrusbekenntnis und Satanswort. Das Problem des Messianität Jesu », dans Zeit und Geschichte. Dankesgabe an Rudolf Bultmann zum 80. Geburtstag, Tübingen, J. C. B. Mohr, 1964, p. 127-153.

Haenchen, E., « Die Komposition von Mk VIII, 27 - IX, 1 und Par. », dans Novum Testamentum, VI, 1963, p. 81-109.

Haenchen, E., Der Weg Jesu, Berlin, Töpelmann, 1966, p. 297-307.

Héring, J., Le Royaume de Dieu et sa venue, Neuchâtel, Delachaux et Niestlé, ²1959, p. 122-127.

Luz, U., dans Zeitschrift für Neutestamentliche Wissenschaft, LVI, 1965, p. 20-23.

Vögtle, A., « Messiasbekenntnis und Petrusverheissung. Zur Komposition Mt XVI, 13-25 Par. », dans Biblische Zeitschrift, N.F. I, 1957, p. 252-272 et II, 1958, p. 85-103.

Willaert, B., « La connexion littéraire entre la première prédiction de la passion et la confession de Pierre chez les Synoptiques », dans Ephemerides Theologicae Lovanienses, XXXII, 1956, p. 24-45.

X. Titres messianiques - Christ (choix de bibliographie).

Attente du Messie, en collaboration, Bruges, Desclée De Brouwer, (Recherches Bibliques), 1954.

Bentzen, A., Messias, Moses Redivivus, Menschensohn, Zürich, Zwingli-Verlag, (Abh. Theol. A. & NT), 1948.

Bentzen, A., King and Messiah, London, Lutterworth Press, 1955.

Blinzler, J., Le procès de Jésus, Tours, Mame, 1961.

Bousset, W., Kyrios Christos, Göttingen, 1913, ²1963.

Brierre-Narbonne, J., Les prophéties messianiques dans l'Ancien Testament et dans la littérature juive, Paris, Geuthner, 1933.

Brierre-Narbonne, J., Exégèse apocryphe des prophéties messianiques, Paris, Geuthner, 1937.

Chevallier, M. A., L'Esprit et le Messie dans le Bas-Judaïsme et le Nouveau Testament, Paris, P. U. F. 1958 (Études d'Hist. et de philos. relig.)

Dennefeld, L., art « Messianisme », dans Dictionnaire de Théologie Catholique, t. X (1928-1930), col. 1404-1568.

Edelkoort, A. H., De Christusverwachting in het Oude Testament, Wageningen, 1941.

Grelot, P., « Le Messie dans les Apocryphes de l'Ancien Testament », dans La venue du Messie, Bruges, Desclée De Brouwer, (Recherches Bibliques VI), 1962, p. 19-50.

Gressmann, H., Der Messias, Göttingen, Vandenhoeck & Ruprecht, 1929 (FRLANT).

Hahn, H., Christologische Hoheitstitel. Ihre Geschichte im frühen Christentum, Göttingen, Vandenhoeck & Ruprecht, 1963, p. 133-230.

Heinisch, P., Christus als Erlöser im Alten Testament, Wien-Graz, Styria-Verlag, 1955.

Héring, J., Le Royaume de Dieu et sa venue, Neuchâtel, Delachaux et Niestlé, [2]1959.

Iersel, B. Van, « Fils de David et Fils de Dieu », dans La venue du Messie, Bruges, Desclée de Brouwer (Recherches Bibliques VI) 1962, p. 113-132.

Klausner, J., Die messianische Vorstellungen des jüdischen Volkes in Zeitalter der Tannaiten, Krakau, 1903.

Klausner, J., The Messianic Idea in Israel from its Beginning to the Completion of the Mishnah, London, Unwin, 1956 (trad. de l'hébreu).

Lagrange, M. J., Le Messianisme chez les Juifs, Paris, 1909 (Études bibliques).

Manson, W., Jesus the Messiah, London, 1943.

Merx, A., Der Messias oder Taeb der Samaritaner, Berlin, 1909, (Beih. Zeitschr. Alttest. Wiss.).

Mowinckel, S., He that Cometh, Oxford, Blackwell, 1956.

Rabinsohn, M., Le messianisme dans le Talmud et les Midraschim, Paris (Thèse) 1907.

Ringgren, H., The Messiah in Old Testament, London, SCM, 1956.

Robertson, A., Die Ursprünge des Christentums. Die Messiashoffnung im revolutionäre Umbruch der Antike. Eine historische und stilkritische Studie, Stuttgart, 1965.

Rowley, H. H., « The Suffering Servant and the Davidic Messiah », dans The Servant of the Lord, Oxford, Blackwell, [2]1965, p. 63-93.

Sabourin, L., Les noms et les titres de Jésus, Bruges, Desclée De Brouwer, 1963.

Schubert, K., Vom Messias zum Christus. Die Fülle der Zeit im religionsgeschichtlicher und theologischer Sicht, Freiburg/Br, Herder, 1964.

Staerk, W., Soter. Die biblische Erlösererwartung als religionsgeschichtliches Problem, I. Der biblische Christus (= Soter I), Gütersloh, 1933 (Beitr. zur Förd. christl. Theol.).

Stähelin, J. J., Die messianische Weissagungen des Alten Testaments in ihrer Entstehung, Entwicklung und Ausbildung, 1847, Berlin, De Gruyter, ²1965.

XI. Fils de Dieu.

Bieneck, J., Sohn Gottes als Christusbezeichnung der Synoptiker, Zürich, Zwingli-Verlag, 1952 (Abhandl. Theol. A. & NT).

Dalman, G., Die Worte Jesu I, Leipzig ²1930, ³1965, p. 150-159 et 219-237.

Dequequer, L., « Les Saints du Très-Haut », dans Analecta Biblica et Orientalia, III, 23, Louvain, 1961, p. 36-42.

Dupont, J., « 'Filius meus es tu', L'interprétation du Ps II, 7 dans le Nouveau Testament », dans Recherches de Science Religieuse, XXXV, 1948, p. 522-543.

Grundmann, W., Die Gotteskindschaft in der Geschichte Jesu und ihre religionsgeschichtliche Voraussetzungen, Weimar, 1938.

Grundmann, W., « Sohn Gottes », dans Zeitschrift für Neutestamentliche Wissenschaft, XLVII, 1956, p. 113-133.

Hahn, H., Christologische Hoheitstitel. Ihre Geschichte im frühen Christentum, Göttingen, Vandenhoeck & Ruprecht, 1963, p. 280-333.

Hay, L. S., « The Son of God Christology in Mark », dans Journal of Bible and Religion, Wolcott, N. Y.) XXXII, 1964, p. 106-114.

Iersel, B. M. F. Van, « Der Sohn » in der synoptischen Jesu Worten, Leiden, Brill, 1964 (Suppl. to NT).

Maurer, C., « Knecht Gottes und Sohn Gottes im Passionsbericht des Markusevangeliums », dans Zeitschrift für Theologie und Kirche, Tübingen, J. C. B. Mohr, L, 1953, p. 1-38.

Riesenfeld, H., Jésus transfiguré. L'arrière-fond du récit biblique de la Transfiguration de Notre-Seigneur, Lund-Kobenhavn, 1947.

Violet, B., Die Ezra Apokalypse, Leipzig, 1910 (Die Griechischen Christlichen Schrifsteller).

Violet, B., Die Apokalypsen des Esra und des Baruch, Leipzig, 1924.

XII. Serviteur de Dieu.

Brierre-Narbonne, J. J., Le Messie souffrant dans la tradition rabbinique, Paris, Geuthner, 1940.

Cullmann, O., « Jésus, serviteur de Dieu », dans Dieu-Vivant, Paris, Seuil, XVI, 1950, p. 17-34.

Cullmann, O., Christologie du Nouveau Testament, Neuchâtel, Delachaux et Niestlé, 1958, p. 48-73.

Dalman, G., Der leidende und sterbende Messias der Synagoge im ersten nachchristlichen Jahrtausend, Berlin, 1888.

Jeremias, J., « Zur Problem der Deutung von Jes. 53 in palästinischen Spätjudentum », dans Aux sources de la tradition chrétienne, Mélanges M. Goguel, Neuchâtel, Delachaux et Niestlé, 1950, p. 113-117.

Klausner, J., Die messianischen Vorstellungen des Jüdischen Volkes im Zeitalter der Tannaiten, Krakau, 1903.

Lohmeyer, E., Gottesknecht und Davidsohn, Göttingen, [2]1953.

Maurer, C., « Knecht Gottes und Sohn Gottes im Passionsbericht des Markusevangeliums », dans Zeitschrift für Theologie und Kirche, L, 1953, p. 1-38.

Mowinckel, S., He That Cometh, Oxford, Blackwell, 1956, p. 187-257.

North, C. R., The Suffering Servant in Deutero-Isaiah (avec bibliographie !) Oxford U. P. [2]1956.

Rowley, H. H., The Servant of the Lord and other Essays on the Old Testament, Oxford, Blackwell, [2]1965.

Wolff, H. W., Jesaja 53 im Urchristentum, Berlin, [2]1950.

Zimmerli, W. & Jeremias, J., art. dans Theologische Wörterbuch (G. Kittel), V, p. 653-713.

XIII. Fils de l'Homme.

Bammel, E., « Erwagungen zur Eschatologie Jesu », dans Studia Evangelica III 1964, p. 3-32 (sur le Fils de l'Homme, spécialement p. 19-28).

Barrett, C. K., Jesus and the Gospel Tradition, London, S.P.C.K., 1967, p. 6sv, 30-34, 67 et 77-99.

Bentzen, A., Messias, Moses redivivus, Menschensohn, Zürich, Zwingli-Verlag, 1948.

Borsch, F. H., The Son of Man in Myth and History, London, S.C.M., 1967.

Bultmann, R., Theologie des Neuen Testaments, Tübingen, Mohr, 1953, p. 29-33.

Colpe, C., Die Religionsgeschichtliche Schule. Darstellung und Kritik ihres Bildes vom gnostischen Erlösermythus, Göttingen, Vandenhoeck & Ruprecht, 1961.

Coppens, J. & Dequeker, L., Le Fils de l'Homme et les Saints du Très-Haut en Daniel VII, dans les Apocryphes et dans le Nouveau Testament, Louvain, (Analecta Lov. Bibl. et Orient.), 1961.

Cullmann, O., Christologie du Nouveau Testament, Neuchâtel, 1958, p. 118-166.

Feuillet, A., « Le Fils de l'Homme de Daniel et la tradition biblique », dans Revue Biblique, LX, 1953, p. 170-202 et 321-346.

Feuillet, A., « Le triomphe du Fils de l'Homme d'après la déclaration du Christ aux Sanhédrites », dans La venue du Messie, Bruges, 1962, p. 149-171.

Fiebig, P., Der Menschensohn. Jesu Selbstbezeichnung mit besonderer Berücksichtigung des aramäischen Sprachgebrauchs für « Mensch », Tübingen, 1901.

Fuller, R. H., The Mission and Achievement of Jesus, London, 1954.

Fuller, R. H., « The Clue for Jesus' self-understanding », dans Studia Evangelica III, Berlin, Akademie-Verlag, 1964, p. 58-66.

Guillet, J., « A propos des titres de Jésus : Christ, Fils de l'Homme, Fils de Dieu », dans À la rencontre de Dieu, Mémorial Albert Gelin, Le Puy, Mappus, 1961, p. 309-317.

Hahn, F., Christologische Hoheitstitel, Göttingen, Vandenhoeck & Ruprecht, 1963, p. 13-53.

Héring, J., Le Royaume de Dieu et sa venue, Neuchâtel, Delachaux et Niestlé, (Bibliothèque théologique), ²1959, p. 88-110.

Higgins, A. J. B., « Son of Man-Forschung since 'The Teaching of Jesus' », dans New Testament Essays (T. W. Manson Memorial), Manchester, 1959, p. 119-135.

Johansson, N., Parakletoi. Vorstellung von Fürsprechern für die Menschen vor Gott in der alttestamentliche Religion, in Spätjudentum und Urchristentum Lund, 1940.

Kraeling, C. H., Anthropos and Son of Man, New York, 1927.

Lietzmann, H., Der Menschensohn, Freiburg, 1896.

Manson, T. W., The Teaching of Jesus, Cambridge Univ. Pr. 1931, ⁸1959, p. 211-236.

Manson, T. W., Studies in the Gospels and Epistles, Manchester Univ. Pr. 1962, p. 121-145 (= Bull. John Rylands Library, XXXII, 1950, p. 171-193).

Mowinckel, S., He That Cometh, Oxford, Blackwell, 1956, p. 346-450.

Otto, R., Reich Gottes und Menschensohn, München, Beck, 1934.

Preiss, T., Le Fils de l'Homme, Montpellier, 1951-1952, 2 vol.

Richardson, A., An Introduction to the Theology of the New Testament, London, SCM, ²1961, p. 128-146.

Schulz, S., Untersuchungen zur Menschensohn-Christologie im Johannes-Evangelium, Göttingen, 1957.

Schweizer, E., « Der Menschensohn (Zur eschatologischen Erwartung Jesu) », dans Zeitschrift für Neutestamentliche Wissenschaft, L, 1959, p. 185-209.

Schweizer, E., « The Son of Man », dans Journal of Biblical Literature, LXXIX, 1960, p. 119-129.

Sjöberg, E., Der Menschensohn im äthiopischen Henochbuch, Lund, Gleerup, 1946.

Sjöberg, E., Der Menschensohn in den Evangelien, Lund, Gleerup, 1955.

Strecker, G., « Die Leidens- und Auferstehungvoraussagen im Markusevangelium », dans Zeitschr. f. Theologie und Kirche, LXIV, 1967, p. 16-39.

Tödt, H. E., Der Menschensohn in der synoptischen Uberlieferung, Gütersloh, Mohr, [2]1963.

Vielhauer, P., « Jesus und der Menschensohn », dans Zeitschrift für Theologie Kirche LX, 1963, p. 133-177, repris dans Aufsätze zum Neuen Testament, München, Chr. Kaiser, (Theologische Bücherei 31) 1965, p. 92-140.

Volz, P., Die Eschatologie der jüdischen Gemeinde im neutestamentliche Zeitalter, Tübingen, [2]1934, p. 187-190.

XIV. Le secret dans l'Église.

Barnard, L. W., « St. Mark and Alexandrie », dans Harvard Theological Review, LII, 1964, p. 145-150.

Brandon, S. G. F., « The Date of the Marcan Gospel », dans New Testament Studies, VII, 1960-1961, p. 126-141.

Brandon, S. G. F., « The Apologetical Factor in Mark », dans Studia Evangelica II, Berlin, 1964, p. 34-46.

Elliott-Binns, L. E., Galilean Christianity, London, SCM, 1956 (Studies in Biblical Theology).

Héring, J., « Zwei exegetische Probleme in der Perikope von Jesus in Gethsemane », dans Neotestamentica et Patristica, Freundesgabe O. Cullmann, Leiden, Brill, 1962, p. 64-69.

Lightfoot, R. H., History and Interpretation in the Gospels, London, (Bampton Lectures), 1935.

Lightfoot, R. H., Locality and Doctrine in the Gospels, London, 1938.

Lightfoot, R. H., The Gospel Message of St. Mark, Oxford, Clarendon Press, 1950.

Lightfoot, R. H., « A Consideration of three Passages in St. Mark's Gospel », dans In Memoriam E. Lohmeyer, Stuttgart, 1951, p. 110-115.

Lohmeyer, E., Galiläa und Jerusalem, Göttingen, Vandenhoeck & Ruprecht, 1936, (FRLANT).

McCool, F. J., Formation Traditionis Evangelicae, Romae, P.I.B., 1955 (polycopié).

Marxsen, W., Der Evangelist Markus, Göttingen, Vandenhoeck & Ruprecht, ²1959.

Nevius, R. C., « The use of Proper Names in St. Mark », dans Studia Evangelica II, Berlin, 1964, p. 225-228.

Riddle, B. D. W., « The Martyr Motif in the Gospel According to Mark », dans The Journal of Religion, IV, 1924, p. 397-410.

Robinson, J. M., The Problem of History in Mark, London, SCM, 1957.

Robinson, J. M., Das Geschichtsverständnis des Markus-Evangeliums, Zürich, Zwingli-Verlag, 1956.

Trilling, W., Christusgeheimnis - Glaubensgeheimnis, Leipzig-Mainz, 1957.

XV. Marc XIII.

Beasley-Murray, G. R., Jesus and the Future. An Examination of the Criticism of the Eschatological Discourse Mark 13, with special reference to the Little Apocalypse Theory, London, Macmillan, 1954 (contre théorie de la « petite apocalypse »).

Beasley-Murray, G. R., A Commentary on Mark Thirteen, London, Macmillan, 1957.

Brandon, S. G. F., « The Date of the Marcan Gospel », dans New Testament Studies VII, 1960-1961, p. 126-141 (contre Beasley-Murray).

Busch, F., Zum Verständnis der synoptische Eschatologie ; Markus 13 neu untersucht, Gütersloh, 1938 (unité littéraire du discours).

Colani, T., Jésus-Christ et les croyances messianiques de son temps, Strasbourg, [2]1864 (yhéorie de la « petite apocalypse juive »).

Conzelmann, H., « Geschichte und Eschaton nach Mk 13 », dans Zeitschrift für Neutestamentliche Wissenschaft, L, 1959, p. 210-221 (réinterprétation par Marc d'une « petite apocalypse » juive).

Feuillet, A., « Le discours de Jésus sur la ruine du temple d'après Marc XIII et Luc XXI, 5-36 », dans Revue Biblique, LV, 1948, p. 481-502 et LVI, 1949, p. 61-92 (authenticité).

Harder, G. « Das eschatologische Geschichtsbild der sogenannten kleine Apokalypse Markus 13 », dans Theologia Viatorum, IV, 1952, p. 71-107 (Mc XIII, 14-23 se rapporte à l'eschatologie et non à l'histoire).

Hartmann, L., Prophecy Interpreted. The Formation of Some Jewish Apocalyptic and of the Eschatological Discourse Mark 13 Par., Lund, 1966 (Coniectanea Biblica, New Testament Series I) (petite apocalypse à partir d'un « midrash » de Daniel).

Hölscher, G., « Der Ursprung der Apokalypse Mc 13 », dans Theologische Blätter, Leipzig, XII, 1933, p. 193-202 (petite apocalypse).

Kümmel, W. G., Verheissung und Erfüllung. Untersuchungen zur Eschatologischen Verkundigung Jesu, Zürich, Zwingli-Verlag, [3]1956.

Kümmel, W. G., Promise and Fulfilment. The Eschatological Message of Jesus, London, [2]1961, p. 95-104.

Lambrecht, J., « Die Logia-Quellen von Markus 13 », dans Biblica, XLVII, 1966, p. 321-360.

Lambrecht, J., Die Redaktion der Markus-Apocalypse, Roma, P.I.B. (Analecta Biblica 28), 1967.

Lévy, I., dans Revue des Études Juives, LI, 1906, p. 161-190.

Lightfoot, R. H., The Gospel Message of St. Mark, Oxford, 1950, p. 48-50 (parallélisme avec la Passion).

Marxsen, W., Der Evangelist Markus, [2]1959, p. 101-128.

Mussner, F., Was lehrt Jesus über das Ende der Welt ? Eine Auslegung von Markus 13, Freiburg/Br, Herder, 1964 (authenticité).

Nestle, E., « Der Greuel der Verwüstung », dans Zeitschrift für Alttestamentliche Wissenschaft, IV, 1884, p. 248f.

Robinson, J. A. T., Jesus and His Coming, London, SCM, 1957 (disciple de Dodd, prend le contre-pied de Beasley-Murray).

Robinson, J. M., The Problem of History in Mark, London, 1957, p. 60-63.

Weizsäcker, C., Untersuchungen über die evangelische Geschichte, Tübingen, 1864 (« petite apocalypse »).

XVI. Le secret et l'histoire.

Der historische Jesus und der kerygmatische Christus (hrsg. H. Ristow & K. Matthiae), Berlin, Evangelische Verlagsanstalt, [2]1961.

Der historische Jesus und der Christus unseres Glaubens, Wien, Herder, 1962.

Althaus, P., Das sogenannte Kerygma und der historische Jesus, Gütersloh, Gerd Mohn, 1958 (Beiträge zur Forderung christliche Theologie).

Althaus, P., Der gegenwärtige Stand der Frage nach dem historischen Jesus, München, 1960 (Sitzungsberichte der Bayerischen Akademie der Wissenschaft, Phil.-Hist. Klasse, 6. Abh.)

Althaus, P., « Das Evangelium und der historische Jesus », dans Universitas, XVII, 1962 (Stuttgart), Heft I, p. 17-27.

Anderson, H., « The Historical Jesus and the Origins of Christianity », dans Scottish Journal of Theology, (Edinburgh), XIII, 1960, p. 113-136.

Anderson, H., « Existential Hermeneutics, Features of the New Quest », dans Interpretation (Richmond), XVI, 1962, p. 131-155.

Anderson, H., Jesus and Christian Origins, New York, 1964.

Bartsch, H. W., « Neuansatz der Leben-Jesu-Forschung », dans Kirche in der Zeit, (Düsseldorf), XII, 1957, p. 244-247.

Bartsch, H. W., Das historische Problem des Lebens Jesu, München, Chr. Kaiser, 1960 (Theologische Existenz Heute, NF 78).

Bartsch, H. W., Das Auferstehungzeugnis. Sein historisches und sein theologisches Problem, Hamburg-Bergstedt, 1965 (Theologische Forschung).

Biehl, P., « Zur Frage nach dem historischen Jesus ; dans Theologische Rundschau, (Tübingen), XXIV, 1956-1957, p. 54-76.

Bornkamm, G., Jesus von Nazareth, Stuttgart, W. Kohlhammer, 1956, [7]1965 (Urban Bücher).

Bornkamm, G., « The Problem of the Historical Jesus and the Kerygmatic Christ », dans Studia Evangelica III, Berlin, Akademie-Verlag, 1964 (Texte und Untersuchungen 88), p. 33-44.

Braun, H., « Der Sinn der neutestamentliche Christologie », dans Zeitschrift für Theologie & Kirche, LIV, 1957, p. 341-377.

Bultmann, R., Geschichte der synoptischen Tradition, Göttingen, Vandenhoeck & Ruprecht, 1921, [4]1958.

Bultmann, R., Jesus, Tübingen, J. C. B. Mohr, 1926.

Bultmann, R., Glauben und Verstehen, I (1933), II (1952), III (1960), IV (1965), Tübingen, J. C. B. Mohr.

Bultmann, R., « Neues Testament und Mythologie », dans Kerygma und Mythos I, Hamburg-Bergstedt, H. Reich, 1948, [5]1967, p. 15-48.

Bultmann, R., « Nouveau Testament et Mythologie », dans L'interprétation du Nouveau Testament, Paris, Aubier, 1955, p. 139-183.

Bultmann, R., Theologie des Neuen Testaments, Tübingen, J. C. B. Mohr, 1953.

Bultmann, R., L'interprétation du Nouveau Testament, Paris, Aubier, 1955.

Bultmann, R., History und Eschatology, Edinburgh Univers. Press, 1957.

Bultmann, R., Das Verhältnis der urchristlichen Christus Botschaft zum historischen Jesus, Sitzungsberichte der Heidelberger Akademie der Wissenschaften, Phil.-hist. Klasse, 1960, 3.

Conzelmann, H., art. « Jesus Christus », dans Die Religion in Geschichte und Gegenwart III, Tübingen, J. C. B. Mohr, ³1959, 619-654.

Conzelmann, H., « Zur Methode der Leben-Jesu-Forschung », dans Zeitschrift für Theologie & Kirche, LVI, 1959, Beiheft 1, p. 2-13.

Conzelmann, H., « Jesus von Nazareth und der Glauben an den Auferstandenen », dans Der historische Jesus und der kerygmatische Christus, Berlin, 1960, p. 188-199.

Cullmann, O., Heil als Geschichte, Tübingen, J. C. B. Mohr, 1965.

Cullmann, O., Le salut dans l'histoire, Neuchâtel, Delachaux et Niestlé, 1966.

Dahl, N. A., « Der historische Jesus als geschichtswissenschaftliches und theologisches Problem », dans Kerygma und Dogma (Göttingen), I, 1955, p. 104-132.

Dibelius, M., Botschaft und Geschichte. Gesammelte Aufsätze, I. Zur Evangelienforschung, Tübingen, J. C. B. Mohr, 1953.

Diem, H., Der irdische Jesus und der Christus des Glaubens, Tübingen, J. C. B. Mohr, 1957 (Sammlung gemeinverständlicher Vorträge 215).

Dodd, C. H., History and the Gospel, London, J. Nisbet, 1938.

Drews, A., Das Markusevangelium als Zeugnis gegen die Geschichtlichkeit Jesu, Iena, 1921, ²1928.

Ebeling, G., « Jesus und Glaube », dans Zeitschrift für Theologie und Kirche, LV, 1958, p. 64-110 (repris dans Wort und Glaube, Tübingen, 1960, p. 203-254).

Ebeling, G., Das Wesen des christlichen Glaubens, Tübingen, J. C. B. Mohr, 1959.

Ebeling, G., « Die Frage nach dem historischen Jesus und der Problem der Christologie », dans Zeitschrift für Theologie und Kirche, LVI, 1959, Beiheft 1, p. 14-30.

Ebeling, G., Wort und Glaube, Tübingen, J. C. B. Mohr, 1960, ²1962.

Ebeling, G., Theologie und Verkündigung, Tübingen, J. C. B. Mohr, 1962.

Frör, K., Biblische Hermeneutik. Zur Schriftauslegung in Predigt und Unterricht, München, Chr. Kaiser Verlag, 1961.

Fuchs, E., « Jesus und der Glaube », dans Zeitschrift für Theologie und Kirche, LV, 1958, p. 170-185 (repris dans Zur Frage nach dem historischen Jesus, Tübingen, 1960, p. 238-257).

Fuchs, E., « Was wird in der Exegese des Neuen Testament interpretiert ? », dans Zeitschrift für Theologie und Kirche, LVI, 1959, Beiheft 1, p. 31-48 (repris dans Zur Frage nach dem historischen Jesus, 1960, p. 280-303).

Fuchs, E., Zur Frage nach dem historischen Jesus (= Gesammelte Aufsätze II), Tübingen, J. C. B. Mohr, 1960, ²1965.

Geiselmann, J. R., « Der Glaube an Jesus Christus, Mythos oder Geschichte ? », dans Theologische Quartalschrift, CXXIX, 1949, p. 257-277 et 418-439.

Geiselmann, J. R., Jesus der Christus. Die Urform des apostolischen Kerygma als Norm unsrer Verkündigung und Theologie von Jesus Christus, Stuttgart, Katholisches Bibelwerk, 1951.

Geiselmann, J. R., Jesus der Christus, I. Die Frage nach dem historischen Jesus, München, Kösel-Verlag, 1965.

Gogarten, F., Jesus Christus Wende der Welt. Grundfragen zur Christologie, Tübingen, J. C. B. Mohr, 1966.

Grollenberg, L., « De historiciteit der evangeliën toegelicht door het Oude Testament », dans Tijdschrift voor Theologie (Brugge), IV, 1964, p. 35-53.

Hasenhüttl, G., Der Glaubensvollzug. Eine Begegnung mit Rudolf Bultmann aus katholischen Glaubensverständnis, Essen, Ludgerus-Verlag, 1963 (Koinonia).

Heitsch, E., « Die Aporie des historischen Jesus als Problem theologischer Hermeneutik », dans Zeitschrift für Theologie und Kirche, LIII, 1956, p. 192-210.

Heitsch, E., « Jesus aus Nazareth als Christus », dans Der historische Jesus und der kerygmatische Christus, Berlin, 1960, p. 62-86.

Herbert, G., The Christ of Faith and the Jesus of History, London, SCM, 1962.

Hulsbosch, A., « Het reformatorisch karakter van de Entmythologisierung », dans Tijdschrift voor Theologie, IV, 1964, p. 1-34.

Hulsbosch, A., « Het verstaan van de Schrift », dans Tijdschrift voor Theologie, (Brugge), V, 1965, p. 1-27.

Jeremias, J., « Kennzeichnen der ipsissima vox Jesus », dans Synoptische Studien, Alfred Wikenhauser..., München, K. Zink, 1953, p. 86-93.

Jeremias, J., Das Problem des historischen Jesus, Stuttgart, 1960 (Calwer Hafte 32).

Kähler, M., Der sogenannte historische Jesus und der geschichtliche, biblische Christus, Leipzig, 1896, München, Chr. Kaiser, [3]1961 (Theologische Bücherei 2).

Käsemann, E., « Das Problem des historischen Jesus », dans Zeitschrift für Theologie und Kirche, LI, 1954, p. 125-153 (repris dans Exegetische Versuche und Besinnungen I, Göttingen, [3]1964, p. 187-214).

Käsemann, E., « Neutestamentliche Fragen von Heute », dans Zeitschrift für Theologie und Kirche, LIV, 1957, 1-21 (reproduit dans Exegetische Versuche und Besinnungen, II, Göttingen, 1964, p. 11-31.

Käsemann, E., Exegetische Versuche und Besinnungen, Göttingen, Vandenhoeck & Ruprecht, I, 1960, [3]1964 ; II, 1964.

Kümmel, W. G., Heilsgeschehen und Geschichte. Gesammelte Aufsätze 1933-1964, Marburg, N. G. Elwert, 1965 (Marburger Theol. Stud.)

Kümmel, W. G., « Jesusforschung seit 1950 », dans Theologische Rundschau, (Tübingen), XXXI, 1966, p. 15-46.

Léon-Dufour, X., Les évangiles et l'histoire de Jésus, Paris, Seuil, 1963.

Lightfoot, R. H., History and Interpretation in the Gospel, London, 1965.

Malet, A., Mythos et Logos. Introduction à la pensée de R. Bultmann, Genève, Labor & Fides, 1963 (= Université de Paris, 1962).

Malevez, L., Le message chrétien et le mythe. La théologie de R. Bultmann, Bruges, Desclée De Brouwer, 1954.

Manson, T. W., « The Quest of the Historical Jesus - Continued » (1949), dans Studies in the Gospels and Epistles, Manchester University Press, 1962, p. 3-12.

Marlé, R., Bultmann et l'interprétation du Nouveau Testament, Paris, Aubier, 1956 (Théologie).

Marlé, R., « Le Christ de la foi et le Jésus de l'histoire », dans Études, CCCII, 1959, p. 65-76.

Marlé, R., « Démythisation du Nouveau Testament », dans Études, CCCXXV, 1966, p. 163-181.

Marlé, R., Bultmann et la foi chrétienne, Paris, Cerf, (Foi Vivante), 1967.

Mussner, F., « Der historische Jesus und der Christus des Glaubens », dans Biblische Zeitschrift, (Paderborn), NF I, 1957, p. 224-252.

Mussner, F., « Der 'historische Jesus' », dans Der historische Jesus und der Christus unseres Glaubens, Wien, 1962, p. 103-128.

Pannenberg, W., « Heilsgeschehen und Geschichte », dans Kerygma und Dogma (Göttingen), V, 1959, p. 218-237 et 259-288.

Pannenberg, W., Rendtorff, R. u. T., Wilckens, U., Offenbarung als Geschichte, Göttingen, Vandenhoeck u. Ruprecht, 1961, ²1963 (Kerygma und Dogma, Beih. 1).

Pannenberg, W., Grundzüge der Christologie, Gütersloh, G. Mohn, 1964.

Riesenfeld, H., The Gospel Tradition and Its Beginnings. A Study in the Limits of « Formgeschichte », London, 1957.

Rigaux, B., « L'historicité de Jésus devant l'exégèse récente » dans Revue Biblique, LXV, 1958, p. 481-522.

Rigaux, B., Témoignage de l'évangile de Marc, Bruges, Desclée De Brouwer, 1965 (Pour une histoire de Jésus I)

Robinson, J. M., Das Geschichtsverständnis des Markus-Evangeliums, Zürich, Zwingli-Verlag, 1956.

Robinson, J. M., The Problem of History, London, SCM, 1957.

Robinson, J. M., Le kérygme de l'Église et le Jésus de l'histoire, Genève, Labor et Fides, 1961.

Robinson, J. M., Kerygma und historische Jesus, Stuttgart, Zwingli-Verlag, 1967.

Robinson, J. M., Cobbe, J., Theologie als Geschichte, Stuttgart, Zwingli-Verlag (Neulande in der Theologie), 1967.

Schmithals, W., Die Theologie Rudolf Bultmanns. Eine Einführung, Tübingen, J. C. B. Mohr, 1966.

Schnackenburg, R., « Jesusforschung und Jesusglaube », dans Catholica, Münster, XIII, 1959, p. 1-17.

Schnackenburg, R., « Zum Verfahren der Urkirchen bei ihrer Jesusüberlieferung », dans Der historische Jesus und der kerygmatische Christus, Berlin, Evangelische Verlag, 1960, p. 439-454.

Schweitzer, A., Geschichte der Leben-Jesu-Forschung, Tübingen, J. C. B. Mohr, 1906, [2]1913, [6]1951.

Schweizer, E., « Mark's Contribution to the Quest of the Historical Jesus », dans New Testament Study, X, 1963-1964, p. 421-432.

Steck, K. G., Die Idee der Heilsgeschichte. Hofmann-Schlatter-Cullmann, Zollikon, Evang. Verlag, 1959 (Theologische Studien), p. 10-61.

Steiger, L., Die Hermeneutik als dogmatisches Problem, Tübingen, (Diss.) 1961.

Trilling, W., Fragen zur Geschichtlichkeit Jesu, Düsseldorf, Patmos, [2]1967.

Vögtle, A., « Rudolf Bultmanns Existenztheologie in katholischer Sicht », dans Biblische Zeitschrift, Paderborn, NF I, 1957, p. 136-151.

Vögtle, A., « Révélation et histoire dans le Nouveau Testament », dans Concilium, XXI, 1967, p. 39-48.

Willemse, J., « Van, over en na Bultmann, dans Tijdschrift voor Theologie, IV, 1964, p. 285-299.

Zahrnt, H., Es begann mit Jesus von Nazareth, Stuttgart, Kreuz-Verlag, 1960.

TABLE DES NOMS D'AUTEURS.

Les tables des noms d'auteurs et des citations d'évangile sont dues à l'obli-geance de Sœur Gertrude Magos, Doct. Philol. class., de l'abbaye de Clairefontaine (Bouillon, Belgique). Nous l'en remercions bien vivement. Notre reconnaissance va également à Sœur Christiane Becker, Cand. en Philos. & Lettres, de la même abbaye, qui a bien voulu corriger très atten-tivement tout notre manuscrit.

ÉVANGILE SELON SAINT MARC.

TABLE GÉNÉRALE.

ACHEVÉ D'IMPRIMER
LE 28 MARS 1968
PAR DE WINDROOS
BEERNEM
BELGIQUE

D.L., 1er trim. 1968. — Éditeur, n° 5723.